COMMENT LES DÉMOCRATIES FINISSENT

DU MÊME AUTEUR

Histoire de Flore
Pourquoi des philosophes ?
Pour l'Italie
le Style du Général
Sur Proust
La Cabale des dévots
En France
Contrecensures
Lettre ouverte à la droite
Penseurs grecs et latins
La Philosophie classique
Ni Marx ni Jésus
Idées de notre temps
La Tentation totalitaire
La Nouvelle Censure
Un festin en paroles
La Grâce de l'Etat

JEAN-FRANÇOIS REVEL

COMMENT LES DÉMOCRATIES FINISSENT

avec le concours
de Branko Lazitch

BERNARD GRASSET
PARIS

Pour Nicolas,
Raphaël,
Guillaume
futurs citoyens du XXIe *siècle*
avec mes plus cordiaux encouragements.

PREMIÈRE PARTIE

LA DÉMOCRATIE DEVANT SON ENNEMI

1

LA FIN D'UN ACCIDENT

La démocratie aura peut-être été dans l'histoire un accident, une brève parenthèse, qui, sous nos yeux, se referme. En son sens moderne, celui d'une forme de société qui parvient à concilier l'efficacité de l'Etat avec sa légitimité, son autorité avec la liberté des individus, elle aura duré un peu plus de deux siècles, si l'on en juge d'après la vitesse à laquelle croissent les forces qui tendent à l'abolir. Elle n'aura, en outre, au bout du compte, été connue que d'une fraction infime de l'espèce humaine. Dans le temps comme dans l'espace, la démocratie occupe ainsi une place des plus réduites, puisque au demeurant la durée d'environ deux cents ans, que j'évoquais, ne se rapporte qu'aux rares pays où elle est apparue, encore très incomplète, à la fin du XVIIIe siècle. Dans la plupart des autres cas, les pays où survit aujourd'hui la démocratie ne l'ont adoptée que depuis moins d'un siècle, moins d'un demi-siècle, moins d'une dizaine d'années parfois.

Sans doute la démocratie aurait-elle pu durer, si elle avait été le seul type d'organisation politique au monde. Mais elle n'est pas foncièrement constituée pour se défendre contre les ennemis qui, de l'extérieur, veulent sa perte : surtout quand le plus récent et le plus redoutable de ces ennemis extérieurs, le communisme, variante actuelle et modèle achevé du totalitarisme, parvient à se présenter comme un perfectionnement de la démocratie même, alors qu'il en est la négation absolue. La démocratie est par dessein tournée vers l'intérieur. Elle est par vocation occupée à l'amélioration patiente et réaliste de la vie en société. Le communisme au contraire est par nécessité tourné vers l'extérieur, car il constitue un échec social, il est incapable d'engendrer une société viable. La Nomenklatura, ensemble des bureaucrates-dictateurs qui dirigent le système, ne trouve donc à employer ses capacités que dans l'expansionnisme. Elle y est plus habile et plus persévérante que la démocratie ne l'est à se défendre. La démocratie incline à méconnaître, voire à nier les menaces dont elle est l'objet, tant elle répugne à prendre les mesures propres à y répliquer. Elle ne se réveille que lorsque le danger devient mortel, imminent, évident. Mais alors soit le temps lui manque pour qu'elle puisse le conjurer, soit le prix à payer pour survivre devient accablant.

A l'ennemi extérieur, jadis nazi, aujourd'hui communiste, dont toute l'énergie intellectuelle et toute la puissance économique sont tournées vers la destruction, s'ajoute pour la démocratie l'ennemi intérieur, dont la place est inscrite dans ses lois mêmes. Alors que le totalitarisme liquide tout ennemi intérieur, ou pulvérise tout début d'action de sa part, grâce à des moyens simples et infaillibles, puisque antidémocratiques, la démocratie, elle, ne peut se défendre que très mollement. L'ennemi intérieur de la démocratie joue une partie aisée, car il exploite le droit au désaccord, inhérent à la démocratie même. Il cache avec adresse sous l'opposition légitime, sous la critique reconnue comme une prérogative de tout citoyen, le dessein de détruire la démocratie même, la recherche active du pouvoir absolu, du monopole de la force. La démocratie est en effet ce régime paradoxal où est offerte à ceux qui veulent l'abolir la possibilité unique de s'y préparer dans la légalité, conformément au droit, et même de recevoir à cet effet l'appui presque patent de l'ennemi extérieur, sans que cela passe pour une violation réellement grave du pacte social. La frontière est indécise, la transition facile entre l'opposant loyal, qui use d'une faculté prévue par les institutions, et l'adversaire qui viole ces institutions mêmes. Le totalitarisme confond le premier avec le second, de façon à justifier l'écrasement de toute opposition ; la démocratie confond le second avec le premier, de peur d'être accusée de trahir ses propres principes.

On aboutit donc à cette situation renversée, que nous vivons tous les jours dans cette société que nous appelons par convention l'Occident, situation où ceux qui veulent détruire la démocratie paraissent lutter pour des revendications légitimes, tandis que ceux qui veulent la défendre sont présentés comme les artisans d'une répression réactionnaire. L'identification des adversaires, intérieurs et extérieurs, de la démocratie à des forces progressistes, légitimes et, qui plus est, à des forces de « paix » tend à déconsidérer et à paralyser l'action des hommes qui ne veulent que préserver leurs institutions.

A cette coalition de forces hostiles et de logiques négatives s'ajoute un harcèlement d'accusations et d'intimidations culpabilisantes tel qu'aucun système politique n'en a jamais supporté. Comme les associations de vertu parlaient jadis d' « industrie du vice », il existe une « industrie de la faute », dont le secret consiste à accréditer le postulat, aujourd'hui admis universellement, qu'à tout ce qui se produit ou se poursuit de mauvais dans le tiers monde correspond un coupable qui se trouve nécessairement et uniquement dans le monde dit « plus avancé », ou « riche », c'est-à-dire, dans presque tous les cas, et pour cause, le monde démocratique. Les gros actionnaires de cette « industrie de la faute » sont d'abord les despotes qui oppriment impunément les peuples de ce malheureux tiers monde. Ce sont ensuite les Etats communistes, qui, tirant parti chez autrui d'un sous-développement qu'ils sont incapables de guérir chez eux, transforment les pays pauvres en forteresses militaires et totalitaires. Dans ce domaine aussi, celui des rapports dits Nord-Sud, on assiste à une convergence entre ennemis extérieurs et intérieurs des démocraties, sans aucune utilité pour avancer la condition des peuples pauvres, mais d'une merveilleuse efficacité pour ronger la confiance des démocraties dans leur propre légitimité, leur propre droit à l'existence. Le « progressisme » du soutien idéologique de certains Occidentaux au pire tiers monde constitue un simple déplacement géographique de ce que fut pendant soixante ans le « progressisme » du soutien à l'Union soviétique ou à la Chine de Mao : une complicité d'une certaine gauche occidentale *contre* les peuples *avec* les tyrans qui les asservissent, les abrutissent, les affament et les exterminent. Scandaleux détournement d'une intention noble.

Il semble donc que l'ensemble des forces à la fois psychologiques et matérielles, politiques et morales, économiques et idéologiques qui concourent à l'extinction de la démocratie soit supérieur à l'ensemble des forces du même ordre qui concourent à la maintenir en vie. En un mot, ses réussites et ses bienfaits ne sont pas portés à son actif, tandis qu'elle paye ses échecs, ses insuffisances et ses fautes infiniment plus cher que ses adversaires ne payent les leurs. L'objet de ce livre est de décrire en détail cette implacable machine à éliminer la démocratie qu'est devenu le monde où nous vivons. Peut-être pourra-t-on trouver quelque satisfaction à en comprendre le fonctionnement, faute de pouvoir l'arrêter.

2

UNE VICTIME COMPLAISANTE

La civilisation démocratique est la première dans l'histoire qui se donne tort, face à la puissance qui travaille à la détruire. Plus que l'acharnement du communisme à effacer la démocratie de la planète, plus que les succès fréquents qu'il remporte en poursuivant cette tâche, la marque distinctive de notre siècle aura été l'humilité avec laquelle la civilisation démocratique accepte de disparaître et s'ingénie à légitimer la victoire de son plus mortel ennemi. Que le communisme tende de toutes ses forces à détruire la démocratie est naturel, puisque les deux sont incompatibles et que la survie du premier dépend de l'extinction de la seconde. Que le communisme ait été dans son offensive plus heureux, plus habile que la démocratie dans sa résistance, cela ne serait dans l'histoire qu'un exemple supplémentaire d'une puissance sachant se montrer meilleure manœuvrière qu'une autre. En revanche, il est moins naturel et plus nouveau que la civilisation frappée non seulement juge dans son for intérieur que sa défaite est justifiée, mais prodigue à ses partisans comme à ses adversaires un luxe de raisons pour dépeindre toute forme de défense de sa part en général comme immorale, au mieux comme superflue et inutile, souvent même comme dangereuse.

C'est un thème ancien que celui des civilisations qui perdent confiance en elles-mêmes et cessent de se croire capables de survivre, soit sous le fardeau d'une crise interne aussi impossible à résoudre qu'à prolonger, soit sous la menace d'un ennemi extérieur tellement fort qu'il faut choisir entre la servitude et le suicide. Notre civilisation démocratique, bien que ne remplissant à mon avis aucune de ces deux conditions, ne s'en comporte pas moins comme si elle les remplissait. Mais ce qui la distingue surtout, c'est son ardeur à étaler au grand jour sa croyance en sa propre culpabilité et en l'issue fatale qui en résultera, croyance d'ordinaire cachée comme un secret honteux par ses devancières, lorsqu'elles se savaient ou se supposaient condamnées. C'est enfin le zèle qu'elle met à forger avec un talent prolifique les arguments aptes à établir le bon droit de son adversaire et à nourrir le dossier accablant de ses propres insuffisances.

Ces insuffisances sont-elles réelles ou imaginaires ? Une partie d'entre elles sont réelles, bien sûr, tout comme sont réelles une partie des responsabilités que l'on attribue à telle ou telle puissance démocratique, ou aux démocraties prises ensemble, dans les injustices et les malheurs qui frappent le monde. Mais une grande partie de ces insuffisances et de ces responsabilités sont ou bien exagérées ou bien conjecturales ou bien purement imaginaires. Touchant les imperfections réelles, la question est de savoir si elles sont assez graves pour donner une justification morale à l'extermination par le totalitarisme des sociétés démocratiques existant aujourd'hui. Touchant les imperfections imaginaires, la question est de savoir pourquoi elles trouvent tant de crédit au sein même des sociétés démocratiques, qui sont ainsi calomniées. Car l'absurdité de la maladie en cours tient à ce que la démocratie, aujourd'hui, n'est nullement sur le point de succomber, si elle succombe, à une crise interne, à une sorte d'absence essentielle de viabilité, comme ce fut presque son sort entre les deux guerres mondiales. Entre 1919 et 1939 les démocraties semblaient rongées du dedans par un mal irrésistible, qui les poussait à engendrer dans leur propre sein des dictatures de droite et à capituler les unes après les autres devant la montée de régimes autoritaires ou totalitaires surgis de leur impuissance à gouverner. En Europe centrale, presque aucun des régimes parlementaires institués au lendemain de la Première Guerre mondiale ne subsistait dix ans plus tard. En Europe occidentale, après l'Italie, c'étaient le Portugal, l'Allemagne, l'Espagne qui versaient dans le fascisme. Des grandes puissances européennes, seules la Grande-Bretagne et la France restaient fidèles à la démocratie, et encore celle-ci était-elle en France si faible, si incohérente, si attaquée que sa santé y inspirait les pires craintes. Rien de tel en cette fin du XXe siècle : la santé politique de l'Europe non communiste est satisfaisante. C'est la première fois depuis 1922, année où Mussolini prend le pouvoir à Rome, que l'Europe occidentale tout entière est démocratique. Les sept années de dictature des colonels grecs, de 1967 à 1974, se sont terminées par leur déconfiture et par un renforcement de la démocratie. Le putsch militaire tant redouté en Espagne après 1975 a échoué. Les attaques les plus dangereuses, les plus systématiques contre la démocratie sont venues de la gauche révolutionnaire : terrorismes rouges en Italie, en Espagne, en République fédérale d'Allemagne, et tentative d'une minorité d'implanter au Portugal un régime totalitaire, militaro-communiste, en 1975. Malgré ces épreuves, les vieilles démocraties ont tenu et les nouvelles ont survécu, se sont même épanouies. Les efforts laborieux que déploie périodiquement la gauche pour alarmer les populations en annonçant la remontée en Europe d'un péril néo-nazi se sont toujours heurtées au fait brut qu'aucun mouvement fascisant dans l'Europe actuelle n'a atteint les dimensions d'un parti et n'a réussi à faire élire un seul député où que ce soit. La publicité qui a hissé la confidentielle « nouvelle droite » française au pinacle de la gloire, en 1980, attestait avant tout le besoin de la gauche de s'inventer un ennemi selon son cœur pour se dissimuler l'ennemi véritable, le communisme. La « nouvelle droite » est sans aucun doute une aberration intellectuelle et morale : elle n'est à aucun degré une force politique. D'ailleurs, à la différence de ce qui était courant avant la guerre, aucune personnalité politique influente ne se propose ouvertement aujourd'hui de renverser la démocratie, et, si c'était le cas, ne pourrait songer à y parvenir. Le terrorisme « noir », dont les certificats de naissance et les appuis étrangers sont d'ailleurs beaucoup moins discernables que ceux du terrorisme rouge, n'en émane pas moins du même sentiment d'impuissance que lui, l'impuissance de l'extrême droite comme de l'extrême gauche à mobiliser par des moyens légaux plus que des groupuscules. La formule stupidement glorieuse de « gauche extraparlementaire », qui fit florès en Italie et en Allemagne vers 1970, n'exprimait rien que l'incapacité de la gauche révolutionnaire comme de l'extrême droite à séduire assez d'électeurs pour devenir parlementaire [1]. Considérée en elle-même donc, la démocratie s'est étendue et consolidée depuis la Seconde Guerre mondiale. Peu de pays, certes, en jouissent, mais dans ces pays elle repose plus que par le passé, comme système institutionnel, sur un soutien qui confine à l'unanimité.

Cependant, si le système démocratique comme institution n'est plus remis en cause de l'intérieur, les sociétés, la civilisation, les valeurs qu'il a créées le sont de plus en plus. Certes la critique de soi-même constitue l'un des ressorts indispensables de la civilisation démocratique et de sa supériorité sur toute autre ; mais la condamnation systématique de soi-même, souvent peu ou pas du tout fondée, est source de faiblesse et d'infériorité devant une puissance impériale affranchie pour sa part de tout scrupule de conscience. Pour les individus et les sociétés, s'imaginer avoir toujours raison, même quand les faits vous donnent tort, est une cause d'aveuglement et d'affaiblissement ; mais s'imaginer avoir toujours tort, fût-ce au mépris de la vérité, décourage et paralyse. Non seulement les démocraties aujourd'hui s'attribuent des fautes qu'elles n'ont pas

1. Le parti de droite dit néo-fasciste MSI (Mouvement social italien), bien qu'exclu par les autres de l' « arc constitutionnel », n'en est pas moins respectueux des institutions et opposé à la violence.

commises, mais elles ont pris l'habitude de se juger par rapport à un idéal à ce point inaccessible que le verdict de culpabilité s'y inscrit d'emblée par avance. Il en découle qu'une civilisation qui se ressent comme coupable dans tout ce qu'elle est, tout ce qu'elle fait, tout ce qu'elle pense ne trouve guère en elle d'énergie et de conviction pour se défendre lorsque son existence est menacée. Enseigner chaque jour à une civilisation qu'elle ne sera digne d'être défendue qu'à condition de parvenir à être l'incarnation d'une justice parfaite, c'est l'inviter à se laisser mourir ou à se laisser asservir.

Car c'est bien là qu'est le drame. L'excès de la critique de soi est un luxe de la civilisation qui n'importerait guère si un ennemi extérieur ne s'en prenait à l'existence même de la démocratie. Se donner tort en tout est une démarche qui devient dangereuse lorsqu'elle a pour contrepartie pratique de donner raison à un ennemi mortel. L'outrance dans la critique constitue un bon procédé de propagande en politique intérieure. Mais, à force d'être répétées, les outrances finissent par être crues. Et, devant l'ennemi extérieur, où donc les citoyens des sociétés démocratiques puiseraient-ils des motifs de résistance, si on les a convaincus au préalable. dès l'enfance que leur civilisation tout entière n'est qu'une collection d'échecs et une monstrueuse imposture? Les opposants, les contestataires, dans le sein du monde démocratique, et jusqu'aux « conservateurs » souscrivent, les uns par conviction les autres par résignation, aux arguments qu'invoque l'Union soviétique pour justifier son entreprise de destruction des sociétés libérales. S'il est vrai, dès lors, que le principe de la démocratie politique n'est plus contesté du dedans, la réalité de cette même démocratie politique est, en revanche, attaquée du dehors, à l'échelle mondiale, comme elle ne l'a jamais été dans sa courte histoire. Et cette attaque, d'une vigueur, d'une ampleur et d'une intelligence sans exemple, la surprend dans un état d'impotence intellectuelle et d'indolence politique qui la dispose à la défaite et qui rend probable pour ne pas dire inéluctable une victoire du communisme.

Il est possible également que la civilisation démocratique ne meure pas pour toujours, que nous nous trouvions seulement au terme d'un cycle, qui, en s'achevant, mettra le point final à une première période de libertés individuelles, au sens où la démocratie moderne les entend. L'humanité tout entière passerait alors sous la domination communiste. Ensuite, elle se soulèverait contre le communisme, qui, n'ayant plus ni complices extérieurs sur lesquels s'appuyer, ni futures victimes à réduire en esclavage, ni économies capitalistes aux dépens desquelles vivre, étalerait, sans plus désormais la moindre excuse, son incapacité à gérer une société humaine, et ne pourrait plus faire face à l'insurrection interne de ses sujets, ni les emprisonner ou les exterminer tous. Alors, au bout de quelques siècles, l'hypothèque socialiste ayant ainsi été levée pour l'humanité, un nouveau cycle démocratique pourrait commencer.

3

L'ERREUR DE TOCQUEVILLE

Il nous faut lever une main parricide sur notre père Parménide, dit l'Etranger dans *le Sophiste,* et remettre en question une thèse maîtresse de sa philosophie. C'est avec les mêmes « sentiments filiaux d'un parricide », pour reprendre le titre de Proust, que je porte l'examen sinon la main sur Tocqueville. Non que je croie en rien excessive, tout au contraire, la place qu'au terme du XXe siècle a enfin conquise son œuvre, seul havre de grâce et de confiance parmi les monuments terribles de la philosophie politique, tous ces textes vénérés qui, depuis deux siècles, ceux de droite comme ceux de gauche, prescrivent à qui mieux mieux l'extermination d'une moitié du genre humain et la rééducation de l'autre. Ce qui me console dans mon audace est que je me risque à corriger Tocqueville sur un point où, à mon sens, il a été trop pessimiste.

Il annonce, en effet, on le sait mais on insiste moins sur cette face de son œuvre que sur d'autres, une sorte d'étouffement de la démocratie par elle-même, par l'achèvement extrême auquel elle parviendra. Tocqueville décrit ce stade suprême comme une dictature douce de l'opinion publique, comme l'âge de l'homogénéité des sentiments, des idées, des goûts, des mœurs, soumettant les citoyens à l'esclavage non d'une contrainte extérieure, mais de la toute-puissance de leur propre consentement mutuel. Plus se perfectionne la démocratie égalitaire, et plus spontanément les hommes qui la pratiquent se rassemblent entre eux, plus ils veulent tous librement les mêmes choses. La diversité se trouve peu à peu bannie de cette société, non plus par la censure mais par la désapprobation ou la simple indifférence. La toute-puissance de la majorité fait disparaître jusqu'au besoin de s'écarter de l'opinion dominante. L'homme original, dont l'esprit marche au rebours du commun, dépérit, quand il n'est pas mort-né, sans qu'on ait à le persécuter, faute d'audience, faute même de contradicteurs.

L'égalité des conditions, base de la démocratie, au sens où

Tocqueville entend cette égalité, c'est-à-dire égalité non des richesses mais des statuts, engendre l'uniformité de la pensée. L'une et l'autre ensemble ont à leur tour une conséquence qui anéantit ou du moins altère au point de la rendre méconnaissable l'idée qu'à sa naissance la civilisation démocratique donnait de son futur épanouissement. Cette conséquence, c'est l'accroissement du rôle de l'Etat, cet Etat moderne vers lequel se tournent pour tout lui demander, donc aussi tout en accepter les enfants de la démocratie, individus isolés des autres individus par l'égalité même de leurs conditions et l'identité de leurs libertés. Tocqueville peint en visionnaire et avec une précision confondante l'ascension à venir de cet Etat omniprésent, omnipotent et omniscient, que l'homme du XXe siècle connaît si bien : Etat protecteur, entrepreneur, éducateur ; Etat médecin, imprésario, libraire ; Etat secourable et prédateur, tyrannique et tutélaire ; économiste, journaliste, moraliste, transporteur, commerçant, publicitaire, banquier, père et geôlier tout à la fois. Il rançonne et il subventionne. Cet Etat s'installe sans violence dans un despotisme d'une minutie câline qu'aucune monarchie, aucune tyrannie, aucune autorité politique à l'ancienne n'avaient les moyens d'atteindre. Son pouvoir confine d'autant plus à l'absolu qu'il est moins ressenti, d'abord parce que sa progression s'est faite par degrés insensibles, ensuite parce que son étendue résulte du désir même des citoyens, qui tournent vers lui les regards qu'ils ont cessé de porter les uns sur les autres. Ces pages de Tocqueville contiennent en germe le *1984* d'Orwell et *la Foule solitaire* de Riesman.

La déduction de Tocqueville se trouve à la fois confirmée et infirmée par l'histoire. Confirmée puisque les démocraties du XIXe et du XXe siècle ont fait croître en même temps la force de l'opinion publique et le poids de l'Etat. Infirmée parce que l'opinion publique, pour puissante qu'elle soit devenue, n'a grandi ni en constance ni en uniformité, mais au contraire en versatilité et en diversité ; et parce que l'Etat, loin d'avoir acquis une vigueur proportionnelle à son gigantisme, se trouve de plus en plus désobéi et contesté par ceux mêmes qui en attendent tout. Submergé d'exigences, sommé de tout résoudre, il est de plus en plus dépouillé du droit de tout ordonner. L'omnipotence fondée sur le consentement général qu'entrevoyait Tocqueville n'est donc qu'une des faces de l'Etat moderne. L'autre est une tout aussi entière impotence, devant les pressions revendicatives quotidiennes et opposées qu'exercent sur lui les citoyens, avides d'une assistance en contrepartie de laquelle ils acceptent de moins en moins d'obligations. A tout envahir, l'Etat démocratique s'est gorgé en fin de compte de plus de responsabilités que de pouvoirs. Les contradictions mêmes qui existent entre des intérêts aussi légitimes qu'incompatibles, attendant tous qu'il les traitera avec une égale bienveillance, suffisent à montrer que le cercle de ses devoirs s'élargit toujours plus vite que celui de ses moyens d'action. On ne saurait nier l'encombrement de la société par l'Etat tutélaire, à condition de préciser toutefois que sa dilatation même le rend vulnérable et le paralyse souvent, face à des clientèles plus empressées à le harceler qu'à l'écouter.

Ces conduites déterminent un émiettement des sociétés démocratiques en groupes séparés qui se battent pour leurs avantages en se souciant fort peu des autres groupes et de l'ensemble. De même, l'opinion publique, au lieu de s'unifier dans l'uniformité des pensées identiques, s'est fragmentée au sein des mêmes sociétés en cultures multiples, parfois si différentes les unes des autres, par les goûts, les façons de vivre, la morale, le langage, qu'elles parviennent peu ou pas du tout à se comprendre. Elles se côtoient sans se fréquenter. L'opinion publique, dans la civilisation démocratique aujourd'hui, n'est pas un continent, c'est un archipel. La revendication d'une originalité propre à chacune des îles de cet archipel l'emporte sur le sentiment d'appartenir au groupe national et plus encore au groupe des nations démocratiques.D'un côté il est exact que nous vivons à l'âge des masses et d'un certain « village planétaire » où s'unifient les mœurs et les modes. De l'autre, nous vivons aussi à l'âge du triomphe des minorités, de la juxtaposition de toutes les sortes de morales, tendance qui contrarie la première. S'il est visible que la passion de l'égalité, où Tocqueville voyait le moteur essentiel de la démocratie, entraîne l'uniformité, n'oublions pas que la démocratie repose aussi sur la passion de la liberté, qui entraîne la diversité, la fragmentation, la multiplication des singularités, comme l'a bien dit son plus subtil ennemi, Platon, lorsqu'il comparaît la société démocratique à un manteau bigarré, bariolé, couvert de taches multicolores. En démocratie, dit-il, chacun prend le droit de « vivre à sa guise », et donc les genres de vie se multiplient et se superposent. Pour Aristote aussi, le principe à la base de la démocratie est avant tout la liberté ; et ce principe se décompose selon lui en deux règles : l'une, que « chacun, tour à tour, commande puis est commandé » ; l'autre, que « chacun mène sa vie comme bon lui semble [1]. Dans la formation de la démocratie américaine aussi, le droit *to do one's own thing* correspond à une passion aussi forte, parfois même plus forte que celle de l'égalité.

Les luttes idéologiques et culturelles entre les diverses îles de l'archipel démocratique en sont venues à passer, dans nos sociétés, avant la défense de l'archipel même. Aux Pays-Bas, en 1981, à propos de l'Afghanistan et de la Pologne, un large pourcentage de l'opinion estimait que les Hollandais n'avaient pas le droit moral de critiquer la répression communiste ni les interventions soviétiques

1. Platon, *République*, VIII. Aristote, *Politique*, Z, 2.

« tant que les conditions d'habitat à Amsterdam n'auraient pas répondu aux plus hauts critères du confort moderne, tant que les femmes resteraient exploitées, tant que les couples mariés homosexuels ne se verraient pas reconnaître l'ensemble des droits légaux dont jouissent les couples mariés hétérosexuels[1] ». La vision tocquevillienne d'une société devenant démocratiquement totalitaire à force d'accord entre les citoyens qui la composent ne s'est pas réalisée. Le système dépeint dans la dernière partie de *la Démocratie en Amérique* se trouve appliqué de nos jours dans les *vraies* sociétés totalitaires, les sociétés communistes, avec cette réserve que le fait ne vérifie en rien l'hypothèse de Tocqueville, puisque aucune de ces sociétés n'est devenue totalitaire par des moyens démocratiques. C'est une vieille obsession des ennemis de la démocratie que de prédire, avec des visées et des arguments entièrement opposés à ceux de Tocqueville, cela va de soi, une transformation subreptice de tous les régimes démocratiques en régimes autoritaires. C'est une façon pour eux de nier l'authenticité, la possibilité même de la démocratie.

Le spectacle du monde réfute cette théorie. La démocratie est moins que jamais aujourd'hui menacée de l'intérieur, elle l'est plus que jamais de l'extérieur.

1. Cité par Michel Heller, *Sous le regard de Moscou,* 1982, Calmann-Lévy, p. 72.

4

LA SURVIVANCE DU MOINS APTE

Un préjugé répandu consiste à croire que la capacité de survie d'une société dépend de son aptitude à satisfaire les besoins de ses membres. Forts de ce postulat, maints dirigeants et commentateurs occidentaux voient dans l'anémie chronique de l'économie soviétique, non seulement incurable, semble-t-il, mais sans cesse aggravée, la cause d'un effondrement imminent de l'empire, ou du moins d'un ralentissement forcé de son expansion. D'autres, au contraire, trouvent dans l'insigne impéritie communiste des sujets d'inquiétude pour les démocraties, l'échec éternel à l'intérieur poussant les maîtres de l'empire à rechercher des succès à l'extérieur. Je le précise aussitôt : peu importe la théorie retenue, la conclusion des gouvernements occidentaux est dans les deux hypothèses, jusqu'à présent, qu'il faut ménager l'Union soviétique. S'il s'avère que son impérialisme s'éteigne faute de combustible, pourquoi le réveiller par une diplomatie intransigeante ? Si l'on penche pour la probabilité d'une humeur rendue de plus en plus agressive par les faillites internes, pourquoi provoquer, par manque de souplesse, des réactions soviétiques d'une virulence disproportionnée à l'enjeu ? Veut-on faire « sauter la planète » ? Eclatante illustration de cette maxime, qui sert de titre à un chapitre de Montaigne, que, souvent, « par divers moyens on arrive à pareilles fins » : nos diplomates des deux écoles tirent de principes distincts une même conséquence ; selon eux, nous devons nous abstenir non seulement de trop résister à l'impérialisme communiste, mais même de lui marchander notre aide et assistance économique. Si les dirigeants communistes sont en train de s'amollir, il faut leur prouver qu'avec nous la douceur paye ; si en revanche la misère de leurs sujets les rend de plus en plus irritables vis-à-vis du reste du monde, il nous faut soulager cette misère pour calmer cette colère.

A défaut du parti que les démocraties pourraient, le cas échéant, tirer de la faiblesse économique soviétique, et puisque pour l'instant elles écartent cette vile pensée, la seule question qui subsiste est de savoir si cette faiblesse persistante du communisme peut provoquer un effondrement spontané de l'empire. A cette question, la réponse me paraît devoir être oui, dans la durée, mais non dans un délai qui serait assez court pour modifier le rapport des forces dans le monde actuel. Oui dans la durée, car, de toute évidence, un système social qui en trois quarts de siècle n'a cessé d'entretenir la détresse alimentaire et sanitaire de son peuple est destiné à disparaître un jour. Non, toutefois, avant un terme qui changerait le proche avenir pour nous, car l'Union soviétique a survécu au cataclysme économique en des temps où elle était, comme grande puissance, très au-dessous de son niveau présent. La répression policière y est si parfaite, la séparation des habitants et des régions entre eux est si propre à tuer dans l'œuf toute protestation organisée, l'inconscience même de la grande masse de la population, si mal avertie, faute de points de comparaison, de l'existence d'autres niveaux et d'autres genres de vie est telle qu'on ne voit pas ce qui pourrait contraindre l'Etat soviétique à remplacer, *dans un délai bref*, ses priorités militaires et impérialistes par des priorités intérieures de développement économique et de progrès social. En outre, il serait de toute manière incapable de les satisfaire sans immoler le système politique même, principal frein au développement.

Surtout, et c'est là mon objection principale, l'idée qu'un système d'autorité politique devrait s'effondrer parce qu'il est incapable de faire vivre dignement ses ressortissants ne peut venir à l'esprit que d'un démocrate. En raisonnant de la sorte à propos de l'empire, nous prêtons au régime totalitaire les principes régulateurs et l'univers mental du système démocratique. Or ces règles et cette mentalité sont des plus anormales et, comme je l'ai dit plus haut, très récentes, sans doute provisoires. La conception d'après laquelle un détenteur de pouvoir devrait déguerpir sous prétexte que ses sujets sont mécontents, meurent de faim ou d'ennui, est une élucubration fantasque dont l'histoire humaine atteste l'éclatante rareté. Obligés par la mode du temps de se rallier en parole à cet encombrant précepte, les neuf dixièmes des gouvernants de notre époque se gardent bien de le mettre en pratique, s'offrant même le luxe, pour faire bonne mesure, d'accuser les seules vraies démocraties existantes de le violer constamment ! Quant aux pouvoirs totalitaires, comment pourraient-ils violer un contrat social qu'ils n'ont jamais signé ?

En réalité, des causes de mécontentement comparativement mineures rongent, perturbent, paralysent, désarçonnent les démocraties plus vite et plus fort que les famines gigantesques et la misère constante ne gênent les régimes communistes, dont les populations asservies n'ont ni droits réels ni moyens d'agir. Les sociétés qui incorporent à leur fonctionnement la critique permanente sont les seules vivables, ce sont aussi les plus fragiles : ce seront en tout cas les plus friables aussi longtemps qu'elles ne seront pas seules au monde et qu'elles seront aux prises avec des systèmes n'assumant pas les mêmes obligations. Ne prêtons pas au totalitarisme ce type de fragilité, propre à la démocratie. Il en a un autre, que nous aurons à identifier.

Une société devient d'autant plus périssable qu'elle résout davantage de problèmes, et sa longévité d'autant plus assurée qu'elle en résout moins. Un trait célèbre de Tocqueville, et dans ce cas l'histoire ultérieure lui a donné raison, est d'avoir observé qu'une société se bat d'autant plus contre l'autorité que le niveau de satisfaction des besoins y est plus élevé. En d'autres termes, les revendications se font d'autant plus agressives qu'elles ont déjà été largement couronnées de succès, et surtout que l'espérance de conquérir des avantages toujours supérieurs ne paraît pas illusoire, ce qui suppose un acquis substantiel de prospérité et de liberté. Les démocraties industrielles, au cours du troisième quart du XXe siècle, c'est-à-dire au cours des années où elles se sont le plus enrichies et le plus libéralisées, devenaient de plus en plus instables, explosives, ingouvernables. En somme, ce n'est pas la stagnation, ce n'est pas la régression qui engendre les révoltes, c'est le progrès, parce qu'il a engendré tout d'abord les biens grâce auxquels les révoltes ne sont pas vaines.

Cette « loi » de Tocqueville mérite d'être nuancée, car il existe, bien sûr, des émeutes de la misère, encore que, même dans le tiers monde, les insurrections soient souvent déclenchées par un début de modernisation, d'amélioration et par la conviction que les moyens de vivre mieux existent. Nous devons cependant le concéder, la loi semble d'autant plus valable que les sociétés sont plus complexes, et dialoguent sans crainte avec un Etat et une administration amples, efficaces ou supposés tels, et ancrés dans une tradition démocratique. Elle requiert en effet que la société civile puisse se dresser contre l'Etat, c'est-à-dire, en réalité, soit devenue plus forte que lui. Ces conditions ne sont pas réunies en Union soviétique ou en Chine : l'Etat est tout, la société civile rien ; la stagnation économique et la sclérose sociale ne peuvent stimuler aucun espoir ; l'inexistence des libertés ankylose la propagation des mécontentements.

Il ne suffit donc pas que le communisme soit un immense échec intérieur pour que les Etats communistes se désagrègent et cessent d'être impérialistes, donc dangereux pour les démocraties. Les deux phénomènes, force de l'Etat et bonheur de la société, n'ont pas de rapport dans le contexte totalitaire. On entend fréquemment dire : « L'Union soviétique est trop faible, son économie est trop discréditée pour qu'elle triomphe de nous. Le capitalisme démocratique a gagné. Nous avons remporté de très loin la course entre les deux systèmes. Nous avons fait la preuve de notre supériorité. Du reste, les pays communistes ne sont-ils pas pendus à nos basques pour solliciter de nous aide, crédits, nourriture, technologie ? » L'ancien président de la République française, Valéry Giscard d'Estaing, aimait à conter, quand on s'inquiétait de sa longanimité vis-à-vis de Moscou, qu'au lendemain de la Seconde Guerre mondiale les professeurs qu'il avait à l'Ecole nationale d'administration présentaient l'économie soviétique comme le modèle par rapport auquel toute autre économie se jugeait plus ou moins favorablement, selon qu'elle s'en rapprochait plus ou moins. Trente ans plus tard, commentait Giscard, un professeur qui ouvrirait son cours en proposant pareille méthode déchaînerait l'hilarité des étudiants. Chacun sait l'Union soviétique si faible qu'elle n'est plus redoutable, disait Giscard.

Une fois de plus, c'est une erreur que de prêter une logique démocratique à un système totalitaire. Ce sont les démocraties qui réduisent leurs dépenses militaires quand l'économie va mal, pas les pays communistes. La modification des jugements sur l'économie soviétique entre 1948 et 1980 témoigne de l'ignorance, de la crédulité ou de la malhonnêteté des économistes occidentaux à l'époque d'après-guerre, et non pas d'une dégradation objective du système soviétique depuis lors. Précisément, l'argument se retourne contre lui-même, car la faiblesse extrême de l'économie soviétique au lendemain du conflit mondial, conjuguant la stérilité foncière du système avec les séquelles de la guerre, n'a pas empêché l'URSS de mener à bien durant les trente années suivantes une brillante expansion dans le monde entier. La faillite du communisme et les répressions féroces dans les pays satellites, l'échec en URSS même de toutes les tentatives de redressement, sous Khrouchtchev comme sous Brejnev, que ce fût au moyen des bouffonneries de la biologie « matérialiste-dialectique » de Lyssenko ou avec l'argent bien matériel mais fort peu dialectique des contribuables occidentaux, aucune pénurie n'a ralenti la rapide progression de l'impérialisme communiste sur toute l'étendue de la planète, progression qui s'est encore accélérée depuis 1970. La crise finale du communisme surviendra sans doute un jour, mais pas assez tôt pour que nous autres démocraties puissions nous permettre de faire de cet éventuel écroulement la pièce maîtresse du dispositif destiné à pourvoir à notre survie dans l'immédiat.

Le communisme, comme l'a dit Milovan Djilas, est peut-être une « force éteinte », d'aucuns diront même un cadavre : mais c'est un cadavre qui peut nous entraîner avec lui dans la tombe.

5
LA PEUR DE SAVOIR

Que le communisme ait pour objectif la conquête du monde, que la première puissance communiste, par l'âge et par les moyens, l'Union soviétique, ait fort progressé dans cette entreprise, surtout depuis la Seconde Guerre mondiale, et se trouve aujourd'hui en mesure de progresser encore davantage et plus vite, voilà qui, pour les uns est une évidence, un truisme à peine digne d'être énoncé, mais qui, pour les autres, est la contorsion d'une idée fixe, d'un délire systématisé, entretenu par les « réactionnaires », « revanchards », « manichéens » et bellicistes « de tout poil ». L'un des objets de ce livre est de démêler laquelle de ces deux visions est la moins trompeuse. Il doit y avoir moyen, en dépit et au-delà des vociférations antagonistes, de rassembler les faits ou au moins les indices qui peuvent concourir à la recherche de la vérité, ou, à son défaut, de la plus raisonnable présomption.

On pourrait faire valoir d'emblée, au demeurant, avant même d'entrer plus avant dans la matière, que les démocraties désireuses de persévérer dans l'être, s'il en existe encore, devraient de toute manière se placer par précaution dans l'hypothèse la plus pessimiste. On ne s'assure pas contre le beau temps, mais contre la grêle et les inondations. Je le répète, à dessein, souvent, dans ces pages : la déformation occidentale qui consiste à se placer dans l'hypothèse la plus favorable n'a jamais été, ne peut pas être de bonne méthode pour élaborer une politique étrangère et une défense. Je dirai même que c'est un des succès capitaux de la propagande communiste que d'avoir réussi à conditionner en nous ce sentiment : la honte de se défendre. « Qu'il est donc facile de traiter avec des naïfs ! doivent se dire les dirigeants communistes ; avec des innocents qui postulent, à la base de toute négociation, que vous ne leur voulez que du bien, que vous n'êtes qu'une pauvre petite chose terrifiée, assoiffée seulement d'être apaisée à jamais, oh ! par presque rien : simplement la perte de l'indépendance des autres. »

N'y a-t-il pas lieu toutefois d'objecter que les pacifistes occidentaux ont peut-être raison sur un point : qu'il faut savoir se méfier des impressions que certains démocrates, en toute bonne foi, peuvent éprouver face au communisme ? L'histoire ne nous l'enseigne-t-elle pas : dans les situations de conflit ou de tension, chacune des deux parties croit déceler chez l'autre des intentions agressives. On ne se voit jamais soi-même en agresseur. Presque toujours l'agression ou la simple intransigeance sont présentées et sincèrement ressenties comme des ripostes à des menaces de l'autre camp. Ne risquons-nous pas, en agissant comme si nous étions menacés, de le devenir vraiment, de déclencher réellement dans le camp communiste les conduites que nous lui prêtons ? C'est sur cet argument qu'est fondée toute la propagande pour la « paix » qui émane de l'Union soviétique et de ses nombreux relais en Occident. Encore une fois, la meilleure façon de démêler ce qui est danger réel et ce qui est phobie, ce qui est agression réelle et ce qui est folie, manie de la persécution, c'est l'étude des faits, des actes, des situations — comparées entre eux à dix, vingt, trente ans d'intervalle. La meilleure façon de savoir s'il y a expansionnisme, c'est de regarder s'il y a eu expansion.

Au demeurant, il n'est nullement besoin d'être un obsédé pour appréhender une manière de « complot soviétique » partout dans le monde. Ce n'est pas, en fait, un complot, terme qui désigne une opération unique et limitée dans le temps, c'est une manière d'être, c'est le fonctionnement normal de la machine soviétique que de tâter partout le terrain, à l'affût des annexions territoriales ou politiques possibles, tout comme le génie japonais se manifeste dans l'expansion commerciale, est constamment à l'affût de la moindre occasion pour s'ouvrir de nouveaux marchés. Au surplus, les communistes font beaucoup mieux que de comploter : ils ont un plan d'ensemble, et ils en poursuivent l'application avec méthode, patience et persévérance. Ils ont annoncé, dès le début de notre siècle, ce qu'ils comptaient faire. Ils ont commencé à le faire sous Lénine et ont continué depuis. Une défaite, pour eux, n'est jamais définitive. Ils savent attendre et revenir à la charge, en changeant de procédé s'il le faut. En revanche, les victoires du communisme sont le plus souvent définitives et irréversibles, parce que les Occidentaux s'inclinent au bout de quelques mois devant le fait accompli, après chaque avance soviétique, et en viennent à regarder les territoires ou avantages mal acquis par l'URSS comme une possession fondée sur le droit, qu'il serait « périlleux pour la paix » de remettre en question par une quelconque « ingérence », même verbale. Les démocraties agissent ou, plus exactement, s'abstiennent conformément à ce schéma parce que, face à la stratégie communiste, elles n'en ont aucune, du moins qu'elles soient capables de mettre en œuvre pendant assez longtemps, et, surtout, aucune qui leur soit commune à toutes.

Par exemple, la re-totalitarisation de la Pologne à partir de décembre 1981 a pris, encore une fois, l'Occident au dépourvu. Après l'Afghanistan, après l'affaire des Jeux Olympiques, après l'affaire des armes nucléaires de portée moyenne en Europe, le manque de coordination et de prévision des Occidentaux s'est manifesté avec éclat dans ce cas polonais, où l'on ne peut pas dire que le temps de la réflexion leur avait manqué pour méditer les divers scénarios possibles. Les Soviétiques ont su éviter l'invasion du type réalisé à Budapest en 1956 ou à Prague en 1968. Ils ont trouvé la parade en rétablissant l'ordre communiste sans intervenir à visage découvert.

Ce « succès » soviétique est un exemple qui nous permet de constater, redisons-le, que les communistes ont une conception d'ensemble, en Europe, en Asie, en Afrique, en Amérique latine, dans les Caraïbes, dans l'Océan indien, tandis que l'Occident se contente d'attendre que l'URSS ait agi pour réagir, c'est-à-dire en général pour tenter de sauver vaguement la face avec des mots en s'abstenant de toute mesure active. Dès 1981, l'Afghanistan était devenu de la routine. Nous avions presque oublié les Afghans. Si les communistes rencontraient encore là-bas des obstacles, c'était du fait des résistants afghans, non des Occidentaux, qui avaient purgé leur esprit du problème des représailles contre l'envahisseur et d'une aide aux envahis. La preuve de l'utilisation d'armes chimiques par les Soviétiques, la « pluie jaune » n'a même pas soulevé d'émotion particulière, en janvier 1982. Nous avons également plus qu'à moitié oublié les Cambodgiens, les boat-people cubains ou vietnamiens, après les quelques mois nécessaires à l'usure de notre compassion.

Si la proximité de l'URSS rend l'Europe occidentale particulièrement menacée par l'évolution du rapport des forces, depuis quelques années, ce n'est pourtant pas du seul point de vue européen ou occidental que la situation du monde doit être décrite. L'Asie, l'Afrique, l'Amérique latine, l'Océanie sont toutes à des degrés divers le théâtre des affrontements qui tissent la gigantesque partie mondiale en cours sous nos yeux, laquelle n'est plus désormais qu'une seule et même partie, où tous les continents, tous les Etats et tous les peuples, quels que soient leur régime, leur niveau de développement, leurs alliances, sont engagés et interdépendants. Depuis 1975 environ, cette partie mondiale semble à vrai dire menée par un seul joueur : l'URSS. Les puissances contre lesquelles ses coups sont dirigés se bornent à « déplorer » son agressivité, à se quereller entre elles sur la manière d'y répondre et à prodiguer les signes de modération, dans l'idée qu'elles induiront chez les Soviétiques une sainte émulation.

Quelles sont les raisons réelles de cette passivité ? Est-elle inévitable ? Cache-t-elle un calcul politique ou une absence d'analyse politique ? Une résignation à la domination soviétique ? Ou une attente pour mieux contre-attaquer ? Que devrions-nous faire idéalement et que pouvons-nous encore faire réellement ? Répondre à ces questions est mon propos dans ce livre.

Mais avant de savoir ce qui est bien et ce qui est mal, il importe de savoir ce qui est. En effet l'appréciation du bien et du mal, qu'il s'agisse de la morale ou de nos intérêts, est affaire de choix individuel. Le fait que tel pays africain soit devenu un satellite soviétique est un bien aux yeux de certains, un mal pour d'autres. Mais la question à laquelle il faut d'abord répondre, c'est de savoir si ce pays *est* ou non un satellite, depuis quand, et combien d'autres pays africains sont, eux aussi, susceptibles de passer dans le groupe des satellites. Tel homme d'Etat européen peut en toute bonne foi estimer que la solution la moins mauvaise pour l'avenir de l'Europe de l'Ouest est de négocier avec l'URSS un statut d'autonomie interne en échange d'une reconnaissance de l'empire soviétique en Europe centrale et d'une acceptation silencieuse de l'expansionnisme soviétique dans le reste du monde. Est-ce une bonne, est-ce une mauvaise politique ? Tous les Européens ne porteront pas sur elle le même jugement. Mais ce qu'il faut savoir d'abord, c'est si cette politique est réellement suivie, dans quelle mesure, par combien d'Etats, avec quel appui dans l'opinion publique.

Comment pourrions-nous formuler un jugement de valeur (qui, lui, variera suivant les objectifs ultimes de chacun) sur des actes et des faits dont nous n'aurions pas au préalable établi la réalité, mesuré l'importance ? Et pourtant, dans l'information, dans le débat public, dans ses prolongements politiques, c'est bien au stade de la connaissance des faits qu'interviennent les interdits les plus puissants. La crainte ou le souhait qu'un événement puisse servir ou desservir telle ou telle vision du monde, tel ou tel réseau d'alliances et d'intérêts, l'emportent sur le seul souci de connaître avec exactitude cet événement, la situation d'ensemble qui l'a rendu possible, le rapport de forces qu'il révèle.

Qu'un fait puisse influencer l'opinion publique dans un sens qui nous déplaît constitue en général une préoccupation qui l'emporte sur la curiosité de le connaître ou la probité de le faire connaître.

D'où les barrages qui empêchent de tracer un tableau du rapport des forces dans le monde et de son évolution. Et pourtant un tel tableau, fût-il réduit aux seules certitudes élémentaires, est indispensable à qui veut apprécier la situation dans laquelle nous nous trouvons, choisir entre les directions dans lesquelles nous pouvons nous engager, évaluer les moyens dont nous disposons pour atteindre les buts que nous nous serons fixés.

La tâche est difficile, puisque c'est au stade de la prise de conscience des faits que le refus de savoir interpose sa censure. Je suis obligé d'insister à nouveau sur ce mécanisme de censure spontanée, qui pousse tant de gens à soutenir que l'Armée rouge et le KGB n'opèrent nulle part ailleurs que dans les fantasmes des fous de l'anticommunisme. L'un des principaux avantages des Soviétiques est l'existence chez de nombreux Occidentaux d'une répugnance à constater leur expansion. Quiconque signale l'expansionnisme soviétique est presque considéré comme victime de délire obsessionnel. Pas seulement en Europe. Ainsi, l'auteur d'un article paru dans *The Washington Monthly* (juillet 1981) se moque de Richard Pipes, professeur à Harvard et alors conseiller à la Maison Blanche, parce qu'il prête un « grand dessein » à l'URSS. Il s'agirait là d'une maladie mentale. Giscard était « exaspéré » par les « idées fixes » d'Alexandre de Marenche, le directeur des services de renseignements français à l'extérieur. Le même Giscard considérait l'invasion de l'Afghanistan par l'armée soviétique comme une sorte de faux pas, exécuté par mégarde. Sur le même sujet, le vénérable George Kennan, diplomate que sa carrière conduisit à être l'expert principal du Département d'Etat en soviétologie, puis professeur de la même spécialité à Princeton, déclare à *US News and World Report* (10 mars 1980) concernant l'invasion de l'Afghanistan : « Leur objectif immédiat était purement défensif. » Contre qui ? Mystère. Et puis, on est tenté de répondre : quand cela serait, cela ne change rien à l'affaire pour nous, ni surtout pour les Afghans. Giscard, au début de 1979, a donné l'ordre d'annuler deux importants contrats de vente d'avions militaires et de matériel électronique à la Chine « pour ne pas accentuer le complexe d'encerclement des Soviétiques » (propos tenus à moi-même). Sur le même chapitre, un député américain à la Chambre des Représentants, Patricia Schroeder (Démocrate, Colorado), polémiquant avec Richard Pipes, déjà cité, déclare : « Nous n'avons pas intérêt à jeter de l'huile sur le feu dans nos relations avec la Russie en aidant militairement la Chine. » (*US News and World Report,* 21 juillet 1980). L'argument peut ne pas être faux : tout dépend du résultat. Quelle concession soviétique incontestable peut être citée comme contrepartie de l'annulation du contrat franco-chinois ? Aucune. La France ou les Etats-Unis ont-ils obtenu que les Soviétiques renoncent à des ventes d'armes à l'un de leurs satellites, Cuba, Ethiopie, Angola, Nicaragua ?... Non. De même, d'après les mémoires de Kissinger, on voit, entre 1970 et 1972, la bureaucratie du Département d'Etat et le Congrès, dans les négociations sur la « réduction mutuelle » des armements, *supposer acquise la volonté de paix de l'URSS,* et raisonner comme si l'Amérique seule pouvait être considérée comme agressive. Nixon et son conseiller se voient régulièrement refuser par le Congrès de nouveaux crédits militaires, considérés comme étant de la « provocation », cependant qu'à Vienne le négociateur du Département d'Etat sape habilement les efforts de Kissinger.

Tous ces comportements ont un point commun : c'est que nous nous faisons volontiers les avocats *auprès de nous-mêmes* de la thèse la plus favorable aux Soviétiques. (La réciproque paraît peu probable.) Cette curieuse disposition d'esprit a été condensée en une phrase par le Tchèque Karel Kosik : « Dans le jeu politique, le vaincu est celui qui se laisse imposer l'attitude d'autrui, et qui juge ses propres actions avec les yeux de l'adversaire [1]. »

Bien entendu, la politique étrangère doit consister à se placer au point de vue de l'autre pour tenter de comprendre son action et d'en prévoir la suite. Mais c'est précisément là ce que l'Occident ne fait pas. Ce que nous faisons est de penser ce que l'URSS *souhaite* que nous pensions, par exemple que des sanctions économiques accroîtraient l'intransigeance soviétique et auraient de mauvaises conséquences *pour nous.* Ce que nous faisons est d'accepter le principe de la *non-réciprocité* des concessions comme la règle légitime. Nous nous voyons nous-mêmes comme agresseurs quand nous réagissons, ne fût-ce que verbalement, aux agressions soviétiques. Par exemple, un partisan de Reagan, représentant de l'Iowa, déclare en janvier 1982 : « Nous nous sommes aliéné les jeunes avec notre politique étrangère dure (*hard line foreign policy*). » Que les jeunes Américains n'aiment guère la perspective, fût-elle lointaine, d'un retour à la conscription, c'est humain ; mais qu'on appelle « *hard line policy* » la simple obligation envisagée pour les jeunes de *se faire inscrire,* en vue d'une improbable mobilisation (sans pour autant qu'on parle de service militaire), c'est stupéfiant. Que faudrait-il faire pour qu'on parlât de « *soft line* » ?

Il est de bon ton de toujours se placer dans l'hypothèse la plus indulgente pour l'URSS et la plus optimiste pour l'Ouest. Mais construire une politique étrangère et un système de sécurité doit consister, j'y reviens, à se placer au contraire dans la *pire* hypothèse, et à prévoir le cas qui vous est le moins favorable. Sans quoi l'on n'est pas couvert. Si un homme se dirige vers vous dans la rue avec un pistolet dans chaque main, il y a une chance sur un million que ce soit simplement un forain qui rapporte son matériel à sa baraque de tir : mais il serait imprudent de votre part, en le voyant venir, d'adopter en confiance cette *seule* hypothèse de travail.

Cette passivité et cet aveuglement volontaires peuvent avoir plusieurs causes : la conviction que l'URSS est devenue si forte et son expansion future si certaine qu'il vaut mieux s'y résigner, tout en feignant de ne pas la voir ; la persistance de l'identification du communisme avec la gauche, malgré un retournement très net dans

1. Cité par François Fejtö, *Histoire des démocraties populaires,* 1969, Seuil, t. 2, p. 263.

les opinions, et de l'antisoviétisme avec la droite ; l'idée que la prépondérance américaine de jadis a placé les Russes sur la défensive, et que, plus l'Ouest relâchera sa pression, plus les Soviétiques deviendront pacifiques. Les libéraux mêmes se risquent rarement à désigner la menace totalitaire comme le principal danger de notre temps, de peur de passer pour des énergumènes. La lutte de la démocratie, sur la défensive, contre le totalitarisme en pleine offensive n'ose pas dire son nom.

Pourtant, ce nom, elle ne l'a jamais moins mal mérité : sur les seize pays membres de l'Alliance atlantique, seule la Turquie s'est de nouveau écartée de la démocratie, vers la fin des années 70, encore que le référendum de 1982 ait conféré au pouvoir militaire une certaine légitimité. Quant aux sept pays « les plus riches », situés sur trois continents, tous sont démocratiques. Ce niveau de démocratie plus qu'honorable n'existait ni dans le camp des antigermaniques durant la guerre de 1914-1918, ni dans le camp des antifascistes durant la Seconde Guerre mondiale. Et pourtant, il est de plus en plus inconvenant aujourd'hui de nommer en clair la lutte de la démocratie contre le totalitarisme. Le bon goût exige que l'on habille cette lutte de formules plus neutres, moins péjoratives pour le communisme : affrontement entre « l'Est et l'Ouest », entre « capitalisme et socialisme », entre les « deux superpuissances ». Tant il est vrai que la peur de savoir mène à la peur de dire.

Au cours d'un déjeuner au Département d'Etat, en janvier 1982, j'ai entendu un haut fonctionnaire déclarer : « Nous autres Américains nous ne résolvons pas les problèmes : *nous sommes* le problème. » En Europe, la haine souterraine ou avouée pour les Etats-Unis est si violente qu'au fond de leur cœur certains Européens sont prêts à subir la domination soviétique pour le seul plaisir de voir les Américains détruits. Ce large éventail va de la gauche christo-marxiste à la droite gaullo-maurassienne. Le maître à penser de la Nouvelle Droite, Alain de Benoist, jugeait, dans la revue de son mouvement, *Eléments*[1], la « décadence pire que la dictature », c'est-à-dire l'Occident « américanisé » pire que le communisme. Il concluait : « Certains ne se résignent pas à la pensée d'avoir un jour à porter la casquette de l'Armée rouge. De fait, ce n'est pas une perspective agréable. Nous, nous ne supportons pas l'idée d'avoir un jour à passer ce qui nous reste à vivre en mangeant des *hamburgers* du côté de Brooklyn. » Dans un autre numéro d'*Eléments*[2] le même Alain de Benoist rendait hommage à l'anti-américanisme du ministre socialiste de la Culture qui, au Mexique, lors de la conférence de l'Unesco, s'était fait l'apôtre forcené de la xénophobie culturelle. Benoist écrivait : « Jack Lang

1. Mars-avril 1982.
2. Octobre-novembre 1982.

a peut-être prononcé le discours le plus important de l'histoire contemporaine depuis celui du général de Gaulle à Phnom Penh. » Il est intéressant, mais non surprenant de voir l'extrême droite retrouver dans sa condamnation du libéralisme exactement les thèmes que la gauche marxiste a professés pendant des années et professe encore, j'entends la gauche marxiste extérieure au parti communiste. La terminologie d'une certaine gauche rejoint ainsi ses véritables origines, témoin ce nouveau passage du même Alain de Benoist : « La vérité est qu'il existe deux formes distinctes de totalitarisme, très différentes dans leur nature et dans leurs effets, mais l'une et l'autre redoutables. La première, à l'Est, emprisonne, persécute, meurtrit les corps : au moins laisse-t-elle intacte l'espérance. L'autre, à l'Ouest, aboutit à créer des robots heureux. Elle climatise l'enfer. Elle tue les âmes. » (Propos d'Alain de Benoist au XVe colloque du GRECE, « Groupe de recherches et d'études sur la civilisation européenne », rapportés par *le Monde* du 20 mai 1981.)

En dressant le bilan des gains respectifs de la démocratie et de ses ennemis, nous devrons donc sans cesse rester attentifs aux contre-feux multiples de l'ignorance volontaire, qui s'allument à chaque seconde, presque innombrables, pour brouiller l'image de l'incendie qui s'avance.

DEUXIÈME PARTIE

LA MATÉRIALITÉ DE L'EXPANSION COMMUNISTE

6

AUTOPSIE DE L'APRÈS-POLOGNE

Réunis à Versailles au début du mois de juin 1982, six des sept pays industrialisés qui participaient à ce « sommet » firent aussitôt front contre le septième : les Etats-Unis. Ce désaccord provint en particulier de l'insistance que mirent les Américains à demander aux Européens d'augmenter le taux d'intérêt de leurs prêts à l'Union soviétique, ou, plus exactement, de cesser de lui accorder des crédits au taux en faveur consenti habituellement aux pays pauvres. Pourquoi, objectèrent les Etats-Unis, ne pas classer l'URSS désormais dans la catégorie des pays rémunérant leurs emprunts au taux normal ? A quel titre ne devrait-elle pas payer au moins le taux que les nations occidentales pratiquent entre elles ? Les Européens justifièrent leur refus en arguant que des taux d'intérêt plus élevés ne pousseraient nullement l'Union soviétique à mieux se conduire dans les relations internationales.

Ainsi, après avoir pendant douze ans plaidé pour l'aide économique à l'Est en se fondant sur l'assurance qu'elle rendrait l'Union soviétique pacifique, les Européens en 1982 refusent de réduire cette aide en prétextant qu'une diminution ne rendra pas l'Union soviétique moins belliqueuse. Grandiose incohérence ! La collaboration économique n'a pas apporté la détente escomptée, que la suspension de l'aide n'apportera pas davantage. Beau labyrinthe sans issue, que celui où nous nous sommes enfermés ! Complaisances et représailles se révèlent donc également impuissantes à assagir le communisme et à ralentir sa marche en avant. Malgré quoi, tout en ayant, si ce raisonnement est juste, pour seul et dernier choix d'être laminés soit gratuitement soit à nos frais, nous choisissons de mourir en payant. A l'aveu sans fard du néant de tous les calculs sur lesquels avait été établie la détente, les Européens ajoutent un comportement de « cocu magnifique » d'une prodigalité qui surprend, de la part de pays atteints par une crise économique persistante.

Le Président des Etats-Unis dut en fin de compte à Versailles se contenter de la part des Européens d'une vague promesse de « vigilance accrue » dans les relations économiques et technologiques avec l'Est. Phrase floue, douce fleur de communiqué, excluant d'avance toute conséquence pratique, mais phrase qui, pourtant, fut vertement attaquée le lendemain par les commentateurs soviétiques, irrités des libertés verbales prises par les Européens à l'égard de Moscou, quoique ces commentateurs acceptassent de tempérer leur courroux en relevant avec une satisfaction justifiée que, pour citer la *Pravda,* les Etats-Unis n'avaient pas obtenu « la victoire complète de leurs thèses ». C'était le moins que l'on pût dire.

Pourtant, six mois après l'instauration de l' « état de guerre » en Pologne, les appels américains à la fermeté européenne n'avaient plus que des ambitions d'une extrême modestie. Oubliées, les prétentions d'infliger par un retrait massif de l'aide occidentale une sanction économique et un avertissement politique de première grandeur à l'URSS. Il ne s'agissait déjà plus de lui retirer qu'un privilège, ce qui paraissait la moindre des choses, mais ce qui parut cependant aux Européens d'une sévérité encore excessive, au point de finir par pousser une fois de plus les Américains dans le rôle du véritable agresseur et perturbateur de la tranquillité mondiale. Aussi bien, un semestre avait largement suffi à la faculté d'accoutumance occidentale pour s'accommoder du martyre des Polonais. C'est le laps de temps ordinaire, après chaque forfait soviétique, le délai qui suffit à la dissipation de nos plus gros chagrins. Une recrudescence de la répression en Pologne, au début de mai 1982, n'avait pas réussi à susciter à l'Ouest le centième des indignations et manifestations de l'hiver précédent.

Déjà, chacun avait tiré du sommet franco-allemand tenu à Paris le 24 février 1982 la conclusion qu'en somme le principal coupable, dans la crise internationale ouverte par la mise au pas de la Pologne, avait été les Etats-Unis. En prétendant obtenir de l'ensemble des Alliés une action commune, l'Amérique n'avait-elle pas, dans le fond, cherché à se servir de cette crise pour susciter la discorde entre la France et la République fédérale ? Au surplus, insinuait ensuite le communiqué, que sont les répressions soviétiques en Europe de l'Est, qu'est l'Afghanistan, comparés à ce crime bien plus impardonnable que constitue le niveau élevé des taux d'intérêt de l'argent aux Etats-Unis ? Le but soviétique de transformer la crise polonaise en crise de l'Occident était donc pleinement atteint.

Il l'avait été d'ailleurs d'emblée, presque aussitôt, et sans aucun effort de la part de Moscou, dès le moment où le peuple polonais avait été brutalement tiré de son rêve et ramené dans la prison totalitaire, le 13 décembre 1981. En exécutant l'ultimatum du Kremlin, les SS polonais n'ont pas seulement rétabli l'ordre à

Varsovie, ils ont établi le désordre en Occident. Un pétard de carnaval explosant dans un poulailler ne provoque pas moins de soubresauts et de caquètements harmonieux, coordonnés, intelligemment appropriés à la situation que le fit dans le chœur des nations occidentales le coup du 13 décembre 1981.

Que ce coup de force ait été un coup de théâtre pour les démocraties, voilà qui a mis en relief une fois de plus l'incompétence de leur diplomatie, de leurs services de renseignements et, par-dessus tout, de leurs gouvernements. Les dirigeants soviétiques, eux, avaient travaillé, ou du moins leurs bureaux et leurs conseillers spécialisés l'avaient fait pour eux. Ils ont trouvé par la réflexion une méthode qui leur a permis de limiter les conséquences qu'aurait entraînées une réédition sans changement des coups de Budapest et de Prague. Les Occidentaux, en revanche, n'ont rien imaginé au-delà d'une reprise de ces deux interventions anciennes de l'Armée rouge. Ils ne se sont pas demandé si l'URSS n'allait pas chercher une autre forme de répression que l'envoi un peu trop voyant et répétitif de leurs chars. Pendant les dix-huit mois qui ont séparé le début de la nouvelle insurrection ouvrière contre le communisme en Pologne et la ruée policière du 13 décembre contre les travailleurs, les démocraties ne se sont fatigué la cervelle ni à concevoir les divers scénarios possibles de répression soviétique, ni à préparer une série de ripostes adéquates. Une fois de plus, nous réagissons, nous n'agissons pas. Et notre réaction est plutôt une agitation à l'intérieur du camp occidental qu'une réponse à l'action. De celle-ci, nous abandonnons le monopole à l'Union soviétique. Dans cette partie d'échecs, l'URSS a toujours les blancs, l'avantage du premier coup, et, quand vient le tour des noirs de jouer le second, le joueur occidental n'avance la main que pour renverser d'un geste maladroit toutes ses pièces sur l'échiquier. Nous nous laissons surprendre par les initiatives soviétiques, si bien que nos réactions, quand elles existent, sont improvisées, éphémères et décousues. Après que l'Occident se fut montré incapable d'opposer une politique efficace et cohérente à l'invasion de l'Afghanistan, puis eut peu à peu entériné, au bout de deux ans, par son silence et son inertie, l'occupation soviétique de ce pays, la ritournelle était devenue : « Si les Soviétiques touchent à la Pologne, ils auront commis l'excès fatal que nous ne tolérerons en aucun cas. » Après s'être querellés au sujet de l'Afghanistan, sous l'œil averti des communistes, au point de n'avoir même pas pu se concerter pour boycotter les Jeux Olympiques de Moscou, les Occidentaux, depuis juillet 1980, avaient justifié leur inertie par la nécessité de ne pas brusquer les Soviétiques de peur de nuire au « processus de démocratisation » en Pologne. Or le déroulement des réactions occidentales après le coup du 13 décembre 1981, quoique moins consternant du point du vue moral qu'après l'invasion de l'Afghanistan, ne reflète pas davantage de plan politique. En substance, notre comportement équivaut à une absolution. Bien mieux : au bout de quelques jours, en Occident même, le procès de Brejnev devient celui de Reagan, quoique le Président des Etats-Unis, avant d'articuler une condamnation de l'Union soviétique, ait lui-même attendu deux semaines, à la demande de son secrétaire d'Etat, Alexander Haig, soucieux de « ménager les Alliés ». Souci qui reflète un curieux glissement du problème et souci qui, bien entendu, n'a servi à rien : les Alliés en voulurent de toute manière aux Américains d'avoir failli leur donner des remords et leur proposer de décider quelque chose. Bref, les Soviétiques ont réussi la double opération de mater la Pologne et de dresser les Européens contre les Américains. Ils ont agi avec une impunité totale, du moins pour tout ce qui dépendait de nous, car les inconvénients, quand il y en a eu pour eux, sont venus non pas de notre fermeté, mais de la résistance polonaise.

L'étalage de lâcheté qui en Occident suivit la resoviétisation de la Pologne consacre l'écrasante victoire soviétique dans la manière d'appliquer les accords d'Helsinki de 1975. Pour l'essentiel, ces accords prévoyaient un échange. L'Ouest faisait à l'URSS deux cadeaux somptueux : reconnaissance de la légitimité de l'empire soviétique d'Europe centrale, indûment annexé après la Seconde Guerre mondiale ; aide économique et technologique massive et presque gratuite. En contrepartie, l'URSS s'engageait à la modération dans sa politique étrangère et au respect des droits de l'homme dans son empire. Comme cela devint très vite évident, cette dernière disposition, que seule une insondable incompréhension de la réalité communiste avait pu faire prendre au sérieux par les hommes d'Etat occidentaux, n'était qu'une plaisanterie destinée à égayer les mornes réunions du Politburo. Mais le comble fut que les gouvernements occidentaux, prompts à devancer les désirs du KGB, furent les premiers à soutenir que réclamer l'application de cet article constituerait une « provocation » à l'égard de l'Union soviétique. L'obstination du Président Jimmy Carter à promouvoir une « politique des droits de l'homme » dans le monde fut rapidement flétrie comme attentatoire à la souveraineté des Etats et dangereuse pour la paix — sauf, bien entendu, en ce qui concernait le Chili ou l'Afrique du Sud. Humiliés en 1978 à la conférence de Belgrade, destinée en théorie à vérifier l'application des accords d'Helsinki, et au cours de laquelle les délégués soviétiques refusèrent, sans hésitation ni temporisation superflues, de participer aux travaux de la commission des droits de l'homme, les Occidentaux en 1980 ne s'en précipitèrent pas moins joyeusement à Madrid, où se rejoua la même vaine comédie, tout aussi dénuée d'objet pour les démocraties. Et d'autant plus dénuée d'objet que, depuis celle de Belgrade, avait eu lieu l'invasion de l'Afghanistan, sans parler de la colonisation par l'Union soviétique de portions énormes du continent africain : ce qui faisait justice de la crédibilité de l'autre promesse soviétique d'Helsinki : la modération en politique étrangère. Des fameux accords ne subsistait donc que la contrepartie occidentale : aide économique à l'URSS et respect de l'empire. Les Européens de l'Ouest ont hautement affirmé par leurs actes, après le rétablissement du socialisme réel et complet en Pologne, leur volonté inébranlable de continuer à tenir de façon unilatérale leur part des engagements d'Helsinki, sans plus même feindre d'exiger quoi que ce fût en retour. Même les quelques concessions faites par l'Allemagne de l'Est, allégeant les restrictions aux circulations des personnes entre les deux Allemagnes, avaient été révoquées à la fin de 1980.

Si nous voulons saisir toute la portée de l'« état de guerre » du 13 décembre 1981, et surtout des réactions du monde occidental à cette initiative soviétique, ne perdons pas de vue l'ensemble de l'enjeu. Depuis dix-huit mois, l'Union soviétique est aux prises, dans la plus vaste et la plus peuplée de ses colonies d'Europe, à la résistance de tout un peuple et à une révolution tranquille dont elle ne vient à bout par aucune de ses méthodes habituelles. Quelques onces de libéralisation apparente concédées par un Parti communiste polonais submergé n'ont pas suffi à refroidir l'ardeur des aspirations populaires à la liberté. D'autre part, une intervention militaire soviétique comporterait sans doute pour les communistes plus d'inconvénients que d'avantages, en pertes brutes, par sa durée, ses répercussions, au moment où l'engagement de l'URSS en Afghanistan continue de susciter de par le monde beaucoup d'irritation, à défaut d'opposition effective. Enfin, l'effondrement de l'économie polonaise est survenue en même temps qu'une aggravation profonde de l'impotence économique en Union soviétique même. Le Kremlin ne peut donc se permettre de perdre le soutien financier de l'Occident, ni pour lui-même ni pour ses satellites. Il doit accomplir le tour de force de mater la Pologne tout en conservant les privilèges économiques dont les démocraties occidentales sont la source, et aussi les privilèges politiques obtenus à Helsinki. Grâce aux uns et aux autres, l'URSS, protégée par la mythologie de la détente, peut étendre ses conquêtes et accroître sa puissance militaire. Conserver ces avantages malgré l'état de guerre en Pologne, telle est pour Moscou la partie à jouer.

Pour les démocraties, la partie consisterait à profiter de la position de faiblesse de l'URSS, débordée en Afghanistan comme en Pologne et aux abois économiquement, pour tenter de l'obliger à pratiquer la vraie détente, telle que l'Occident l'avait conçue à l'origine, et en particulier à mettre un frein à l'expansion et à la déstabilisation sur les cinq continents. L'occasion s'offre également d'amener l'URSS à une limitation des armements réellement équilibrée, et non pas des seuls armements occidentaux. Il va de soi que les démocraties ne pouvaient songer ne fût-ce qu'à l'ombre d'une action belliqueuse. Il ne pouvait s'agir et il ne s'est jamais agi d'autre chose que d'utiliser, pour obtenir une modération soviétique, les mo ens économiques et politiques dont nous disposions. Une telle utilisation, que je sache, n'a jamais, n'en déplaise aux propagandistes occidentaux favorables aux thèses communistes, mis en danger la paix : elle correspond au contraire à la définition même de la diplomatie en temps de paix. Nul ne saurait passer pour belliciste parce qu'il envisage de suspendre ou de restreindre des faveurs qui ne sont jamais payées de retour. La seule question, par conséquent, que le réalisme permettait de poser après le 13 décembre, excluait tout aventurisme. Elle était de savoir si les démocraties allaient considérer la mesure comme comble et décider que l'ère des concessions unilatérales de leur part était terminée. Rien d'insensé ou de périlleux dans l'éventualité d'une telle attitude, dont l'efficacité, en revanche, face à un monde communiste tourmenté par ses contradictions, avait des chances de n'être pas négligeable.

Mais la partie occidentale, fût-ce sur ces bases très modérées, n'a même pas été engagée. Le forfait fut instantané. Dès le premier jour de l'état de siège, les gouvernements démocratiques s'empressèrent de trompeter que rien ne s'était passé. Or, on ne peut réagir à une absence d'événement, n'est-ce pas ? C'est ce que comprit en un éclair le ministre français des Relations extérieures, Claude Cheysson, qui, dès le 13 au soir, le premier à l'abordage, annonça : « Bien entendu, nous ne ferons rien. » C'était mieux qu'une profession de foi : c'était une prophétie — la seule exacte qu'ait faite un homme politique depuis bien longtemps. Le président de la République française, pour sa part, « condamne » et « réprouve » le « régime d'exception » en Pologne, puis renvoie ceux qui voudraient s'informer sur la politique concrète de la France à une révélation imminente du Premier ministre devant l'Assemblée. Dans son allocution, celui-ci, Pierre Mauroy, déclare que « les événements actuels demeurent pour l'instant dans le cadre national » de la « souveraineté intérieure » et que la France aidera les Polonais « à retrouver la voie d'un renouveau démocratique ».

Le président et le gouvernement français entérinent ainsi la fiction d'une opération purement polonaise, comblant par là une fois de plus les vœux des Soviétiques, lesquels n'ont pas à déployer beaucoup d'efforts pour imposer les balivernes de leur propagande, puisque ce sont à point nommé les balivernes que les Occidentaux désirent croire et feignent de croire pour excuser leur passivité. Si le gouvernement français, bousculé par des manifestations populaires d'une ampleur inattendue, par la fermeté sans équivoque des syndicats non communistes, par les protestations de la quasi-totalité des intellectuels, fut obligé de se rallier précipitamment à l'indignation générale et d'admettre la responsabilité de l'URSS, en revanche, le gouvernement de la République fédérale d'Allemagne attendit près d'un mois pour le faire. Après des vacances ensoleillées en Floride, le chancelier Helmut Schmidt rencontra Ronald Reagan à Washington le 6 janvier. Le Président obtint alors du chancelier, en échange d'un assouplissement de l'opposition américaine au contrat germano-soviétique sur les importations de gaz sibérien, la promesse que l'Allemagne désignerait explicitement l'URSS comme la vraie coupable et instigatrice de la répression en Pologne. Schmidt s'exécuta au cours d'une conférence de presse dont j'eus l'occasion de regarder la retransmission télévisée. Poussant de lourds soupirs, s'arrachant de la gorge des segments de phrases séparés de longs silences accablés, souriant tristement avec l'amertume angélique du martyr aux abords de l'ultime sacrifice, Schmidt commença par se plaindre de l'agressivité de la presse américaine à l'égard de l'Allemagne depuis un mois, à propos de la Pologne. Il regretta ensuite de ne pas pouvoir démêler quels étaient les désirs des Américains, tant les points de vue des divers responsables de l'Administration étaient, selon lui, contradictoires. Il réitéra qu'aucune sanction économique ne serait de nature à gêner les Soviétiques et donc ne serait utile. Enfin, dans un murmure, une sorte de râle que l'accablement du chagrin rendit à peine audible, il articula que l'Union soviétique était « *vraisemblablement pour quelque chose* » dans l'instauration de la loi martiale en Pologne. Je suppose que dans les manuels d'histoire à l'usage des écoliers, qui, d'ici un siècle, après la victoire planétaire du communisme, seront répandus, tous identiques, dans le monde entier, on révélera que Schmidt, ce jour-là, juste avant sa conférence de presse, avait été torturé et drogué par la CIA.

Quoique bien inoffensifs, les propos du chancelier n'en suscitèrent pas moins les foudres instantanées de Moscou, qui accusa la République fédérale et les Etats-Unis d' « ingérence dans les affaires intérieures de la Pologne ». Ainsi, c'est de l'Ouest que provenait la véritable ingérence et non de l'Union soviétique, de même qu'en Afghanistan c'est l'Union soviétique qui « défend » le pays contre « l'intervention occidentale des Américano-sionistes[1] ». Les dirigeants soviétiques auraient bien tort de se priver du délicat plaisir d'asséner au monde de telles énormités, puisque les gouvernements occidentaux ne les relèvent jamais en les ridiculisant comme elles le mériteraient, et puisque une part assez vaste des opinions occidentales les croit, situant à l'Ouest les seuls réels agresseurs. Se réunissant en session extraordinaire, en janvier 1982, les pays membres de l'Otan considèrent comme un grand

1. *Pravda*, 5 août 1981.

succès d'avoir réussi à se mettre d'accord sur un communiqué. A cette date, l'ambition des nations démocratiques n'est déjà plus de se concerter sur des actes pouvant influer sur l'Union soviétique, elle est à peine et avec peine de se concerter sur les mots qui les diviseront le moins entre elles.

La bataille morale contre le nouvel asservissement de la Pologne s'est donc bornée, de la part des gouvernements démocratiques, à une reddition immédiate. Ou, plus exactement, elle se serait bornée à cette reddition si ces gouvernements, et en particulier celui de la France, ne s'étaient trouvés débordés et contraints à l'héroïsme — verbal — par leurs opinions publiques. Le pouvoir socialiste français, que décontenance, entre le 13 et le 20 décembre 1981, la vive réaction des syndicats non communistes, des intellectuels et de la foule venue manifester dans les rues sans y avoir été envoyée par un quelconque mot d'ordre, comprend son erreur, ranime la tiédeur de ses premiers propos, improvise de martiaux discours avec lesquels, l'objectivité oblige à le reconnaître, ses actes restent en complet contraste. Un premier souci du président Mitterrand fut de ne pas briser l'alliance gouvernementale entre les socialistes et les communistes. Or le Parti communiste français, flanqué de la centrale syndicale qui suit ses ordres, non seulement s'était hâté d'approuver la terreur policière en Pologne, mais faisait campagne en sa faveur avec une agressivité qui conduisit le secrétaire général du PCF, Georges Marchais, à décerner le brevet infamant de « fausse gauche » à trois journaux favorables aux socialistes, qu'avait indignés la répression : *le Monde, le Matin* et *le Nouvel Observateur.* Et pourtant *le Monde,* au tout début, avait exprimé des vues assez acceptables pour les communistes, dans un éditorial intitulé « Raison garder », où son directeur, Jacques Fauvet, incitait l'Occident à s'abstenir de tout « aventurisme », à ne pas jeter de l'huile sur le feu, ce qui sera exactement l'argument communiste pendant toute la phase d'excitation autour de la Pologne, jusqu'à ce que l'opinion publique retombe dans l'indifférence. Beaucoup avaient excusé l'entrée de ministres communistes au gouvernement, au printemps de 1981, en disant qu'ils étaient en position de faiblesse et que Mitterrand imposerait sa politique au Parti communiste. Devant le coup de force en Pologne, le PCF déploya une fois de plus l'étendard intact de son prosoviétisme servile, sans cesser de partager en toute tranquillité le gouvernement avec un Parti socialiste devenu, au moins en paroles, antisoviétique. Que Mitterrand ait gardé auprès de lui les ministres communistes montre assez lequel des deux partis intimide l'autre. Alléguer que les *ministres* communistes, eux, personnellement, sont restés cois constitue une dérobade et une hypocrisie : ce qui compte, ce qui a du poids politique, ce qui influence l'opinion publique, ce qui gêne ou aide le président de la République, ce ne sont pas les dires ou les silences des ministres, simples pions fournis par l'organisation, c'est ce que dit et fait *le Parti.* Or, en ce cas, les socialistes acceptent qu'il dise et fasse le contraire de ce que dit ou fait le gouvernement, sans l'exclure du gouvernement.

Le second souci du président Mitterrand, après celui de conserver les communistes auprès de lui, bien qu'ils condamnent sa position sur l'état de siège en Pologne, fut de « rattraper les intellectuels ». Dans ce dessein, il donna l'ordre d'improviser à l'Opéra de Paris une soirée d'intellectuels et d'artistes, qui manifesteraient leur solidarité à la fois avec le gouvernement français et avec le peuple polonais opprimé, surtout avec le premier d'ailleurs : soirée malencontreusement « animée » (ignorance ou provocation ?) par des écrivains de « sensibilité » castriste et soviétique, comme Gabriel Garcia Marquez ou Régis Debray, et curieusement rehaussée par la présence de quelques « taupes d'affaires ». Eût-elle été moins équivoque, cette « fête de charité » n'en eût au demeurant pas été plus utile. Un mois plus tard, des Américains montèrent un spectacle télévisé, intitulé « *Let Poland be Poland* », où la fine fleur du show-business fit un étalage méritoire de sentiments démocratiques et polonophiles qui l'honorèrent. Dans les deux cas, n'en doutons point, le Kremlin trembla. Peut-être répliquera-t-il un jour par une soirée de ballets anticapitalistes, dont la retentissante intransigeance précipitera dans la honte et le néant les bellicistes yankees du « complexe militaro-industriel » et de la « conspiration américano-sioniste ».

Notre résistance morale ayant donc eu pour principal effet d'encourager les Beaux-Arts n'alla toutefois pas jusqu'à éliminer entièrement la politique au bénéfice de l'esthétique. Les *grandes* priorités politiques continuèrent d'être affirmées : ainsi, le Parti socialiste français s'assigna dès le premier jour comme tâche essentielle *d'empêcher la droite de manifester en faveur de la Pologne.* « Vous n'avez pas le droit d'être ici ! » crièrent même certains leaders socialistes à des hommes de l'ancienne majorité gaulliste qui défilaient avec les manifestants dans les rues de Paris. « La direction du PS dénonce l'hypocrisie de l'opposition », lit-on dans *le Monde* du 19 décembre 1981. Telle est la grande préoccupation socialiste, cinq jours après le début de la terreur ! Il faut donc être socialiste, plus : allié au PCF, pour avoir le *droit* de critiquer Jaruzelski et les Soviétiques, parce qu'ainsi la querelle se passe en famille. Quel aveu ! Certes, les socialistes attaquent aussi le PCF et sa filiale syndicale, la CGT, leur reprochant d'approuver le coup du 13 décembre. Mais que valent ces attaques, et ces reproches, puisque le PS continue de gouverner avec le PCF ? On imagine de quel œil narquois et jouisseur les dirigeants soviétiques ont dû contempler cette sotie surréaliste : les socialistes français critiquant la loi martiale en Pologne, mais excommuniant ceux qui la condamnent et gouvernant avec ceux qui l'approuvent !

A ce stade, les Soviétiques ont donc d'ores et déjà gagné la bataille psychologique. Les discordes entre les démocraties alliées et entre les partis politiques au sein de chaque démocratie l'emportent sur la résolution d'opposer un front commun à la forfaiture totalitaire. Il va de soi qu'une réaction aussi anémique et aussi brouillonne au stade de la compréhension du danger ne pouvait guère entraîner d'action cohérente. Là où il n'y a pas d'accord sur la perception et l'interprétation des événements, il ne peut pas y avoir d'accord sur l'élaboration et l'application d'une politique adaptée à ces événements.

Le flottement de ceux des socialistes qui restent fidèles au marxisme orthodoxe, tels les socialistes français, tient à ce qu'ils s'obstinent à voir dans les révoltes des peuples asservis par le communisme un phénomène de *réforme du socialisme.* Répondant à une pétition d'écrivains et d'artistes qui s'indignaient de la mollesse de la diplomatie française devant l' « état de guerre », le PS y allait lui aussi de sa pétition (curieux pis-aller pour un parti qui compte dans son camp le président de la République, le Premier ministre, presque tout le gouvernement et la majorité absolue au Parlement !) où l'on pouvait lire, le 18 décembre 1981 : « Ces événements tragiques, venant après ceux de la Tchécoslovaquie (en 1968) et de Hongrie (en 1956), démontrent qu'on ne construit pas le socialisme lorsqu'on s'oppose à son peuple et qu'on bafoue la démocratie. » Eh ! peut-être bien que si, justement ! L'histoire du XXe siècle a fini par faire entrer dans bien des crânes qu'hélas ! on ne le construit pas autrement. Car rien n'est plus sot que la formule « processus de démocratisation en Pologne », si répandue à gauche avant le 13 décembre 1981. La décomposition, la putréfaction, la nécrose de tout un système méritent-elles, parce que c'est du socialisme qu'il s'agit, d'être promues à la dignité d' « évolution positive » ? C'est comme si l'on disait que la chute du IIIe Reich en 1945 marquait la « démocratisation » du nazisme. Quand les socialistes consentent parfois à reconnaître que les travailleurs, le peuple, les intellectuels se sont soulevés contre le communisme à Berlin-Est, en Hongrie, en Pologne, en Tchécoslovaquie, c'est pour ajouter aussitôt que le véritable but des insurgés était de « prouver que l'on peut concilier socialisme et liberté ». Que les insurgés tentent rituellement de faire accepter une modeste libéralisation en la présentant comme la meilleure manière de « consolider le socialisme », c'est une tactique visant à tromper les oppresseurs, avec bien peu de succès du reste. Que des historiens occidentaux ne décèlent pas l'évidence, à savoir qu'en majorité ces pauvres gens, poussés par la misère, *se révoltent contre le socialisme même, pour s'en débarrasser* et non pour l'amender, tout en n'étant pas en situation de pouvoir le dire crûment, c'est le signe de ce traitement de faveur dont a longtemps joui à l'Ouest le communisme. Il n'est pas indécent de dire que des masses se sont révoltées contre le capitalisme, même quand ce n'est pas vrai. Mais elles ne sauraient se révolter contre le socialisme en tant que tel ! Affriandés par les socialismes exotiques tant que ces théâtres périphériques semblent redonner crédit à l'affiche fanée du « socialisme à visage humain », les marxistes s'en désolidarisent avec une risible vélocité dès que sonne l'heure de la tragédie. Peu importent les souffrances des peuples : ce qui compte est « l'avenir du socialisme ». Ainsi, la Jeunesse Ouvrière Chrétienne (JOC), mouvement christo-marxiste français, dès le 14 décembre 1981, pare au danger suprême en faisant savoir : « Nous tenons à dénoncer l'attitude de ceux qui, à droite, veulent récupérer les événements polonais pour s'opposer au changement en France. » On le sait, « changement », dans le dictionnaire politique français, est, depuis le printemps de 1981, synonyme de « pouvoir socialo-communiste ». Les Polonais peuvent bien crever, le principal est que leur regrettable déveine ne rejaillisse pas sur l'image du socialisme, et à travers lui sur l'intangibilité du « changement ». Bel étalage d'égoïsme politique, que l'on retrouve après tous les désastres du socialisme universel. C'est parce que ces sophismes ont à la longue provoqué chez tant d'intellectuels une atroce nausée que François Mitterrand ne devrait pas être surpris de voir si peu de têtes pensantes s'empresser autour du « socialisme à la française » qu'il incarne. La situation s'est presque inversée par rapport à ce qu'elle était pendant les deux décennies qui suivirent la fin de la dernière guerre. A l'époque, les « clercs » chantaient les louanges de l'URSS, de la Chine, de Cuba, cependant que les hommes politiques, notamment ceux qui avaient la responsabilité de gouverner, mettaient avec insistance les peuples en garde contre le danger soviétique et le danger communiste en général. Depuis 1970 ou 1975, ce sont les intellectuels qui crient au danger, cependant que les dirigeants font de leur mieux pour l'ignorer ou le dissimuler.

Les sociaux-démocrates et les conservateurs se sont montrés, depuis 1970, plus complaisants à l'égard des forfaits de l'Union soviétique et plus dociles à ses ultimatums que, par exemple, le Parti communiste italien. Berlinguer a crié plus fort que Brandt après le 13 décembre. Mais, de toute façon, que l'on se rassure, si l'éventail des vocalises ne recouvre pas toujours comme prévu l'éventail politique, si l'on exécute à l'envers la partition qui va du rugissement léonin au murmure accablé en passant par le mutisme amical, en revanche, dès qu'il s'agit d'action, ou plutôt d'inaction, tout le monde se retrouve, c'est une perfection dans l'unanimité, et il n'y a plus la moindre divergence en Occident, ni entre les partis ni entre les pays.

Du moins pas de divergences de fond. Car les démocraties vont inventer une explication à leur passivité : à savoir que chacune d'entre elles reste passive parce que les autres n'agissent pas. L'état de siège en Pologne se transforme en crise de l'alliance atlantique. Les Soviétiques ont fort bien deviné qu'aucun membre de l'alliance atlantique ne désirait, en son for intérieur, prendre de sanctions contre eux et que, dès lors, chacun se disculperait en rejetant sur les autres alliés la responsabilité de sa propre lâcheté. La « crise de l'alliance », dont parlèrent tant de journaux, fut une fausse querelle, car en fait chaque allié rendit à tous les autres le service de se prêter au rôle de bouc émissaire. Fausse querelle sur le fond, mais vraies divisions dans les rapports, dans les accusations réciproques, sources de nouvelles blessures morales, de futures rancœurs, annonciatrices d'une paralysie aggravée et d'une impuissance accrue.

Car il est faux de prétendre avec un empressement suspect, après chaque empiètement de Moscou, que des sanctions seraient inutiles. Venant des avocats de la détente, ce raisonnement est particulièrement inacceptable. On ne peut à la fois avoir prétendu que l'aide économique occidentale ferait fleurir l'amour de la paix en URSS parce qu'elle la tirerait de l'ornière économique, et proclamer ensuite que le retrait de cette aide ne peut en rien gêner l'économie soviétique. C'est pourtant ce que n'a pas craint d'affirmer le chancelier Schmidt au cours de la conférence de presse donnée à Washington, que je mentionne plus haut. Ici, l'incohérence de la pensée fait transparaître l'imposture. Ou bien la coopération économique occidentale est, pour l'URSS, un élément négligeable et, dans ce cas, toute la philosophie de la détente était absurde ; ou bien elle est importante pour l'URSS et, dans ce cas, suspendre l'aide serait une sanction efficace. C'est le deuxième terme de cette alternative qui est le vrai. Il suffit pour s'en convaincre de contempler l'agitation inquiète et frénétique des agents d'influence prosoviétiques en Occident dès qu'on parle de sanctions. L'aide occidentale est très importante pour le monde communiste, mais il faut ajouter qu'elle est devenue également très importante pour le monde occidental. Et même plus importante, reconnaissons-le, car il est presque impossible à des pays riches et démocratiques de se résigner, en vue d'objectifs politiques, à une chute même légère de leur niveau de vie. Au contraire, les Etats totalitaires peuvent, sauf accident, imposer impunément à leurs populations toujours un peu plus de pénurie, grâce à leur maîtrise d'une société en situation habituelle de « disette contrôlée », selon la formule de Michel Heller[1]. Ainsi, la détente n'était pas un rêve,

1. Michel Heller et Aleksandr Nekrich, *l'Utopie au pouvoir,* Paris, 1982, Calmann-Lévy.

c'était un piège. Les « armes de la paix » ont très bien fonctionné pour l'URSS, dans ce sens que l'Occident, surtout la RFA, est ligoté par ses contrats économiques et ses créances à l'Est[1]. L'URSS peut avancer ses pions sans que l'Ouest puisse contre-attaquer à moins de sacrifier son niveau de vie, d'accroître son chômage, de perdre l'argent que ses banques et ses Etats ont prêté à l'Est. Il est faux de dire que les sanctions économiques seraient sans effet sur l'URSS. Elles constitueraient des représailles terribles. Mais elles impliqueraient aussi de graves difficultés pour l'Ouest. La question est de savoir si l'indépendance est plus importante à sauvegarder que les avantages économiques.

Et cette question est d'autant plus pressante que les avantages économiques accordés à l'Union soviétique lui permettent d'accroître, directement ou indirectement, son potentiel militaire. Directement lorsque nous finançons nous-mêmes des transferts de haute technologie dont les applications stratégiques sont la principale raison d'être ; indirectement lorsque nous aidons les pays communistes à sortir de pénuries par trop insupportables ou lui prêtons les devises fortes dont elle a besoin pour acheter à l'Occident les produits manufacturés qu'elle ne fabrique pas en quantité suffisante, ce qui épargne à l'URSS d'amputer ses dépenses militaires afin de faire face aux besoins quotidiens les plus indispensables. Or, après le 13 décembre 1981, les puissances occidentales avaient les moyens d'infliger à l'URSS des sanctions qui l'eussent plongée dans de graves difficultés sans être pour autant des agressions. Car refuser de renouveler des prêts ou de signer des contrats ne constitue pas en soi une agression.

Nous pouvions d'abord constater l'insolvabilité de l'Etat polonais, qui se trouvait incapable non seulement de rembourser aux échéances prévues ses dettes, mais même d'en payer les intérêts. Le déclarer en banqueroute, et suspendre tout prêt à l'Est aurait eu en premier lieu une signification politique, ensuite des conséquences économiques, qui auraient tari une partie des ressources de l'expansionnisme soviétique. Quelle leçon, en revanche, l'URSS peut-elle tirer de notre attitude lorsqu'elle constate qu'après avoir commis un forfait contre lequel nous l'avons mise en garde, elle continue de recevoir de nous les mêmes avantages qu'auparavant ? Les raisons données en janvier 1982 pour ne pas déclarer la Pologne en banqueroute négligeaient cet élément politique essentiel et, de plus, n'étaient pas techniquement convaincantes. Ne citons que pour amuser le lecteur la raison du Premier ministre

1. *Les Armes de la paix*, Denoël, titre d'un ouvrage paru au début des années 1970 et où l'avocat international Samuel Pisar exposait la thèse qu'en commerçant avec l'Union soviétique l'Ouest la rendrait à la fois démocratique et pacifique. Cet ouvrage a exercé une grande influence sur le président français Giscard d'Estaing.

français, Pierre Mauroy, selon qui suspendre les crédits vers l'Est serait « accepter l'idée d'un blocus économique » et constituerait « un acte grave, un acte de guerre ». En quoi ne plus vouloir prêter à quelqu'un de l'argent à fonds perdus est-il un acte de guerre, et quel rapport avec un blocus ? Plus sérieuse était l'objection du Département d'Etat : mettre la Pologne en faillite sèmerait la panique dans le tiers monde, où nombre de pays sont aussi endettés qu'elle, et aussi insolvables. Réponse : accepter de rééchelonner la dette de ces pays et pas celle de la Pologne aurait justement mis en relief le caractère politique de cette décision. C'était une bonne manière de le faire savoir. Autre objection : si nous refusons d'alimenter les caisses de l'Etat polonais, nous punirons moins les dirigeants que le peuple, dont la misère empirera encore. Préoccupation respectable, mais malheureusement il ressort de l'histoire récente que le niveau de vie des populations d'Europe orientale et d'URSS n'a jamais autant baissé, depuis la guerre, que pendant les dix années où nous avons inondé leurs gouvernements de crédits. De 1970 à 1980, les démocraties ont prêté à l'ensemble du bloc soviétique 70 milliards de dollars et jamais la crise alimentaire n'y a été aussi aiguë, Hongrie mise à part, qu'en 1980, 1981, 1982. Il est licite d'en induire que l'argent ne paraît pas très consacré au bien-être des masses. S'il est employé à renforcer les moyens militaires et policiers des Etats, comme il appert, le verser sert donc à l'oppression des peuples et non à soulager leur misère. Dans les milieux financiers occidentaux, on arguait, selon les propres termes, par exemple, du président de la banque Citicorp, Walter Winston, que « déclarer la Pologne en état de cessation de paiements équivaudrait, de la part des banques américaines, à pousser les nations d'Europe de l'Est dans les bras de l'Union soviétique ». On ignorait qu'elles n'y fussent point ! « Si la Pologne était mise en faillite, poursuivait l'éminent banquier, la Russie aurait atteint le but qu'elle poursuit depuis la Grande Catherine : convaincre les Polonais que la Russie est leur seule amie au monde. » Cela saute aux yeux : c'est vraiment là le risque majeur ! Quand on soupèse les connaissances historiques et le flair politique de certains des gens d'affaires les plus influents, on comprend que l'élite de la Nomenklatura soviétique adore les fréquenter, tant ils sont faciles à duper et disséminent bénévolement les sornettes de la désinformation. Du reste, les financiers devraient savoir que l'URSS, en imposant aux pays du Comecon, à partir de 1976, un « rouble transférable », a raflé pour elle-même le plus clair des devises fortes prêtées par l'Occident à ses satellites, qui n'étaient plus que des tuyaux d'arrosage.

La conclusion pratique de cet ensemble d'arguments fut que le Trésor américain régla aux banques les échéances auxquelles l'Etat polonais ne pouvait faire face, ce qui équivalait à faire financer par les contribuables américains la répression policière en Pologne. En outre, quand on regarde la liste des ouvertures de crédits au bloc soviétique pendant le premier semestre de 1982, on s'aperçoit qu'elles ne se sont à aucun moment ralenties et que l'URSS en avait et continuera d'en avoir le plus grand besoin, ce qui ruine la thèse de l' « inefficacité » des sanctions. Prise à la gorge par une disette qui devenait « incontrôlée », l'Union soviétique arrachait aux Etats-Unis la reprise, en avril et mai 1982, des pourparlers en vue de l'achat de céréales américaines. En cédant ainsi aux pressions des milieux agricoles, l'administration Reagan fournissait, bien sûr, un bon argument aux Européens, désireux, de leur côté, de poursuivre la réalisation du gazoduc soviétique, destiné à faire parvenir en Europe occidentale le gaz sibérien. Politiquement et moralement, la capitulation américaine n'est pas plus excusable que la capitulation européenne. En pratique, il existe toutefois une différence entre les deux transactions : les Américains vendent du blé aux Soviétiques et se le font payer comptant, au cours mondial ; ils ne leur font pas cadeau, en outre, ou presque, de l'argent nécessaire pour l'acheter ; ils ne leur livrent, à cette occasion, aucune technologie avancée se prêtant à un usage militaire ; ils ne fournissent pas à l'Union soviétique un moyen de chantage en lui mettant en main l'arme de l'interruption soudaine des fournitures d'énergie. Créer cette dépendance en Occident est d'autant plus blâmable que c'était inutile : on sait maintenant que les gisements de gaz d'Europe du Nord sont si substantiels qu'ils auraient permis aux démocraties du vieux continent de se passer du contrat soviétique, ruineux et dangereux tout à la fois.

Chacune des sanctions économiques dont les démocraties auraient pu se servir contre l'URSS offrait des inconvénients et donc appelait des réserves qui n'étaient certes pas toutes sans fondement. On n'en reste pas moins étonné, dans cette crise comme dans la crise afghane, par la malédiction qui veut que toutes les mesures écartées par nos dirigeants comme inefficaces ou périlleuses sont justement celles qui se trouvent à notre portée. En juin 1982, dans un entretien donné au *Washington Post,* François Mitterrand, tout en confirmant sa volonté de contenir les ambitions de l'Union soviétique, précise aussitôt que les représailles économiques « mènent à la guerre » et qu'il s'en abstiendra. Il entérine ainsi la thèse de son Premier ministre, ou plutôt, le Premier ministre exprimait la pensée du président. Dans sa répugnance à l'égard de l'arme économique, la France a montré un zèle singulier, puisqu'elle est allée jusqu'à prendre à sa charge la part du financement du gazoduc soviétique, quinze pour cent [1], qui, d'après

1. Soit 140 millions de dollars supplémentaires, « prêtés » par des banques nationales sur ordre du gouvernement français.

le contrat, incombait à l'URSS. Par une intrigante coïncidence, notre fermeté n'est intraitable que dans les domaines où elle est sans conséquence pratique et elle s'estompe chaque fois que nous avons un moyen de la concrétiser. Les Français ne sont pas les seuls, bien entendu, à subir cet étrange guignon.

Les sanctions politiques n'ont dans ce système pas un sort plus heureux que les sanctions économiques. L'Occident disposait d'un remarquable instrument de contre-offensive, après le 13 décembre : dénoncer les accords d'Helsinki et, par voie de conséquence, refuser, en février 1982, d'aller à Madrid reprendre la conférence « sur la sécurité et la coopération européennes » où se discutaient en pure perte depuis un an l'application et les prolongements des fameux accords signés avec l'URSS en 1975. Ne l'oublions pas, ce sont les Soviétiques qui avaient de longue date voulu ces accords, si avantageux pour eux. L'Occident avait une admirable carte à jouer en constatant avec flegme leur caducité, puisque, dans le cas polonais, ils avaient été assurément violés. Au lieu de jouer cette carte, l'Allemagne et la France commencèrent par mettre en avant les arguments propices aux thèses soviétiques en invoquant les accords de Yalta de 1945 ou, pour mieux dire, la version imaginaire de ces accords. Ceux-ci, en effet, loin de légitimer l'occupation soviétique de la Pologne, prévoyaient dans ce pays des élections libres, que, on s'en doute, l'Union soviétique n'organisa jamais. Staline, dans un propos digne du pire anticommunisme « viscéral », déclara tout crûment à un Américain, un peu plus tard, durant la conférence de Potsdam : « Tout gouvernement librement élu serait antisoviétique. Et, cela, nous ne pouvons le permettre[1]. » Cette lucidité stalinienne ajoutée à la passivité américaine permit à l'URSS après 1945 de s'emparer indûment de la Pologne et des autres satellites qui constituent aujourd'hui le bloc soviétique en Europe. On comprend sa tactique. On comprend moins pourquoi les dirigeants occidentaux, depuis toujours, et encore Mitterrand après Schmidt en 1981, se sont constamment faits les propagateurs du mythe de Yalta. Pourquoi les gouvernants, même les plus conscients du danger soviétique, se laissent-ils insensiblement glisser dans le rôle d'avocats du point de vue que l'Union soviétique a intérêt à faire prévaloir ? C'est ce qu'ils firent à nouveau avec ponctualité en expliquant pourquoi ils acceptaient de retourner à la conférence de Madrid, au lieu de dénoncer, comme ils auraient dû le faire, les traités d'Helsinki, puisque ceux-ci prévoyaient le respect des droits de l'homme et des libertés dans les pays de l'Est. Les Soviétiques raffolent des conférences, des sommets, des visites, des traités d'amitié, grâce auxquels leurs

1. P. E. Mosely, *The Kremlin and the World Politics*, New York, 1960. Cité par Jean Laloy, dans la revue *Commentaire*, nº 14.

agressions se trouvent en quelque sorte noyées dans les discours, du seul fait qu'on accepte de les rencontrer. Il leur avait fallu plusieurs mois, après l'invasion de l'Afghanistan, pour parvenir à rencontrer de nouveau des dirigeants occidentaux. Après leur coup de force en Pologne, il ne leur fallut même pas deux mois. Là encore, ce furent les démocraties elles-mêmes qui se chargèrent de répandre chez elles les slogans creux qui justifiaient qu'elles retournent se jeter dans le piège. Américains et Européens concordèrent pour estimer qu'assister à la Conférence leur fournirait l'occasion d'exiger des « explications » sur la Pologne et de « maintenir le dialogue ». « Ce n'est pas nous, lança le ministre français des Relations extérieures, Claude Cheysson, qui romprons le débat ici. Il faut éviter de casser la boutique. Il est probable que quelques semaines ou quelques mois de réflexion seraient utiles, mais il faut poursuivre la discussion dans le cadre de la Conférence de Madrid et cela serait d'autant plus facile si le général Jaruzelski tenait ses promesses » (*sic*). En effet... Mais cela requiert au préalable des gens assez bêtes pour croire aux promesses de Jaruzelski. « Aussi longtemps que fonctionne le forum de la Conférence de Madrid, proclame-t-on en Allemagne, le Kremlin ne peut se soustraire à la controverse sur la Pologne. » On verra qu'ils n'auront aucune peine à y parvenir. En outre, tant que le seul danger reste une controverse... Selon le Premier ministre, Pierre Mauroy, il faut utiliser le document d'Helsinki pour « mettre sans relâche l'URSS et ses amis en contradiction avec eux-mêmes ». Nul doute qu'à l'idée d'être mis en contradiction avec eux-mêmes par l'horrifique dialecticien français les Soviétiques ne tremblassent de terreur. Mais ils ne le firent guère paraître. Le 9 février 1982, à la reprise de la CSCE [1], les Soviétiques et les Polonais font de l'obstruction et s'arrangent pour ridiculiser les Occidentaux, qui, venus en toute naïveté gâcher leur temps, leur salive et l'argent de leurs contribuables, se font berner de main de maître par Moscou. Une fois de plus, la « détente » a été fructueuse pour le communisme. Une fois de plus, l'Occident a forgé mille arguties pour se dispenser d'accomplir le geste simple, évident, qui eût mis les Soviétiques dans l'embarras. Une fois de plus, notre diplomatie a su agir à la fois contre notre honneur et contre notre intérêt. Les Soviétiques ont même mis à leur actif un nouvel exploit, une grande première : parvenir à empêcher de parler le ministre français des Relations extérieures, Claude Cheysson. Après la séance où il n'avait pu réussir à prendre la parole, le ministre déclara tout penaud : « Je ne comprends vraiment pas l'attitude des pays de l'Est. » Tiens ! Enfin un constat réaliste.

Ce rapide panorama de quelques-unes des réactions caractéristi-

1. Conférence sur la Sécurité et la Coopération en Europe.

ques de l'Occident durant les six mois qui ont suivi la nouvelle bolchevisation de la Pologne n'épuise pas une matière que la résistance polonaise s'est chargée, d'ailleurs, de maintenir en ébullition bien après la période qui sert d'exemple ici. Mais cet aperçu, quoique trop bref, suffit à illustrer le thème fondamental qui nous occupe. Un esprit pragmatique pourrait certes plaider que ni l'honneur ni l'intérêt des nations démocratiques n'étaient, au fond, en jeu dans l'affaire polonaise. En 1938, les démocraties avaient un traité avec la Tchécoslovaquie, qu'elles ont néanmoins laissé envahir par Hitler, trahissant ainsi leur parole tout en préparant leur propre perte. Aucun traité, en revanche, ne nous liait à la Pologne de 1981, dont la subordination à l'Union soviétique n'avait rien de neuf et s'est trouvée simplement rétablie ou consolidée, sous le déguisement, au surplus, d'une mesure de politique intérieure. Si légitime d'un point de vue moral que soit l'émotion des opinions publiques devant les malheurs de la Pologne, la raison d'Etat conseillait peut-être de respecter le compromis fixé par les accords d'Helsinki et, plus loin dans le passé, par ceux de Yalta — fût-ce un Yalta romancé : mais est-il rien de plus contraignant que les fables auxquelles tout le monde croit ? En poursuivant ce raisonnement, on était donc conduit à refuser d'interrompre les relations économiques et les pourparlers stratégiques sous prétexte de violation par les Soviétiques d'un statu quo à l'Est que nous avons en réalité toujours accepté. Car quel Occidental averti a jamais cru au rétablissement des libertés dans les pays communistes après Helsinki ? Sachant le socialisme incompatible et avec les droits de l'homme et avec la satisfaction de ses besoins matériels les plus élémentaires, nous pouvions prévoir, nous avions prévu de nouvelles révoltes dans l'empire soviétique. Il y en a eu d'autres et il y en aura d'autres : ne feignons donc pas la surprise chaque fois qu'elles surviennent. Cela fait partie du tableau qu'à notre corps défendant nous a imposé la conclusion de la Seconde Guerre mondiale. C'est en prenant ce tableau comme toile de fond que nous devons construire notre sécurité, et un modus vivendi acceptable avec le supergrand communiste.

Telle est l'argumentation, d'abord, cela va sans dire, des porte-parole professionnels ou bénévoles de l'Union soviétique à l'Ouest, ensuite, et c'est beaucoup plus important, d'une majorité au sein de l'Internationale socialiste, suivie, ou plutôt précédée par des conservateurs nationalistes, en tête desquels les héritiers français du gaullisme[1]. Certains marxistes occidentaux renforcent même

1. Dans *le Monde* du 13 février 1982 figurait en première page un article de Maurice Couve de Murville, ancien ministre des Affaires étrangères puis Premier ministre du général de Gaulle. Le titre de cet article était : « Politique économique et dignité nationale. » Comme le monde occidental se trouvait alors plongé dans le débat sur la construction du gazoduc soviétique et sur les liens de

leurs considérations réalistes par un étai moral d'une élégance contestable, à savoir que les pays d'Europe centrale qui sont aujourd'hui communistes n'étaient déjà pas, pour la plupart, démocratiques avant 1939, et ne doivent donc pas aujourd'hui demander la liberté. A ce compte, ni l'Allemagne ex-hitlérienne, ni l'Italie ex-fasciste, ni le Portugal ex-salazarien, ni l'Espagne ex-franquiste, ni la France ex-pétainiste, ni une foule d'autres peuples jouissant à l'heure actuelle de la démocratie n'auraient dû avoir le droit d'y aspirer, trop heureux qu'on les juge assez amendés pour mériter au mieux le communisme. Belle théorie, qui fit d'ailleurs florès en 1975, à gauche, en France, pour justifier la tentative militaro-stalinienne de conquête du pouvoir au Portugal.

Qu'elle soit politique, idéologique, économique, stratégique ou historique, cette panoplie dialectique possède une vertu qui est commune à ses facettes les plus diverses : elle va dans le sens de la présentation des choses que l'Union soviétique souhaite voir accréditée. Dans la pratique, ce code se résume à deux préceptes : nous ne devons ni priver l'URSS des fournitures occidentales qui concourent au développement de sa puissance, ni la bousculer, si peu que ce soit, quand les crises internes de son système ou même une aventure expansionniste qui tourne mal, comme la guerre afghane, la rendent vulnérable. A ces deux préceptes s'en ajoute un troisième : notre neutralité n'a pas à être payée de retour, et l'Occident ne doit réclamer pour sa discrétion aucune réciprocité à l'Union soviétique.

Je ne qualifie cette politique ni de bonne ni de mauvaise. Et d'ailleurs, bonne ou mauvaise pour qui ? Je ne cherche pas à convaincre d'en changer. Je la décris. Ce livre n'est pas un sermon. Je veux constater et non point convertir. Constater implique cependant que l'on évalue les fruits de cette diplomatie, en supposant qu'elle soit fructueuse, et que l'on cherche à savoir qui engrange la plus large part de la récolte.

dépendance de l'Europe de l'Ouest par rapport à l'URSS qui risquaient ainsi de s'établir, on pouvait à première vue interpréter ce titre comme annonciateur d'un article sur les avantages et les dangers du contrat gazier franco-soviétique. Pas du tout ! L'événement qui suscitait l'inquiétude, provoquait la colère et inspirait les avertissements du vieil homme d'Etat était une vague rencontre organisée à Paris par l'*International Herald Tribune* entre des hommes d'affaires américains et certains membres du gouvernement français, au sujet d'échanges économiques possibles entre les Etats-Unis et la France, surtout de perspectives d'investissement de capitaux d'outre-Atlantique dans des créations industrielles françaises. Quand les capitalistes français, encouragés par l'Etat, accordent des crédits à l'Union soviétique à des taux préférentiels, lui livrent des biens d'équipement avec des délais de paiement de haute faveur, et quand, en guise de récompense, nous nous faisons insulter, « la dignité nationale » n'est jamais compromise. Mais quand des capitalistes américains étudient la possibilité d'investir en France à leurs risques et périls et aux conditions normales du marché, c'est une atteinte à l'honneur de la patrie.

7
L'IMPÉRATIF TERRITORIAL

Observer la débandade occidentale devant l'invasion de l'Afghanistan ou la restauration de l'ordre totalitaire en Pologne a l'intérêt de ramener l'attention sur un principe de la puissance soviétique trop souvent négligé, sans doute parce qu'il est trop simple, trop archaïque et trop patent : le principe de l'occupation des sols. C'est vrai de tous les communismes, du Vietnam, de Cuba, de la Chine et d'abord, bien entendu, du plus expansionniste de tous : le communisme soviétique. Le secret de l'impérialisme communiste, c'est qu'il est resté un impérialisme territorial.

A une époque où les beaux esprits de l'art politique en Occident dissertent et ergotent sans se lasser ni s'entendre sur les formes les plus perfides du néo-colonialisme et de l'expansionnisme indirect, sur les subtilités de l'impérialisme économique et de la domination culturelle, sur le déferlement des multinationales dans le bruit sourd des légions de boîtes de lait concentré Nestlé ou de camionnettes Toyota, les Soviétiques, eux, ont construit et continuent à construire leur empire sur des bases de père de famille, selon la formule beaucoup plus sûre et depuis toujours éprouvée de l'annexion du pré carré et de l'appropriation directe. Car ils le savent : n'est vraiment à vous que le territoire dont vous avez le contrôle politique et militaire, et sur lequel, de préférence, vous avez réussi à faire reconnaître par la communauté internationale votre autorité et votre titre de propriété comme légitimes, les vôtres ou ceux d'un Etat souverain théoriquement indépendant et en pratique dépendant de vous seul.

Peu d'historiens discourant des « deux impérialismes » soulignent que ces deux impérialismes ont marché, depuis 1945, dans des directions exactement opposées. Depuis la Seconde Guerre mondiale, les anciennes grandes puissances coloniales qui composent le monde capitaliste actuel ont abandonné, de gré ou de force, les territoires qu'elles avaient annexés au cours des siècles précédents. Après l'Espagne, depuis longtemps amputée de ses immenses colonies américaines, on a vu successivement la Grande-Bretagne, les Pays-Bas, la France, la Belgique, le Portugal, laisser s'ériger en une foule de nations indépendantes leurs anciennes possessions d'outre-mer. Cette décolonisation se fit dans certains cas de manière intelligente et rapide, dans d'autres de manière lente et stupide, au prix de carnages tragiques, mais enfin elle se fit. Et il n'est pas inintéressant de constater que les puissances coloniales qui tentèrent de résister à l'évolution générale rencontrèrent la désapprobation des autres pays capitalistes, se trouvèrent isolées au sein même de leurs alliances et contraintes de céder. C'est un vaste sujet que celui du degré d'indépendance réelle de nombreux Etats récents dans l'actuel tiers monde. Mais c'est une réalité que l'aspiration et l'accession à l'indépendance de tout groupe humain un tant soit peu apte à devenir une nation constitue un des grands faits historiques de l'après-guerre.

En un temps, donc, où la politique des annexions territoriales, jadis considérée comme la conséquence légitime de la supériorité militaire, a cédé devant le droit des peuples à disposer d'eux-mêmes et devant le principe des nationalités, l'Union soviétique seule a continué de s'agrandir par le moyen de la conquête armée. De 1940 à 1980, durant l'ère de la décolonisation, alors que les anciens empires restituaient ou conféraient en quelques années l'indépendance aux territoires qu'ils avaient, au cours de maints siècles, subordonnés à leur autorité, l'Union soviétique, par une progression inverse, s'appropriait par la ruse et par la force quantité de contrées étrangères.

J'aurais scrupule à fatiguer l'attention du lecteur par une énumération qu'il peut trouver dans les encyclopédies et les manuels d'histoire, si précisément ces encyclopédies et ces manuels, reflets de la « finlandisation » culturelle de l'Europe, n'escamotaient pour la plupart avec pudeur les brillants succès de l'expansionnisme soviétique. De quel droit, par exemple, l'URSS a-t-elle conservé après la guerre les pays qu'elle avait été autorisée par Hitler en 1939 à prendre comme paiement de sa neutralité, lors du pacte germano-soviétique et de la répartition des bénéfices du dépeçage de l'Europe ? C'est le cas des Etats Baltes, de la Pologne orientale, de la Finlande méridionale, d'une partie de la Roumanie (Bessarabie et Bucovine du Sud). J'accorde qu'ensuite l'Allemagne rompit unilatéralement le pacte Hitler-Staline et envahit l'URSS, qui, puisqu'il faut bien le rappeler encore, ne demandait qu'à poursuivre avec les nazis une aussi fructueuse coopération. Sans l'avoir voulu et à son grand regret, Moscou n'eut d'autre issue que de changer de camp ; ou plutôt, elle *fut* changée de camp par Hitler. Etait-ce une raison pour les démocraties de ne pas reconsidérer ce que Hitler avait accordé à Staline ? Avoir participé à la seconde partie de la guerre aux côtés des Alliés donnait certes à l'URSS le droit, comme à tous les autres vainqueurs, de retrouver l'intégralité de son territoire propre, non pas de s'agrandir — et elle seule ! — aux dépens d'autres pays martyrs, et surtout pas de garder le fruit de sa collaboration avec le nazisme. Or non seulement les Alliés lui abandonnèrent ce fruit si mal acquis, mais ils y ajoutèrent quelques cadeaux tels que la Prusse orientale, la Ruthénie (partie de la Tchécoslovaquie), les îles Kouriles, la partie méridionale de l'île de Sakhaline. Nulle consultation populaire, nul référendum, nul plébiscite, ne fut organisé ni même envisagé pour demander à tous ces Polonais, Lituaniens, Estoniens, Lettons, Roumains, Slovaques, Allemands et autres s'ils souhaitaient ou non devenir sujets soviétiques. Les Alliés fermèrent leurs yeux secs devant ces annexions : déconcertante application des principes au nom desquels avait été abattu le nazisme. Ces incorporations pures et simples au territoire soviétique, si prodigieusement à rebours des mœurs d'un temps au sein duquel elles ressuscitaient les pratiques de l'Europe des princes, morte depuis deux siècles, ont constitué ce que l'on peut appeler la première vague et aussi la première zone des pays annexés.

La seconde vague aboutit à la création de la seconde zone de l'empire : celle des pays satellites. La formule et l'histoire de l'assujettissement de l'Europe orientale et centrale sont trop connus pour que je les rappelle. La recette de cette forme de colonisation repose sur l'implantation d'une façade d'Etat en apparence indépendant, Etat confié à des indigènes fidèles, sortes de gouverneurs de provinces, qui peuvent tout au plus se permettre quelques variations anodines à l'intérieur du cadre tracé par Moscou, à condition de ne pas toucher à l'essentiel. Les démocraties ont très tôt en pratique reconnu à l'URSS le droit de réprimer par la force les émeutes et les revendications d'indépendance réelle dans les satellites européens, c'est-à-dire qu'ils ont très tôt accepté de tenir ces pays pour des appendices du territoire soviétique, situation de fait que les accords d'Helsinki devaient en 1975 transformer en situation de droit.

La troisième vague et la troisième zone des conquêtes territoriales soviétiques couvrent des pays plus lointains, annexés ou pris sous contrôle depuis 1960. Certains de ces pays sont des satellites au sens strict, tels Cuba, le Vietnam, le Yémen : le Yémen du Sud, qui poursuivit dès 1982 la déstabilisation du Yémen du Nord, car la progression soviétique ne s'arrête jamais. Elle est la récompense d'un travail quotidien. Puis vinrent les satellites africains : Angola, Mozambique, Ethiopie, Madagascar, Bénin, Guinée, et autres moindres proies, souvent colonisées par des mercenaires provenant d'autres satellites, des Cubains ou des Allemands de l'Est. Ce sont des protectorats plus fragiles, exposés à des accidents, comme celui qui a provoqué la chute, en Guinée équatoriale (anciennement espagnole) du dictateur Macias, qui, assisté de conseillers soviétiques, avait réussi en quelques années à exterminer ou à mettre en fuite un bon tiers de la population. Quoique fragiles, ces protectorats lointains n'en doivent pas moins être considérés comme des satellites, dans la mesure où le pouvoir politique, l'armée, la police, les transports, la diplomatie sont aux mains de Soviétiques ou d'agents des Soviétiques. Pour rester dans mon sujet au sens étroit, je ne traite dans ce chapitre que des territoires directement occupés, dirigés et contrôlés par l'Union soviétique ou par ses délégués, réservant pour un autre développement les pays « sous influence » avérée — Algérie, Lybie — ainsi que les pays se prétendant « non alignés », appellation qui, pour la majorité d'entre eux, et, à vrai dire, pour le mouvement du même nom dans son ensemble, est devenue depuis longtemps abusive, fallacieuse, et frauduleuse.

Tout pays, dans les vues à long terme de l'Union soviétique, est candidat permanent au passage dans la catégorie supérieure, à la promotion du rang de pays « non aligné » au rang de protectorat, puis de celui-ci au grade de satellite inaliénable. Les dirigeants soviétiques manifestent ainsi clairement et avec constance qu'à leurs yeux le seul impérialisme sérieux repose sur l'occupation du terrain et la présence physique. S'ils ne peuvent annexer un territoire, ils recourent à la solution la plus proche possible de l'annexion : ils y installent un gouvernement à leur dévotion, qui applique leurs méthodes éprouvées pour conquérir le monopole du pouvoir, en éliminant peu à peu tous les partis non communistes. C'est ce qu'ont fait les sandinistes à partir de 1980 au Nicaragua où, sous la poigne de chefs formés à Cuba, s'est joué un scénario identique à celui qui s'était déroulé après la guerre en Europe centrale. Pour préparer la satellisation, l'URSS multiplie les traités d'amitié, l'envoi de conseillers militaires, obtient la concession de bases maritimes, de droits de pêche, sans d'ailleurs oublier de s'en servir selon les normes de l'exploitation colonialiste du type le plus cyniquement archaïque et rémunérateur : ainsi, au large de l'Angola, les chalutiers soviétiques ont dépeuplé les eaux et ravagé les fonds marins en utilisant à outrance un procédé interdit de pêche, par succion, qui anéantit la faune et la flore, sans que les Angolais, dépourvus de tout moyen de surveillance et, au demeurant, de tout gouvernement soucieux des intérêts angolais, s'y soient opposés. Les finesses de l'impérialisme « invisible », indirect ou « caché », l'« effet de domination », la « dépendance » sont autant de plaisanteries, bonnes pour le capitalisme : les Soviétiques leur préfèrent la sécurité de la présence réelle et de l'administration directe ou proconsulaire. Tous les communismes, d'ailleurs, pensent et se comportent ainsi. A peine établie, la Chine communiste s'est empressée d'envahir, d'occuper, d'annexer et de détruire le Tibet. A peine indépendant, du moins en titre, le Vietnam communiste n'a pas attendu beaucoup pour envahir le Cambodge et soumettre le Laos. Les chefs communistes n'ignorent pas qu'il existera toujours une différence de nature entre de vagues « rapports de domination », par essence fluides, et la délimitation de zones territoriales inscrites sur la carte et que nul ne peut plus contester sans être accusé de perturber l'ordre international.

En effet, le caractère avant tout territorial de l'impérialisme soviétique est l'un des secrets de son irréversibilité. Les alliances avec des Etats indépendants peuvent à tout instant être modifiées ou abolies : de Gaulle a fait sortir la France du commandement intégré de l'organisation militaire du Pacte atlantique ; la République fédérale d'Allemagne, depuis 1975, a révélé des aspirations neutralistes et des dispositions à se laisser peut-être un jour détacher du camp occidental par la diplomatie soviétique. Moscou même a fait l'expérience, lorsque les conseillers soviétiques ont été expulsés d'Egypte par le successeur de Nasser, que l'on ne tient pas définitivement un pays tant que l'on n'y a pas implanté un régime communiste complètement fondu dans le moule d'où sortent tous les satellites. L'argument selon lequel le renvoi des conseillers soviétiques d'Egypte prouverait que l'URSS est capable d'abandonner des positions ne tient pas compte du fait que l'Egypte n'était jamais devenue un véritable satellite. Aux yeux des Soviétiques, cet exemple prouve au contraire que rien n'est sûr tant que l'on se contente de demi-mesures, au lieu de pousser au pouvoir, dans les colonies, des communistes prêts à réclamer, en cas de difficulté, l' « aide fraternelle » de l'URSS ou de l'une de ses filiales. Les dirigeants soviétiques sont les premiers convaincus, rien ne permet de les soupçonner du contraire, que tout pouvoir partagé reste un pouvoir menacé, à l'intérieur comme à l'extérieur. C'est pourquoi ils réussissent assez bien, partout où ils pénètrent, à conquérir le monopole du pouvoir et à l'abriter derrière la fiction juridique d'un Etat en apparence souverain.

L'impérialisme économique ne possède pas davantage à lui seul le caractère d'irréversibilité que donne à un empire l'occupation territoriale, garantie par des traités internationaux. D'abord, c'est la propagande communiste, et les dirigeants le savent bien, qui baptise impérialisme ce qui n'est le plus souvent que la vie économique normale selon les lois du marché. Ensuite, ces lois du marché mêmes, avec les vicissitudes de l'efficacité, de la productivité, de l'innovation, font que les positions dominantes changent perpétuellement et rapidement, elles passent de la Grande-Bretagne aux Etats-Unis, des Etats-Unis à l'Allemagne, de l'Allemagne au Japon, du Japon à la Corée du Sud, des pays industrialisés aux pays exportateurs de pétrole, etc. Les dirigeants soviétiques n'aiment pas cela : ils aiment le stable et le permanent. Enfin, et pour cette raison même, l'impérialisme économique, qui n'est qu'une partie de l'impérialisme, n'est jamais aussi commode que lorsqu'il s'exerce dans les zones réservées et protégées que constituent les satellites de l'URSS. N'oublions pas que l'Union soviétique est la grande puissance qui fournit la plus faible aide économique au tiers monde et qui exploite au contraire sans retenue tout pays du tiers monde tombant dans son orbite. L'argent russe versé à Cuba n'est pas une aide économique, c'est la solde du mercenaire, coûteuse, sans doute, mais qui n'exclut pas, tout au contraire, l'exploitation : relation coloniale à l'ancienne, où la colonie fournit de la chair à canon, des esclaves qui vont travailler en Union soviétique, et quelques matières premières, en échange de l'argent qui procure un niveau de vie élevé à la mince classe des proconsuls, gouverneurs, administrateurs et policiers.

Le primat territorial explique la monotonie des mises en scène grâce auxquelles les Soviétiques élargissent patiemment leur domaine. Ces mises en scène étant parfaitement au point et prenant de court, à chaque nouvelle représentation, des Occidentaux pétrifiés par la surprise, il n'y a aucune raison de les modifier. Il est instructif de constater que les ficelles, injurieuses à force d'être épaisses, qui servirent de prétexte à l'invasion de l'Afghanistan à la fin de 1979 se trouvent être identiques à celles qui avaient servi à l'annexion de la Géorgie dès 1921 ! Car la Géorgie avait été l'une des trois républiques transcaucasiennes à l'origine indépendantes de Moscou. Des élections libres, le 26 mai 1918, y avaient donné, selon l'habitude, un pourcentage négligeable de voix aux bolcheviks[1]. Comme en Afghanistan cinquante-huit ans plus tard, des fantoches employés par Moscou appelèrent l'Armée rouge au secours. La Géorgie fut envahie, occupée, annexée. Comme en Afghanistan plus tard, une résistance nationale tint en échec l'occupant de façon spectaculaire. En 1924, une insurrection parvint à libérer la moitié de la Géorgie, soulèvement que l'Armée rouge, la bien nommée, écrasa dans le sang, non sans avoir à mettre en œuvre de gros moyens aériens et blindés. Comme pour l'Afghanistan plus tard, l'Occident « indigné » se contenta « de suivre avec attention les événements dans cette partie du monde, de manière à saisir les occasions qui pourraient se présenter d'aider, par des moyens pacifiques et conformes aux règles du droit international, au retour de ce pays à une situation normale[2] ». On

1. Sociaux-démocrates mencheviks : 640 231 voix ; Nationalistes arméniens : 73 654 ; Nationalistes géorgiens : 51 427 ; Parti musulman : 47 808 ; Socialistes-révolutionnaires : 40 196 ; Bolcheviks : 24 513 ; Cadets : 14 475.

2. Résolution adoptée par la Société des Nations, le 24 septembre 1924.

croirait lire le communiqué cuisiné en janvier 1980 par le président de la République française et le chancelier allemand.

Si la Géorgie fut le premier pays annexé de force, la Mongolie extérieure eut l'honneur, dès 1921 aussi, d'être le premier *satellite* soviétique, chose qu'elle devint, là encore, grâce à une méthode qui atteignit d'emblée la perfection, au point de resservir sans changement maintes fois par la suite et encore au Nicaragua. En 1921, la Mongolie extérieure comptait 164 communistes (selon l'Encyclopédie soviétique de 1931) et 99 membres des jeunesses communistes. Ce n'était vraiment pas beaucoup. Cela suffit cependant pour permettre au Parti communiste de proposer aux autres partis, représentant la petite et moyenne paysannerie, de former un Front national (nous y voilà !) pour lutter contre la « domination chinoise ». Une fois ce Front créé, puis érigé en gouvernement provisoire, aussitôt les communistes s'approprient les leviers de commande, comme ils le feront plus tard en Hongrie ou au Nicaragua, et en éliminent leurs alliés initiaux, soudain démasqués comme contre-révolutionnaires, et affublés en Mongolie de l'appellation exquise d' « éléments féodaux-théocratiques ». C'était à trouver et c'est à retenir [1]. Dès lors, il ne restait plus à une Armée de « libération nationale » improvisée qu'à lancer un appel à l' « aide fraternelle » de l'Armée rouge, qui, comme d'habitude, ne se fit pas prier longtemps pour faire son devoir. Le 13 juin 1924 était proclamée la République populaire de Mongolie, bientôt attachée à l'Union soviétique par d'innombrables pactes « amicaux » d'assistance mutuelle, culturelle, économique, militaire et j'en passe.

Après l'intervention de l'Armée rouge à Prague en 1968 et la « normalisation » de la Tchécoslovaquie, là où toute une gauche occidentale voyait un refus par l'Union soviétique du « socialisme à visage humain », c'est-à-dire une bataille d'idées au sujet d'une conception du socialisme, les vieux kominterniens expérimentés savaient voir l'essentiel : la récupération d'un territoire clé. L'un d'eux, Laurent Casanova, inébranlable quoique tombé en disgrâce, réplique à Philippe Robrieux, qui condamnait devant lui l'opération russe à Prague : « Tu n'as rien compris ; ce qu'il faut, c'est tenir le quadrilatère de Bohême pour tenir l'Europe. » Le même auteur rapporte ces propos de communistes français haut placés : « Les camarades soviétiques sont en train de se doter d'une flotte et de moyens d'intervention, y compris de fusiliers marins, capables

1. D'autant plus à retenir qu'après la Seconde Guerre mondiale encore, à chaque congrès, le Parti populaire révolutionnaire mongol, usant de ce style de vaudeville politique propre à la « langue de bois » communiste, continuait d'inscrire infatigablement dans ses résolutions, la « liquidation des vestiges du féodalisme »...

d'intervenir partout... Ils se promèneront sur toutes les mers, ils iront vers tous les points du globe[1]. » La seule conception du socialisme qui vaille encore, après sa débâcle en tant que modèle, c'est la conception kilométrique, foncière, cadastrale. La lutte idéologique n'est destinée qu'à miner les résistances qui s'opposent à l'élargissement du périmètre de la domination territoriale. Ainsi, seul un souci de progressive mainmise sur la région du golfe Persique, où les pays riches et pauvres achètent le plus clair de l'énergie dont ils ont besoin, confère un sens à l'invasion de l'Afghanistan, à l'implantation d'un régime prosoviétique au Yémen, à l'action discrète du Parti communiste iranien Toudeh, dans l'attente de voir s'effondrer le pouvoir dément et désordonné des religieux. Les dirigeants occidentaux qui, vers la fin de la décennie 1970-1980, ont refusé, par paresse intellectuelle ou par peur d'agir, de voir dans ces événements distincts les pièces complémentaires d'un plan d'ensemble à longue portée, apparaîtront comme lourdement responsables de ce que subiront nos descendants.

L'impérialisme territorial comporte deux avantages principaux.

Son premier avantage est qu'il ne peut pas être combattu sans que les gouvernements qui le combattent deviennent en théorie ceux qui violent le droit international et se conduisent en agresseurs. Chacun sait que les divers potentats communistes installés à Kaboul par les Soviétiques depuis 1978, et qui se sont d'ailleurs entre-tués avec zèle ou ont été assassinés par les Soviétiques eux-mêmes, ne sont que des suppôts de l'étranger. Mais, en pratique, même si provisoirement les démocraties refusent de reconnaître ces gouvernements, ce sont bien néanmoins les gouvernements du pays considéré, on ne peut pas les attaquer, envoyer des forces secourir les résistants, sans entrer officiellement en guerre avec eux. Et c'est un pas impossible à franchir dans le climat contemporain, surtout pour les démocraties, à moins d'être appelé au secours par le pouvoir local, ce qui est d'ordinaire un privilège réservé à l'URSS. Chacun sait aussi, dès la minute où il se constitue, que le gouvernement du général Jaruzelski n'est pas plus le gouvernement souhaité par la majorité des Polonais que ne l'étaient ceux de MM. Kania ou Gierek, et, à vrai dire, que ne l'a été, ne l'est ou ne le sera quelque gouvernement communiste que ce soit. Chacun sait que le pouvoir à Varsovie n'est que le représentant de l'occupant soviétique, que ce pouvoir repose sur la force seule et que des élections libres balaieraient le communisme de Pologne, comme de tout autre pays communiste ou ayant fait l'expérience du communisme pendant au moins quelques années. Mais il n'en reste pas

1. Philippe Robrieux, *Histoire intérieure du Parti communiste,* 1982, Fayard, T. III, p. 73.

moins que ce pouvoir communiste à Varsovie ou dans d'autres satellites, c'est, sur le papier, l'Etat polonais légitime et souverain, en théorie librement allié à l'URSS, et donc que l'attaquer pour soustraire les Polonais à la tyrannie, c'est se livrer à un acte de guerre à l'égard d'une nation indépendante et de son grand allié. Bref, s'indigner de la misère et de la répression à l'Est, c'est perturber l'ordre international, tandis que s'indigner de la misère et de la répression dans un pays sous influence occidentale, en Amérique latine par exemple, c'est travailler pour une cause progressiste. Une fois de plus les règles du jeu sont définies de telle sorte que le communisme ne peut pas perdre, puisqu'on n'exige de lui aucune légitimité démocratique. Et les démocraties ne peuvent pas gagner, puisqu'elles ne sont pas autorisées à défendre leurs intérêts si toutes les conditions de la moralité démocratique la plus haute ne sont pas remplies. En d'autres termes, par consentement de la communauté internationale, on admet que l'Allemagne de l'Est ou la Hongrie ou Cuba sont la *propriété* de l'Union soviétique, au sens territorial, cadastral du terme, mais on n'admet pas et on ne saurait admettre que le Maroc ou le Guatemala soient la « propriété » des Etats-Unis. Les communistes ont donc licence de fomenter des guérillas contre les gouvernements du Maroc ou du Guatemala, gouvernements certes fort contestables aux yeux de tout démocrate, sans passer pour enfreindre l'ordre international, tandis que les Occidentaux ne sauraient fomenter de guérilla contre des pouvoirs démocratiquement plus illégitimes encore, tels les gouvernements tchèque ou polonais, sans entraîner une guerre entre Etats et entre l'Est et l'Ouest. Cette dernière hypothèse est, bien entendu, au demeurant, pure fantaisie dans la pratique. Car, s'il est fort aisé à l'URSS de susciter ou d'alimenter des troubles dans n'importe quel pays occidental, en manipulant une infime poignée de fanatiques, il est totalement irréalisable pour une puissance occidentale d'en faire autant dans un pays de l'Est, même en ayant les trois quarts de la population en sa faveur. Les systèmes totalitaires, eux, savent se défendre. Sur ce point comme sur les autres, l'essentiel reste que la légitimité territoriale de l'empire soviétique constitue le ressort de son indestructibilité. Si cet impérialisme est irréversible, ce n'est point parce qu'il est invincible : c'est parce qu'il se fait reconnaître comme légitime en droit international — car tôt ou tard un pouvoir de fait est finalement reconnu — ce qui lie complètement les mains des démocraties. Voilà pourquoi les Soviétiques tenaient tellement à ce que fût « tenue pour acquise la reconnaissance des changements territoriaux survenus en Europe à la suite de la Seconde Guerre mondiale », pour reprendre les termes utilisés par Leonid Brejnev dans son Rapport d'activité au XXIVe Congrès du PC de l'Union soviétique, en 1971. Cette reconnaissance fut effectivement « tenue pour acquise » en 1975 par les Occidentaux lorsqu'ils signèrent les accords d'Helsinki, faisant par là aux Soviétiques un cadeau impérial, sans rien exiger en échange que des paroles. Et l'on sait que si, pour les gens d'honneur, parole est synonyme de promesses, pour les communistes promesse est synonyme de parole.

Le second avantage de l'impérialisme territorial est qu'il se renouvelle, se fortifie et se justifie du fait même de ses succès. En effet, plus l'empire est étendu, plus il est menacé, et plus, par conséquent, il doit s'étendre à nouveau pour parer aux nouvelles menaces. Quand vous avez envahi l'Afghanistan, vous êtes automatiquement menacé par le Pakistan, avec lequel vous n'aviez auparavant pas de frontière commune. On connaît la célèbre « peur de l'encerclement » de l'Union soviétique, la plus belle farce stratégique des temps modernes. Il est évident que plus le cercle de vos frontières s'agrandit, plus nombreux sont les peuples avec lesquels vous êtes en contact et qui, de ce fait, constituent des centres d'agression possible contre vous. Le plus simple, pour neutraliser un centre potentiel d'agression est d'y installer un pouvoir ami. Mais ce pouvoir ami, à son tour, tout en ayant fait cesser pour vous une menace, se trouvera exposé aux visées hostiles du pays dont il vous sépare et qui se trouve encore au-delà. Au vrai, votre véritable frontière extérieure devient alors celle de votre nouvel ami, qui, ayant bien le droit de souffrir, lui aussi, d'un profond sentiment d'insécurité, devra faire appel à votre aide fraternelle. Et l'on peut être assuré qu'il n'y fera pas appel en vain.

Soyons logiques : le seul moyen d'obtenir que les frontières de l'Union soviétique ne soient plus menacées, qu'elles soient en pleine sécurité, *c'est qu'il n'y ait plus de frontières soviétiques du tout,* ou, si l'on préfère, que le territoire de l'Union soviétique coïncide avec celui de la planète tout entière. Alors seulement seront garanties pour l'humanité « la paix et la sécurité ». Et c'est parce qu'il faut absolument les garantir, que, disait encore Leonid Brejnev au XXIVe Congrès du Parti communiste de l'Union soviétique, « le triomphe intégral du socialisme dans le monde est inéluctable ».

8

LA COURSE UNILATÉRALE AUX ARMEMENTS

Environ l'an 1978, les démocraties se sont aperçues que l'Union soviétique les avait surpassées dans le domaine de la puissance militaire. Une décennie, à peu près, de détente, aboutissait d'abord à une extension mondiale de la domination territoriale communiste, ensuite à un affaiblissement décisif de la sécurité propre des pays occidentaux eux-mêmes. Pour la première fois depuis la signature du Pacte atlantique devenait douteuse la capacité de ces pays à décourager ou à repousser une attaque soviétique directe sur leur territoire et donc de résister aux pressions exercées contre leur indépendance politique. Rarement, dut reconnaître Henry Kissinger en septembre 1979, non sans déplorer sa propre part de responsabilité dans cette paradoxale déchéance, rarement un ensemble de nations se sera laissé glisser avec autant d'empressement et de spontanéité dans l'infériorité militaire. Et s'y sera laissé glisser, suis-je tenté d'ajouter pour compléter la pensée de l'ancien secrétaire d'Etat, en toute connaissance de cause. Car, dans le passé, on trouve de nombreux exemples de nations ou d'empires qui, par ignorance ou par présomption, s'endorment devant les progrès techniques et tactiques de futurs adversaires, et qui sont ainsi un beau jour défaits avec une facilité inattendue : les démocraties d'avant la Seconde Guerre mondiale se sont ainsi laissé surprendre par la croissance et le perfectionnement de l'armée nazie. Mais ce fut à leur insu, et dans un laps de temps fort court, que se produisit ce retournement. En 1939, la France était convaincue de posséder la première armée du monde. Erreur, sans doute, mais qui rend logique sa défaite en 1940. Beaucoup moins logique est l'acceptation sans illusion et les yeux grand ouverts par nos démocraties actuelles d'une détérioration de leur capacité de défense, face à un ennemi pudiquement qualifié de « potentiel », en fait de plus en plus arrogant et entreprenant. Les démocraties de la seconde moitié du XXe siècle ont disposé de tout le temps nécessaire et de toutes les informations utiles à l'évaluation correcte des progrès de l'armement soviétique. Bien mieux, la presse a informé et continue à informer de notre déclin les opinions publiques, pendant toute cette période, avec un sérieux et une exactitude que l'on n'avait pas connus en des temps moins pénibles. Les grands journaux, quotidiens ou hebdomadaires, dans tous les pays du camp démocratique, ont pris soin, depuis le début de l'ère de la détente, de confier la rubrique des problèmes stratégiques, soit directement aux meilleurs experts, dont c'est le métier d'y réfléchir, soit à des journalistes spécialisés d'une grande compétence, qui, les uns et les autres, sont parvenus à faire régulièrement et avec clarté, pour une large audience, le point de ces questions ardues. A l'exception de la presse communiste, qui soutient les points de vue conformes aux intérêts soviétiques, et de quelques grands hebdomadaires allemands, qui sous-évaluent le danger militaire soviétique, dans l'espoir de perpétuer la détente au sein exclusif des relations bilatérales entre la République fédérale et l'URSS, les journaux des pays démocratiques se sont mis, surtout après 1975, à rendre compte de l'équilibre ou du déséquilibre des forces entre l'Est et l'Ouest avec plus d'impartialité qu'auparavant. Et ce, malgré la répugnance d'organes de presse de la tradition « neutraliste » en Europe et « libérale » aux Etats-Unis à prendre acte de l'éclatant foisonnement du militarisme communiste. Naturellement, la badinerie politique ne perdant jamais ses adeptes, on voit s'affairer et l'on entend vociférer toute une ménagerie de propagandistes et d'agents d'influence dont le numéro — un classique du répertoire — consiste à démontrer que le surarmement soviétique est soit une fausse impression, soit une marque d'amour pour la paix, tandis que les velléités occidentales de parer à une infériorité désormais avérée sont des provocations bellicistes. Tant il est vrai, comme le disait il y a vingt-trois siècles à ses concitoyens un orateur athénien, que « ce sont ceux qui vous conseillent de vous défendre dont on dit qu'ils poussent à la guerre » et que « notre cité est bien la seule où l'impunité soit garantie à ceux qui parlent dans l'intérêt de nos ennemis, la seule où l'on puisse sans aucun risque se faire payer par eux pour ce qu'on dit ». Et Démosthène, dans ses vains efforts pour inciter les Athéniens à s'opposer aux visées hégémoniques de Philippe de Macédoine, décrivait avec une précision troublante quelques-uns des ressorts éternels de ce que l'on peut nommer la psychologie de la capitulation anticipée : « Dès qu'on vous parle de Philippe, poursuit-il, aussitôt l'un de ses correspondants parmi vous se lève pour vous exposer combien c'est doux de vivre en paix, combien c'est onéreux de subvenir à l'entretien d'une armée. On veut vous ruiner, s'écrient-ils ! Ils vous persuadent ainsi de tout remettre à plus tard et donnent à votre ennemi le temps et les moyens de parvenir en toute tranquillité à ses fins. Vous y gagnez, vous, encore un instant de repos, en attendant d'avoir à reconnaître un jour ce que vous aura coûté ce répit. Ils y gagnent, eux, de vous séduire — et la rémunération convenue [1]. »

Laissons un instant de côté la question de savoir si l'inversion du rapport des forces militaires a eu pour cause directe la détente, en d'autres termes aurait été possible sans l'aide économique et technologique de l'Occident à l'Union soviétique. Selon certains experts, cette augmentation des forces militaires soviétiques depuis 1970 aurait eu lieu même sans l'aide occidentale, fût-ce au prix d'une médiocrité de vie encore accrue des populations de l'URSS et de ses satellites. Le point sur lequel tous les experts s'accordent est que la détente a eu pour effet au moins d'assoupir la vigilance des Occidentaux, d'arrêter ou de ralentir le développement de leur défense, cependant que les Soviétiques poursuivaient celui de la leur. En un mot, l'idée de base de la détente était, du côté américain, à partir de 1970, de figer par traité l'état de parité des armements que venaient d'atteindre les deux superpuissances. Cela ne signifiait pas, bien entendu, l'arrêt complet des fabrications, mais la garantie que toute addition ou modernisation d'armements d'un côté aurait ses contreparties de l'autre. Mais si ces accords ont entraîné une réduction spectaculaire des crédits militaires dans les budgets américains, l'Union soviétique, en revanche, les a violés ou tournés, soit par des subterfuges techniques permettant de perfectionner des armes nucléaires sans en élever le nombre, soit en renforçant des catégories d'armements non couvertes par les accords, soit en refusant ou en esquivant les vérifications prévues, lesquelles, au demeurant, dans un empire totalitaire, rencontrent des obstacles qui les rendent largement chimériques. Le bénéfice, pour l'Union soviétique, au bout de dix ans, a été la faculté de mener à bien ce que l'on a très judicieusement nommé une « course unilatérale aux armements [2] ».

Quant au résultat de cette course soviétique sans concurrent, chacun peut le mesurer en fixant son attention sur le simple constat suivant : en 1970, l'Union soviétique possédait la supériorité dans les armements classiques ou « conventionnels » et l'Occident possédait la supériorité dans les armements nucléaires ; depuis 1980 à peu près, l'Union soviétique possède la supériorité à la fois dans l'armement classique et l'armement nucléaire.

D'une part, elle a augmenté la puissance et amélioré la qualité du premier, les blindés pour l'armée de terre en particulier, mais aussi l'aviation et la marine dans leurs usages non nucléaires, parache-

1. Démosthène, *Sur les affaires de la Chersonèse,* §§ 59, 64 et 52-53.
2. Albert Wohlstetter : « Is there a strategic arms race ? » dans *Foreign Policy*, 1974, N°s 15 et 16.

vant ainsi l'infériorité des armées conventionnelles de l'Otan ; d'autre part, les Soviétiques sont arrivés, dans le domaine nucléaire, sinon à la supériorité globale sur l'Occident, ce qui se discute parmi les experts (mais ne se serait même pas discuté naguère), du moins à un niveau suffisant pour *neutraliser la dissuasion* américaine. C'est vrai, en tout cas, en ce qui concerne l'Europe occidentale, protégée jusque vers 1970 contre un éventuel assaut des armées du Pacte de Varsovie par une capacité de riposte nucléaire américaine face à laquelle l'URSS ne disposait elle-même d'aucune parade proportionnelle aux représailles qu'elle encourait. Dix ans plus tard, l'URSS dispose de cette parade, avec les fameuses fusées de portée intermédiaire « SS 20 » qui menacent directement tous les centres vitaux de l'Europe de l'Ouest, peuvent anéantir préventivement les quelques armements nucléaires s'y trouvant stationnés, y compris la force de frappe française, à l'exception, pour un temps, de ceux de ces éléments placés à bord de sous-marins. D'où la campagne forcenée qu'a menée et fait mener en Occident à partir de 1979 l'Union soviétique contre la modernisation des forces nucléaires de l'Otan, à savoir avant tout contre l'installation en Europe de l'Ouest de fusées de portée intermédiaire dites « Pershing » destinées à faire équilibre aux SS 20. Cette installation ne saurait corriger d'ailleurs qu'une partie du déséquilibre nucléaire entre l'Est et l'Ouest de l'Europe, à moins d'être complétée par d'autres dispositions. Mais l'affaire devint aussitôt le symbole de la volonté politique de l'Europe occidentale face à l'Union soviétique.

La clé de voûte de la sécurité occidentale avait été, depuis la fin des années 40, la « crédibilité » nucléaire américaine. Par ce terme, on entend d'abord la conviction où étaient les Soviétiques et les alliés des Etats-Unis que les Américains n'hésiteraient pas à employer l'arme atomique en cas d'agression communiste, ensuite la certitude que, précisément pour cette raison, il n'y aurait pas d'agression communiste. Ce deuxième temps du raisonnement constitue l'essence même de ce que l'on nomme dissuasion. Quand on a commencé à prendre conscience, vers 1978, que la crédibilité nucléaire américaine n'avait pas survécu à la détente, on ne faisait rien que se rendre à une évidence : l'affaiblissement des Etats-Unis, leur déclin relatif par rapport à l'arsenal nucléaire soviétique. Henry Kissinger ne fit donc que tirer les leçons irréfutables du nouveau rapport des forces lorsque, dans un discours qui scandalisa, en septembre 1979 à Bruxelles, il conseilla aux alliés des Etats-Unis de ne plus compter « sur des garanties stratégiques que nous Américains ne pouvons plus donner ou que, si nous les donnions, nous ne pourrions mettre à exécution, car nous risquerions alors la destruction de la civilisation ». Kissinger était redevenu à cette date un simple particulier : pourtant il souleva une tempête aussi forte que s'il avait parlé au nom du gouvernement américain [1]. Quel que soit le bien-fondé de la thèse, l'intérêt du propos est de montrer qu'il n'est pas nécessaire que le potentiel nucléaire soviétique ait dépassé dans une mesure très large celui des Occidentaux pour que la dissuasion cesse d'agir. C'est ce qui rend oiseuses les disputes sur le point de savoir lequel des deux supergrands possède ou ne possède pas la supériorité stratégique globale sur l'autre. Si l'on en dispute c'est que, dans le meilleur des cas, les deux capacités globales se tiennent de très près, ce qui suffit à ruiner la vertu préventive de la dissuasion américaine.

On peut objecter que, dès lors, la dissuasion devient réciproque, et que cet équilibre, cette « parité » consacre donc une situation, somme toute, assez saine, dans laquelle aucun des deux supergrands ne peut agresser le camp de l'autre sans danger mortel pour lui-même. Cette objection repose de façon caractéristique sur le postulat aussi faux que fréquemment avancé d'une équivalence stratégique et politique parfaite entre l'Est et l'Ouest. En vérité, *la parité nucléaire globale entre les Etats-Unis et l'URSS signifie affaiblissement global du camp démocratique* dans son ensemble par rapport au camp totalitaire.

En effet, la supériorité nucléaire américaine constituait la compensation d'une infériorité générale du camp occidental dans tous les autres domaines militaires. Or, entre 1975 et 1980, l'infériorité générale s'est accentuée et la supériorité nucléaire américaine a disparu — ou du moins a perdu la marge de sécurité qui fondait la dissuasion. Déjà auparavant, la dissuasion nucléaire américaine était inapte à contrecarrer les offensives impérialistes que les Soviétiques lançaient ou prolongeaient sur toute la surface de la planète. Une batterie d'artillerie peut, si l'on n'a pas de fusil, servir à repousser une bande de brigands organisés : elle ne peut rien contre un pickpocket, ou contre de petits groupes d'agresseurs disséminés. Rien, ni dans les traités, ni dans l'ampleur de la menace ne justifie le déclenchement d'une alerte nucléaire pour répliquer à l'invasion de l'Afghanistan, à la colonisation de l'Angola et du Mozambique par des soldats cubains et allemands de l'Est, à l'installation de bases soviétiques à Madagascar, encore moins à des entreprises de déstabilisation par le terrorisme ou la guérilla. Le recours au nucléaire étant exclu dans tous ces cas, et les démocraties n'ayant par ailleurs ni les moyens militaires conventionnels ni la volonté politique de faire obstacle à ces pénétrations universelles et multiformes, l'expansion soviétique se déroulait déjà quasiment sans risque du temps de la supériorité nucléaire américaine. Le seul

1. Henry Kissinger, « l'Otan, les trente prochaines années ». Ce discours a été cité dans la presse du monde entier. En français, le texte intégral a paru dans la revue *Politique étrangère*, 1979

cas où une alerte nucléaire fut décidée survint à l'automne de 1973, durant la guerre entre l'Egypte et Israël, lorsque l'Union soviétique menaça d'intervenir pour sauver une armée égyptienne encerclée. Il s'agissait là d'une guerre officielle, opposant deux protégés des supergrands. Mais l'impérialisme communiste se faufile d'ordinaire avec habileté en dehors de toute belligérance déclarée entre des Etats. Il progresse dans le monde en se masquant derrière des révolutions, des guerres de « libération nationale », des appels à l'aide de « gouvernements amis », des foyers de guérillas, des terroristes « désespérés » se soulevant contre le despotisme sanglant de M. Giovanni Spadolini ou de M. Felipe Gonzalez. Débordées, grugées, rongées, les démocraties, eussent-elles encore la supériorité nucléaire, ne pourraient l'utiliser, car le nucléaire est inadapté à ce type de menace. Et elles n'ont jamais eu, elles ont de moins en moins les instruments classiques de la riposte, malgré quelques opérations de retardement comme l'intervention française au Zaïre en 1979 pour repousser une attaque katangaise organisée par les Cubains venus d'Angola. En général, les opinions publiques, les médias, les partis d'opposition occidentaux sont de plus en plus hostiles à ces opérations. Bref, le dynamisme militaire des Soviétiques dans le monde jouit d'une latitude presque complète, puisque les démocraties sont quasiment absentes à peu près à chaque étage possible de l'intervention et de la contre-attaque. Elles n'ont, de surcroît, devant cet enrobement planétaire, aucune coordination et se bornent habituellement à se quereller entre elles, après chaque déconfiture, au sujet de ce qu'il faut en penser.

Quant aux territoires propres de ces démocraties, et notamment l'Europe au sein du monde atlantique, la métamorphose radicale des menaces qui pèsent sur eux n'a pas davantage fait l'objet d'une mise à jour de la réflexion[1]. La mise à jour de la défense européenne, depuis qu'a débuté la période critique d'une chute dans la vulnérabilité, a été tributaire de querelles de politique intérieure, des ressentiments européens vis-à-vis des Etats-Unis et vice versa, du calcul égoïste de chaque gouvernement européen, désireux de conserver pour lui-même le plus possible d'avantages économiques en perpétuant à son seul profit avec l'URSS une « détente » défunte. Si l'on ajoute à ce tableau une pusillanimité et une docilité grandissantes à l'égard des pressions soviétiques, on s'explique l'aisance avec laquelle l'URSS a pu affoler l'opinion en

1. C'est ce que met en relief Pierre Lellouche, en expliquant comment les Soviétiques ont réussi à neutraliser la dissuasion, dans son étude « La sécurité de l'Europe dans les années 80, essai de synthèse et de prospective », partie du volume de l'IFRI (Institut Française des Relations Internationales) sur *les Dimensions nouvelles de la sécurité de l'Europe*, 1980.

Occident et briser la volonté, à vrai dire peu coriace, des dirigeants, au sujet de deux pièces maîtresses de la future sécurité européenne : la bombe à neutrons et les euromissiles. La première était la seule arme qui nous eût permis d'obvier à notre infériorité en forces conventionnelles. Arme nucléaire tactique, elle est la seule capable d'arrêter une invasion de blindés avec une précision ponctuelle, en tuant les équipages sans détruire les villes, les édifices, sans atteindre les populations civiles (par définition amies, dans ce cas) ni contaminer d'aire plus vaste que celle de la cible visée. La propagande des amis occidentaux de l'Union soviétique, dans la campagne contre l'adoption de la bombe à neutrons, a reposé sur l'argument qu'il s'agissait d'une arme « capitaliste » puisqu'elle tuait les hommes sans anéantir le matériel ni les bâtiments, lesquels seraient, après holocauste, « récupérés ». Par qui ? Par les « multinationales », j'imagine. Clairement donc s'énonçait, selon les avocats du désarmement unilatéral de l'Occident, le plan du « complexe militaro-industriel » : il voulait anéantir les populations de l'Italie, de l'Allemagne, des Pays-Bas pour rafler ensuite les usines, logements, cabarets, stades, guérites, aéroports, églises, ruches, arcs de triomphe, tunnels, restaurants et donjons. Bref, si les Etats-Unis proposaient de munir l'Otan de la bombe à neutrons, c'était avec l'arrière-pensée diabolique de s'approprier les biens des Européens, après les avoir occis. Nul n'ignore que c'est dans la partie occidentale de l'Eurasie que vivent les êtres les plus intelligents de la Terre. On se doute que ceux-ci n'allaient pas tomber dans un piège capitaliste aussi grossier. Avec une louable suite dans les idées, le Président Carter, démontrant par là que les Américains, si épais qu'ils soient, peuvent se hisser à l'unisson de la sensibilité européenne quand celle-ci est bien inspirée, annula le projet tendant à équiper l'Otan de la bombe à neutrons. Les Soviétiques nous avaient une fois de plus soustraits à la mainmise impérialiste yankee et nous considérèrent avec le regard béat et ravi de l'individu dont la victime, avant de sauter dans le vide, se dépouille spontanément de son parachute. Pour les euromissiles, le travail de moralisation de l'Occident fut plus rude. Les nations membres de l'Otan avaient en effet décidé, en décembre 1979, dans un martial sursaut qui les commotionna elles-mêmes à tel point qu'elles ne se remirent jamais de leur frayeur, de déployer en 1984 au plus tard ces armes : fusées Pershing et missiles de croisière. La propagande soviétique devait donc atteindre là un but plus difficilement accessible, puisqu'il s'agissait de faire annuler une mesure d'ores et déjà, dans son principe, adoptée. Le harcèlement et la corruption conjugués, la résurrection du vieux « mouvement pour la paix » firent merveille. Avec leur humour toujours cordial et chaleureux, les Soviétiques proposèrent de « figer » la situation et de négocier : c'est-à-dire de conserver pour leur part les missiles SS 20 tenant sous leur feu nucléaire tous les Européens et d'ouvrir des pourparlers — selon toute probabilité fort longs — destinés à discuter la non-installation des euromissiles de l'Otan. Brejnev annonça même qu'à cette condition l'Union soviétique n'installerait plus en Europe de nouveaux missiles SS 20. Ravissante application de la règle soviétique : « Une fois que j'ai obtenu tout ce que je voulais, je ne demande plus rien. » Brejnev demandait pourtant un petit quelque chose encore : la dénucléarisation de l'Europe du Nord, c'est-à-dire que l'Otan baisse sa garde en Scandinavie. Ajoutée à la déstabilisation de la Turquie, au chantage pour tenter d'empêcher l'Espagne d'entrer dans l'Otan puis pour la faire revenir sur sa décision d'y entrer, cette proposition jetait les fondations solides d'une Europe de l'Oural à l'Atlantique. Le séducteur de service des grands moments de retrouvailles, Vadim Zagladine, premier adjoint au chef du département international du Comité central du Parti communiste de l'URSS, se précipita dans les colonnes du *Monde*[1] pour y déployer « six idées soviétiques pour la sécurité », qui se ramènent à une seule : « Nous sommes les plus forts et entendons le rester. » Youri Andropov, malgré les illusions rituelles que ne manquèrent pas de concevoir les Occidentaux sur les intentions pacifiques du nouveau leader, ne modifia pas sur le fond la tactique brejnévienne. Comme son prédécesseur, il fit alterner les chantages à la guerre mondiale et les offres de désarmement universel. La proposition de non-agression généralisée qu'il formula en janvier 1983 lors du sommet des pays du pacte de Varsovie ne contenait aucune nouveauté. Le but d'Andropov était d'obtenir des Occidentaux l'ouverture d'une conférence quelconque, en temps utile pour leur arracher au moins un ajournement du déploiement des euromissiles, sans préjuger de la suite. C'était la répétition du vieux procédé consistant à offrir aux Occidentaux une conversation en échange d'une concession, une promesse de discussion en échange d'un renoncement bien réel. Au stade atteint quand Youri Andropov succéda à Brejnev, le seul moyen de rétablir l'équilibre et de réduire les tensions eût été une diminution unilatérale des armements soviétiques. Mais l'objectif d'Andropov était naturellement tout au contraire de convaincre les Occidentaux que la paix du monde avait pour condition leur acceptation définitive de la supériorité militaire communiste. Le long effort en vue de désarticuler le dispositif occidental de sécurité avait été de toute manière atteint. Il ne s'agissait plus désormais que de conserver et si possible d'accroître l'avantage acquis.

1. 17 mars 1982.

9

LA PERSUASION PAR LA FORCE

« Ce qui compte, écrit Lénine, c'est d'être le plus fort[1]. » Les gains matériels de l'Union soviétique en matière d'occupation de territoires et de puissance militaire se traduisent par une conséquence bien précise et très concrète, à savoir qu'elle est en mesure d'imposer chaque jour davantage sa volonté politique.

Ayant solidement établi sa domination ou son influence sur un nombre de pays qui n'a cessé de grandir, présente sur tous les continents et sur ou sous toutes les mers, égale ou, plus généralement, supérieure aux démocraties dans la plupart des armements terrestres et maritimes, conventionnels et nucléaires, l'Union soviétique parvient, dans la majeure partie des affrontements, à faire plier les démocraties : non point seulement en raison de la mystérieuse propension de ces dernières à s'incliner, mais plus simplement parce qu'elles ont peur. Et elles ont peur parce que l'URSS est devenue la plus forte, parce qu'elles sont devenues les plus faibles, et qu'ainsi, dans la pratique de la diplomatie quotidienne, l'ombre sinistre, à l'arrière-plan, de la puissance prépondérante de l'Union soviétique les contraint à la docilité. Les nations européennes en sont réduites à déguiser cette capitulation obligée et de plus en plus habituelle en « résistance »... aux Etats-Unis.

C'est ce contorsionnisme qui pimente, par exemple, toute la chorégraphie de l'incroyable ballet que l'on a dansé en 1982 autour du gazoduc sibérien. Toujours à la pointe de l'innovation dans la technologie de la courbette, la République fédérale d'Allemagne recevait en grande pompe Leonid Brejnev, un jour d'automne de 1981, alors que les communistes massacraient de plus belle les Afghans et s'apprêtaient à frapper les Polonais d'un bon coup de massue contre l' « ingérence étrangère ». Le plus atrocement délicieux, le plus niaisement abject, est que, durant cette visite du

1. Il ajoute : « *Et de vaincre au moment décisif dans le lieu décisif.* »

cadavérique potentat moscovite, des centaines de milliers d'Allemands de l'Ouest manifestèrent, non point contre le sénile mannequin qui représentait sur leur sol l'impérialisme le plus activement sanguinaire de l'heure, mais bien... contre les Etats-Unis. Non point contre les fusées soviétiques bel et bien pointées sur l'Europe occidentale, mais contre les fusées américaines destinées à contrebalancer les premières et *qui n'existaient pas.* Si Reagan avait été le visiteur, on aurait compris que des neutralistes vinssent manifester en sa présence contre le *projet* d'installation des euromissiles de l'Otan. Mais l'hostilité du bon Brejnev audit projet paraissant vraiment acquise d'avance ne réclamait pour se durcir aucun encouragement supplémentaire. Dans quel dessein, donc, accomplir cette démarche absurde qui consistait à venir manifester contre Reagan, en son absence, devant Brejnev ? Du point de vue des partisans du désarmement unilatéral de l'Ouest, tout moment eût été convenable et utile à la promotion de leur exigence *sauf* celui de la visite de Brejnev, puisque le maréchal-président n'avait nul besoin d'être convaincu, qu'il était la dernière personne au monde à laquelle on eût à forcer la main pour emporter son adhésion au processus d'affaiblissement de l'Otan. Pourquoi donc cette pantalonnade surréaliste et modérément héroïque consistant à huer le mari cocu sous les fenêtres de l'amant comblé ? J'ai longtemps cherché la réponse et, comme dit Rémy de Gourmont, « ce qu'il y a de terrible quand on cherche la vérité, c'est qu'on la trouve ». Surtout quand elle est simple. Car, comme tout le monde ne peut pas être fou à la fois, la seule raison plausible qu'avaient les Allemands de venir manifester massivement contre Reagan en présence de Brejnev était de faire leur cour à Brejnev.

C'est-à-dire de faire leur cour au plus fort, ce qui est une des deux ou trois plus vieilles passions de l'homme et, contrairement à l'immédiate évidence, pas l'une des plus intéressées. Pour beaucoup, s'incliner devant le plus fort est en soi un plaisir. Car quel intérêt pourrait avoir un citoyen de l'Allemagne de l'Ouest, de l'Europe de l'Ouest, en cette fin du xxe siècle, à briguer le sort de clochard décérébré qu'est celui du ressortissant socialiste moyen ? Seuls l'y poussent un esprit de sacrifice et d'immolation de soi, une édifiante négation de son vouloir-vivre, un saint renoncement à la liberté et à la dignité, assortis, je le concède, d'un brin d'utilitarisme. Car l'intérêt dicte, malgré tout, cette maxime de bon sens que, quand on n'a plus le choix, il vaut mieux flatter le maître que le courroucer.

La caractéristique la plus importante, en effet, du débat sur la modernisation des forces de l'Otan a été que les Européens ont paru tout du long beaucoup moins préoccupés de prendre la meilleure décision possible pour leur défense que de savoir ce que l'Union soviétique penserait de leur décision et si elle ne l'accueillerait pas trop mal. Déjà le président français Valéry Giscard d'Estaing avait signalé, lors d'un projet de renforcement militaire européen, en 1975, cet inconvénient que cela risquait de susciter le mécontentement des Soviétiques. Comme on a rarement vu dans l'histoire une alliance se proposer comme objectif et avoir pour résultat de plaire à la puissance dont elle est destinée à contrecarrer l'agressivité, l'objection, sur le moment, parut cocasse. En fait, elle était l'avant-coureur d'un système de pensée qui allait, au cours des années suivantes, se généraliser en Occident. Tandis que l'URSS ne songe évidemment pas à consulter les démocraties avant de décider la mise en œuvre de ses nouveaux programmes militaires, elle a pris l'habitude de se considérer comme un interlocuteur privilégié dans l'élaboration des plans de l'alliance atlantique. Et le pire est que les Européens se sont laissés peu à peu glisser dans la situation où eux-mêmes trouvent normal d'avoir des comptes à lui rendre et des explications à lui fournir. Un jour, l'Union soviétique avertit la France que sa politique étrangère redevient trop atlantiste, le lendemain elle laisse entrevoir une punition à l'Espagne qui a eu l'impertinence d'entrer dans l'Otan, ou encore, en mars 1982, Brejnev propose un « contrôle des armements » dont le plus clair consiste à dire que l'Occident encourra des représailles en cas de déploiement des euromissiles. Un sous-marin soviétique en mission d'espionnage et porteur de missiles nucléaires se trouve-t-il coincé par mégarde dans un golfe suédois ? Le temps nécessaire, il n'est jamais très long, à la décision prise par Stockholm de s'incliner en faisant guider le sous-marin hors de la baie, et voilà Moscou s'avisant aussitôt que décidément les excuses sont superflues. Ce n'est pas davantage pour présenter les siennes que l'ambassadeur d'Union soviétique en Italie téléphona sept fois dans la même journée au ministère des Affaires étrangères, en janvier 1982, à Rome, cependant qu'un autre sous-marin soviétique s'était égaré cette fois dans les eaux territoriales italiennes, devant Tarente : non, l'ambassadeur téléphona sept fois à la Farnésine pour intimer au gouvernement italien l'ordre de ne pas revenir sur l'accord concernant sa participation au gazoduc sibérien, en dépit des « intolérables pressions » américaines. La persuasion est l'envers de la dissuasion. Moins la dissuasion américaine inspire confiance, plus la persuasion soviétique impose sa volonté aux Européens sans même devoir recourir à la force. Le propre et l'avantage de la supériorité militaire consistent précisément à obtenir sans avoir à faire la guerre les mêmes résultats que si on l'avait faite. C'est même la seule loi constante de la diplomatie. Aussi devient-il moins étonnant, si l'on se remémore cet axiome, de voir les « pacifistes » européens se considérer comme menacés non point par les fusées soviétiques dirigées vers eux, mais par l'*hypothèse* de fusées américaines destinées à les mettre à l'abri des premières. Les pacifistes n'ignorent pas que, dans la vie, c'est le plus faible qui est traité d' « agresseur » par le plus fort quand il émet la prétention de remédier à sa faiblesse.

Pourtant, écrit François de Rose, « rien n'est plus loin de la réalité que de croire que les euromissiles donneraient aux Etats-Unis une capacité de première frappe contre les fusées intercontinentales soviétiques et rompraient l'équilibre entre les grandes puissances[1] ». Sans la bombe à neutrons et sans les euromissiles, c'en est fait de la défense de l'Europe occidentale, c'est la consécration de la supériorité militaire soviétique et donc de la subordination politique des nations démocratiques de l'Ouest européen. « Si la décision de mise en place devait être remise en cause, poursuit dans le même article François de Rose, c'en serait fait du couplage entre le théâtre européen et le système stratégique américain, c'est-à-dire de la pièce maîtresse de la dissuasion. » Voilà bien pourquoi l'Union soviétique et ses alliés dans nos pays ont mis tant d'acharnement à obtenir la remise en cause de la décision de déploiement. Séparer l'Europe de son allié américain c'est, pour les Soviétiques, s'ouvrir la route d'une domination politique sur les pays situés à l'ouest du rideau de fer. Alors qu'il existe une continuité territoriale et une modeste distance kilométrique entre l'Union soviétique et le théâtre d'opérations occidental, six mille kilomètres d'océan séparent les Etats-Unis de leurs alliés, dont la sécurité repose donc avant tout sur les systèmes déployés en Europe même. Toute coupure entre la défense américaine et la défense européenne signifierait par conséquent l'entrée de l'Europe dans la zone de la « souveraineté limitée », non pas telle que l'avait définie Brejnev en 1968 pour les satellites communistes proprement dits, sans doute, mais assez proche du système de la « servitude volontaire » qui règle les rapports soviéto-finlandais.

Cette coupure serait aussi fatale à la défense française. Car ce serait une erreur de croire que l'indépendance de notre défense par rapport au commandement intégré de l'Otan et notre autonomie de décision dans l'emploi de la force de frappe nationale suffiraient à garantir notre sécurité, en cas de dégénérescence du système défensif atlantique. Loin de valider a posteriori la diplomatie gaullienne et de rendre la France invulnérable, en cas d'effondrement de la garantie nucléaire américaine, la force de frappe française ne garde quelque poids qu'insérée dans l'ensemble du

1. Ce grand spécialiste des problèmes stratégiques précise qu'en effet « les cent huit fusées Pershing ne sauraient atteindre que les quatre champs de silos situés à l'ouest de Moscou sur les vingt et un déployés sur tout le territoire soviétique. Une attaque américaine menée avec les seuls euromissiles laisserait donc intacte la grande majorité des mille trois cent quatre-vingt-dix-huit fusées soviétiques pour une riposte sur le territoire américain ». « La première des obligations », par François de Rose, *le Monde*, 21 mai 1981.

dispositif atlantique. C'est bien ainsi, d'ailleurs, que la jugent les Soviétiques, qui ne manquent pas de la comptabiliser au sein de l'arsenal nucléaire atlantique. C'est bien ainsi également que l'a vue le président François Mitterrand qui, seul dans l'Internationale socialiste avec Craxi, a pris une position nette en faveur du déploiement des euromissiles en Europe occidentale comme *préalable* à toute ouverture de pourparlers avec l'URSS sur ce type d'armes. La plupart des autres socialistes, français ou étrangers, préconisaient, bien entendu, la bonne vieille tactique de la capitulation prophylactique : « Cédons d'abord, négocions ensuite. » La défense française, dissociée d'un environnement européen fort, ne peut assurer à elle seule ni notre invulnérabilité, tant s'en faut, ni la survie à terme de notre indépendance politique [1].

C'est sous l'éclairage de la subordination politique de l'Europe à la puissance militaire de l'URSS qu'il faut replacer l'histoire du gazoduc sibérien après le rétablissement de l'ordre totalitaire en Pologne. Depuis longtemps, certes, la « résistance à l'impérialisme américain », de la part des Européens, n'est que la face visible de leur soumission à l'impérialisme soviétique. Mais, dans l'affaire du gazoduc cela frappe encore plus. Aucun des arguments économiques invoqués n'étant tout à fait convaincant, seul un facteur politique peut expliquer que, par une sorte de prédestination miraculeuse, les choix des Européens finissent toujours par se conformer aux vœux de Moscou. De la sorte, le projet suit son cours malgré l'altération profonde des données internationales par rapport au moment où il avait été conçu.

L'explication profonde, encore inavouée, de l'attitude européenne dans l'affaire du gazoduc est qu'en fait l'exploitation économique de l'Europe occidentale par l'Union soviétique a largement commencé. Le rapport des forces militaro-politiques est tel que l'Europe occidentale n'ose plus dire non, et reporte sur les Etats-Unis l'irritation que suscite en elle sa propre pusillanimité. Ce transfert de l'animosité inspire à certains politiciens européens des remarques d'un burlesque savoureux ou, du moins, qui le seraient si l'on ne songeait que c'est sur la base de telles « analyses » que ces politiciens prennent leurs décisions. Ainsi un ministre socialiste français, un nommé Roger Quilliot, va jusqu'à proclamer en pleine Assemblée nationale : « Je considère la politique de crédit des Etats-Unis comme plus menaçante pour

1. Pour l'ensemble des précisions stratégiques de ce dossier, je renvoie de nouveau à François de Rose et, en particulier, à deux articles parus dans *le Monde* : « Mettre à jour la dissuasion » (21/11/1981 et 22-23/11/1981) et « Dissuasion hexagonale ou défense européenne ? » (14/4/1982). Enfin et surtout à son livre intitulé *Contre la stratégie des Curiaces*, 1983, Commentaire-Julliard.

l'Occident que cent divisions soviétiques[1]. » Moins divertissante, mais plus redoutable parce que plus influente, le Premier ministre britannique, Mme Thatcher, dans un discours à la Chambre des Communes, le 1er juillet 1982, se rallie à la thèse germano-française sur le gazoduc. Elle flétrit âprement la décision prise par les Etats-Unis d'interdire l'utilisation de procédés sous brevets américains en vue de la construction du gazoduc soviétique. Cette interdiction, selon la « dame de fer » soudain métamorphosée en dame de coton, *viole les contrats* signés entre firmes européennes et Union soviétique. L'argument est spécieux car il consiste ici à exprimer en termes purement commerciaux l'objet du litige, à feindre d'oublier la priorité stratégique, le danger de mettre une fois de plus, et sans frais, la technologie occidentale au service de la puissance soviétique.

A quelques jours de là, le 5 juillet 1982, le *Times* de Londres reprend, dans un éditorial, cette argumentation. Premier aphorisme du majestueux quotidien : « *Les sanctions économiques n'ont jamais servi à rien.* »

Ici j'avoue avoir eu un éblouissement. Il me semblait conserver le souvenir de l'insistance britannique à demander à ses alliés des sanctions économiques contre l'Argentine, lors de l'invasion des îles Malouines par cette dernière, quelques mois auparavant. Je me rappelais avec quelle ostentation Londres s'était réjouie de voir la Communauté européenne adopter à l'unanimité ces sanctions commerciales anti-argentines. Je revoyais les deux premiers ministres, le Français, Pierre Mauroy, l'Anglaise, Margaret Thatcher, rivalisant d'éloquence, lors d'un banquet offert par le Conseil franco-britannique, le 15 mai, à Edimbourg, et se congratulant mutuellement de la décision européenne, dont la célérité n'avait eu d'égale que la sévérité. Certains pays européens, l'Italie en particulier, dont le commerce avec l'Argentine était important, payaient une facture assez salée pour prouver à la Grande-Bretagne leur amitié fidèle. L'argument de « sauvegarder l'emploi » en Italie et en Europe, qui avait tant servi à propos du gazoduc sibérien, avait soudain perdu toute sa pertinence, du moment qu'il s'agissait de châtier l'Argentine, pays faible, et non plus l'URSS, pays fort. Je n'approuve nullement l'invasion des Malouines par les Argentins. Je constate simplement que les grandes gueules qui étaient restées fermées et les portefeuilles qui étaient restés ouverts pour l'Union soviétique après l'invasion de l'Afghanistan retrouvaient en l'occurrence à propos des Malouines toutes leurs dimensions naturelles et leur mobilité manœuvrière.

Approfondissant sa thèse avec une méditative componction,

1. *Le Monde*, 27-28 juin 1982. Rappelons les socialistes français ont attribué les mauvais résultats de leur gestion aux « taux d'intérêt américains », longtemps encore après que ceux-ci eurent baissé.

l'éditorialiste du *Times* énonçait ensuite ce deuxième aphorisme que « *l'Occident ne peut pas tempérer l'expansionnisme soviétique au moyen d'armes économiques* ». C'est une chance pour la Grande-Bretagne que ses alliés n'aient pas, quatre mois plus tôt, conçu la même doctrine à propos de l'expansionnisme argentin. Curieux paradoxe, en restreignant l'usage pour le gazoduc de certains brevets, « *la décision américaine a porté un coup à l'amitié occidentale* », alors qu'au contraire cette amitié a été renforcée par l'embargo contre l'Argentine. Le *Times* déplore donc « *l'injustice de la décision américaine à l'égard de l'Europe* » qui, écrit ce quotidien en toutes lettres « *est dans une position de faiblesse, car ses industries dépendent de Moscou pour l'emploi* ». On ne saurait jeter avec plus d'ingénuité un jour plus cruel sur la vraie cause de l'absence de sanctions : c'est l'Occident qui s'est placé en position de dépendance économique vis-à-vis de l'Union soviétique, selon le *Times*, et non l'inverse. La conclusion renoue avec le quiétisme désabusé de l'exorde : « *Le commerce n'est pas une arme fiable : ni pour améliorer les relations, ni pour sanctionner les abus.* »

Cet adage profond emporte d'autant plus la conviction que les Soviétiques et les Européens font équipe à merveille pour en concrétiser la teneur. Les Soviétiques se chargent de valider le premier terme : leurs relations avec le reste du monde ne s'adoucissent pas du tout, malgré tous les crédits commerciaux qu'on leur accorde. Les Européens veillent pour leur part avec un scrupule touchant à l'application de la seconde partie de l'adage : ils ne se servent jamais du commerce pour sanctionner les abus des Soviétiques.

Or dans cette querelle entre les Etats-Unis et l'Europe au sujet du gazoduc, l'administration Reagan, rappelons-le, n'a jamais demandé à ses alliés d'abolir toutes leurs relations économiques avec l'Europe de l'Est, pas plus qu'elle n'a voulu ni pu abolir les siennes propres. Ce qu'elle leur a demandé, c'est de faire payer effectivement et à leur vraie valeur par les Soviétiques les services, les marchandises ou la technologie. Le litige ne portait pas sur le principe des fournitures, mais sur les facilités de crédit consenties par l'Occident. Les Etats-Unis avaient pour but de contraindre ainsi l'Union soviétique à payer ses achats aux alliés en devises fortes, au lieu de continuer à se voir livrer par l'Occident à la fois les fournitures et les devises pour les payer. De la sorte, on pouvait espérer que les Soviétiques ne disposeraient plus désormais d'autant d'argent à consacrer aux dépenses militaires que pendant les dix années de la détente, période pendant laquelle ces dépenses avaient été, en pourcentage du produit national brut, le quadruple en URSS de ce qu'elles avaient été en Europe occidentale et le triple de ce qu'elles avaient été aux Etats-Unis. Dans les budgets américains, durant les années euphoriques de la détente, les crédits pour la défense avaient été réduits de 35 % en valeur absolue[1].

Tel était, selon Reagan, en juin 1982, l'enjeu du sommet de Versailles en matière de sanctions. Encore trois semaines après l'échec de ce sommet, la Maison Blanche laissait entendre qu'elle pourrait revenir sur sa décision d'embargo sur les brevets américains pour construire le gazoduc, à condition que les gouvernements alliés élèvent le coût des crédits accordés par eux à l'Union soviétique[2]. Passe encore que l'on prête des milliards de dollars à des gouvernements communistes, comme ceux de Pologne et de Roumanie : mais est-il tolérable qu'on leur accorde de nouveaux prêts alors qu'ils ont été incapables de rembourser les anciens et même d'en payer les intérêts pourtant très bas[3] ? Je suis de ceux qui pensent que les Etats-Unis auraient dû maintenir l'embargo sur les ventes de céréales aux Soviétiques, quel qu'en fût le prix en termes de politique intérieure et en subventions aux agriculteurs américains, parce que ce sacrifice de leur part leur eût conféré une incomparablement plus grande autorité morale. Mais il faut convenir que le type de commerce qu'ils font en livrant à l'URSS du blé payable comptant et en devises fortes se conforme à la règle qu'ils demandent aux Européens d'observer eux-mêmes. L'objectif, bien sûr, ne doit pas être d'organiser un blocus total de l'Est, utopique et irréalisable, il doit être de ramener les affaires avec l'Est aux lois du marché, de placer l'Union soviétique devant sa vérité économique, en pratiquant avec elle le commerce et non la charité : *trade, not aid,* du commerce, pas d'aide, et, surtout, pas de privilèges. C'est ce retour des échanges Est-Ouest à la loi commune que les gouvernements européens ont refusé.

Les prêts à des taux très favorables traditionnellement consentis à l'URSS s'élargissent en l'occurrence jusqu'à des conséquences

1. D'après un rapport des services de renseignement du ministère de la Défense américain *(Défense Intelligence Agency),* présenté le 29 juin 1982 à la Commission mixte pour les affaires économiques du Congrès *(Joint Economic Committee of Congress),* les dépenses militaires annuelles en Union soviétique, jusqu'alors comprises entre 12 % et 14 % de la richesse nationale, auraient encore augmenté et seraient, en 1982, situées entre 14 % et 16 % du produit national brut. Les Etats-Unis ont dépensé pour leur défense 4,9 % de leur richesse nationale en 1980 et 5,7 % en 1982. En valeur absolue, quoique le PNB soviétique soit inférieur au PNB américain, les dépenses militaires de l'URSS sont également plus élevées que celles des Etats-Unis : pour 1980, dernière année supputée, elles auraient été de 252 milliards de dollars, contre 168 aux Etats-Unis (*International Herald Tribune,* 22 juillet 1982).

2. *International Herald Tribune,* 29 juin 1982.

3. Malgré le « nouveau mécanisme économique » dont l'Occident a tant chanté les miracles, la Hongrie se trouvait, elle aussi, en 1982, dans l'incapacité d'assurer le service de ses dettes et dans la nécessité d'en contracter de nouvelles, pour faire rentrer des devises fortes tout en remboursant partiellement ses créanciers à l'aide de nouveaux emprunts. Un groupe de banques occidentales la sauva de la banqueroute en juillet 1982.

plus lourdes qu'à l'ordinaire. La mise en valeur du gaz sibérien par nos soins comportera pour les Soviétiques un bénéfice stratégique considérable. C'est d'abord à eux que ce gaz, transporté en Russie d'Europe, épargnera une crise énergétique, en prenant le relais du pétrole, disponible dès lors en plus grande quantité et pour l'armée et pour l'exportation. Les deux problèmes vitaux de l'URSS au cours des années 80 sont la conservation de la supériorité militaire et les rentrées de devises. Le gazoduc l'aidera incontestablement à les résoudre l'un et l'autre. Pourquoi faut-il que la technologie occidentale, dont certains secrets ont été mis par contrat sous embargo justement pour des raisons stratégiques, serve à empirer la faiblesse de l'Occident même ?

Toutes les polémiques entre les Occidentaux à propos d'éventuelles sanctions économiques, après l'invasion de l'Afghanistan, après la mise au pas de la Pologne et la déstabilisation de l'Amérique centrale, se sont donc terminées par une victoire de l'Union soviétique, sans que celle-ci ait eu à déployer de bien grands efforts pour la remporter. Les Européens se sont battus pour son compte contre les Etats-Unis.

Ce succès est très riche d'encouragements pour les dirigeants du Kremlin. En effet, on peut penser que l'outil de défense suprême que possède encore la démocratie pour assurer sa survie réside dans sa capacité de provoquer ou tout au moins de ne pas empêcher une crise globale de l'empire.

C'est la seule arme, en tout cas, qui reste à sa disposition. Les démocraties, depuis 1945, n'ont pas su s'opposer aux conquêtes territoriales de l'Union soviétique et elles se sont d'elles-mêmes privées du droit de les remettre en question, en acceptant de reconnaître comme Etats souverains les territoires qui n'étaient, le plus souvent, que des pays occupés par l'Armée rouge. Elles ont signé tous les traités, en particulier à Helsinki, consacrant les conquêtes soviétiques. Les démocraties ensuite ont abandonné toute prétention de rappeler Moscou au respect des clauses d'Helsinki signées en échange du cadeau occidental. Les démocraties, enfin, se sont laissées tomber à un degré de vulnérabilité militaire qui les met hors d'état d'imposer leur volonté politique à l'Union soviétique, et qui les place, bien plutôt, dans la nécessité de subir la sienne. C'est d'autant plus vrai que le problème de rétablir la parité des armements n'est lui aussi qu'une source de dissensions entre les puissances occidentales.

Restait, par conséquent, l'arme économique, puisque, dans ce domaine, le capitalisme, même en crise, continue à remplir sa fonction de nourrice bénévole du socialisme. Les démocraties n'ont ni l'énergie ni l'habileté voulues pour refouler l'impérialisme soviétique chaque fois qu'il avance quelque part sur le globe. Leur réaction n'est pas assez rapide, leurs moyens militaires pas assez disponibles, leurs politiques intérieures beaucoup trop complexes, leur diplomates beaucoup trop timorés pour qu'elles puissent intervenir, même verbalement, chaque fois que le communisme réussit à faire un nouveau pas en avant, à Madagascar, à Surinam ou au Honduras. La seule ressource qui demeure à leur portée consisterait par conséquent à savoir tirer parti du cancer intrinsèque et incurable de l'empire pour ralentir son expansionnisme en comprimant le centre au lieu de se démener en tous sens à couper l'extrémité des branches, dont la luxuriance les prendra toujours de vitesse. Cette action sur le centre est ce qu'on pourrait appeler, dans le jargon des accords d'Helsinki, la « troisième corbeille » de la résistance au totalitarisme, les deux premières étant, pour les démocraties, dangereusement dégarnies. C'est là une action que certains des analystes les plus pénétrants de la réalité soviétique, Richard Pipes ou Martin Malia, croient possible et même inéluctable. Mais pourquoi la démocratie deviendrait-elle plus agile et plus décidée que par le passé à profiter de la débilité du communisme ? Surtout à un moment où elle semble y répugner plus que jamais ? La démocratie a toujours eu contre le communisme d'excellents atouts : c'est le jeu de la carte qui est désastreux chez elle. Aussi je suis à la fois intellectuellement séduit et pratiquement sceptique lorsque je lis par exemple, ces lignes de Martin Malia : « Le seul moyen d'aider la Pologne, c'est de faire tout ce qu'on peut pour étendre la crise au bloc soviétique tout entier et à l'Union soviétique elle-même. Je sais que lorsqu'on prononce de tels propos, on est accusé d'être un fauteur de guerre. Mais cette crise se produira de toute façon, nous y sommes impliqués de toute façon. Nous sommes obligés de toute façon de prendre une décision. Alors, autant la prendre en fonction d'une volonté politique[1]. »

En fonction de quoi ? Volonté politique ? Nous n'avons guère de ce produit chez nous.

L'Union soviétique gagne contre nous sur le terrain économique comme elle a gagné dans le domaine territorial et dans la course aux armements : par la force. Elle est malade, sans doute, très malade. Elle mourra, c'est certain, non point comme « nous autres civilisations » qui sommes toutes mortelles, ainsi que le sait tout lecteur de Paul Valéry, mais parce qu'elle est elle-même et en elle-même une société de mort et pour la mort. Mais la principale question de notre époque est celle de savoir lequel de deux

1. Martin Malia, « La Pologne : une révolte contre l'Empire soviétique », dans *Commentaire*, n° 18, Eté 1982.

événements se produira le premier : la destruction de la démocratie par le communisme ou la fin du communisme usé par sa propre maladie. Cette seconde séquence évolutive me paraît suivre un cours moins rapide que la première.

TROISIÈME PARTIE

LES OUTILS DE L'EXPANSION COMMUNISTE

10

STRATÉGIE PLANÉTAIRE ET VIGILANCE ACTIVE

L'ambition de conquérir le monde a deux sources différentes dans l'outillage mental et la formation politique des dirigeants soviétiques. L'une est la représentation classique, traditionnelle, permanente de la « révolution mondiale », la certitude que l'humanité tout entière est destinée à devenir communiste. L'autre est le sentiment de la fragilité intrinsèque du système communiste, que manifeste la tendance de tous les peuples placés sous sa coupe à vouloir s'en évader ou s'en débarrasser chaque fois qu'une défaillance de la contrainte policière leur en offre l'occasion.

Cette dernière cause de la boulimie expansionniste des Soviétiques a fait naître la thèse, très prisée à l'Ouest, de l' « insécurité » psychologique des Soviétiques. Cette hantise expliquerait, excuserait même l'agressivité de la politique étrangère communiste. Si l'on entend insécurité au sens territorial d'insécurité des frontières ou menaçant l'existence d'une nation, comme par exemple l'existence d'Israël depuis sa fondation, il ne paraît pas sérieux de soutenir que l'URSS puisse éprouver pour de bonnes raisons un sentiment d'insécurité de cette nature. Ce sont plutôt ses voisins qui l'éprouvent à juste titre, de même que les voisins du Vietnam ou de Cuba. La seule frontière que l'URSS ait dû protéger contre un envahisseur potentiel et non pas contre la fuite de ses propres ressortissants a été longtemps sa frontière chinoise, puisque la Chine est le seul pays qui ait réclamé officiellement des territoires annexés par l'Union soviétique, ce qu'aucune puissance capitaliste n'aurait l'effronterie d'oser. Les démocraties sont totalement innocentes de ce litige entre les deux empires communistes et se sont scrupuleusement interdit de chercher à l'envenimer. Quant au danger qu'il aurait fait courir à l'Union soviétique, il était bien mince, quand on songe à l'énorme supériorité militaire qu'elle possède sur la Chine, laquelle n'a même pas pu vaincre l'armée vietnamienne. Si menace il y a, ce n'est donc pas le monde capitaliste, par inclination sur la défensive, qui menace la sécurité du monde communiste, dont les dissensions l'ont sans doute provisoirement sauvé, sans que ce sursis soit dû à un machiavélisme des pays démocratiques, qui en sont devenus bien incapables. Quant au fameux « encerclement » dont aurait été l'objet l'URSS, de la part de l'ensemble des Etats capitalistes décidés à l'abattre, et qui justifierait la persistante méfiance soviétique, il se réduit à des interventions disparates pendant la guerre civile en 1918 et 1919, sans la moindre cohérence, et sans suite. Jamais une opération militaire d'envergure n'a été conduite pour renverser le jeune ou le vieil Etat soviétique. Tout au contraire, l'aide économique capitaliste a, dès 1921, atténué la faillite des « Soviets », comme elle devait si souvent recommencer à le faire par la suite. Aucun Etat, aucun empire, depuis que le monde est monde, aucun groupe humain, de la plus humble tribu à la plus vaste fédération, n'a connu l'invulnérabilité absolue, n'a été entièrement exempt de menaces contre sa sécurité ou ses ressources. Mais aucun n'en avait conclu, avant l'empire soviétique, à son droit de s'approprier toute la planète pour pouvoir se sentir enfin l'esprit en repos. Peu d'empires, dans le palmarès de l'histoire, ont été autant à l'abri que le régime soviétique, derrière ses épais tampons géographiques, grâce à sa force armée quasiment aujourd'hui sans rivale, avec son autonomie virtuelle en ressources énergétiques et alimentaires — si du moins il était capable de les exploiter, ce qui est un autre problème. Le sentiment d'insécurité qui peut hanter la Nomenklatura dirigeante, en Union soviétique et dans tout autre empire communiste, ne provient pas même du risque d'avoir à affronter des insurrections intérieures. Celles-ci existent, mais la parfaite organisation de la terreur policière garantit la brièveté de leur carrière. Le sentiment d'insécurité provient de cette humiliante et lancinante certitude qu'aussi longtemps qu'existera hors du monde communiste une société non communiste, les sujets de l'empire chercheront à s'y rendre, ou du moins en rêveront. En fait, le monde communiste est vraiment une forteresse assiégée, mais du dedans. C'est la première société condamnée à vivre derrière des murailles pour se protéger non pas contre des incursions, mais contre des excursions, ou des envies d'excursion. Tant qu'il y aura au milieu des océans un seul rocher où le socialisme ne régnera pas, il y aura des boat-people. Les sociétés socialistes du XXe siècle sont les premières sociétés totalement fermées et enfermées, d'où songer même à partir soit un crime ; du moins les premières d'une telle ampleur, car les précédentes, par exemple celle dirigée par les Incas — la Nomenklatura de l'ancien Pérou — étaient, par les dimensions, par le nombre des habitants, marginales à l'échelle mondiale. Sans parler du coût des mesures de contrôle et d'enfermement des hommes, de brouillage des ondes, de censure de l'imprimé, de la parole, des télécommunications, bref le coût d'entretien de la pléthorique et parasitaire bureaucratie des professionnels de la surveillance et de la répression, il est déplaisant pour la Nomenklatura de vivre avec, dans l'esprit, cette inquiétude permanente, due à la sensation que vos gouvernés ne le sont et ne le restent que faute de pouvoir s'échapper. Si peu ombrageux que l'on soit, il y a là un doute qui use, à la longue. Aucun être humain, fût-il coriace, ne peut connaître le confort moral dans la scission spirituelle, et en se présentant comme le bienfaiteur de l'humanité, alors que ses bienfaits ne trouvent preneurs que parmi les gens hors d'état de s'y soustraire. Le seul moyen de faire en sorte que plus personne ne veuille s'évader de prison, c'est de transformer le monde entier en prison. Ou, pour éviter tout recours à la métaphore, le seul moyen de se convaincre et de convaincre l'espèce humaine que le système socialiste est le meilleur de tous les systèmes, c'est qu'il n'en existe plus aucun autre.

De là provient l'insatiabilité planétaire de l'impérialisme communiste. Les grands empires du passé se développaient jusqu'à un point d'équilibre, où ils s'arrêtaient de croître en échange d'une reconnaissance implicite de leur prépondérance par les autres puissances. Avec le temps, ils laissaient en outre s'accomplir une décentralisation du pouvoir, une autonomie progressive des autorités locales dans les provinces lointaines. Les empires romain, arabe, ottoman, espagnol, britannique ont parcouru, avec des variantes propres et leurs mœurs politiques particulières, ce double itinéraire vers une consolidation finale des limites et une dispersion interne de l'autorité, accompagnée d'un droit croissant de chaque partie de l'empire à sa personnalité. L'empire soviétique est le premier dans l'histoire qui ne puisse ni se décentraliser notablement sans risquer aussitôt de se briser, ni s'arrêter dans son expansion puisque le communisme, incapable d'engendrer une société viable, ne saurait tolérer la persistance hors de lui de sociétés témoins qui constituent autant d'actes d'accusation contre lui, autant de points de repère permettant de jauger son échec permanent, à l'échelle du bonheur humain. Les vieux empires, en somme, une fois repus, s'efforçaient surtout d'obtenir qu'on les laissât tranquilles, trouvaient un modus vivendi avec leurs concurrents, lâchaient la bride à leurs proconsuls, sultans ou vice-rois, entraient dans l'ère du « concert des nations », de l'équilibre des puissances et, chez eux, de la civilisation diversifiée, qui a produit des cultures aussi créatrices et somptueuses que celles de la période hellénistique ou des musulmans d'Espagne. La diversité des « cultures » est inconnue des pays communistes, d'abord parce qu'il n'y a pas de culture communiste, ensuite parce que chaque société communiste, même celles qui ont rompu avec Moscou, reproduisent pour l'essentiel le même modèle, suivent le même code génétique, avec seulement d'infimes variantes, dues aux idiosyncrasies caractérielles des chefs. Quant à l' « équilibre des puissances », à commencer par le « concert européen », c'est précisément l'erreur de la diplomatie des Etats démocratiques que de s'être fiée à ces formules héritées du XIXe siècle et avoir cru qu'avec l'Union soviétique aussi on pouvait réussir à échanger des concessions contre un arrêt de l'expansion, payé un peu cher peut-être, mais définitif. La dernière en date et la plus talentueuse de ces erreurs, du moins qui fût pensée comme une théorie digne de ce nom, la théorie de la détente, a été commise par Henry Kissinger. Théorie fausse[1], parce qu'elle ne prend pas en considération l'originalité du communisme, pas plus qu'on n'avait pris en considération l'originalité du nazisme avant la guerre, c'est-à-dire de systèmes dont la survie dépend à chaque seconde d'un dessein de domination mondiale, à la fois comme fantasme et comme realpolitik. Les concessions ne calment pas la boulimie expansionniste de tels systèmes : elles la stimulent.

Gardant cet objectif final constamment présent à l'esprit, les dirigeants soviétiques savent qu'ils ont besoin, pour s'en rapprocher chaque jour un peu, d'une vigilance active de tous les instants, et ils ne cessent de démontrer à quel éminent degré ils possèdent ce sens de la vigilance active. Leur grand talent consiste à faire porter leur action sur tous les points de moindre résistance que peut présenter, à n'importe quel moment, la surface de la planète. Rien ne leur paraît négligeable, toute position leur est bonne à occuper, depuis la minuscule île de Grenade, dans les Caraïbes, devenue « démocratie populaire » en mars 1979, jusqu'à la vaste Ethiopie. La vigilance active, toutefois, ne s'exerce pas de prime abord par le procédé trop voyant qui consiste à élargir les zones d'influence et le nombre des régimes amis. Elle commence le plus souvent à se manifester par d'humbles tâtonnements, qui passent inaperçus ou brillent par leur innocence, comme, par exemple, ces nombreux accords sur les pêches et les pêcheries, que les Soviétiques extorquent aux pays les plus inattendus, dans toutes les parties du monde, et qui constituent une entrée en matière pour l'usage d'un port, l'installation d'une base, la circulation de navires espions, sans négliger pour autant le fructueux pillage des mers poissonneuses. L'impérialisme soviétique excelle non seulement d'un point de vue quantitatif, par la masse qu'il fait peser en permanence sur toutes les zones de craquement possibles, mais aussi d'un point de vue qualitatif, par la variété de ses moyens, qui s'étendent de la multiplication des « pactes d'amitié » avec les Etats jusqu'au terrorisme, suscité ou attisé contre ces mêmes Etats, en passant par tout un éventail de procédés « personnalisés ».

1. Voir plus bas, chapitre 13.

Dans leur diversité, ces procédés ont un principe commun : exploiter les crises, profiter de tous les moments où l'adversaire a dû se découvrir, s'engouffrer dans les failles. L'Union soviétique, à moins d'erreur de sa part, avance quand le coup est sûr. Ou alors l'échec, s'il survient, doit pouvoir passer pour celui d'un des valets de l'empire et non de ses dirigeants. De ce point de vue, la guerre en Afghanistan a certainement résulté d'une sous-estimation erronée des capacités de résistance de la population. Nous l'avons vu plus haut, l'expansion a effectué ses deux grands bonds en avant, depuis la guerre, aux deux moments où l'Ouest était hors de garde ou paralysé : 1945 et 1975. De 1945 à 1950, profitant du vide laissé en Europe par le départ rapide et combien étourdi des armées de libération américaines, l'URSS a imposé le communisme à l'Europe orientale et centrale (à l'exception de la seule Autriche). En 1975, le désastre du Vietnam et la déposition du président Nixon avaient plongé les Etats-Unis dans la catalepsie. L'Europe occidentale, de son côté, vautrée sur le sofa de la détente, ravie en extase par l'humiliation américaine et par les accords d'Helsinki, était bien décidée à ne rien voir de répréhensible dans tout ce que pourrait entreprendre l'Union soviétique. En moins de cinq ans, de puissance euro-asiatique déjà plus forte que toutes sauf une, l'Union soviétique devient une superpuissance mondiale, poussant des branches maîtresses ou des rameaux prometteurs en Asie du Sud-Est, en Afrique, au Moyen-Orient et en Amérique centrale. Ces gigantesques extensions appliquent le précepte soviétique selon lequel la supériorité militaire doit servir non pas à faire la guerre, si on peut l'éviter, mais à imposer sa volonté sans avoir à faire la guerre, et à étendre sa domination politique sans avoir à combattre. C'est là un précepte communiste que les Européens de l'Ouest seraient bien avisés de ne pas perdre de vue. Ils ont tort de raisonner comme si la seule alternative pour eux était soit l'invasion par l'Armée rouge, soit la pleine liberté : il y a aussi la liberté surveillée.

Le rapport des forces militaires, s'il dessine le plan très général des confrontations, importe toutefois, la plupart du temps, moins, pour en décider l'issue dans le détail, que l'esprit d'à-propos. On en trouve un autre exemple dans l'exploitation par l'URSS des crises et des révolutions de toute nature. Au cours d'un colloque consacré au pacifisme et à la crise euro-américaine, en janvier 1982, Alain Besançon faisait observer que le mouvement communiste international, avec l'URSS en tête, ne *lance* pas ou lance très rarement les révolutions : il s'empare du pouvoir *à l'intérieur* des révolutions [1]. Il s'infiltre *dans* les révolutions et il s'infiltre *dans* les gouvernements.

1. Actes du colloque *The Transatlantic Crisis*, The Orwell Press, New York, 1982.

Aussi les moyens militaires sont-ils par nature impuissants à contrecarrer ce genre d'action. Les amoureux du totalitarisme en concluent avec satisfaction que la force ne peut, disent-ils, jamais triompher de l'aspiration des peuples à l'indépendance et à la liberté. Conclusion fausse, car la confiscation des révolutions et des mouvements de libération par le communisme vient plus sûrement que tout autre type d'action à bout de l'aspiration des peuples à l'indépendance et à la liberté. En passant d'un despotisme à un autre, entre 1979 et 1981, les Nicaraguayens en ont fait à leur tour l'expérience. Lorsque le mouvement communiste international a cherché et a failli réussir à détourner en plein vol la révolution portugaise, en 1974 et en 1975, le Parti communiste portugais ne représentait qu'un peu plus du dixième de l'électorat du pays, comme l'ont prouvé par la suite toutes les élections, malgré les efforts des communistes pour les empêcher ou pour en discréditer à l'avance les résultats. Si ce complot avait réussi, avec la connivence d'un « Mouvement des forces armées » depuis longtemps contrôlé par les agents de l'Internationale communiste, il aurait fait naître un pouvoir contraire à la volonté d'au moins 85 % des Portugais. Il n'en reste pas moins probable que ce pouvoir dictatorial aurait été salué, à ses débuts en tout cas, comme une victoire de la démocratie et du progressisme par de larges secteurs de l'opinion occidentale, très au-delà des secteurs communistes. Et par la suite aucune action proprement militaire de la part du camp démocratique n'aurait constitué une réplique adaptée à ce détournement de révolution, préparé de longue main et habilement conduit, s'il avait réussi. Une telle action aurait d'ailleurs fait hurler d'indignation l'opinion publique occidentale elle-même. Si le complot communiste échoua, du moins au Portugal même sinon dans ses anciennes colonies, ce fut grâce à une bataille politique, à un combat d'idées, à une information impartiale, fournie par une proportion importante de la presse étrangère, très lue et très influente à Lisbonne, qui mit à nu, jour après jour, les ficelles de l'opération. Ce fut surtout grâce au courage des authentiques démocrates au Portugal même, qui surent résister à l'intimidation et déjouer les provocations. Le combat mené au moyen de l'information exacte fut difficile. Moscou avait mobilisé le Parti communiste français pour taper sur la grosse caisse de la propagande totalitaire ; le Parti communiste français tenait sous son empire idéologique le Parti socialiste et la presse prosocialiste ; le Parti socialiste français introduisait ainsi la division au sein de l'Internationale socialiste et poussait à abandonner les socialistes portugais à leur sort. Néanmoins ce combat fut gagné de justesse, mais avec des armes uniquement politiques, et, bref, pourquoi ne pas le dire ? avec la vérité. Ce qui prouve que l'on a tort de ne pas s'en servir plus souvent.

Quant à ceux qui croient encore au talent politique, aux

avantages d'une stratégie globale et à l'efficacité du machiavélisme de haute école, ils ont également l'occasion, en contemplant le spectacle de la conspiration portugaise, de constater que le succès du plan communiste eût été une défaite grave et coûteuse pour les démocraties, alors que son échec est passé inaperçu, sauf des initiés. Si le Portugal s'était mué en « démocratie populaire », énormes eussent été pour l'Occident, qui jouait sa partie à découvert et indiquait clairement son engagement, la perte de prestige, le recul politique, l'affaiblissement stratégique, le Portugal étant membre de l'Otan. Au contraire, Moscou, à son habitude, s'avançait masquée, actionnait de loin ses affidés — officiellement accrédités ou non — n'intervenait que sous pseudonyme dans cette tentative de coup d'Etat. La responsabilité de la faillite retomba par conséquent tout entière sur le parti communiste local et sur quelques écervelés traîneurs de sabre. Dans toute confrontation par acteurs interposés entre le communisme et les démocraties, l'Union soviétique n'émerge en pleine lumière, comme joueur déclaré, que lorsqu'elle a gagné la partie, les démocraties que lorsqu'elles l'ont perdue.

Toutefois, la vigilance active, au service de la vision planétaire, qui imprime à la politique étrangère soviétique sa continuelle efficacité, se manifesta par la promptitude avec laquelle Moscou sut convertir son opération manquée à Lisbonne en opération réussie en Afrique, dans les anciennes colonies portugaises. Là encore, cette mainmise sur des mouvements de libération nationale supposait une longue préparation, la mise en place patiente d'agents de l'Internationale prêts à saisir le pouvoir au bon moment, de manière à faire glisser en un tournemain d'un colonialisme dans l'autre, sous couleur d'indépendance, les pays « libérés ». Qu'il s'agisse du désir de paix, naturel chez tout homme, ou du nationalisme, le communisme s'entend à se servir de ces sentiments pour éliminer l'influence démocratique. Il les utilise comme propulseurs, en attendant, une fois leur tâche accomplie, de les supprimer sans pitié pour les broyer sous le poids du système totalitaire. Même la révolution religieuse iranienne, si opposée à l'esprit du marxisme-léninisme et hostile en paroles au communisme, peut lui servir néanmoins de véhicule, un véhicule que l'URSS s'est tenue prête depuis longtemps à emprunter, en prévision d'une désagrégation de la société iranienne et de l'autorité. De l'aggravation du chaos pouvait à chaque instant naître l'occasion de faire émerger l'organisation et les hommes du Parti communiste iranien, le Toudeh, de les faire apparaître dans la débâcle, comme seuls capables d'encadrer un retour à la vie normale. Même l'arrestation par les khomeynistes de dirigeants du Toudeh n'a pas anéanti cette possibilité.

Quant à la force pure, dans la progression impériale de Moscou, elle sert à deux niveaux, le plus élevé et le plus bas, aux deux extrêmes de l'arc stratégique. D'abord elle sert à l'échelle de la pression stratégique d'ensemble, pour permettre à la métropole du communisme de *vaincre sans guerre,* en imposant sa volonté aux grandes et moyennes puissances, dont toute velléité de résistance à tel nouvel empiétement est aussitôt paralysée ou suspendue par la conscience de la supériorité ou de l'égalité militaire soviétique. Ensuite, la force pure sert à écraser les faibles, dans des opérations sans risque.

Boris Souvarine, dans un article paru en 1948, expliquait avec sa proverbiale quoique trop longtemps confidentielle clairvoyance : « La politique de Staline est faite de prudence, de patience, de manigance, de noyautage, de corruption, de terrorisme, d'exploitation des faiblesses humaines. Elle ne passe à l'attaque frontale qu'à coup sûr, contre un adversaire de son choix et vaincu d'avance [1]. » Après avoir rappelé cette grande vérité, d'ordinaire bizarrement refoulée dans l'inconscient de l'histoire, que Staline « ne s'est résigné à combattre l'Allemagne que contraint et forcé par Hitler », mais que, de sa propre initiative, « jamais il ne s'est frotté à un adversaire de sa taille », Souvarine en donne pour preuve le coup de poignard dans le dos de la Pologne vaincue, l'agression contre la Finlande, l'invasion des Etats Baltes et de la Bessarabie. Liste que les successeurs de Staline, en dépit de tous les « dégels », « coexistence pacifique », « révisionnisme » et autres « détentes », devaient prolonger par les expéditions intrépides dont les héroïques lauriers ornent le cours de l'histoire ultérieure : Berlin, Budapest, Prague, Kaboul, Varsovie. On le constate, il s'agit là d'opérations de police destinées à rétablir l'ordre colonial dans l'empire.

En dehors de la sphère soviétique, devant des adversaires coriaces et suspects d'entêtement, lorsque le rapport des forces n'est pas d'au moins trois contre un en sa faveur, et, si possible de trois contre zéro, Moscou procède toujours de même : par « noyautage, corruption, terrorisme », bref par ruse. Si une action armée se révèle nécessaire ou opportune, Moscou préfère la confier à l'armée d'un satellite, comme l'Ethiopie, ou à ses troupes coloniales, comme les légionnaires cubains. L'expansion communiste résulte pour l'essentiel de la prévision, de la préparation, de la patience et du savoir-faire, elle s'appuie sur l'art d'utiliser des forces porteuses autres que le communisme, sur la dissimulation et la persévérance, toutes qualités face auxquelles la diplomatie occidentale, encombrée de suffisance et de verbalisme, de gloriole

1. Article repris dans le recueil : Boris Souvarine, *l'Observateur des deux mondes,* 1982, Paris, Editions de la Différence, p. 86.

éphémère et de règlements de compte internes, est comme prédestinée à la déconfiture.

La puissance militaire à elle seule ne suffit pas à faire prévaloir la volonté d'un pays, d'un groupe de pays, d'une civilisation. On en a pour preuve le recul occidental dans le monde, entre 1950 et 1970, deux décennies pendant lesquelles la supériorité se trouvait du côté des démocraties. Si elles n'ont pas su en profiter pour imposer à l'URSS un équilibre durable, comment le pourraient-elles aujourd'hui ? L'histoire a conféré l'avantage à l'intelligence réaliste, à l'esprit de décision et à l'absence de scrupule. Comment cet avantage pourrait-il ne pas s'accentuer, maintenant que non seulement la ruse, mais aussi la force se trouve du côté communiste ?

11

VISION A LONG TERME ET MÉMOIRE DU PASSÉ

La conduite d'une politique, intérieure ou internationale, ne peut pas et ne doit pas être entièrement prisonnière des précédents. Mais s'affranchir du passé peut être la meilleure ou la pire des choses : la meilleure quand elle consiste à éliminer de l'analyse les éléments périmés pour régler l'action sur les éléments actuels ; la pire quand elle équivaut à une amnésie béate face aux leçons de l'histoire, ce qui entraîne la répétition d'erreurs déjà commises. Ne pas saisir qu'il se trouve devant une situation nouvelle est une faute grave de la part d'un diplomate. Mais ne pas reconnaître une situation ancienne, dans laquelle il s'est déjà trouvé à ses dépens, constitue une faute encore plus impardonnable.

Les Soviétiques la commettent rarement. Ils gardent en mémoire toutes les réactions ou absences de réaction de l'Ouest — disons : de l'adversaire, car ils ne cessent de nous considérer comme l'adversaire, même dans les périodes dites de coexistence pacifique. Moscou connaît toutes les ornières dans lesquelles les démocraties ne manquent pas de s'engager lorsqu'un défi se dresse devant elles. Leur réaction est plus souvent le désarroi et le renoncement que la riposte et l'injonction. Moscou le sait, elle l'a constaté à propos de la crise du pétrole ouverte en 1973, de l'expansionnisme soviéto-cubain en Afrique, après le sabotage des accords d'Helsinki, après la révolution iranienne, avec les guerres civiles en Amérique centrale, avec les polémiques consécutives à la répression en Pologne. Les Soviétiques savent aussi que, depuis 1921, l'économie soviétique a été périodiquement secourue par l'aide occidentale, actes concrets qui importent beaucoup plus que toute la rhétorique anticommuniste. Ils savent que leurs tromperies et leurs agressions n'ont jamais déclenché de représailles durables de la part de l'Occident, ni même entraîné l'interruption définitive de l'aide financière et technologique. Ils le savent, et ils savent surtout que les Occidentaux ne le savent pas, que leurs opinions publiques et même leurs gouvernants l'ont oublié, l'oublient, l'oublieront encore, ce qui permet de compter, pour recommencer, sur leur confiance indéfiniment disponible, renouvelée et renouvelable.

Les thèmes principaux des offensives diplomatiques soviétiques se mettent en place dès les premières années du régime communiste. L'armature intellectuelle des propositions que les démocraties accueillent, à chacune de leurs réapparitions, comme nouvelles, a été fixée, du côté soviétique depuis longtemps, ainsi que les techniques permettant à l'URSS de tirer des avantages unilatéraux de tous les accords avec l'Occident. Si les controverses entre Occidentaux à partir de 1970 au sujet des raisons d'entreprendre la détente économique, ou à partir de 1980 au sujet de l'opportunité de la poursuivre retrouvaient pour nous la jeunesse éternelle de l'inédit, cette même coopération économique, vue du côté soviétique, n'était que l'application d'une vieille recette éprouvée. « Nous avons grandement besoin de l'aide technique des Etats-Unis et du Canada... Si les Américains tiennent leurs promesses, l'avantage pour nous sera gigantesque... L'accord et les concessions avec les Américains sont pour nous d'une importance exceptionnelle... Je considère qu'il est d'une importance gigantesque d'attirer les capitaux américains pour la construction... du pipeline en Géorgie. En Russie se trouve le fils (et le partenaire) de Hammer. Il a été en Oural et il a décidé d'en restaurer l'industrie... Ne faut-il pas aussi intéresser Hammer au plan d'électrification pour qu'il nous donne non seulement du pain, mais nous fournisse également l'équipement électrique (à crédit, bien entendu) ?... Avec les Allemands, le rapprochement commercial marche bien. Avec l'Italie, il commence : elle nous offre un crédit... ». Ces phrases datent de 1921 ! Elles sont tirées de notes que Lénine adressait aux membres du Bureau politique ou aux deux secrétaires du Comité central, Molotov et Mikhailov[1]. Elles montrent que les dirigeants soviétiques ont eu très tôt une notion fort claire de leurs objectifs, à savoir, chaque fois que besoin était, faire dépanner leur économie par les pays capitalistes, si possible aux frais de ceux-ci, ou au moins avec des conditions de crédit favorables au point de confiner à la subvention. En échange, les pays capitalistes se contentaient, soit de leur propre croyance naïve en une démocratisation miraculeuse du communisme par les douceurs du commerce, soit de promesses de modération en politique étrangère que l'URSS n'a jamais tenues ni eu l'intention de tenir, comme elle l'a, du reste, avec un cynisme méritoire, presque toujours annoncé en termes à peine voilés. Ne savait-elle pas d'avance que les Occidentaux auraient oublié leurs déconvenues précédentes et se rueraient avec jubilation dans leur vieux rôle de bienfaiteurs bernés, pourvu que Moscou se donnât la

1. Lénine, *Œuvres complètes,* 5ᵉ édition, tomes 44 et 53 de l'édition russe.

peine d'en rafraîchir quelques répliques ? Ce fut le cas en 1921, en 1928, en 1947, et surtout à partir de 1970. Le bilan de l'expérience passée et une vision perspicace de l'avenir, naturellement appuyée sur l'oubli et la myopie complémentaires de l'Ouest, permit à Moscou de tuer dans l'œuf toute tentative occidentale de *linkage,* c'est-à-dire de subordonner l'aide économique à la modération en politique étrangère, à la stabilisation de l'empire soviétique et à l'arrêt de la déstabilisation des autres pays. C'est que, pour Moscou, les objectifs politiques passent avant les objectifs économiques. Lénine lui-même a pris conscience, dès les lendemains du coup d'Etat d'octobre 1917, de la stérilité économique du socialisme et de ses virtualités prodigieuses, en revanche, comme machine à conquérir le monde. S'il est licite, par conséquent, pour le communisme, de pallier de temps à autre ses carences économiques chroniques en soutirant des crédits, des aliments et des produits manufacturés aux pays dont l'économie fonctionne mieux que la sienne, il lui répugne de sacrifier un objectif politique majeur à ce soulagement matériel passager. C'est au demeurant superflu : car les Soviétiques n'ignorent pas que tout élan pour exiger des concessions en échange de l'aide est en Occident de courte durée. Ils conservent donc avec fermeté l'avantage politique et comptent bien que l'aide économique leur fera retour tôt ou tard, le temps que les « sanctions » dont on les menace se transforment en rixe rituelle entre les démocraties.

Lorsque ces rixes ne se produisent pas, ou du moins tardent à se produire, lorsque les démocraties ne s'inclinent pas, les Soviétiques savent alors dans l'immédiat renoncer à un gain économique pour conserver intactes leurs capacités d'expansion politique. Ce fut le cas au moment du Plan Marshall, en 1947. Les Etats-Unis offrirent alors à l'Europe, par la voix du secrétaire d'Etat Marshall, les moyens de sa reconstruction économique : à *toute* l' l'Europe, y compris celle de l'Est et l'URSS elle-même. L'Union soviétique, dans un premier temps, loin de stigmatiser la générosité américaine, comme elle devait le faire plus tard en feignant d'y voir une manœuvre satanique de l'impérialisme et des « trusts », se montra d'emblée très intéressée par la proposition. Staline envoya même Molotov en discuter à Paris avec les ministres des Affaires étrangères britannique et français. Mais il se rendit rapidement compte que l'acceptation de l'aide Marshall allait entraver le processus d'absorption et de consolidation au sein du bloc communiste de l'Europe des satellites, alors en voie d'achèvement, et risquait même de secouer le système totalitaire en URSS. Car les Etats-Unis avaient posé comme condition à leurs ouvertures de crédits que les pays bénéficiaires devraient se mettre d'accord entre eux pour coordonner leurs reconstitutions et harmoniser leurs économies. C'était l'embryon du futur Marché commun. Aux yeux des dirigeants communistes, cela signifiait la constitution d'un réseau paneuropéen de consultations et d'échanges, une imbrication des économies et une compénétration des sociétés qui eussent fait voler en éclats, en tout cas, le pouvoir totalitaire dans les pays satellites et mis sur des charbons ardents celui de Moscou même. Comment la Tchécoslovaquie, la Pologne, la Hongrie ou la Roumanie, comment l'Allemagne de l'Est auraient-elles résisté à l'attraction d'une Europe occidentale qui allait amorcer, en 1950, la plus vigoureuse expansion économique de toute son histoire ? Pour les obliger à rester dans l'orbite soviétique, à supporter la clochardisation généralisée de la vie quotidienne qui marque les économies socialistes, il fallait les séparer par la force et totalement de l'Ouest. L'URSS refusa donc pour elle-même les crédits Marshall et contraignit ses satellites à les refuser. Un ultimatum de Staline interdit notamment, à la Tchécoslovaquie, qui s'était fait des illusions jusqu'à la dernière minute, d'accepter l'aide Marshall. C'est un devoir, objectera-t-on, qu'une nation n'accepte pas de conditions politiques à une coopération économique. L'indépendance est à ce prix. Mais en l'occurrence il s'agissait tout juste du contraire : il s'agissait pour l'URSS de garder la mainmise sur les pays dont elle avait aboli l'indépendance par la force, en violation de tous les engagements signés au lendemain de la Seconde Guerre mondiale. Ce qu'elle voulait, c'était prendre l'argent du plan Marshall tout en conservant un contrôle absolu sur son empire européen, récemment constitué, et que risquait d'ébranler, non pas même une ombre de conditions politiques — les Américains n'en formulèrent à aucun moment — mais le minimum d'ouverture des frontières indispensable à la coordination des activités économiques. Les Soviétiques en 1947 ont placé au-dessus de l'aide économique non pas le droit de tous à l'indépendance, ce qui eût été normal, mais leur propre droit à l'impérialisme et à l'oppression.

Ils ont eu raison, et leur vision à long terme s'est révélée une fois de plus d'une grande sagesse, puisque vingt-cinq ans plus tard, les Occidentaux, revenus à la charge, ont recommencé à proposer à l'URSS et à ses satellites crédits, céréales et technologie. En outre, par la suite, cette aide économique massive s'est accompagnée de la reconnaissance officielle par les Occidentaux, en 1975, en vertu des accords d'Helsinki, de l'empire soviétique illégitime résultant du maintien de l'Armée rouge en Europe centrale, après la guerre, et des divers coups d'Etat communistes qui avaient achevé d'agréger cette partie du continent à la sphère totalitaire. Les Occidentaux, eux, n'ont pas établi de lien entre les deux époques, ils n'ont pas compris que, pour Brejnev, sur ce point continuateur intelligent de Staline, *la détente c'était le Plan Marshall moins les inconvénients* et avec le bénéfice supplémentaire de la légalisation internationale des conquêtes. Mais les dirigeants soviétiques, pour leur part, l'ont très bien compris. La détente constituait pour eux le deuxième volet d'une opération inachevée, et le fruit de la persévérance. Car il ne faut pas oublier que l'accord d'Helsinki aussi est une idée soviétique, poussée en avant avec insistance et patience pendant à peu près quinze ans, au moyen d'un inlassable travail de persuasion, auprès de chaque démocratie occidentale, jusqu'au succès final de 1975.

C'est un bel échantillon de vision à long terme que Moscou ait su arracher aux démocraties en deux étapes, 1945-1950 et 1970-1975, les gains territoriaux qu'elle attendait du pacte germano-soviétique signé le 23 août 1939. En laissant à Hitler les mains libres pour conquérir la majeure partie de l'Europe, Staline comptait obtenir ou pouvoir garder comme récompenses un certain nombre de territoires à l'Est et au Nord. Hitler commit la faute d'attaquer l'Union soviétique avant d'avoir écrasé la Grande-Bretagne, ce qu'il aurait dû tenter à nouveau pendant l'été de 1941, en profitant du fait que les Etats-Unis n'étaient pas encore entrés dans la guerre. Il métamorphosa ainsi Staline en allié malgré lui des puissances démocratiques. Mais le paradoxe est que Staline et ses successeurs tirèrent de leur participation involontaire à la guerre contre les nazis les mêmes avantages territoriaux, et bien au-delà, qu'ils avaient attendus de leur alliance avec eux.

Les succès de la diplomatie soviétique ne découlent pas d'un génie exceptionnel dont seraient dotés leurs dirigeants. Ils découlent de la fidélité à une méthode, qui comprend parmi ses principes la continuité de l'action dans le temps, la récapitulation constante des raisons d'être de l'action, enfin l'acceptation de la lenteur comme moyen de parvenir à des résultats solides et irréversibles. Au contraire, la diplomatie des démocraties, quelle que soit l'intelligence des hommes qui la conduisent (mais cette intelligence brille le plus souvent hors du champ de la politique), est une diplomatie discontinue. En raison du changement fréquent d'équipes, elle implique souvent l'oubli ou le mépris des raisons pour lesquelles les prédécesseurs ont pris une décision. Enfin elle est guidée par le souci d'offrir aux opinions publiques des résultats rapides et spectaculaires. La diplomatie démocratique se laisse donc plus facilement mener par le bout du nez que la diplomatie soviétique. Celle-ci prend l'avantage dans les trajectoires longues, auxquelles les Occidentaux ne veulent pas croire, estimant que voir dans tout ce que fait Moscou le fruit de calculs à long terme est un symptôme de paranoïa. Ainsi, durant la première crise pétrolière, en 1974, et en 1980 après l'invasion de l'Afghanistan, on jugeait de mauvais goût, en Occident, l'analyse selon laquelle les Soviétiques auraient visé à l'affaiblissement indirect de l'Europe occidentale, très dépendante, comme on sait, du pétrole du Moyen-Orient.

Pourtant, dans le livre d'Andréi Sakharov, intitulé *Mon pays et le monde*[1], on trouve le passage suivant, se rapportant, on va le voir, à une période bien antérieure à celle des chocs pétroliers, à la prise de contrôle du Yémen et de l'Afghanistan, au début de déstabilisation des Emirats et de l'Arabie Saoudite : « J'évoque souvent, écrit Sakharov, l'anecdote suivante : *en 1955,* un fonctionnaire haut placé du Conseil des ministres de l'URSS déclara à un groupe de savants rassemblés *au Kremlin :* " Désormais (c'est-à-dire après le tout récent voyage en Egypte de Chépilov, alors membre du Présidium du Comité central du PCUS), nous discutons de l'élaboration d'une nouvelle politique soviétique au Proche-Orient. *L'objectif à long terme consiste à utiliser le nationalisme arabe pour susciter des difficultés dans le ravitaillement en pétrole des pays européens et de les rendre ainsi plus souples.* " Aujourd'hui que l'économie mondiale est désorganisée par la crise du pétrole, on perçoit mieux toute la perfidie et toute la " réalité pétrolière " qui se dissimulent derrière la " défense de la juste cause des peuples arabes ". Et pourtant, l'Occident feint de croire que l'URSS n'y est pour rien ! »

J'ai mis en italiques dans la citation les mots ou phrases qui font ressortir l'ancienneté de la conception de ce projet, par rapport à la date à laquelle il porte ses premiers fruits, 1973, la clarté de cette conception, enfin le niveau élevé de la réunion où cette analyse fut faite : au Kremlin même. Le témoignage est de première main, le témoin digne de foi, c'est le moins qu'on puisse dire. Si ce n'est qu'à partir de 1973 prennent place ouvertement, parmi les moyens de domestiquer l'Europe, la menace d'une disette d'énergie et la réalité d'une crise économique profonde issue dans une large mesure du quintuplement du prix du pétrole, n'oublions pas que les Européens eurent toutefois un avant-goût de ce que l'avenir leur réservait avec la nationalisation du canal de Suez par Nasser en 1956, un Nasser déjà au mieux avec les Soviétiques. A l'époque, le ravitaillement de l'Europe en pétrole se faisait en quasi-totalité par le canal. Les rebondissements de cette nationalisation, l'affligeante expédition militaire franco-britannique, le vif mécontentement qu'en conçurent les Américains, qui prièrent énergiquement leurs alliés de mettre un terme au plus tôt à cette aventure, dessinent une intrigue appelée à devenir plus tard familière. L'idée ne me vient pas de prétendre que l'Occident n'ait jamais de torts. Ce n'est pas sous cet angle du tout que je pose les problèmes dans ce livre. Toutes les sociétés, dans toute l'histoire, ont à la fois « tort » et « raison », mélangent le juste et l'injuste. Mais quels que soient leurs paquets respectifs et inégalement composés de vices et de vertus, de bien et de mal, les unes sont éliminées et les autres

1. Paris, Seuil, 1975, pour la traduction française.

éliminent. Pourquoi et comment ? C'est ce que j'étudie ici, sur les exemples contemporains.

Lorsque l'Union soviétique transforme le Sud-Yémen en satellite, envahit l'Afghanistan, s'efforce de ronger du dedans les pouvoirs dans la péninsule arabique, une grande partie de l'opinion mondiale trouve qu'elle a « tort ». Mais presque personne dans les démocraties n'est disposé à croire, à envisager même, que ces diverses démarches constituent l'exécution d'un programme, pourtant logique, et conçu de longue date. C'est ce que le témoignage de Sakharov nous rappelle. La sagacité soviétique dans la réalisation des plans a un rendement d'autant plus élevé que les démocrates se refusent à la voir, à voir un plan quelconque derrière la lente et sûre progression du totalitarisme dans le monde. Cette progression n'est pas artificielle, elle s'appuie sur des réalités, elle consiste à exploiter les faiblesses, les fautes, la vulnérabilité de l'Occident — par exemple qu'il dépende largement du pétrole du Moyen-Orient, ou d'Afrique du Nord, région où, par une bizarre coïncidence, les deux pays exportateurs de pétrole, l'Algérie et la Libye, figurèrent très tôt parmi les associés de l'Union soviétique. Exploiter les faiblesses de l'adversaire et chercher ses points vulnérables n'a en soi rien d'original. La supériorité du communisme provient de ce qu'il « ne pense qu'à ça », au lieu que les démocraties s'en occupent de façon négligente, intermittente et changeante. Elle provient aussi de ce que le communisme ne cesse pas un instant de considérer le monde non communiste comme l'ennemi à détruire, tandis que les démocraties s'imaginent pouvoir acheter la tranquillité en abandonnant au communisme sa part de la planète. Elles oublient que le communisme ne peut pas se permettre de s'arrêter. Sans expansion, il meurt, puisqu'il ne peut résoudre aucun des problèmes internes des sociétés qu'il crée. On ne voit même pas à quoi l'Etat s'occuperait dans une société communiste, sans l'expansion à l'étranger. La Nomenklatura mourrait d'ennui, car ce n'est pas la morne gestion d'une économie indissolublement mariée à la médiocrité qui suffirait à satisfaire son besoin d'activité. C'est pourquoi la querelle des « torts » et des « raisons » n'est pas celle dont l'issue désignera le vainqueur. Le communisme est une meilleure machine à conquérir le monde que la démocratie, c'est là ce qui décidera du dénouement.

Les démocraties tendent à rechercher des traités vastes et définitifs, qui organisent le monde pour plusieurs générations. Elles ambitionnent qu'une fois fixé cet équilibre des puissances, cette « communauté internationale », cette « structure de paix », comme disait Kissinger, chaque pays pourra enfin se consacrer à des tâches civilisées : le développement économique, l'épanouissement de la culture, l'élargissement des libertés, le progrès de la justice sociale. Tout doit aller bien, pourvu qu'un parlement mondial arbitre les conflits mineurs qui pourraient surgir entre nations, sur un fond d'ordre stable. Cette vision inspira, après la Première Guerre mondiale comme après la seconde, les conférences internationales, les traités de paix, la création, successivement, de la Société des Nations et de l'Organisation des Nations unies, dont la Charte exprime cette philosophie du progrès par la coopération dans la stabilité. C'est également cette philosophie qui inspira, du côté occidental, les accords d'Helsinki en 1975. Pour obtenir ce qu'elles croient devoir être un équilibre global et durable, les démocraties, depuis quarante ans, se sont toujours montrées prêtes à faire des concessions substantielles à l'Union soviétique, dans le dessein de lui prouver leur bonne volonté comme de forcer la sienne. L'inconvénient est que tous ces traités, qui sont aux yeux des Occidentaux le dôme de la stabilité, constituent pour les communistes le tremplin de la déstabilisation. Les communistes ne tiennent pas du tout à délaisser la course à la domination pour la course à la civilisation, puisqu'ils savent que, dans cette dernière, ils sont battus d'avance. Ils sont friands eux aussi de traités, mais c'est pour les garanties qu'ils reçoivent, non pour celles qu'ils fournissent. A peine un accord est-il signé que leur vigilance active repasse à l'attaque et, tout en exploitant les clauses favorables au camp communiste, biffe dans la pratique les obligations souscrites en contrepartie. Les violations des accords d'Helsinki sont présentes à toutes les mémoires. On se rappelle moins vivement qu'après la Seconde Guerre mondiale Staline n'a pas perdu un instant non plus pour violer les accords destinés à « reconstruire » le monde de l'après-guerre : accords de Téhéran (décembre 1943), de Yalta (février 1945) et de Potsdam (août 1945). Toutes les conventions d'armistice, tous les accords entre Alliés, tous les traités de paix relatifs à l'Allemagne, à la Pologne, à la Hongrie, à la Bulgarie, à la Roumanie, à la Corée ont été violés par les Soviétiques : la seule rescapée fut l'Autriche, véritable miraculée de la grande rafle, à laquelle on peut ajouter la Finlande, semi-satellite à statut spécial. De même, le cessez-le-feu de 1973 en Indochine fut immédiatement violé par les communistes, pour s'achever en conquête du Vietnam-Sud par les divisions blindées du Vietnam-Nord en 1975. Nous nous trouvons devant deux sortes de visions à long terme : celle des démocraties se fonde sur le droit, et elle compte principalement, pour le faire respecter, sur la loyauté ou la modération pragmatique de l'autre partie contractante. Celle des communistes ne prend en considération que le rapport des forces et voit dans les traités l'un des multiples moyens d'endormir pour un temps la vigilance, déjà bien molle, de l'adversaire. Si l'Union soviétique et l'Internationale communiste sont en position de supériorité, elles s'empressent aussitôt de pousser leur avantage, en ignorant le traité ; si elles se trouvent en position d'infériorité, elles se replient pour un temps, avant de revenir à la charge dans les meilleurs délais. En outre, chaque segment des opérations communistes, quelle que soit la durée des interruptions forcées, est soigneusement gardé en réserve, en attendant de pouvoir de nouveau se raccorder à l'étape suivante de l'entreprise. Les moments du passé se retrouvent donc en fin de compte, à la longue, soudés les uns aux autres dans l'unité générale d'une action qui, contrairement à celle des démocraties, n'est jamais arrêtée tant qu'elle n'est pas achevée.

12

TOUJOURS CONSIDÉRER UN REPLI FORCÉ COMME PROVISOIRE ET REVENIR A LA CHARGE

Sachant qu'ils peuvent nous tromper sans jamais nous détromper, les communistes n'acceptent pas les reculs ou les refus comme définitifs. Ils reviennent sans se lasser sur la brèche, présentent les mêmes propositions, se livrent aux mêmes infiltrations, entreprennent les mêmes conquêtes, jusqu'à ce qu'ils parviennent à leurs fins, ou à leur en substituer d'équivalentes plus faciles à poursuivre. Ils manifestent cette obstination aussi bien en politique internationale qu'en politique intérieure. Le Parti communiste français a peiné pendant autant d'années, entre dix et quinze, pour décrocher le « Programme commun » avec les socialistes que l'Union soviétique pour obtenir des Occidentaux l'accord sur « la sécurité et la coopération en Europe » signé à Helsinki. Si les opinions publiques et les électeurs en Occident finissent quelquefois par ne plus se laisser duper, il n'en va pas de même pour les politiciens, ces éternels grands disponibles, chaque jour prêts à ovationner les plus triviales vieilleries comme d'éblouissantes percées intellectuelles. C'est là que font merveille, une fois de plus, la faculté d'oubli des dirigeants occidentaux, leur désir, nous l'avons vu, de passer avec les communistes des accords qu'ils croient définitifs, leur crainte de paraître entraver la bonne entente internationale, s'ils rejetaient à de trop nombreuses reprises les mêmes suggestions, fussent-elles contraires à leurs propres intérêts. Dans la tactique communiste, l'opération pratique se double d'une opération de propagande. Si la première tourne court, la seconde laissera des traces dans les esprits, les préparant à mieux accueillir une future démarche.

Ainsi, en 1958, l'URSS propose un pacte de non-agression entre les Etats riverains de la Baltique, qu'ils fassent partie de l'Otan, du Pacte de Varsovie ou soient neutres. En raison de l'inégalité des forces entre les divers pays en cause, cela équivalait à proposer la domination totale de l'URSS et la transformation de la Baltique en mer soviétique. Quoique les pays riverains se soient alors gardés de succomber à la séduction de cette offre magnanime, ceux du moins qui étaient libres de leur décision, la vague sonorité de l'expression « non-agression » fut tout ce qui parvint aux oreilles des populations plus lointaines. Et comment ne pas se laisser pénétrer, à la longue, par cette notion qu'un Etat qui passe son temps à proposer des pactes de non-agression ne saurait être agressif ? D'autant que, peu après, l'URSS, par la bouche du maréchal Boulganine, propose à la Norvège la « dénucléarisation » de la zone nordique, autrement dit que la Norvège et le Danemark, les deux membres scandinaves de l'Otan, se retirent de cette organisation militaire. Piège d'une grossièreté confondante, puisque l'URSS, pour sa part, même en « dénucléarisant » la partie de son territoire limitrophe de la Norvège, ne sacrifiait rien de sa force de frappe atomique. Mais discours habile, en tant qu'exercice de propagande, puisque disséminant la rumeur qu'en somme Moscou était « contre la bombe atomique ». En 1963, le président finlandais Kekkonen — que Moscou venait de faire réélire en contraignant à retirer sa candidature, avant l'élection présidentielle de 1961, son concurrent et vainqueur assuré, un certain Honka — Kekkonen, donc, propose de nouveau la « dénucléarisation » de la Scandinavie. On admirera que cette inspiration philanthropique se soit emparée de l'âme du président finlandais l'année même où Moscou tentait d'installer des missiles à Cuba. Le bouquet de ce feu d'artifice fut que, dix-huit ans plus tard, en 1981, les Soviétiques, décidément à court d'imagination sinon de persévérance, entonnèrent leur antique ritournelle pour proposer encore une fois la neutralisation nucléaire de l'Europe du Nord. L'Occident ne parut pas reconnaître la marchandise avariée qu'on avait déjà essayé de lui placer à plusieurs reprises, en des temps meilleurs. En 1981, c'était pour l'URSS que les temps étaient devenus meilleurs. En effet, elle trouvait devant elle une Norvège en état de bien moindre résistance que jadis, vu le « renversement du rapport des forces » entre l'Est et l'Ouest. Elle avait donc eu raison de ne pas jeter au rancart sa vieille idée. Aucune rebuffade ne décourage l'URSS dans l'acharnement qu'elle met à proposer des « plans de désarmement » qui ne désarment que l'Occident. En 1957, Rapacki, ministre polonais des Affaires étrangères, propose à l'Assemblée générale des Nations unies un plan de dénucléarisation de l'Europe centrale, conçu de telle sorte qu'il aurait conduit les Etats-Unis à démanteler tout le système défensif de l'Europe occidentale en laissant intact le système offensif soviétique. En 1972, Brejnev soumet à Kissinger un projet de renonciation simultanée, de la part de l'URSS et de l'Amérique, à l'emploi des armes nucléaires l'une contre l'autre. Cette « bombe pacifique », selon l'appellation dont Brejnev, dans un trait de génie linguistique, affubla sa tentative d'escroquerie, survenait à un moment où les Soviétiques atteignaient la parité nucléaire avec l'Amérique, tout en conservant la supériorité en armements classiques. Geler la dissuasion nucléaire équivalait donc à conférer par le fait même une supériorité à l'URSS, en particulier par rapport aux forces de l'Otan, hors d'état de contenir celles du Pacte de Varsovie sans le « parapluie » nucléaire américain. En outre, la proposition soviétique visait accessoirement à rien de moins qu'à laisser les mains libres à Brejnev pour lancer une attaque nucléaire contre la Chine. Malgré l'énormité presque comique de telles prétentions, Brejnev s'obstina pendant plus d'un an, avec un aplomb imperturbable, à remettre en toute occasion sur le tapis sa trouvaille, que Kissinger parvint laborieusement à vider de ses substances nocives pour la métamorphoser en une promesse globale et mutuelle de modération. « La diplomatie soviétique, commente à ce sujet Kissinger[1], ne connaît pas de repos. » Elle présente un projet comme « une contribution majeure à la détente ». Il faut que les Occidentaux l'acceptent, plaident les Soviétiques, car alors se produira une « amélioration de l'atmosphère ». L'accord vient-il à être conclu ? Aussitôt le Kremlin avance une nouvelle proposition, encore plus avantageuse pour lui, arguant que toute réticence occidentale entraînerait une « dégradation de l'atmosphère ». Dans le même esprit, nous le savons, les Soviétiques ont submergé l'Ouest, en 1980, 1981, 1982, de plans de « désarmement » qui consistaient à « arrêter » le déploiement des euromissiles, c'est-à-dire pour eux à conserver les leurs pointés sur l'Europe occidentale et pour nous à suspendre le déploiement des nôtres, qui n'existaient que sur le papier. En janvier 1983, Youri Andropov a ressorti de l'armoire aux oripeaux l'antique proposition de « pacte de non-agression » avec l'Ouest. Toutes ces offres, les plus anciennes comme les plus récentes, obéissent chez les Soviétiques à un calcul fort judicieux : créer dans l'opinion mondiale l'impression qu'ils recherchent la détente, exercer un chantage à l'apocalypse nucléaire, tout en continuant à développer leurs forces stratégiques. A en juger par les résultats obtenus dans l'espace d'un quart de siècle, la méthode ne paraît pas mauvaise.

C'est sous ce jour que nous devons apprendre à voir les échecs du communisme. Ils existent, certes, mais l'URSS ne les considère jamais comme posant le point final. Atout déterminant, dû au système totalitaire, elle peut attendre et sait attendre. C'est ce qu'elle a fait, par exemple, en Afghanistan, où elle s'est heurtée après l'invasion à une résistance populaire d'une durée et d'une ténacité imprévues. Deux ans et demi après l'intervention soviétique, selon un témoin oculaire rentrant de reportage au printemps de 1982, les campagnes, où vivent quatre-vingt-cinq pour cent de la population, échappaient toujours au contrôle de l'Etat communiste

1. *Years of Upheaval (les Années orageuses)*, ch. VII.

afghan et du corps expéditionnaire soviétique[1]. Aussi vit-on grouiller dans la presse et sur les ondes le cliché d'un « Vietnam soviétique », du « bourbier » où l'URSS allait « s'enliser ». Comparaison superficielle : les résistants afghans n'ont pas été soutenus et approvisionnés en armes modernes par une superpuissance, comme le Vietnam-Nord l'avait été par l'URSS et, en outre, par la Chine ; l'Union soviétique n'est pas aux prises avec une opinion publique interne opposée à cette guerre lointaine, à des médias livrant un assaut quotidien contre les vérités officielles, à des jeunes gens refusant le service militaire et quittant le pays (ce qui est d'ailleurs impossible à un ressortissant communiste). Une démocratie ne peut pas gagner une guerre si elle n'a pas le soutien de son opinion, même quand elle le pourrait techniquement sur le terrain. Les Etats-Unis en ont fait l'expérience au Vietnam, les Français en Algérie. Aussi la démocratie ne peut-elle pas compter sur le temps, à moins que l'opinion ne soit profondément convaincue de la nécessité du conflit. C'est sa noblesse et sa faiblesse, parfois sa force. Même Israël a découvert cette loi durant la guerre du Liban, première des guerres israélo-arabes où l'opinion ait cessé d'être quasi unanime derrière son gouvernement. L'Union des Républiques socialistes soviétiques ayant organiquement éliminé l'opinion publique, ou du moins son expression et son influence, elle peut attendre très longtemps, mener une occupation d'usure, ce que ne pouvaient se permettre les Etats-Unis, acculés à l'exigence de résultats rapides et politiquement acceptables. « Dans l'évaluation de la situation actuelle, lit-on en conclusion du reportage cité plus haut, il ne faut pas négliger un facteur essentiel : le temps. Les Soviétiques n'ont pas encore montré ce dont ils sont capables sur le plan militaire. Ils raccrochent peu à peu l'économie afghane à leur système. Ils sont en Afghanistan pour y rester. » L'indifférence de l'opinion internationale n'est pas moins propice à cet allongement du temps disponible que l'inexistence de l'opinion interne. On ne brûle pas le drapeau soviétique à Prague, à Budapest, à Berlin-Est, comme on brûlait le drapeau américain à Rome, à Paris et à Bonn durant la guerre du Vietnam. Les satellites communistes sont non pas des alliés critiques mais des colonies muselées. La camisole totalitaire rend impossibles des manifestations contre l'impérialisme soviétique au sein même de l'empire. Aucun général de Gaulle communiste, allié à l'Union soviétique, ne peut s'offrir un discours de Phnom Penh, autrement dit aller prononcer, à quelques kilomètres de la frontière afghane, mettons à Peshawar, une diatribe éclatante contre la présence soviétique à Kaboul, comme le fit de Gaulle en 1966 contre la présence américaine au Vietnam. Dans les opinions des pays démocratiques mêmes, la condamnation

1. Gérard Chaliand, *l'Express*, 16 juillet 1982.

de l'occupation de l'Afghanistan émane de groupements et d'individus isolés, elle n'atteint pas la millionième partie de la virulence et de la masse des manifestations contre les Etats-Unis jadis. Les Soviétiques sont blâmés avec discrétion ; les Américains étaient farouchement haïs. Et ils le sont encore, à tout propos. Certes, l'URSS est beaucoup plus haïe par les peuples des pays satellites que les Etats-Unis ne le sont par les peuples des pays qui leur sont alliés. Mais cette haine anticommuniste des peuples communistes ne filtre que dans des circonstances exceptionnelles et avec des effets limités ou aisément contenus. Quant aux manifestations contre l'impérialisme soviétique qui ont lieu en Occident, elles sont symboliques ou bien, quand il leur arrive, par exemple pour soutenir le peuple polonais, de rassembler une vraie foule, elles s'étiolent en quelques semaines sans donner de résultat. A propos de l'Afghanistan, elles n'ont réuni que des effectifs squelettiques, eux-mêmes vite évaporés, ce qui ruine une fois de plus la comparaison avec la guerre du Vietnam. Dès 1981, l'Afghanistan ne relevait déjà plus que du bulletin confidentiel et du colloque pour initiés. Or songeons que, fin 1982, d'après le Haut-Commissariat aux Réfugiés, le nombre des réfugiés afghans s'élevait à plus de trois millions, la plupart au Pakistan, un demi-million en Iran, tous partis depuis le début de la soviétisation. Comme l'Afghanistan comptait en 1978 13 millions d'habitants, l'exode est, en proportion, le même que le serait celui d'environ douze millions de Français, soixante millions d'Américains. Il se compare à celui des Palestiniens, mais ne suscite pas les mêmes protestations dans le progressisme international. Même des renseignements sérieux paraissant prouver l'utilisation par les Soviétiques d'armes chimiques et biologiques contre les résistants afghans sont tombés dans l'indifférence des opinions publiques, doublée de celle, en quelque sorte professionnelle, des chancelleries. On voit combien l'analogie Vietnam-Afghanistan est légère, même sans faire entrer en ligne de compte les causes et les motifs fort différents de ces deux guerres. Les Soviétiques ont tout leur temps. L'échec qu'ils ont subi de prime abord sur place est relativisé par la durée, cette ressource irremplaçable, réservée à ceux que ne menace jamais aucune échéance intérieure.

Sur le théâtre latino-américain aussi, l'Union soviétique a montré sa puissance de persistance et sa capacité inépuisable de repartir aussi souvent qu'il le faut de zéro. Les échecs scellent d'ordinaire une fin de partie pour les démocraties, où les oppositions et les opinions publiques rendent quasiment impossible la répétition d'opérations qui se sont une seule fois mal terminées. En 1975, le gouvernement américain n'a rien pu contre la colonisation de l'Angola par les Soviéto-Cubains parce qu'après le choc du désastre vietnamien le Congrès ne voulait tout simplement pas entendre parler d'une intervention militaire à l'extérieur, où que ce soit, ni même d'une prise de position politique. Un membre du cabinet de l'Administration Ford me confiait à l'époque : « Si j'étais Kim Il Sung, j'envahirais demain matin la Corée du Sud : nous, Américains, ne pourrions rien faire, nous ne respecterions pas nos engagements ; ni l'opinion, ni les médias, ni le Congrès ne toléreraient actuellement que les troupes américaines se battent sur un sol étranger. » En revanche, un système totalitaire, qui n'a de comptes à rendre qu'à lui-même, peut remettre mille fois sur le métier son ouvrage, d'autant plus qu'il a les moyens d'occulter ses échecs par la censure de l'information ou de les travestir par la propagande. Il ne s'est privé de rien de tout cela en Amérique latine. Echecs des guérillas révolutionnaires au cours des années 60 en Bolivie, au Pérou, au Venezuela ; échec ensuite, en Argentine et en Uruguay, d'un terrorisme massif qui n'aboutit qu'à faire rebondir au pouvoir des dictateurs d'extrême droite d'une dureté répressive atroce, et à déchaîner un contre-terrorisme officieux ou incontrôlé ; échec, enfin, de la tentative pour transformer le Chili en « démocratie populaire » par confiscation et monopolisation internes du pouvoir, pouvoir initialement légal mais électoralement minoritaire, de Salvador Allende. Ce dernier échec inspira, on le sait, au secrétaire général du Parti communiste italien, Enrico Berlinguer, ses célèbres articles de 1973 sur la nécessité du « compromis historique » avec le centre et la droite modérée.

Après cette moisson d'échecs, toute autre institution que la centrale communiste mondiale eût fait une croix sur l'Amérique latine. De fait, le relais de La Havane fut réorienté en direction de l'Afrique, et l'infanterie coloniale cubaine fut expédiée en Ethiopie, en Angola et sur d'autres champs de bataille plus lointains encore. Cependant cette main basse sur l'Afrique suspendit pour réexamen mais n'exclut en aucune façon la reprise de la pénétration en Amérique latine. Moscou ne se résout jamais à lâcher prise. Cette fois-ci, ce furent principalement l'Amérique centrale et les Caraïbes qui furent choisies pour cibles, à partir de 1978, et avec les résultats que l'on connaît ou que l'on a connus au Nicaragua, au Salvador, au Guatemala, au Guyana, à la Jamaïque, à Grenade, à Surinam. Pour tenter une fois de plus de prévenir tout malentendu — j'entends avec les lecteurs de bonne foi car désarmer la mauvaise foi est une tâche impossible — je répète qu'à mes yeux la situation politique et sociale des pays que je viens de citer explique et justifie souvent les insurrections populaires dont ils sont le théâtre. Ce que je conteste, c'est qu'il y ait une raison intrinsèque quelconque pour que les maux dont ils souffrent doivent les conduire à devenir des dominions de l'Union soviétique. Les y pousser constitue un abus de confiance qui ne fait qu'aggraver leurs difficultés tout en achevant de les rendre insolubles. La crise est authentique, la conversion de la crise en passage au communisme est artificielle. C'est au moment décisif de ce passage qu'intervient l'ingénierie révolutionnaire d'importation : infiltration terroriste, guérilla soutenue de l'extérieur, complot politique en vue du monopole du pouvoir. Aussi bien, quelle raison y avait-il pour qu'apparaisse la subversion à Costa Rica, petite république modèle en Amérique centrale, tant par le niveau de vie que par la régularité de sa pratique démocratique, et *sans armée ?* Ou encore, à peine avait été chassé par le peuple péruvien le militaro-socialisme qui, de 1968 à 1979, avait fait tomber de 60 % le Produit national brut, et à peine était élu à la présidence le centriste Belaunde, premier chef d'Etat légal depuis douze ans, que flambait au Pérou, comme par une coïncidence fortuite, un terrorisme qui, vu son ampleur, son organisation, son équipement et son encadrement, rend des moins plausibles l'explication par le seul « spontanéisme » révolutionnaire de foules paysannes en colère. Bel exemple de l'entêtement des Soviétiques et de l'axiome selon lequel, à leurs yeux, rien n'est jamais terminé, tout doit être recommencé, tout l'est en effet, aussi souvent qu'il est nécessaire de le faire, si longtemps qu'il faille attendre pour relancer l'entreprise.

Ainsi, aussitôt après l'échec du filoutage de la « Révolution des Œillets » au Portugal, Moscou fait pivoter son front et s'occupe avec succès des anciennes colonies portugaises en Afrique. Bien que l'Angola, ou du moins la portion de l'Angola que parvient à contrôler Luanda, la capitale, soit aux mains de communistes qui ne tiennent debout que grâce aux troupes d'occupation soviéto-cubaines, Moscou a réussi néanmoins à imposer peu à peu à l'Occident l'image du gouvernement de Luanda comme d'un gouvernement légitime (la France, par exemple, a signé un accord de coopération avec Luanda en 1982) et Moscou poursuit également depuis 1975 avec une patience de fourmi l'installation d'un autre régime procommuniste au sud de l'Angola, en Namibie, où elle soutient, arme et finance une organisation à elle, la Swapo (South West Africa People's Organization), pendant du Polisario, qu'elle soutient dans le Nord, à l'autre extrémité du continent. Ou encore, ayant choisi d'abandonner la Somalie en faveur de l'Ethiopie, plus grande, plus puissante, plus avantageuse, car il était impossible d'être allié à la fois de ces deux pays, ennemis et voisins, l'Union soviétique, en 1982, repart à l'assaut de la Somalie, une fois stabilisé le pouvoir socialiste en Ethiopie. Sous sa direction et celle des « conseillers » cubains, on envoie des soldats éthiopiens déguisés en « rebelles » somaliens à l'assaut du gouvernement antisoviétique de Syad Barre en Somalie. Pour Moscou, aucune perte n'est jamais définitive.

Quelle plus robuste confirmation de cette règle que les relations soviéto-finlandaises ? Dans la pléthore des néologismes que forge l'hypocrisie politique, le terme de « finlandisation » se distingue par la persistance de sa fortune. Il induit dans les esprits ce mélange de répulsion, de séduction et d'équivoque où gît peut-être le secret des mots qui durent. Asservissement à peine voilé selon les uns, courageuse résistance d'un petit peuple tenace selon les autres, la finlandisation présente, pour une majorité d'Européens, les contours flous d'un intermède consolant, qui permettrait l'accoutumance à l'inéluctable servitude. Après tout, le malheur n'est-il pas atténué par l'habitude qu'on en prend et par l'oubli des temps meilleurs qui l'ont précédé ? Transition indolore, douillette antichambre, la finlandisation pourrait devenir une cure préparatoire au « bonheur dans l'esclavage » ou, du moins, à l'apathie qui rend indifférent à l'esclavage.

Ces stimulantes spéculations souffrent toutes d'un vice commun : elles postulent que c'est la Finlande qui a choisi la finlandisation, alors que c'est l'URSS qui l'a non pas choisie, mais imposée par la force et par la menace, faute momentanément de pouvoir aller plus loin et en attendant mieux. La finlandisation n'est qu'une soviétisation manquée, et, aux yeux du Kremlin, une solution d'attente, destinée à recevoir un prolongement. Les Occidentaux commettent à ce propos leurs erreurs coutumières : ils négligent l'histoire, même récente ; ils adoptent l'interprétation des faits la plus favorable à Moscou, celle que Moscou souhaite leur voir adopter ; en d'autres termes ils fondent leur diagnostic sur les *déclarations* de Moscou et non sur les *actes* de Moscou ; enfin ils cèdent au mirage éternel, déjà rencontré plus haut, du compromis stable qui, au prix de quelques concessions, serait censé garantir une « génération de paix ».

L'Union soviétique a déployé vis-à-vis de la Finlande toute l'opiniâtreté qui marque l'ensemble de sa politique étrangère. Mais l'opiniâtreté de la Finlande n'a pas été moindre et, compte tenu de la disparité immense des forces, a tiré le maximum des maigres atouts que lui fournissaient la nature et la conjoncture. Il est juste de proclamer que le peuple finlandais a toujours mérité l'admiration des hommes libres par son courage. Mais il est abject d'invoquer ce courage, comme l'ont fait sans cesse Olof Palme et Willy Brandt, ces deux phares de l'Internationale socialiste, pour prétendre que la finlandisation ne comporte *aucune part* de subordination, aucune amputation de la souveraineté nationale et peut fournir, par conséquent, le clystère approprié à la maladie de langueur dont souffre l'Europe occidentale. Si les Finlandais ont obtenu la finlandisation c'est pour avoir résisté à la soviétisation sans arrière-pensée d'accommodement. S'ils s'étaient dit : « Laissons-nous finlandiser », ils n'auraient pas été finlandisés : ils auraient été soviétisés. La finlandisation a été pour eux non pas un choix, mais l'échec partiel du maintien de l'indépendance nationale. Aussi tous les gourous de l' « autofinlandisation » de l'Europe ne sont-ils, de fait, que des propagandistes et des propagateurs de l'impérialisme soviétique.

Par trois fois, la Finlande a failli devenir soviétique : en 1918, en 1939, et après la Seconde Guerre mondiale. Annexée par la Russie tsariste, la Finlande profite de l'effondrement militaire de 1917 pour proclamer son indépendance. En janvier 1918, les bolcheviks la lui reconnaissent, à la manière dont ils reconnaîtront plus tard l'indépendance de la Géorgie, de la Mongolie, de l'Afghanistan, c'est-à-dire tout en fomentant, au moyen d'agents à eux, une « révolution » sur place, dans le dessein d'imposer un régime de type soviétique. Trotski expédie force armes aux « révolutionnaires » finlandais organisés en Garde rouge. Au bout de cinq mois de combats, le général nationaliste Mannerheim l'emporte, signant l'échec de la première tentative de soviétisation. En 1932, l'URSS, saisie d'un brusque accès de tendresse, conclut avec la Finlande un de ces pactes de non-agression et d'amitié dont elle est si prodigue et qu'elle multiplie de par le monde. Elle les distribue avec autant de générosité que Don Juan ses promesses de mariage, et un Leporello du KGB pourrait, sur l'air du catalogue, réciter la longue liste de ces noces de sang.

Le pacte germano-soviétique du 23 août 1939 comporte un protocole (alors secret) selon lequel l'Allemagne nazie reconnaît que la Finlande « appartient à la sphère d'intérêt de l'Union soviétique », ce qui voulait dire qu'Hitler laissait Staline l'ingurgiter. Ce dernier, doué, pour user des mots de Brillat-Savarin, « d'un grand pouvoir d'intussusception », décida de commencer l'absorption fin octobre, non sans avoir, par un délicat scrupule, dénoncé le « traité d'amitié » de 1932. On connaît la suite : à la stupeur du monde entier, les troupes de la minuscule Finlande, toujours commandées par Mannerheim, empêchent de passer l'armée de l'immense Union soviétique. Une paix de compromis intervient en mars, mais la Finlande doit céder à l'URSS une partie de son territoire, l'isthme de Carélie. Pourtant il s'agit d'un match nul, donc d'un échec soviétique dans la mesure où l'objectif soviétique initial était l'annexion politique et territoriale totale, selon le schéma mis en application dans les pays Baltes.

Lorsqu'en juin 1941, Hitler, se retournant contre son allié, attaque l'URSS, le ressentiment de la Finlande à l'égard des Soviétiques la pousse à se ranger dans le camp allemand. Se trouvant donc en 1944 au nombre des vaincus, avec l'Italie, la Bulgarie, la Roumanie, la Hongrie, et se trouvant, cette fois, battue militairement sur le terrain, quoique non écrasée ni occupée, elle doit accepter un traité aux termes duquel l'Union soviétique s'empare d'une portion supplémentaire de son territoire. On admirera que, sur ce point encore, l'Union soviétique ait tiré de son alliance involontaire avec les démocraties les dépouilles mêmes qu'elle avait attendues de sa complicité avec le nazisme. En somme, vis-à-vis de l'Union soviétique, après 1945, les démocrates ont tenu les promesses d'Hitler.

Demi-succès ou demi-échec ? En tout cas, l'URSS est bien décidée à ne pas s'en contenter. Bientôt, elle cherche à transformer la Finlande en « démocratie populaire » au moyen des recettes appliquées ou en cours d'application ailleurs. Au printemps de 1948, quelques jours après le coup de Prague, un plan de coup d'Etat préparé selon le même modèle par les communistes finlandais, qui participent au gouvernement, est éventé. Mieux ou pire : c'est un communiste, le ministre de l'Intérieur, Leino, qui, pris de remords, avertit du complot ses collègues non communistes et le chef des forces armées. Ce dernier fait neutraliser la « police politique », bras séculier du putsch prosoviétique en cours. Décidément, la Finlande est un pays où il est difficile de trouver des traîtres. Leino confessera plus tard : « Je peux maintenant affirmer qu'il est impossible de servir deux maîtres en même temps, d'être à la fois un communiste orthodoxe internationaliste et un paysan finlandais patriote [1]. » Héros, mais héros réprouvé du fait même qu'il avait sauvé sa patrie contre l'URSS, l'auteur de cette phrase attentatoire fut incontinent congédié du gouvernement sur l'intervention courroucée de Jdanov, membre de premier plan du bureau politique du PC soviétique d'alors. C'était, au sens technique, le début de la finlandisation : Helsinki ne devenait pas une démocratie populaire, mais obtempérait aux ordres de Moscou. Cette abdication politique déguisée en volontariat est le prix qu'il fallait payer pour conserver l'inviolabilité du territoire (ou de ce qu'il en restait) et le droit de vivre sa vie privée dans une société non totalitaire. Le principe étant posé, les conséquences en découlent : la Finlande se voit interdire d'accepter l'aide Marshall ; plus tard, en 1971, elle se voit interdire non pas même de solliciter son entrée dans la Communauté Economique Européenne, mais simplement de conclure avec cette Communauté, sans en faire partie, des accords commerciaux. Moscou fit réfléchir la Finlande en lui assenant deux campagnes de presse simultanées : l'une dans la presse soviétique même, l'autre dans la presse communiste française, campagne dont l'argument, énigmatique mais énergique, était que « tout accord commercial ou association avec la CEE représentait une menace pour la politique extérieure pacifique de la Finlande [2] ». Grâce à ce coup d'arrêt porté à l'échange du hareng finnois contre le melon charentais, la « paix » fut sauvée in

1. Cité par Claude Delmas, *la Finlandisation.* Rapport du groupe d'étude n° 8 de l'Association française pour la communauté atlantique, 1977.
2. *Pravda*, dans *op. cit.*, p. 29.

extremis. Elle l'avait été aussi en juillet 1958. Alors le socialiste Faggerholm gagne assez largement les élections pour pouvoir former un gouvernement sans les communistes. Les Soviétiques rappellent leur ambassadeur. Kekkonen, président de la République depuis 1956, doit se rendre à Moscou et y subir une algarade de Khrouchtchev, lequel, « sans vouloir s'immiscer dans les affaires intérieures » de la Finlande, brûle cependant de la voir « posséder un gouvernement bien intentionné ». Faggerholm, quoique clairement désigné par le suffrage universel, doit renoncer à devenir Premier ministre. Cet événement et celui, relaté plus haut, du retrait forcé en 1961 de Honka, le candidat qui se présentait contre Kekkonen à l'élection présidentielle, font justice de l'interprétation relativement rassurante de la finlandisation, entendue comme souveraineté limitée en politique étrangère, mais souveraineté intacte en politique intérieure. C'est entièrement faux. Les diktats soviétiques en politique intérieure finlandaise sont aussi fréquents et aussi gros qu'en politique extérieure. Ils chassent Leino dès 1948. Ce qui est exact, c'est qu'ils n'ont vraiment commencé à devenir chroniques qu'en 1958. De 1948 à 1958, Moscou arrive mal à imposer sa volonté dans les affaires intérieures de la Finlande. Puis se produit une escalade, réussie grâce à Kekkonen, qui, pour cette raison, restera président à vie, tant que ses forces physiques le lui permettront. Telles sont les règles soviétiques d'une fructueuse et toujours disponible continuité d'attention et d'objectif en diplomatie.

Ces études de cas montrent quel esprit de suite s'exprime dans la politique étrangère communiste. Des moments de son histoire que les Occidentaux songent rarement à rapprocher les uns des autres ou considèrent comme de nouveaux départs, des changements d'orientation, s'avèrent avec le recul être les étapes successives d'un itinéraire méticuleusement tracé de longue date. La volonté d'absorber ou au moins d'inféoder la Finlande remonte aux origines mêmes du régime soviétique. L'invasion de l'Afghanistan n'eut rien d'un faux pas : des années de mainmise politique et économique sur le pays l'avait précédée. La guérilla en Amérique latine et dans les Caraïbes, mise en veilleuse pour faciliter la réussite, infiniment plus profitable, de la détente Est-Ouest, reprit dès que celle-ci eut porté tous ses fruits. L'incessant feu d'artifice de propositions de désarmement « équilibré », de neutralisation de la zone scandinave, de pactes de non-agression ou de réductions prétendument égales des arsenaux atomiques a pour but depuis toujours de ramener l'Europe occidentale à une situation comparable à celle qui précéda le Pacte atlantique, situation où, sans défense propre et sans protection américaine, elle n'échapperait à la servitude que par la servilité. Face à tant de clarté dans le dessein, tant d'entêtement dans la réalisation, la politique étrangère des Occidentaux prend l'allure d'un entassement d'improvisations. Certaines d'entre elles, comme le Pacte atlantique, le Marché commun, ont résisté à l'épreuve du temps, bien que l'inspiration première et les raisons d'être en aient été oubliées. Leur efficacité s'en ressent. De toute manière, elles n'ont pas été remises à jour. Mais dans l'ensemble de leur politique étrangère et de leur politique de défense, les puissances démocratiques ne trouvent le plus souvent à opposer que l'éparpillement et l'inconséquence à la concentration et à la persévérance.

13

L'ALTERNANCE DES TACTIQUES : GUERRE FROIDE, COEXISTENCE, DÉTENTE

Dans ses Mémoires, Henry Kissinger compare la détente à une performance d'équilibriste, que l'Amérique ne pouvait réussir qu'à condition de garder dans un même plan la négociation à un bout du balancier et l'affrontement à l'autre bout. La détente, dit-il, à l'origine, dans son esprit et dans celui de Nixon, n'avait jamais été ce qu'elle devait devenir vers la fin de la décennie 70 : la conviction béate et simplette de pouvoir surmonter tous les différends avec les Soviétiques par la seule négociation, les seules concessions, la bonne volonté, l'empressement frénétique à faire toujours le premier pas. La détente, poursuit l'ancien secrétaire d'Etat, ne pouvait aboutir sans l'une ou l'autre de ces deux composantes : résister à toutes les tentatives d'expansion de l'Union soviétique *et* négocier sans cesse avec elle. Ce mariage de deux diplomaties opposées était rendu nécessaire par la situation, nouvelle pour l'humanité, que constitue la coexistence de deux superpuissances nucléaires dont l'antagonisme politique est irréductible. Avant même l'âge nucléaire, d'ailleurs, les démocraties avaient vérifié à leurs dépens la nocivité d'une diplomatie trop accommodante. Durant l'affrontement géo-politique qui précéda la Seconde Guerre mondiale, elles avaient cru pouvoir acheter la modération d'Hitler à force de concessions qui, en fait, lui donnèrent le temps de réarmer, et, pour finir, les moyens de les balayer, toutes d'un coup, sur le continent. C'est vrai. Et il est vrai que bien des caractères de la détente rappellent cette période d'aveuglement désastreux. Mais que cela ne nous fasse pas oublier, objecte Kissinger, l'accident de la Première Guerre mondiale, lorsque les nations européennes, groupées en blocs, bardées de pactes, d'alliances, de sécurité militaire et de vigilante fermeté se sont abîmées dans la conflagration pour avoir par trop éliminé la composante de la négociation. D'où l'idée de la détente à deux visages, à la fois dispositif permanent de consultation, destiné à prévenir la catastrophe suprême, et système de précautions devant arrêter tout empiétement soviétique. Cette politique étrangère, subtile, ambiguë, inhabituelle aurait pu être expliquée à l'opinion américaine et appliquée aux rapports Est-Ouest. Malheureusement, déplore l'ancien secrétaire d'Etat, nous ne saurons jamais si elle aurait pu réussir. A peine en effet avait-elle commencé à remodeler la pratique des relations internationales qu'elle était sapée par l'affaire Watergate, qui frappait de leucémie politique le protagoniste essentiel, le président des Etats-Unis, dépouillé dès lors de l'autorité indispensable à la conciliation comme à la fermeté. La pièce maîtresse de la machine partait à la ferraille, et tout le moteur de la détente se mit à s'emballer au seul profit des Soviétiques.

Même sans ce coup du sort, la détente se prêtait à être comprise à contretemps par la classe politique. Pendant les premières années de la décennie 70, le Congrès, soutenu par la presse et les médias, voyait en Nixon le « faucon » qu'il avait en effet toujours été : il lui refusait ou lui chicanait les crédits nécessaires à la modernisation des armements américains, ce qui permit aux Soviétiques d'égaler puis de dépasser les Etats-Unis dans le domaine militaire. C'était priver Washington des outils de la fermeté, arracher l'un des volets d'une vraie détente, d'une détente qui n'eût pas été une duperie. Pendant le premier mandat de Nixon, le Congrès réduisit les budgets de la Défense de 40 milliards de dollars. Le démantèlement des services de renseignement et de contre-espionnage, pour des raisons de moralité politique hautement respectables, accrut cet affaiblissement. A quoi s'ajouta que les divers ministères, les divers départements, les diverses bureaucraties, les diverses « agences », les diverses armes chez les militaires, ne parvinrent pas à se mettre d'accord sur une doctrine pour négocier la limitation des armements stratégiques, les SALT, si bien que les Etats-Unis, en la personne de Kissinger, arrivèrent à la table de négociations sans position bien définie. Puis, au cours de la seconde partie de la décennie, l'humeur se retourna sens dessus dessous. Congrès, presse, médias, opinion, toutes les anciennes « colombes » se mirent à reprocher à Kissinger de s'être fait gruger, d'avoir laissé s'instaurer la « détente à sens unique » au seul bénéfice de l'URSS, de s'être absorbé jusqu'à l'hypnose dans la casuistique des SALT, pour se réveiller un matin avec le communisme partout répandu dans le monde, en tout cas dans bien des endroits d'où il était absent quelque temps auparavant. La même coalition de démocrates de gauche et de conservateurs isolationnistes qui avait opposé un « non » catégorique à toute velléité, en 1975, de contrecarrer le coup de filet soviétique sur l'Angola, reprochaient maintenant à l'Administration son inertie, accusant le Département d'Etat de chauffer le siège du communisme international. Bref, au cours de la première période, la nation américaine ne voulait entendre parler que de la conciliation à tout prix, au cours de la seconde période que de réactions énergiques et de conditions posées sans concession. Mais de cette politique ferme, elle avait laissé se détériorer les moyens au cours de la première période. L'opinion américaine et l'opinion mondiale n'ont jamais appréhendé que l'un des deux volets de la détente à la fois. Or les deux volets ne pouvaient se dissocier. Plusieurs années après son expulsion du pouvoir, j'ai entendu à plusieurs reprises Richard Nixon exposer lui aussi cette philosophie complexe de la vraie détente, telle que lui-même et Kissinger l'avaient conçue et qui, disait-il, n'avait jamais pu être appliquée.

Si l'on peut admirer l'intelligence de cette définition de la détente, telle qu'elle aurait pu être, telle qu'elle n'a pas été, la seule question cependant qui importe au bout du compte n'en reste pas moins de savoir quel en fut, quel en est le bilan final. Parmi les obstacles qui barrèrent la route de la « vraie » détente, l'un est accidentel : l'agonie politique et la chute de Nixon ; les autres, en revanche, découlent du système démocratique même. Que les parlements, les médias, les électeurs ne soient ni infaillibles, ni entièrement logiques, ni parfaitement informés, ni toujours conséquents, ni d'une totale bonne foi est un facteur permanent et normal de la vie démocratique. Voilà pourquoi l'art de gouverner en démocratie repose en partie sur le talent de convaincre. Même la déposition de Nixon, d'ailleurs, extrémité rarissime dans l'histoire sans doute, résulte du fonctionnement de la démocratie. Si une diplomatie destinée à défendre la démocratie a été ruinée par la démocratie même, c'est donc une conséquence naturelle des données du système. Si ces données ne peuvent être corrigées, alors la démocratie est perdue. Si elles peuvent l'être, alors il fallait les prendre en considération. Le système communiste aussi recèle ses faiblesses. A nous de les exploiter. L'avons-nous fait ? Ou bien les Soviétiques ont-ils mieux su exploiter les nôtres que nous les leurs ? C'est tout ce qui importe. Qu'en est-il ?

Dans un discours prononcé le 8 octobre 1973 à Washington durant la conférence *Pacem in terris,* Henry Kissinger subordonnait la détente au respect des trois impératifs suivants de la part des Etats-Unis :

« — Nous empêcherons quelque pays que ce soit de chercher à conquérir une position prépondérante, qu'elle soit globale ou régionale ;

— nous briserons toute tentative d'exploiter la politique de détente en vue d'affaiblir nos alliances ;

— nous réagirons si le relâchement des tensions est utilisé comme un paravent derrière lequel on envenimerait les conflits sur les points chauds de la scène internationale[1]. »

Il suffit de relire ces trois belles résolutions pour mesurer l'étendue de la débâcle. Car les trois néfastes éventualités que Kissinger déclarait incompatibles avec une saine compréhension de la détente sont justement celles qui se sont réalisées.

Afin de comprendre pourquoi, demandons-nous ce qu'a été la détente du point de vue des Soviétiques, ce qu'ils attendaient d'elle et ce qu'elle ne devait en aucun cas devenir pour eux. Les totalitaires sont obligeants car ils énoncent et écrivent par avance tout ce qu'ils comptent faire. D'ordinaire, c'est la faute que déjà nous commîmes avec Hitler, les démocrates ne veulent pas prendre ces projets détaillés au sérieux, tant ils paraissent gros. Paradoxe fatal, ils croient volontiers aux déclarations de pure propagande des communistes et réservent leur scepticisme aux textes doctrinaux les plus sincères. Ils les attribuent à la jactance, au désir d'intimider, ou encore, par une erreur constante qui consiste à prêter au totalitarisme les servitudes et habitudes propres à la démocratie, décrètent finement que ces propos sont « à usage interne », destinés à « rassurer » telle ou telle « tendance » au sein de l'appareil. Aussi le seul moyen de se soustraire aux incertitudes de la conjecture est-il de placer côte à côte les doctrines et les actions. Dans le cas des communistes, elles concordent à la perfection sur le long terme.

Depuis les premières années du régime, les Soviétiques n'ont jamais cessé de professer qu'une lutte inévitable se livrait et se livrerait jusqu'au bout entre capitalisme et socialisme pour la possession du monde. Moscou, dans cette lutte, est l'état-major d'une organisation internationale[2], dont les partis communistes des pays capitalistes ne sont qu'un des éléments. La conquête du monde par le communisme peut se trouver un temps ralentie par les obstacles, comporter un repli tactique, tel le mot d'ordre « construire le socialisme dans un seul pays », qui semblait indiquer que l'URSS renonçait à exporter sa révolution. Mais ce renoncement n'était que provisoire. La conquête comporte aussi des phases d'accommodement avec le capitalisme, baptisées « coexistence pacifique » ou « détente ». Il reste entendu qu'elles sont subordonnées à deux conditions : être plus avantageuses pour

1. « — *We will oppose the attempt by any country to achieve a position of predominance either globally or regionally ;*

— *we will resist any attempt to exploit a policy of détente to weaken our alliances ;*

— *we will react if relaxation of tensions is used as a cover to exacerbate conflicts in international trouble spots.* » Cité par l'auteur dans ses Mémoires, *Years of Upheaval* (tr. fr. *Les Années orageuses*), chap. VII.

2. L'Internationale communiste peut exister officiellement ou non, selon les moments, sous diverses appellations (Komintern, Kominform) ; elle peut aussi être supprimée dans l'organigramme, sans l'être dans la réalité.

le communisme que pour le capitalisme et ne comporter aucune trêve dans l'expansion du communisme. A l'aube de la détente, en 1971, dans son rapport au XXIVe Congrès du PC de l'Union soviétique, Brejnev le rappelle avec solennité : les communistes sont et demeurent des combattants. Dix ans auparavant, Nikita Khrouchtchev, présentant, lui aussi, son rapport d'activité au XXIIe Congrès, expose sa conception de la « coexistence pacifique ». Article premier : l'Union soviétique renonce à exporter la révolution. Article second : les forces impérialistes exportant la contre-révolution, les communistes doivent répliquer. « Les communistes, déclare Khrouchtchev, appelleront les peuples de tous les pays à s'unir, à mobiliser leurs forces et, *en s'appuyant sur la puissance du système socialiste mondial* (c'est moi qui souligne), à donner une riposte énergique aux ennemis de la liberté, aux ennemis de la paix. » Donc, on n'exporte pas la révolution, mais on l'exporte quand même, pour répondre à l'exportation de la contre-révolution.

Commentant ce texte dans son *Histoire intérieure du Parti communiste*[1], Philippe Robrieux écrit avec une juste ironie : « On ne pouvait pas mieux dire que l'on saisirait toutes les occasions d'attaquer, en expliquant à chaque fois qu'on ne faisait que se défendre. Vieille tactique dans l'histoire humaine. » Le même auteur souligne un passage du discours cité où Khrouchtchev glisse de lourdes allusions à l'aide en argent et, quand il le faut, en armes fournies par l'URSS aux PC divers, de par le monde, et aux mouvements révolutionnaires : « Le prolétariat, précise le Premier secrétaire dans le même rapport, aura pour lui de puissantes forces internationales disposant de tout ce qui est nécessaire pour lui prêter un appui efficace, moral et *matériel.* »

Avec l'admirable subterfuge de l'immaculée « défense de la paix », cette tactique recevra une de ses innombrables applications lors de l'invasion de l'Afghanistan. Les troupes soviétiques, dira Moscou en 1979, sont entrées en Afghanistan, non pas pour sauver de la chute un régime communiste honni et branlant, lui-même issu d'un putsch exécuté par le KGB, mais pour répondre à une agression de l'impérialisme. Si les mêmes troupes se sont éternisées ensuite sur place, c'est parce que l'agression impérialiste ne cessait pas... Comme en l'occurrence l' « agression impérialiste » était parfaitement inexistante, et l'est restée, sa « cessation » posait un problème métaphysique insoluble. L'occupation risquait donc de durer longtemps. Quant à Khrouchtchev, on demeure confondu qu'il ait pu se tailler la réputation d'apôtre de la coexistence pacifique et du « dégel », au moyen du pur bavardage qui constituait son point fort, alors qu'il est l'homme de la répression

1. Tome III, Paris, 1982, Fayard, p. 116-117.

sanglante à Budapest, de la construction du mur de Berlin et de la tentative d'installation de fusées nucléaires à Cuba. D'ailleurs, la soviétisation de Cuba, la pénétration de l'URSS dans une zone stratégiquement vitale pour les Etats-Unis, avait commencé bien avant l'affaire des fusées. Contrairement à la légende, Fidel Castro n'a pas été « poussé dans les bras » de Moscou par l'hostilité américaine. Les Etats-Unis n'avaient pas du tout vu d'un mauvais œil la chute du dictateur précédent, Batista, et ils y avaient même indirectement aidé. Castro s'est rapproché de Moscou dès février 1960, à une époque où ses relations avec les Américains n'étaient pas mauvaises, bien avant les premières manœuvres pour le « déstabiliser », bien avant qu'on parlât même d'embargo ou de blocus. Durant l'été de 1960, déjà, Khrouchtchev défiait les Etats-Unis sur leur propre continent, il proclamait caduque la « doctrine de Monroe » selon laquelle aucune puissance non américaine ne devait se mêler des affaires intra-américaines et offrait de façon retentissante le concours actif de son bras tutélaire au nouveau maître de La Havane. Ce n'est qu'en janvier 1961 que Washington rompt les relations diplomatiques avec Cuba, deux ans après la prise du pouvoir par Castro, un Castro désormais irrévocablement et de son plein gré engagé dans le camp soviétique. On voit donc que Nikita Khrouchtchev avait une façon bien à lui de pratiquer la coexistence pacifique, laquelle était de faire coexister le pacifisme avec le bellicisme, le premier régnant dans les mots, le second dans les actes. Napoléon Bonaparte choyait le même dédoublement : « Toujours parler paix et penser guerre » était l'une de ses maximes favorites.

Si nous hésitons à suivre Kissinger sur ce qu'aurait pu être et ce que n'a pas été la détente pour les Occidentaux, efforçons-nous de comprendre ce qu'elle a été pour les dirigeants soviétiques, en nous mettant à leur place, dans la perspective de leurs intérêts. Qu'en attendaient-ils ? Qu'en ont-ils obtenu ? Dans toute négociation, dans toute redéfinition d'une politique étrangère, l'on suppute des avantages et des concessions. Puis s'établit, après quelques années, un bilan des uns et des autres, ce qui permet de lire le succès ou l'échec, d'un camp ou de l'autre.

Quels avantages escomptaient les Soviétiques quand ils ont entrepris la détente, avec les Allemands d'abord, ensuite avec les Américains ? Quels étaient leurs « buts de détente » ?

En premier lieu, c'était la reconnaissance internationale des gains territoriaux soviétiques consécutifs à la guerre de 1939-1945 et à la période suivante, au cours de laquelle, entre 1945 et 1950, se paracheva la soviétisation de l'Europe centrale.

En deuxième lieu, il s'agissait de parvenir, au travers de négociations sur la limitation des armements, à profiter des bonnes dispositions américaines pour augmenter le potentiel militaire de l'URSS.

En troisième lieu, on se proposait d'obtenir des pays capitalistes une contribution financière, industrielle et commerciale permettant de pallier, ou du moins d'atténuer les effets de l'impuissance économique du socialisme.

Quelles concessions ou quelles promesses les Soviétiques eurent-ils à faire aux Occidentaux en contrepartie de ces avantages ?

D'abord, ils s'engagèrent à laisser les Américains vérifier sur leur territoire que le développement de leur potentiel militaire ne dépassait pas les niveaux fixés dans les accords sur la limitation des armements stratégiques.

Ensuite, ils garantirent ou du moins firent croire aux Occidentaux, en particulier à Nixon et à Kissinger, en 1972 et en 1973, qu'ils adopteraient une politique de modération globale sur l'ensemble de la planète. C'était la notion du « linkage », ou « rattachement », autrement dit du « caractère indissociable de tous les aspects de la détente », selon une expression de Sakharov. Américains et Soviétiques convenaient, en particulier, d'user de leur influence pour empêcher leurs alliés respectifs, ou les pays avec lesquels ils avaient des relations privilégiées, de se lancer dans des aventures, notamment militaires.

Enfin, dans la partie la plus retentissante de l'Acte final d'Helsinki, l'Union soviétique dut accepter de mettre sa signature au bas d'un accord garantissant le respect des droits de l'homme et des libertés fondamentales en URSS même comme dans l'ensemble de la sphère soviétique. Concrètement, l'accord était censé supprimer les obstacles à la « libre circulation des personnes et des idées » entre l'Est et l'Ouest, dans les deux sens. Incorporer ces promesses incroyables à un traité si avantageux pour le monde communiste, dans toutes ses autres parties, pouvait raisonnablement passer aux yeux des Soviétiques pour une concession nécessaire. Il s'agissait de rassurer les gens qui, en Occident, éprouvaient le besoin d'une justification morale qui octroyât ses lettres de noblesse à la « philosophie de la détente ».

Un rapide coup d'œil sur les deux listes ci-dessus amène à constater que, dans le bilan de la détente, vue par les Soviétiques, la colonne des recettes est incomparablement plus substantielle que la colonne réservée aux débours.

La « troisième corbeille », pour parler le jargon d'Helsinki, celle réservée aux droits de l'homme, s'est révélée presque immédiatement percée de part en part. Le président français Valéry Giscard d'Estaing, qui avait servi de catalyseur, sur les instances de Brejnev, à la Conférence d'Helsinki, obtenant des Américains réticents qu'elle se tînt, se vit mal récompensé de son zèle. En visite officielle au Kremlin peu après cette conférence, il crut ingénument pouvoir, lors du premier dîner, porter un toast aux droits de l'homme, aux libertés et aux améliorations que ses hôtes avaient promises dans ce domaine. Furieux, les dirigeants soviétiques mirent Giscard en quarantaine dès le lendemain matin. Triste fatalité, tous les membres du Politburo se trouvèrent soudainement indisposés autant qu'indisponibles. L'un se sentait un frisson, l'autre avait la migraine, Brejnev éternuait sans cesse, tous disparurent. Le monde assista au spectacle humiliant d'un chef d'Etat français errant solitaire dans la Moscovie désertée, pendant deux longs jours, attendant, au lieu de rentrer sans délai à Paris, de voir, à l'aube du troisième jour ressusciter un Brejnev jovial et condescendant, ravi d'avoir infligé une leçon à l'impertinent blanc-bec dont il avait en même temps jaugé à sa faible valeur la capacité de résistance. On connaît la suite : les animateurs des « groupes sociaux pour l'application des accords d'Helsinki » dans les pays de l'Est et en URSS arrêtés, emprisonnés, envoyés dans des camps à « régime sévère » ; le droit à l'émigration, au simple voyage, au mariage avec un ou une non-Soviétique moins respectés que jamais ; la circulation des idées et des informations tout aussi limitée que celle des personnes, le brouillage des émissions de radio occidentales, après une brève suspension, plus nourri que jamais, au rebours de tous les engagements pris. Enfin, couronnement édifiant de ce triomphe de la libéralisation et du dialogue, l'URSS se retire avec fracas de la commission des droits de l'homme, en 1978, à Belgrade, lors de la première des conférences périodiques qui avaient été prévues pour procéder à « la vérification de l'application des accords d'Helsinki ». La conférence suivante, à Madrid, en 1980, constitua également un grand succès pour les Soviétiques, demeurés fidèles à leur méthode qui consistait à se refuser purement et simplement à discuter de l'objet de la conférence. Même après le début de l' « état de guerre » en Pologne, les Occidentaux blanchis sous le harnais de la détente revinrent en 1982 tourner dans le manège de Madrid, remâchant le foin pourri des droits de l'homme sous l'œil goguenard de la délégation soviétique. Non seulement les années qui suivirent les accords d'Helsinki furent marqués par un alourdissement de la répression dans les pays communistes, mais le gouvernement soviétique eut même le trait de génie d'invoquer la détente pour exiger — et obtenir ! — des gouvernements occidentaux et d'une partie de la presse occidentale qu'ils cessent d'encourager les dissidents. Le président Ford refusa de recevoir Soljénitsyne et le président Giscard de recevoir Andréï Amalrik. Les dissidents n'étaient, comme on sait, que des citoyens réclamant le respect du traité d'Helsinki — dont les Occidentaux étaient signataires ! Paradoxe qui n'étonnera pas les connaisseurs, l'Union soviétique a fait moins ce concessions dans le domaine des droits de l'homme pendant les années où la détente battait son plein que durant la période juste antérieure, durant laquelle Nixon et Kissinger avaient, par exemple, obtenu un accroissement considérable du nombre des visas de sortie et d'autorisation d'émigrer. Le plus plaisant de ce combat pour les droits de l'homme fut que le président Carter, dans son souci de sévir à droite comme à « gauche », se mit en devoir d'imposer la démocratisation et, à défaut, des sanctions aux dictatures non communistes : Iran, Argentine, Chili, qui, ainsi, en définitive, l'URSS restant inébranlable, devinrent les seules cibles de cette campagne de moralisation internationale.

Déjà une fois, les Occidentaux avaient cru à un « dégel » interne soviétique, entre 1956 et 1960, après le rapport Khrouchtchev dénonçant les crimes de Staline. Ils ne voyaient pas que ce rapport, tout comme la publication ultérieure, dans *Novy Mir,* d'*Une journée d'Ivan Denissovitch,* visaient à mettre en accusation le stalinisme sans remettre en question le système communiste et léniniste [1].

C'est une vaine berceuse que de rappeler qu'en 1962 Khrouchtchev donna, « en même temps qu'il essuyait une larme [2] », l'autorisation de publier en revue *Ivan Denissovitch,* si l'on n'ajoute pas ce correctif que, plus tard, ce livre a été, en URSS, décrété officiellement nuisible, sa publication répudiée comme une faute, comme l'une des « conséquences du volontarisme en littérature » (tout ce qui avait émané de Khrouchtchev fut par la suite condamné en bloc sous les vocables de « volontarisme » et de « subjectivisme »), que la revue a été retirée des bibliothèques, la mention du titre interdite dans la « presse » soviétique.

Bien mieux : cette même « presse » en 1976 se met brusquement à encenser la mémoire du garde-chiourme culturel de Staline, le lugubre Jdanov, que la *Pravda* [3] exhume hors des oubliettes de l'histoire pour louer « ses interventions dans le domaine de la science et de l'art ». Lesdites interventions consistèrent à détruire la biologie russe en conférant au charlatan Lyssenko le pouvoir absolu dans cette discipline, et l'art soviétique (éventuel) en éliminant tout artiste qui n'imitait pas les chromos poussifs de l'inénarrable Guerassimov et autres portefaix du « réalisme socialiste », ce « moyen d'extermination morale », comme disait André Breton. Mais surtout, politiquement, la réhabilitation de l'exécutant Jdanov est, désormais, et en clair, une réhabilitation de celui qui donnait les ordres : Staline.

« Les gouvernants passent, l'Archipel demeure », ainsi s'intitule

1. Voir Branko Lazitch, *le Rapport Khrouchtchev et son histoire,* 1976, Paris, Seuil, pp. 39-40.
2. *L'Archipel du Goulag,* tome III, p. 397.
3. 10 mars 1976.

l'avant-dernier chapitre du dernier tome du monument de Soljénitsyne, *le Goulag.* Car, paradoxe absurde mais logique, l'année même où il essuyait sa larme, Khrouchtchev signait un décret réorganisant les camps (rebaptisés « colonies ») et y instituait une nouveauté : la peine de mort pour « les actes de terrorisme commis contre les détenus amendés » (c'est-à-dire les mouchards[1]).

Sur le deuxième point, le renoncement de l'URSS à l'expansionnisme, nous nous sommes déjà suffisamment étendus plus haut (voir Deuxième Partie). Quant à l'influence modératrice exercée par elle sur ses protégés, il suffit de se remémorer les expéditions militaires, les activités déstabilisatrices et terroristes de Castro et de Kadhafi pour mesurer à quel point Moscou a pris à cœur cette composante de la détente. Déséquilibre plein d'enseignements : si le mot français « détente » a connu la fortune internationale et acquis le pouvoir évocateur que l'on sait, son complément sémantique et diplomatique, le mot anglais *linkage* est resté à ce point lettre morte, dans le langage comme dans les actions, que l'on doit le réexpliquer chaque fois qu'on l'utilise. Selon la phraséologie des dirigeants soviétiques, étudiée plus haut, la guerre intense qu'ils n'ont cessé de mener dans toutes les parties du monde, pendant toute la durée de la « détente », à découvert ou sous des masques divers, relève non de l'impérialisme, mais de la lutte défensive destinée à mettre le socialisme à l'abri de la contre-révolution.

Quant au premier point, Brejnev pouvait à juste titre se féliciter, dans son rapport au XXVe Congrès du PCUS, en 1976, de la supériorité militaire, en passe d'être acquise, de l'URSS. On l'a déjà vu (voir également Deuxième Partie), la détente coïncide avec une ascension stratégique de l'Union soviétique. Dès la ratification des premiers accords sur la limitation des armes stratégiques (SALT 1) et alors que s'entamaient les pourparlers sur les seconds (SALT 2), les Soviétiques s'ingéniaient à tourner les interdictions et les plafonds convenus. « Deux semaines après le sommet de juin 1973, écrit Kissinger, les Soviétiques réalisèrent leurs premiers essais de MIRV sur leur ICBM SS 17, le nouveau missile qui devait remplacer le SS 11, devenu désuet. *Le renversement stratégique n'était plus qu'une question de temps*[2]. » Le temps fut plus bref encore que prévu. Dès 1979, année où se signent les accords SALT 2 qui ne seront jamais ratifiés, maints experts occidentaux estiment qu'avant 1985 les Soviétiques auront sur les Américains une supériorité qui variera de trois contre un à trois contre deux, deux contre un et même sept contre un, selon les types d'armes, de cibles et de modes de lancement. Encore cette comptabilité de

1. *L'Archipel du Goulag,* tome III, p. 412.
2. Souligné par moi. MIRV : « engins à têtes nucléaires multiples ». ICBM : « missiles balistiques intercontinentaux ».

SALT 2 ne prend-elle en considération que les missiles dirigés vers les Etats-Unis, sans faire entrer dans ses calculs les missiles et avions de portée limitée visant l'Europe occidentale, lesquels ne sont pas réglementés.

Comment les Etats-Unis ont-ils pu en arriver là ? Le premier accord SALT, signé en 1972, gelait le *nombre* des missiles autorisés du côté américain comme du côté soviétique, mais ne précisait pas la *taille* de ces missiles. Il a donc suffi aux Soviétiques, dans le cadre originel, de se lancer dans un programme de missiles géants (les SS 18) pour acquérir une supériorité en mégatonnes, sans violer la lettre de l'accord. Ainsi, sous une apparence d'égalité, les Soviétiques ont obtenu la supériorité stratégique. C'est pourquoi, juste après l'arrivée de Jimmy Carter à la présidence, lorsque les négociations reprirent, en mars 1977, à Moscou, les Américains demandèrent, en vue du rétablissement de la parité réelle, que le nombre des missiles géants soviétiques SS 18 fût réduit de moitié. On se rappelle le coup de théâtre qui s'ensuivit : les Russes « se fâchèrent ».

Le slogan de Khrouchtchev, « Rattraper et dépasser les Etats-Unis », s'était réalisé, non pas dans le domaine économique, auquel il pensait, mais dans le domaine des armements. Cette analyse purement militaire doit être doublée d'une analyse politique. Les Soviétiques, disent les adversaires occidentaux d'un renforcement de notre défense, n'ont aucune intention de faire à l'Amérique une guerre nucléaire, qui, même s'ils la gagnaient, les laisserait aux trois quarts détruits, et ils n'ont, d'autre part, aucune intention d'envahir l'Europe occidentale. C'est bien possible. En effet, pourquoi les Russes feraient-ils la guerre, s'ils peuvent obtenir sans la faire la plus grande partie de ce qu'elle leur rapporterait ? Ils traduisent leur supériorité militaire en domination politique.

Ainsi, les Soviétiques ont réussi à engranger les avantages de la détente sans avoir à débourser les contreparties. Ces contreparties, d'ailleurs, les Occidentaux ont pris l'habitude très rapidement de renoncer à les exiger, au point qu'évoquer même l'esquisse d'une telle exigence devint bientôt synonyme de provocation. Vouloir lier la poursuite de la collaboration économique au respect des droits de l'homme, au retrait des troupes soviétiques d'Afghanistan ou à la liberté en Pologne, passa bientôt pour du bellicisme, pour de l'impérialisme... Vue du Kremlin, comment la détente ne serait-elle pas tenue pour une immense victoire ? Comment Youri Andropov n'aurait-il pas réclamé, dès son arrivée au pouvoir, le « retour à une politique de détente » ?

Les démocraties en revanche ne peuvent guère prétendre avoir atteint leurs « buts de détente », qui étaient d'assurer la sécurité de l'Ouest en échange de l'aide économique, technologique et financière à l'Est ; de ne pas céder au chantage nucléaire tout en évitant la guerre nucléaire ; de calmer l'agressivité planétaire du communisme et — rêve suprême — de l'amener à respecter les droits de l'homme. Il est fort difficile à un homme d'Etat de dénouer le mélange qui se forme promptement dans son esprit entre les mérites d'une politique tels qu'il les supputait à l'origine, en imaginant le succès futur de son plan, et cette politique telle qu'elle a en définitive été. Plus vous essayez de l'attirer sur le second terrain, le seul qui compte pour les gouvernés, plus énergiquement il vous ramène sur le premier, le seul où il entende être jugé. A l'instar de Kissinger, Richard Nixon plaide que « l'échec n'a pas été celui de la détente, il a été dû à la manière dont la détente a été conduite par les responsables de la politique américaine[1] ». Il oppose la « détente dure » (*hardheaded*), celle qu'il aurait pratiquée s'il avait pu, à la « détente molle » (*softheaded*), celle qui fut pratiquée à l'encontre de ses vues ou après sa démission. Hélas ! depuis quand juge-t-on une politique d'après ce qu'elle aurait pu être ?

Pas plus que Nixon, ou tout autre homme d'Etat, Kissinger n'a le droit de revendiquer un tel privilège. Dans l'art de gouverner, accepter le verdict des résultats est la règle. Dans l'action, la théorie n'existe que par l'action même. Il ne vient pas à l'esprit de condamner une politique qui gagne sous prétexte que les idées qui l'ont inspirées étaient fausses. Pourquoi devrait-on louer une politique qui perd en arguant qu'elle fut dictée par des idées justes ?

1. « *The failure was not of detente but rather of the management of detente by US policy-makers.* » *The New York Times,* août 1982. (*International Herald Tribune,* 23 août 1982.)

14

DIVISER LES OCCIDENTAUX

Diviser ses adversaires, ses rivaux, voire ses associés et alliés fut de tout temps l'une des branches les plus estimées de la diplomatie. Dans le langage marxiste-léniniste, cette façon de faire s'appelle « exploiter les contradictions » du capitalisme et de l'impérialisme. Mais elle a bénéficié, dans les relations diplomatiques du communisme avec les démocraties, de perfectionnements décisifs. Le premier d'entre eux est que l'art de diviser joue à sens unique : les communistes peuvent introduire la division dans le camp démocratique, sans que la réciproque soit vraie. Lorsqu'une rupture se produit à l'intérieur du monde communiste, les Occidentaux n'y sont pour rien, éprouvant en général une surprise totale, et ne songent à en profiter que tardivement, modérément ou pas du tout. Le deuxième perfectionnement tient presque du miracle : il découle de la propension qu'ont les démocraties à se dresser les unes contre les autres presque d'elles-mêmes quand elles ont affaire au totalitarisme. Le troisième perfectionnement consiste en ce que les dissensions spontanées entre les démocraties se produisent aussi bien dans les périodes où l'agressivité totalitaire augmente que dans les phases où les communistes proposent et obtiennent une détente. Quand la menace totalitaire grandit, le désaccord s'installe sur la façon d'y répliquer. Quand elle diminue en apparence, chaque démocratie tombe dans le piège que lui tendent les Soviétiques en lui faisant croire qu'elle va devenir leur « interlocuteur privilégié ». Cet ensemble de procédés sert à diviser les Européens et les Américains d'une part, les Européens entre eux d'autre part. En Europe, Moscou a su toujours profiter adroitement de la faille allemande en particulier. En s'annexant d'une façon parfaitement scandaleuse, sous le masque d'un prétendu Etat est-allemand indépendant, le morceau d'Allemagne qu'elle avait libéré du nazisme, en refusant tout traité de paix réunifiant l'Allemagne, l'Union soviétique a établi au centre de l'Europe une zone permanente de vulnérabilité, due à la coupure en deux du peuple allemand, et un moyen quotidien de chantage. A vrai dire, le thème de la « division des Occidentaux », qui fournit son titre au présent chapitre, court en réalité à travers tout ce livre, car il est indissolublement associé à tous les autres procédés qui servent à débiliter les démocraties. Les quelques exemples que je donne en cet endroit de mon développement, et qui doivent être complétés par maints autres situés en d'autres chapitres, ont surtout pour fonction de mettre en évidence l'enrichissement original que la méthode soviétique apporte au machiavélisme rudimentaire de la diplomatie d'antan.

Ainsi, en matière militaire, lors des pourparlers SALT, qui concernaient les missiles intercontinentaux et laissaient de côté l'équilibre des armements entre l'Est et l'Ouest à l'intérieur de l'Europe, l'antienne des gouvernements européens fut que c'était là un inadmissible « condominium » soviéto-américain passant « par-dessus la tête » des Européens. Lorsque les Etats-Unis voulurent ensuite s'occuper de l'Europe et y placer des missiles de portée moyenne pour faire équilibre aux fusées SS 20 pointées sur l'Europe occidentale, que les Soviétiques avaient déployées durant les pourparlers SALT, les Européens protestèrent *aussi* contre l'installation chez eux des fusées américaines ou de la bombe à neutrons, qui pourtant constituaient la réponse à leurs interrogations précédentes sur le « condominium ». Ne renforçaient-elles pas l'autonomie de la défense européenne ?

Ce fut de toute évidence un jeu d'enfant pour le Kremlin que d'envenimer ces diverses contradictions. L'Europe ayant abandonné toute prétention de faire respecter par les Soviétiques les accords d'Helsinki et les principes de réciprocité de la détente, elle tenta d'imposer un partage du travail où, comme le fit remarquer avec drôlerie Kissinger, elle se réservait la conciliation et laissait aux Etats-Unis la fermeté. Cette répartition des tâches flattait en outre la vieille illusion européenne de pouvoir jouer un rôle original entre l'Est et l'Ouest, sans s'identifier à une quelconque « politique des blocs ». Ce souci louable accentuait l'inégalité entre les deux mondes, puisque l'Est reste réellement un bloc, avec toute l'efficacité due à l'unité de conception et de commandement qui le caractérise, tandis que le camp démocratique n'en a jamais été un. Que l'Europe veuille jouer un rôle diplomatique original mérite l'éloge, la façon dont elle s'y prend pour y parvenir est moins louable. En effet, c'est une piètre originalité que de découvrir qu'il est plus facile de contrarier ses alliés que ses adversaires, de ruiner sa propre famille que ses concurrents, d'être « indépendant » de son médecin que de sa maladie. Chaque fois qu'un sujet majeur de confrontation entre l'Est et l'Ouest surgit, et que la fermeté de l'Ouest serait vitale, les Européens se précipitent chez les Américains pour les supplier, voire les sommer, de faire preuve de retenue et de bienveillance à l'égard des Soviétiques ; et il se précipitent chez les Soviétiques pour leur garantir que, grâce à leur aimable entremise, l'agressivité américaine se calmera. Les Soviétiques, pour leur part, cultivent habilement la vanité européenne et entretiennent tel ou tel pays de moyenne importance dans la conviction qu'il bénéficie d'une « relation privilégiée » avec Moscou et va pouvoir se hisser « au-dessus des blocs ». Tout pénétré de cette ambition, le pays qui a été choisi pour cible des séductions moscovites incline dès lors à voir dans les Etats-Unis le perfide saboteur de son épanouissement planétaire.

A Moscou, la tactique est connue, et elle n'est surtout pas nouvelle. C'est presque de la routine. Par exemple, en 1967, bien avant l'ère officielle de la détente, Brejnev tenait au maître de la Pologne d'alors, Gomulka, les propos suivants : « Prenez, par exemple, de Gaulle. Ne sommes-nous pas parvenus, sans le moindre risque, à tailler une brèche dans le capitalisme impérialiste ? De Gaulle est notre ennemi et nous le savons. Le Parti communiste français, étroit dans ses conceptions et qui ne voit que ses propres intérêts, a cherché à nous monter contre de Gaulle. Et cependant qu'avons-nous obtenu ? Un affaiblissement de la position des Américains en Europe. Et ce n'est pas fini[1]... »

Tout l'art de Moscou consiste à placer les Européens dans une situation telle que la défense de leur dignité se mette à coïncider miraculeusement avec la sauvegarde des intérêts soviétiques. La bataille entre Américains et Européens, en 1982, à propos du gazoduc sibérien, constitue l'une des illustrations de cette bienheureuse coïncidence. J'ai déjà parlé de cet épisode exemplaire[2]. Je voudrais y revenir sous l'angle de l'honneur, si souvent invoqué par les Européens.

Chaque pays européen a justifié sa fidélité au gazoduc en se réclamant de l'honneur national et du souci de « respecter les contrats ». Ce souci excluait toutefois que l'on considérât l'URSS comme tenue au même respect, puisqu'on l'absolvait de plusieurs violations colossales des principes de la détente, sans pour autant s'estimer soi-même délié de ses propres engagements. La thèse européenne impliquait de surcroît que la règle du respect des contrats n'était sacrée que vis-à-vis de l'Union soviétique, pas vis-à-vis des Etats-Unis. Dans toute la polémique autour de cette affaire, en effet, les Européens omirent complètement de mentionner les contrats passés entre les firmes américaines détentrices des brevets en cause et les firmes européennes qui devaient transférer en URSS

1. Erwin Weit, *Dans l'ombre de Gomulka,* R. Laffont, Paris 1971. (Weit était l'interprète de Gomulka.)

2. Voir ci-dessus, chapitres 6 et 9.

la technologie conditionnant la construction du gazoduc. Or ces derniers contrats étaient des plus explicites. Les Européens les avaient librement signés. Ils n'avaient donc pas à crier au viol de l'indépendance nationale au moment où les Etats-Unis — peut-être à tort, c'est une autre question, du point de vue de la psychologie politique, mais à bon droit juridiquement — en exigeaient le respect. Les contrats signés stipulaient tous que l'*Export Administration Act* de 1949 devait être observé. Les firmes européennes s'y étaient engagées en toute connaissance de cause. Les clauses auxquelles ces firmes avaient souscrit étaient on ne peut plus claires. Dans le contrat d'Alsthom avec General Electric, par exemple, on stipulait qu'Alsthom donnait à General Electric l'assurance de ne pas exporter en direction des pays du « groupe Y » les matériels marqués « A » sans l'autorisation préalable de l'*US Office of Export Administration.* « Y » est un sigle de code désignant un groupe de pays dont fait partie l'URSS et « A » désigne les rotors et turbines litigieux sur lesquels les Etats-Unis désiraient se réserver un droit d'embargo. Alsthom, avec d'autres firmes françaises, britanniques ou allemandes, et avec des filiales européennes de firmes américaines, avait décidé de prendre le risque de se voir éventuellement refuser l'autorisation de vendre ces équipements à l'URSS. Ces firmes convenaient en outre de « se tenir au courant de ces règlements, ainsi que des modifications et changements susceptibles de les affecter, et de s'y conformer [1] ». Les gouvernements européens, socialistes ou conservateurs, ont donc menti à leurs opinions publiques en leur dissimulant que, par un accord mutuel des plus explicites, les matériels fabriqués sous licence par des firmes européennes étaient contractuellement exposés à un embargo, du fait qu'il s'agissait d'équipements catalogués comme stratégiques. Ces gouvernements ont fait croire à leurs pays que les Etats-Unis prétendaient porter atteinte à leur souveraineté, comme si le Président américain s'était mis soudain en tête d'interdire à la France ou la Grande-Bretagne de vendre aux Soviétiques des tomates ou des bicyclettes. Encore un coup, les Européens pouvaient juger contestable l'analyse *politique* des Etats-Unis, plaider que d'après eux la situation internationale n'était pas assez tendue pour motiver l'application de la clause d'embargo sur les matériels définis comme stratégiques : ils

1. Voici un extrait de la version en anglais de cette clause des contrats que je viens de résumer : « *... to facilitate the furnishing of data under this agreement, Alsthom hereby gives its assurance, in regard to any General Electric origin data, that unless prior authorization is obtained from the US Office of Export Administration, Alsthom will not knowingly... export to any country group Y any direct product of such technical data if such direct product is identified by the code letter A. Alsthom further undertakes to keep itself fully informed of the regulations (including amendments and changes thereto) and agrees to comply therewith* ».

n'avaient pas le droit de tempêter en feignant d'ignorer l'existence de cette clause ni d'invoquer, pour mieux la violer, le « respect des contrats ».

Sur ces entrefaites, le Comité Sakharov, l'Association de défense des droits de l'homme de Francfort, quelques syndicalistes et une poignée de journalistes s'avisèrent de rappeler que la main-d'œuvre employée à la construction du gazoduc était vraisemblablement composée en grande partie de détenus du Goulag, autrement dit de forçats, conformément à une longue tradition communiste dans ce genre de grands travaux. Le gouvernement français, pour sa part, soudain *tutto tremante* autant qu'amnésique (la classe politique européenne avait-elle donc oublié *l'Archipel du Goulag*?) chargea son ambassadeur à Moscou d'aller « enquêter » en Sibérie sur la question. « Enfin une occasion de franche hilarité pour le Politburo », put écrire un commentateur au courant du problème [1]. Quand on sait en effet que les diplomates en poste à Moscou ne peuvent se déplacer en dehors de quelques zones strictement délimitées, on devine avec quelles coudées franches l'ambassadeur de France put mener son « enquête », qui fut, bien entendu, aussitôt morte que née. En revanche, *l'Humanité,* quotidien français gouvernemental, puisque organe central du Parti communiste français, parti de gouvernement et au gouvernement, prit à cœur d'obvier à la défaillance de l'ambassadeur en dépêchant sur place en Sibérie un journaliste de sa rédaction notoirement indépendante et impartiale. Le reportage de *l'Humanité* [2] était de nature à calmer les consciences les plus chatouilleuses : non seulement, lisions-nous, les travailleurs du gazoduc se consacraient à leur tâche de leur plein gré, mais ils percevaient des salaires himalayens et s'affairaient avec une jubilation réaliste-socialiste digne des grands jours de « l'avenir radieux » sous Staline. En outre, apprenait-on dans le même article, l'exécution des travaux n'était pas du tout en retard, contrairement à ce qu'avaient prétendu des faussaires occidentaux. Quant à la technologie américaine, les Soviétiques n'en avaient que faire, ils pouvaient très bien s'en passer, produire rotors et turbines eux-mêmes, et d'une qualité supérieure à la qualité américaine. Bref, c'était vraiment par charité qu'ils achetaient à l'Ouest.

Quelques sceptiques ergotèrent toutefois sur le distinguo qu'il convenait d'établir entre prisonniers politiques et condamnés de droit commun. Les forçats du gazoduc appartenaient-ils à la première catégorie ou à la seconde ? Sainte et incurable ignorance ! A nouveau on appliquait des distinctions démocratiques au système

1. Jérôme Dumoulin dans *l'Express* du 13 août 1982 : « Le Goulag et le gazoduc. »
2. 27 août 1982.

totalitaire. Pour qui avaient donc écrit Soljénitsyne, Boukovski ? Ne sait-on pas qu'aucun régime communiste n'a jamais pu réaliser un programme de grands travaux sans recourir à la main-d'œuvre servile ? Quand l'Etat communiste manque de main-d'œuvre gratuite, il lance par exemple une « lutte contre le hooliganisme » qui permet de rafler les quelques centaines de milliers d'esclaves supplémentaires dont il a besoin. Les vagues d'arrestations maintiennent en permanence aux alentours de trois millions les Soviétiques employés aux travaux forcés. Dans son *Premier guide des prisons et camps de concentration de l'Union soviétique,* Avraham Shifrin établit une carte des camps à laquelle se superpose avec une merveilleuse exactitude, région par région, le tracé du gazoduc[1]. Selon le calcul de Boukovski dans *Et le vent reprend ses tours,* « en comptant que le temps moyen de détention est d'environ cinq ans et que le pourcentage de récidivistes ne dépasse pas 20 à 25 %, au total c'est près du tiers du pays qui est passé dans les camps. Ce pourcentage si élevé de criminalité est entretenu artificiellement par l'Etat en fonction avant tout de considérations économiques ». Par « entretenu artificiellement par l'Etat », Boukovski entend non pas, bien sûr, que l'Etat suscite des délits, mais qu'il s'avise tout à coup d'un nombre exceptionnel de prétendus délinquants, « parasites », « hooligans » et « vagabonds » dans la société soviétique, chaque fois qu'il a besoin de procéder à des arrestations massives pour se procurer de la main-d'œuvre. Car la main-d'œuvre concentrationnaire constitue une nécessité inhérente à la structure boiteuse de la production soviétique. C'est pour cette raison que Cuba et le Vietnam payent en partie leurs dettes à l'URSS en lui expédiant des contingents de travailleurs involontaires, tout comme les tributs des vaincus aux vainqueurs, dans l'Antiquité, comprenaient obligatoirement un certain lot d'esclaves. Ce n'est pas la frime d'une « enquête » folâtre commandée par Paris à son ambassadeur qui pourra extirper un usage enraciné dans les fondements mêmes de l'économie collectiviste et sans lequel le communisme ne pourrait survivre. « Si brusquement on décrétait une amnistie générale, estime Boukovski, on déclencherait une catastrophe économique. »

Quelque propice aux divergences, quelque difficile à trancher, quelque complexe qu'elle soit, la querelle du gazoduc comporte au moins une certitude : elle s'est déroulée et terminée de façon entièrement conforme aux vœux des Soviétiques. Et même leur bonheur a passé leur espérance. Non seulement le projet n'a

1. Avraham Shifrin, *The First Guidebook to the USSR Prisons and Concentration Camps.* Stephanus Edition (Suisse), 1980. Mentionné par J. Dumoulin dans l'article cité.

nullement souffert, mais il a suscité en Occident une querelle qui a porté à la communauté atlantique un coup dévastateur, un de plus.

L'Union soviétique encaisse ainsi un bénéfice que ne lui aurait pas valu le respect en Pologne du droit des peuples à disposer d'eux-mêmes. Avouons que d'aussi divines surprises n'incitent guère à la bonne conduite. En deux ans, saigner le peuple afghan, assommer le peuple polonais et voir émerger de ces actes non des représailles mais, selon les propres termes du ministre français des Relations extérieures, un « divorce progressif » entre Washington et l'Europe, il y a là de quoi, pour les dirigeants soviétiques, se sentir gaillards et maîtres du jeu. Le plus beau de la combinaison est que le Kremlin n'a même pas eu à jouer la partie, à esquisser le plus petit effort. Les mécanismes habituels de la bataille intestine transatlantique se sont mis en marche d'eux-mêmes, la tension entre l'Europe et les Etats-Unis s'est envenimée comme par routine, en toute spontanéité, jusqu'au point de quasi-rupture, atteint en juillet 1982, date du jugement de « divorce » rendu par le ministre français [1].

Que Moscou rencontre une situation difficile en Pologne, en Afghanistan, dans sa propre économie ne pèse donc pas très lourd dans son bilan, puisque toute crise à l'Est se solde par un affaiblissement de l'Ouest. Quant aux agressions et subversions qui élargissent la sphère communiste, l'Occident n'est capable ni de les effacer par des reconquêtes, bannies par principe et souvent par traité, ni de les prévenir grâce à une supériorité militaire dissuasive, aujourd'hui perdue, ni de les sanctionner par des mesures de rétorsion économiques, dont la seule évocation apeure, divise et débilite les démocraties. Le système soviétique d'expansion, grâce à l'incapacité de s'unir de nos démocraties, bénéficie donc d'une prime automatique à laquelle on ne trouve aucun précédent aussi achevé, lorsqu'on regarde les autres diplomaties impériales, présentes ou passées.

1. A la chaîne de télévision française Antenne II, le 21 juillet. Voir *le Monde* du 23 juillet.

15

LA « LUTTE POUR LA PAIX »

Les communistes excellent à utiliser des sentiments invétérés, tels que le sentiment national, ou des causes humanitaires, telle la lutte contre le racisme, pour les transformer en instruments de combat au service de l'expansion totalitaire, bien qu'eux-mêmes, lorsqu'ils ont le pouvoir, ne respectent ni l'indépendance nationale des pays qu'ils contrôlent, ni les droits de l'homme. Pour mener ce combat, pour capter au profit du totalitarisme les énergies que les hommes déploient au service de tant de causes justes dans le monde, contre tant de maux et d'iniquités, les communistes ont toujours créé des organisations « parallèles » de masse, ce qu'on appelle en anglais « *front organizations* », qui ne sont pas officiellement communistes, mais sont contrôlées par les communistes, obéissent aux mots d'ordre communistes avec une spontanéité toute apparente, et se mettent au service des campagnes de propagande inspirées par l'Union soviétique ou le PC local. Le propre de ces organisations — de femmes, de jeunes, d'étudiants, d'anciens combattants, d'anciens résistants, de parents d'élèves, d'artistes, d'entraide, de tourisme, etc. — est d'afficher au premier plan, dans les postes honorifiques les plus en vue, des personnalités non communistes, mues par des sentiments généreux n'excluant pas une certaine ingénuité, mais de réserver le ou les postes de pouvoir effectif, notamment le poste de secrétaire général, à un membre du parti communiste. Le gros des responsables inférieurs et des adhérents doit comporter le plus possible de non-communistes. C'est à cette répartition classique des postes que se conforme, par exemple, en France, le MRAP *(Mouvement contre le racisme et pour l'amitié entre les peuples)*, qui, derrière la noble façade de la lutte antiraciste, détourne la fougue de ses membres en direction des objectifs politiques du moment, fixés par l'Internationale. Du reste, quand on jette un coup d'œil transnational sur les hauts et les bas, les retournements dans la propagande de ces mouvements, on s'aperçoit qu'ils s'accomplissent tous en même temps dans une douzaine de pays avec une simultanéité confondante. Seuls les communistes sont capables de cette efficacité dans les changements de décor à vue.

Le thème de la « lutte pour la paix » occupe lui aussi une place centrale dans le dispositif des mouvements, comités, organisations de masse et manifestations concourant au renforcement unilatéral de la puissance soviétique. Il exploite des sentiments tout à fait justifiés et respectables, indispensables même, tels que la peur de la guerre nucléaire, le refus de la guerre tout court, le désir de parvenir à une authentique réduction des armements et des risques de conflit. Il mobilise, bien sûr, les partis et syndicats communistes, mais aussi une part importante de l'Internationale socialiste, des travaillistes britanniques, des églises de confessions diverses, dans tous les pays, des écologistes, et il entraîne de nombreux inorganisés. Une proportion élevée des dirigeants et des troupes de ces diverses familles politiques ou spirituelles obéissent à des convictions sincères, même si elles ne sont pas toujours soutenues par une information irréprochable. Une proportion moins forte, mais qui représente le « sel de la terre », est constituée d'agents communistes, de professionnels de l'agitation et de spécialistes de la manipulation des masses. Par exemple, lors des manifestations « pour la paix » qui ont déferlé sur et dans Bonn, à l'automne de 1981, tout manifestant potentiel qui désirait participer aux journées prévues, où qu'il se trouvât sur le territoire de la République fédérale, pouvait percevoir un pécule le défrayant de son transport et de son séjour dans la capitale. Qui payait ? Ou plutôt, qui avait les moyens de payer ? Pas le Parti communiste allemand, qui réunit moins d'un demi pour cent à chaque élection et ne table donc en pratique que sur une rentrée de cotisations voisine de zéro.

Toutefois le plus mystérieux n'est pas le financement, lequel à vrai dire ne comporte aucun mystère, c'est l'art avec lequel les communistes parviennent à faire admettre par tant de gens en Occident qu' « expansion soviétique » est synonyme de « paix ». Le raisonnement qui les en persuade repose sur l'axiome que les « ennemis de la paix » sont ceux qui s'opposent à la progression du socialisme dans le monde. Le socialisme par essence est pacifique. Il ne demande pas mieux que de pouvoir avancer pacifiquement, sans rencontrer de résistance. Ce n'est qu'à partir du moment où on lui résiste, ce dont il n'est pas responsable, que la paix se trouve en péril. Ainsi, ce n'est pas l'Armée rouge qui a écorné la paix en traversant la frontière afghane, ce sont les Afghans par leur résistance à l'Armée rouge. Toutes les campagnes « en faveur de la paix » visent à obtenir le désarmement de l'Occident, et de l'Occident seul. Lorsque le secrétaire général du Parti communiste français rendit visite à la Réunion, département français de l'océan

Indien, il proposa tout naturellement de « faire de l'océan Indien une zone de paix », ce qui dans sa bouche ne pouvait avoir qu'un seul sens : l'évacuation de l'océan Indien par toutes les forces aéronavales françaises et américaines, invitées par lui à faire place nette en faveur de la seule flotte soviétique, unique garante concevable de la « paix ». Ces bons et loyaux services ne sont pas le fait des seuls accrédités officiels. En août 1982, les pays européens neutres, notamment l'Autriche et la Suède, avec la Finlande pour chef de file, créent un « Comité pour le désarmement européen » CDE (à ne pas confondre évidemment avec la Communauté européenne de Défense, CED, mort-née en 1954). Ce CDE des neutres se fixe pour objectif, apprenions-nous, de redonner vie à la conférence de Madrid sur la Sécurité et la Coopération en Europe, laquelle devait reprendre en novembre ses travaux sur l'application des accords d'Helsinki, et dont on sait dans quel bourbier elle s'était enlisée par la faute des Soviétiques. Mais d'après le texte du CDE, il va de soi que cet enlisement est imputable aux seuls Occidentaux, avant tout aux Etats-Unis, qui, lit-on, « veulent non pas éviter la guerre, mais la gagner ». Il est clair que l'URSS est aux yeux des neutres la seule puissance dont le comportement ait été pacifique depuis quelques années, et que le concept de « désarmement » ne saurait s'entendre que dans le sens de « désarmement occidental ».

Comment cette exorbitante identification de l'expansionnisme soviétique le plus cru à une « volonté de paix » a-t-elle été possible ? C'est le fruit d'un ancien, long et persévérant travail de propagande et d'infiltration.

Aucun être humain aujourd'hui n'est hostile à la paix. Aussi bien, la question examinée ici est de savoir non pas s'il faut assurer la paix, mais comment les communistes se servent du slogan de la paix pour remplacer la guerre. Réduit à son essence, le conseil que prodiguent les communistes à l'humanité consiste à l'adjurer de ne pas résister à leurs offensives. Dans la pratique, bien entendu, ce principe de base ne saurait être inculqué tel quel, sous sa forme brute, aux pays que les communistes projettent d'assujettir, et que, trop souvent, l'immaturité politique aveugle. Un peu de tactique est nécessaire. Elle tend à imprégner les gouvernements bourgeois, la presse, les opinions publiques capitalistes, de cette notion préalable que le communisme ne paraît menaçant et ne le devient que dans la mesure où il se juge attaqué. Ce sophisme utile, enfoncé dans les esprits à force d'affirmations, finit par présupposer comme une évidence que la responsabilité des tensions incombe toujours à l'Occident. Tout ami de la paix se doit donc d'exercer des pressions sur les gouvernements démocratiques pour qu'ils réalisent les réductions d'armements susceptibles d'induire à leur tour celles des communistes. Ceux-ci ne peuvent manquer d'emboîter le pas si on leur montre la bonne route. Ce programme est d'autant plus sage que les gouvernements démocratiques sont les seuls faciles à influencer, les seuls soumis aux harcèlements des médias et des opinions publiques, comme les seuls obligés d'en tenir compte. La congénitale inégalité des chances entre la démocratie et le totalitarisme éclate dans ce domaine comme en tant d'autres. Les propagandistes communistes ont le champ presque libre dans les pays démocratiques pour donner carrière à leurs talents et pousser en avant leur cause. Ils tirent parti de toutes les ressources avouées de la démocratie, auxquelles ils en ajoutent sans risque quelques-unes d'inavouables. La réciproque se trouve hors d'atteinte pour les démocrates. Ils ne peuvent se permettre de plaider leur cause dans les pays totalitaires, d'y créer des organisations de sympathisants, d'y pétrir patiemment la presse et l'opinion comme de bonnes pâtes prêtes à lever, d'y entretenir des partis politiques. Les communistes dans les pays démocratiques peuvent, eux, s'occuper directement d'éduquer les gouvernants, au besoin avec le soutien de répétiteurs très particuliers adroitement placés auprès d'eux ; ils peuvent en outre agir indirectement sur ces gouvernants, par le canal des opinions publiques et de la presse. Aucun mouvement de masse d'origine occidentale ne saurait être lancé en Union soviétique pour pousser le pouvoir à faire l'expérience du désarmement unilatéral, afin de vérifier si l'Occident suivra. Aucun parlement n'est là pour refuser ou rogner les crédits militaires demandés par le ministère de la Défense à Moscou. Ces hypothèses fantaisistes sont éliminées par leur évocation même. Impuissants à ébranler si peu que ce soit le pouvoir totalitaire, les militants de la paix trouvent en définitive plus facile de retourner leur zèle contre le tissu poreux de la démocratie. Il est plus commode de donner l'assaut contre les pots de terre que contre les pots de fer, même si ce sont ces derniers qui contiennent les poisons les plus nocifs. A la ruse antédiluvienne qui consiste à présenter ses propres attaques comme de la pure défense, le communisme ajoute la supériorité d'être le seul à pouvoir orchestrer cette musique chez les autres, sans avoir à tolérer qu'on vienne la jouer chez lui. Comme dans tous les raisonnements circulaires, la conclusion n'est en l'espèce que la répétition du postulat initial, ce postulat qui n'est jamais démontré mais n'en sert pas moins à démontrer le reste : vu que le communisme c'est la paix, quel besoin y a-t-il et n'est-il pas absurde, contradictoire, de vouloir faire de la propagande en faveur de la paix au cœur même de la citadelle de la paix ?

On ne saurait refuser aux dirigeants soviétiques cette endurance méritoire qui est requise pour défendre année après année une cause à laquelle on ne croit pas. Car ni Lénine ni Staline ni leurs successeurs, ni Mao, ni Castro ni aucun autre chef communiste n'ont jamais cru au pacifisme. Ils n'y ont jamais vu autre chose que l'une des nombreuses variantes du crétinisme inhérent à la civilisation démocratique, et un moyen d'affaiblir cette civilisation. Quand on erre dans les espaces infinis des œuvres dues aux chefs communistes, en particulier à ceux, comme Lénine et Mao, dont la prolixité rédactionnelle est indubitablement spontanée, on constate à chaque ligne que la guerre se trouve au centre de leur système idéologique. Si piètre marxiste que l'on soit, on ne peut d'ailleurs ignorer que le socialisme ne saurait advenir sans violence révolutionnaire. Ce sont là les rudiments de la doctrine. Le capitalisme, apprenons-nous, engendre la guerre, qui, plus ou moins larvée, plus ou moins déclarée, constitue la projection internationale de la lutte des classes. Le socialisme ne peut donc éliminer le capitalisme, soit comme classe à l'intérieur de chaque pays, soit comme groupe de pays à l'échelle mondiale, qu'en utilisant la force ou en menaçant de le faire avec assez d'atouts en main pour imposer sa volonté. Aucune « détente » n'a jamais altéré cette loi fondamentale de l'histoire, ce que rappelait Brejnev au XXVe Congrès du PCUS, en 1976, lorsqu'il disait : « La détente, comme la coexistence pacifique, ne concerne que les relations entre Etats. Elle n'abroge et ne saurait en aucune façon abroger les lois de la lutte des classes. » En clair, cela signifie que la détente est une méthode circonscrite à la diplomatie officielle, mais qu'elle n'interrompt en rien le processus historique de l'extension du communisme par la lutte. Brejnev s'était sans doute fait faire la phrase par Souslov, ce qui achève d'en estampiller l'orthodoxie, puisque Souslov était l' « intellectuel » du Politburo, en d'autres termes l'un de ces congélateurs idéologiques où se conservent à travers les âges les préceptes sacrés du socialisme.

Aussi la répression en Pologne a-t-elle été vue par le Kremlin comme un épisode de cette guerre permanente, et non comme une atteinte aux libertés fondamentales ou comme une péripétie dans l'avènement du « socialisme démocratique ». Pour se coiffer d'une aussi risible notion, il faut toute la jobardise des « philistins » sociaux-démocrates, selon le terme cher à Lénine. C'est à Lénine, précisément, et à la fondation de l'Etat soviétique, que remonte le principe intangible que la guerre exprime une loi de l'histoire. « Le pacifisme social-démocrate ne représente qu'une imitation du pacifisme bourgeois, écrit le chef des bolcheviks. Tous les artifices oratoires bourgeois-pacifistes et social-pacifistes contre le militarisme et la guerre ne sont que des illusions et des mensonges. » Et il renchérit en octobre 1914 : « Le mot d'ordre de paix serait erroné en ce moment. C'est un mot d'ordre propre aux philistins et aux popes. La guerre civile, tel est le mot d'ordre prolétarien[1]. » Et dans un article de 1916 — écrit en Suisse : « Les socialistes ne peuvent pas être contre toute guerre sans cesser d'être socialistes.

1. Lettre à Chliapnikov.

Ils ne peuvent jamais être les adversaires de la guerre révolutionnaire. » Jamais les communistes ne se sont écartés de ce dogme, en tout cas dans la pratique.

Dans la propagande et les incitations destinées à déséquilibrer les démocraties, il en va tout autrement. Le désir de paix chez l'adversaire devient un levier dont on se sert pour l'amener à croire que renoncer à se défendre est le meilleur moyen d'éviter la guerre. Le pacifiste est celui qui finit par se percevoir comme le seul agresseur en puissance et qui en conclut qu'en se dépouillant avec ostentation de ses propres moyens de défense il écartera tout danger de guerre dans le monde. Les Soviétiques n'ont pas manqué de s'aviser très tôt des ressources que leur offrait une aussi excellente disposition d'esprit. Préparant la Conférence internationale de Gênes, en 1922, la première réunion internationale à laquelle l'URSS assistait, Lénine, au prix d'une vélocité dans la volte-face qui fera école, décide d'utiliser le slogan pacifiste à destination des gouvernements bourgeois et sociaux-démocrates. Jusqu'alors, l'Internationale communiste avait condamné toutes les propositions de limitation des armements qui avaient vu le jour après la fin de la Première Guerre mondiale. A Gênes, en 1922, la première proposition de la délégation soviétique fut, ô surprise ! en faveur de la relance du désarmement. Le chef de la délégation, Tchitchérine, vétéran du bolchevisme, reçoit de Lénine pour instruction de présenter à la conférence « un vaste programme pacifiste ». Décontenancé, il se plaint à son chef en ces termes : « Toute ma vie, j'ai lutté contre ces illusions petites-bourgeoises, et maintenant le Bureau politique m'oblige, dans mes vieux jours, à les soutenir... Pourriez-vous me donner des directives précises à ce sujet ? » Des directives fort précises vinrent dès le lendemain calmer l'intempestive crise d'honnêteté intellectuelle de l'ingénu, assorties d'explications qui n'ont rien perdu de leur fraîcheur léniniste à la fin du XXe siècle : « Camarade Tchitchérine, réplique Lénine, vous êtes excessivement nerveux... Au nom du programme de notre parti prolétarien révolutionnaire, vous-même et moi nous avons lutté contre le pacifisme. C'est clair. Mais dites-moi donc où et quand le Parti a refusé d'*utiliser le pacifisme pour désagréger l'ennemi, la bourgeoisie*[1]. » L'ennemi à « désagréger », on l'a remarqué, comprend l'Internationale socialiste au même titre que la bourgeoisie, Lénine le spécifie bien dans le reste de sa directive.

Dès lors la méthode est trouvée. C'est celle que les Soviétiques suivront durant toutes les « offensives de paix » ultérieures. Lénine en formule le principe avec concision et clarté : « Le Comité

1. Souligné par moi. Cet échange de lettres (15 et 16 février 1922) a été publié dans la *Literatournaya Gazeta* du 5 novembre 1972, à l'occasion du 100e anniversaire de la naissance de Tchitchérine.

central charge la délégation de cette directive générale : s'efforcer d'élargir le plus possible le fossé entre le camp pacifiste de la bourgeoisie et son camp agressif et réactionnaire. » Ensuite, toujours pour la gouverne de la délégation soviétique à cette même conférence de Gênes, Lénine prescrit de « faire tout son possible et même l'impossible pour renforcer l'aile pacifiste de la bourgeoisie et augmenter fût-ce faiblement ses chances de succès aux élections — c'est la première tâche ; la deuxième, c'est de diviser entre eux les pays bourgeois qui sont unis contre nous — c'est notre double tâche politique à Gênes. D'aucune manière, il ne faut développer des opinions communistes ». L'art de s'immiscer dans le processus électoral des pays démocratiques, on l'admirera au passage, s'épanouit dès ces temps reculés. Avec la même maîtrise précoce des techniques de duperie promises après la Seconde Guerre mondiale à un destin classique, le gouvernement soviétique prend l'initiative en décembre 1922 d'une « conférence régionale pour le désarmement » réunissant à Moscou l'Estonie, la Lituanie, la Lettonie, la Pologne et la Finlande : cinq pays, l'histoire l'atteste, auxquels l'Union soviétique devait prodiguer plus tard tant de marques de son amour pour la paix.

Lénine a montré comment faire de la paix un instrument de guerre. Les successeurs de Lénine ont pris conscience en outre que lancer le mot d'ordre ne suffisait pas, qu'il fallait prendre soin d'organiser sur place, chez l'adversaire, les mouvements pacifistes, dans chaque pays visé, tout en les regroupant au sein d'un mouvement pacifiste international. Il suffisait pour y parvenir d'utiliser les ressources de la démocratie, le droit qu'elle reconnaît à tous de créer des associations, d'exprimer des opinions, de distribuer des tracts, de diffuser des journaux, de tenir des congrès, de défiler dans les rues, de franchir les frontières, d'ouvrir des comptes en banque, de louer des locaux, des salles de spectacle, de collecter et de répartir de l'argent, d'en recevoir de l'étranger par des voies discrètes sans que les autorités le sachent. Voilà quelques possibilités entre mille autres que, bien sûr, il n'est pas question d'octroyer aux « ennemis de la paix » dans les régimes totalitaires. La cible des diverses vagues pacifistes qui ont agité l'Occident depuis la mise au point de cette tactique a d'ailleurs toujours été la démocratie en tant que telle. En 1932, le « mouvement de la Paix » d'alors, baptisé « Mouvement Amsterdam-Pleyel » (en raison de sa topographie fondatrice) se garde bien d'attaquer Hitler, qui est à la veille de prendre le pouvoir. Elle s'en prend aux seules démocraties capitalistes. Après le pacte germano-soviétique d'août 1939, la propagande soviétique, aussitôt fidèlement répétée par les communistes occidentaux, martèle le thème que le prolétariat doit refuser et même saboter la « guerre impérialiste », c'est-à-dire celle des démocraties, des « ploutocrates de la City ». Après la

Seconde Guerre mondiale, le mouvement pour la paix prend une ampleur européenne. Ses animateurs répandent avec succès dans l'opinion, la presse, les milieux politiques le slogan que « les Américains veulent la guerre », contrairement à l'Union soviétique, notoire foyer de paix : et cette campagne, dite de l' « Appel de Stockholm », déferle en pleine guerre de Corée, une guerre résultant d'une attaque communiste ordonnée par Moscou et perpétrée à froid. Néanmoins, des Européens assez nombreux et très influents se persuadent que le salut réside alors pour eux désormais dans le neutralisme. Cette conviction fait échouer en particulier le projet d'armée européenne, la CED (Communauté Européenne de Défense), auquel tord le cou en France une coalition caractéristique de communistes et de gaullistes, au sein de laquelle les premiers se servent adroitement des seconds pour tirer le nationalisme français dans le sens des intérêts soviétiques. (J'allais écrire se servent du *désintéressement* des seconds, mais cette vertu ne brilla pas toujours sans éclipse dans les rangs de ceux qui, au coude à coude avec les communistes, immolèrent la CED sur l'autel du gaullisme.) Dans leurs offensives de paix, les Soviétiques ne manquent ni de réalisme ni de résultats : ils ne se contentent pas d'entretenir en Occident de simples humeurs défaitistes, un banal climat, ils obtiennent du tangible, ils font avorter les projets politiques et stratégiques dont la réalisation rendrait l'Europe démocratique plus forte. Ce fut la CED en 1954. La cible sera le déploiement des euromissiles à partir de 1979. La campagne pour empêcher la modernisation des forces de l'Otan coïncide avec le déclenchement de la troisième incarnation du mouvement pacifiste en Occident. Chaque apparition du mouvement coïncide elle-même avec un durcissement de la diplomatie soviétique. Le mouvement Amsterdam-Pleyel de 1932 s'élance à un moment où l'URSS n'a pas encore pris son « tournant » contre le fascisme et pour les Fronts populaires à coloration nationaliste et cocardière, où les partis communistes locaux s'enferment dans un comportement de quasi-guerre civile, antibourgeois, antimilitariste, et plus hostile aux sociaux-démocrates même qu'aux fascistes. Ce mouvement est mis en sommeil dès que Staline donne le signal du virage qui le rapprochera des gouvernements bourgeois et ordonne aux PC locaux de s'allier aux socialistes et au centre pour former avec eux des majorités dites de Front populaire. A son tour, le Mouvement pour la paix de 1949 s'intensifie en pleine attaque contre la Corée du Sud et peu après que l'URSS est entrée dans la guerre froide : elle vient, depuis 1947, de constituer le Kominform, de tenter le blocus de Berlin et d'ordonner aux PC occidentaux de passer à l'offensive contre les gouvernements de l'après-Libération. Enfin, au début des années 80, l'URSS sent à nouveau le besoin d'un correctif et d'une diversion à l'image belliciste et répressive que donnent d'elle ses exploits polonais et afghans, ses multiples violations ostentatoires de la détente et sa copieuse grossesse en armements, de plus en plus difficile à dissimuler aux regards des voisins. Aussitôt surgissent par miracle du terroir démocratique en Europe occidentale des processions sans fin de pèlerins de la paix, des défilés de pénitents gémissant et se frappant la poitrine pour implorer en chœur la clémence d'Andropov. Poussera-t-il l'indulgence, devant les signes d'un repentir vrai, jusqu'à donner l'absolution aux chefs sanguinaires de l'Occident ?

Dans la mise en scène grâce à laquelle les Soviétiques dupent les hommes animés de sentiments pacifiques, ce ne sont pas ces sentiments qui sont blâmables, c'est la duperie. Combien justifiés, la haine profonde de la guerre et le désir de paix à tout prix, après le premier conflit mondial ! Qu'objecter au souci de rendre impossible la guerre atomique, après la Seconde Guerre mondiale ? Rien à opposer non plus aux intentions des « marcheurs de la paix » demandant, au début des années 80, que l'on ne surcharge pas leur continent d'armes nucléaires. Mais ces intentions ne possèdent plus rien de leur bonté originelle lorsqu'elles se muent elles-mêmes en instruments de guerre, parmi les nombreux qu'utilise l'Union soviétique pour affaiblir le camp démocratique, avant de l'attaquer, ou pour qu'il succombe sans même être attaqué. Il fallait l'inimitable aplomb de Joseph Staline pour, en 1948, dépeindre à l'Ouest l'URSS comme championne d'une « paix durable » et les Etats-Unis comme bellicistes, alors que Moscou venait d'annexer, directement ou indirectement, les pays qu'elle avait « libérés », au contraire des Américains, dont toutes les troupes avaient rapidement retraversé l'Atlantique une fois le nazisme vaincu. Après avoir fait passer l'Europe centrale d'un totalitarisme à l'autre, Staline dut bien rire quand il extirpa de son imagination le titre zéphyrien qui fut conféré à l'organe officiel, nouvellement fondé, du Kominform, *Pour une paix durable, pour une démocratie populaire,* chef-d'œuvre d'antiphrase [1]. Il ne faut pas davantage que le Politburo manque d'humour pour chaperonner les marcheurs de la paix qui ont sillonné l'Europe occidentale à partir de 1980, en ces années où les successeurs de Staline avaient, plus qu'en aucun autre temps, généralisé l'usage et l'accumulation de la force militaire et policière.

1. Le titre est bien de Staline lui-même. Le délégué communiste italien à la réunion de fondation du Kominform, Eugenio Reale, informé par Jdanov de la création du nouvel organe, raconte avoir objecté : « D'un point de vue journalistique, je vois mal un ouvrier italien articuler chez le marchand de journaux *Donnez-moi pour une paix durable pour une démocratie populaire*... » Objection qu'écrasa Jdanov à l'aide de ces simples mots : « Le titre a été conçu par le camarade Staline lui-même. » (Communication personnelle d'Eugenio Reale à Branko Lazitch.)

De tels succès ne peuvent toutefois s'atteindre au moyen de la seule parole. Pour les remporter, deux autres conditions doivent être remplies : la mainmise communiste sur les postes clés des organisations parallèles et la maîtrise du financement de ces organisations par Moscou et ses représentants occidentaux.

Dans le mouvement Amsterdam-Pleyel, les deux postes clés, la présidence et le secrétariat général, échoient, par un heureux concours de circonstances, à deux hommes tenus et contrôlés par l'appareil communiste : Henri Barbusse, à qui la muse tchékiste dictait alors les pages de son nauséabond *Staline* et un certain Louis Giberti, au sujet duquel le secrétaire général de l'Internationale socialiste, Fritz Adler, concevait des soupçons que, dans sa naïveté, il confia, dans une lettre du 12 juillet 1932 à Henri Barbusse, comme s'il apprenait quoi que ce fût à ce dernier. « Le nom de Giberti, écrit le chef socialiste, suffit à révéler les manœuvres du front unique des bolcheviks. » Adler confesse ensuite ignorer qui a nommé Giberti secrétaire mondial du Congrès contre la guerre — ignorance regrettable chez un homme qui doit négocier avec l'intéressé. Mais il connaît bien, dit-il, cette directive de Willy Münzenberg, un haut responsable du Komintern dont Giberti était le subordonné : « La tâche des représentants communistes dans les organisations de masse est de faire en sorte que le secrétaire soit l'un des leurs. » Cette règle restera en vigueur tout au long du siècle. Cinquante ans après Amsterdam-Pleyel, le président du Conseil mondial de la Paix, l'Indien Romech Chandra, se trouve avoir fait partie depuis 1951 du Comité central du Parti communiste indien, dirigé le journal de ce parti, *New Age,* pour ensuite assumer la tâche de représenter le parti au sein du Conseil national de la Paix. Après quoi, les promotions se succèdent : du Conseil national Chandra passe au Conseil mondial de la Paix, en tant que simple membre d'abord, comme secrétaire général en 1966, enfin en qualité de président.

Si les situations de pouvoir doivent appartenir à des communistes, avérés ou masqués, dans tous les mouvements pour la paix, il n'en est que plus indispensable de réunir autour d'eux une copieuse et si possible brillante figuration non communiste. C'est l'alibi que Barbusse s'empresse de mettre en avant dans sa réponse à la lettre d'Adler : « Le bureau exécutif, rétorque-t-il, est en grande majorité non communiste. » Si les communistes plus tard prennent toujours grand soin de conserver des figurations non communistes abondantes, ils éprouvent de plus en plus de peine à en conserver de brillantes, car le discrédit de l'idéologie marxiste a chassé des organisations de masse les grands intellectuels. Dans le groupe Amsterdam, rien de moins qu'André Gide, Romain Rolland, Paul Langevin, Albert Einstein, Heinrich Mann, Bertrand Russell, Theodore Dreiser, John Dos Passos, Upton Sinclair apportaient leur prestige. Vers 1950, à l'époque de l'Appel de Stockholm, on n'avait qu'à se baisser pour cueillir au bas des pétitions des noms aussi glorieux que ceux de Picasso, Joliot-Curie, Eluard... Cinquante ans, quarante ans, trente ans plus tard, la compassion due aux handicapés mentaux, la galanterie, le respect du troisième âge intellectuellement nécessiteux nous retiennent de dresser la liste des figurants non communistes du mouvement pacifiste, chargés d'y représenter le monde des Sciences, des Lettres et des Arts. Toutefois, le mouvement a compensé cette perte de prestige qualitatif par d'autres acquisitions quantitativement substantielles : les Eglises chrétiennes de toute confession, les écologistes, les héritiers des sensibilités issues des révoltes de la jeunesse survenues entre 1960 et 1970, jeunesse qui, n'ayant jamais vécu sous un système totalitaire, ne perçoit que les défauts des sociétés démocratiques et ceux-là seuls, dans le monde contemporain — les défauts réels et quelques-uns d'imaginaires. Il n'est pas sûr qu'en élargissant ainsi une clientèle devenue en même temps plus diverse, le mouvement communiste international ne soit pas amplement dédommagé d'avoir perdu la plupart des vrais intellectuels. Autre gain à son actif : l'Internationale socialiste, qui adopte, depuis les débuts et malgré la faillite de la détente, des positions de plus en plus proches des causes et des intérêts défendus par l'Union soviétique.

La haute estime dans laquelle le KGB tient traditionnellement les intellectuels va jusqu'à le pousser parfois à leur infliger un rôle plus militant que celui de simple « potiche », pour reprendre le mot de l'écrivain français Vercors, qui fut lui-même l'une de ces potiches. Cet honneur échut, pour citer un cas parmi d'autres, à un auteur danois nommé Arne Petersen. Mais nous abordons plutôt ici le volet financier des « œuvres de paix ». Ledit Petersen avait acheté à maintes reprises dans la presse danoise, en 1981, de vastes et coûteuses pages publicitaires, où déroulait ses volutes un vibrant manifeste en faveur d'un projet (déjà bien connu des lecteurs de cet essai) de « zone nordique dénucléarisée ». C'est là un des chevaux de bataille que Moscou ressort périodiquement de ses écuries pour tâcher de le vendre aux pays scandinaves, afin de transformer la Baltique en une mer soviétique. Le manifeste Petersen se présentait sous la forme d'une pétition patronnée par un bizarre « Comité coopératif pour la paix et la sécurité ». Ce comité avait été fondé en 1974 à la suite d'une « conférence pour la paix » tenue à Moscou, typique organisation paracommuniste que, bien sûr, les lecteurs normaux des journaux danois ne pouvaient identifier comme telle. En fait, les frais des placards publicitaires étaient couverts par l'ambassade d'URSS, comme le découvrirent les services de contre-espionnage danois, ce qui entraîna l'expulsion de Vladimir Merkulov, officier du KGB exerçant les fonctions de second secrétaire d'ambassade. Petersen avait également publié contre le Premier ministre britannique, Margaret Thatcher, un pamphlet dont le texte lui avait été remis par Merkulov. Il renseignait aussi ce dernier sur les journalistes « progressistes » danois et les diverses façons possibles de les manipuler [1]. Petersen n'était pas membre du Parti communiste danois, il s'en gardait bien ! Et il avait d'ailleurs pour instruction de ne surtout pas s'y inscrire. Il existe en Occident de nombreux agents d'influence qui occupent le même créneau qu'Arne Petersen : celui de franc-tireur et volontaire apparent. A quoi des « progressistes » répondront que des influences en sens opposé jouent sans aucun doute aussi dans la presse de l'Occident. Même si cette hypothèse est exacte, la partie n'est pas égale pour autant. Pour qu'elle le fût, il faudrait que les « agents d'influence » atlantistes pussent fomenter des campagnes non pas dans la presse occidentale, mais *dans la presse soviétique*. Nous venons là de poser un pied dans la contrée des faux parallélismes, que nous n'avons pas fini de parcourir.

Le financement par l'Union soviétique des partis communistes et des organisations de masse en Occident est en définitive assez bien connu dans son existence, son étendue et ses mécanismes. Il n'est contesté, mis à part les communistes eux-mêmes, naturellement, que par les hypocrites, ce qui, me direz-vous, fait beaucoup de monde. Certains d'entre eux ajoutent que les partis non communistes à l'Ouest ont eux aussi des sources de financement inavouées. Bel et nouvel exemple de faux parallélisme : d'abord parce que dans plusieurs démocraties, et parmi les plus grandes, des lois ont assaini les rapports de la politique et de l'argent ; ensuite et surtout parce que des fonds électoraux, provenant du patronat, des syndicats, du gouvernement ou d'opérations commerciales suspectes, mais à l'*intérieur* d'un pays, ne sauraient être assimilés à des fonds *étrangers,* versés par une puissance hostile, en vue de corroder l'indépendance du pays même. Les premiers traduisent un relâchement de la moralité politique, les seconds constituent une atteinte à la sûreté de l'Etat. Les partis communistes et les organisations qu'ils suscitent étalent publiquement un train de vie plusieurs fois supérieur à celui que leurs recettes officielles leur permettraient de soutenir. Lorsque les signes extérieurs de richesse d'un particulier affichent une disproportion tapageuse par rapport à ses revenus déclarés, le fisc ne le croit pas. Mais, quoique les organisations communistes offrent le même écart troublant, la presse et les politiciens feignent de les croire. Certes, ils n'en savent pas moins à quoi s'en tenir, et connaissent les circuits par lesquels l'Union soviétique assiste ses fidèles, soit directement, soit par les affaires qu'elle leur fait faire. L'opulence des mouvements de la

1. Communiqué du ministre danois de la Justice, 17 avril 1982.

paix serait inexplicable sans cet appui, à peine secret d'ailleurs. « Le Congrès n'étant pas subventionné, déclare Barbusse à la veille du Congrès d'Amsterdam, il doit, si l'on peut dire, se suffire à lui-même en ce qui concerne toutes les dépenses qu'il comporte... Aucune cotisation n'est obligatoire pour les adhérents au Congrès. » Que voilà une lumineuse leçon de comptabilité ! A notre grand soulagement, les historiens nous ont dévoilé, depuis, les circuits par lesquels l'argent nécessaire traversait le Parti communiste français et arrivait au Mouvement. La vérité sort parfois même de la bouche des propagandistes soviétiques : dans son bulletin de février 1982, l'agence Novosti rappelle que « fut créé en 1961 le Fonds soviétique pour la paix... lequel apporte un soutien financier aux organisations, mouvements et personnes luttant pour le renforcement de la paix ». Dans la *Pravda* du 30 avril 1982, Youri Joukov, président du Comité soviétique de la paix, signe un article émouvant, d'où il ressort que quatre-vingts millions de citoyens soviétiques se sont saignés pour apporter *volontairement* une contribution financière au Fonds soviétique de la paix, c'est-à-dire pour nous, en somme, chers lecteurs, nous les opprimés du capitalisme belliciste. Comment notre gratitude ne serait-elle pas allée jusqu'aux larmes, un mois plus tard, quand la *Pravda* du 31 mai apprit à l'univers que les paysans soviétiques voulaient eux aussi nous secourir, et que des kolkhozes entiers avaient « pris la décision de travailler un jour pour le Fonds de la paix ».

Cette méthode du prélèvement dit volontaire est fort classique et permet de prétendre que les fonds du KGB sont en réalité le produit de collectes humanitaires. Mais si prodigue soit le travailleur soviétique des fruits de son travail, ses libéralités appellent des compléments, lesquels parfois ne manquent pas de sel. Je ne voudrais pas donner l'impression que je m'acharne sur le Danemark, mais il se trouve que ce royaume, avec les Pays-Bas, devient, à partir de 1975, une plaque tournante de la « paix ». Au début de mars 1982, Ingmar Wagner, président de l'association « Danemark-URSS », secrétaire du mouvement « Paix et Sécurité », membre du bureau politique du PC danois, conduit en URSS une délégation communiste qui fut reçue par Tchernenko, alors un des successeurs présomptifs de Brejnev. Pendant cette absence, la villa de Wagner est cambriolée. Le 18 mars, des policiers de la brigade antidrogue danoise arrêtent un jeune homme, qu'ils soupçonnent d'être un trafiquant. Ils trouvent sur lui la clef d'une consigne de la gare centrale de Copenhague. Persuadés d'y découvrir un paquet de drogue, ils en extraient à leur grande surprise une mallette contenant 30 000 marks allemands et des reçus au nom de... Wagner pour un montant de 150 000 marks. De plus, les liasses se composaient de marks portant les numéros de billets que le gouvernement de Bonn avait remis peu auparavant au gouvernement de l'Allemagne orientale pour racheter des prisonniers politiques et les faire venir à l'Ouest. Ce trafic, régulièrement rémunéré, de la chair humaine constitue depuis longtemps l'une des principales sources de rentrées en devises fortes de l'Allemagne communiste. Ainsi, les communistes commencent par extorquer de l'argent à l'Ouest au moyen d'un chantage, après quoi ils réinvestissent le montant de ces rançons dans la guerre politique contre les démocraties. Bel exemple de la façon dont le totalitarisme tire parti de ses propres faiblesses pour se renforcer. Le communisme, ne pouvant faire vivre ses sujets comme des humains, en est réduit à les empêcher par la force d'émigrer. Ne pouvant les autoriser à sortir à leur guise, sans quoi ils partiraient en trop grand nombre, il fait mieux : il les vend. Et au moyen de l'argent ainsi recueilli, nous venons de le voir, il « lutte pour la paix ».

D'autres, avant les communistes, ont eu l'art de baptiser « paix » une certaine manière de faire la guerre. En 341 avant notre ère, Démosthène tentait d'ouvrir les yeux des Athéniens sur les « offensives de paix » de Philippe de Macédoine : « Notre adversaire, qui a les armes en main et s'entoure de forces considérables, se couvre du mot de paix tout en se livrant à des actes de guerre », leur disait-il. Philippe avait d'ailleurs ses Afghans ou ses Tchèques, car, nous apprend Démosthène, « n'a-t-il pas dit aux malheureux habitants d'Oréos qu'il leur envoyait des troupes par amitié, pour veiller sur eux ? » Il faut être insensé, prévenait l'orateur pour « considérer comme un état de paix une situation qui permettra à Philippe, quand il aura pris tout le reste, de venir nous attaquer chez nous... C'est nommer ainsi ce qui est sans doute pour lui la paix, mais nullement pour nous ». Philippe entretenait lui aussi ses « partisans de la paix » chez les Athéniens, les uns simples naïfs, d'autres purs ignorants ou indifférents, d'autres enfin, les plus actifs, agents rétribués, tout comme les nôtres. Leur travail était de répéter partout et toujours que Philippe voulait la paix et les Athéniens la guerre. « Voilà justement, lisons-nous encore dans la *Troisième Philippique*, ce qu'il achète avec tout cet argent [1]. » Voilà aussi pourquoi Démosthène a parlé en pure perte, comme la suite l'a prouvé.

1. *Troisième Philippique*. 6-8 *passim*. Tr. fr. M. Croiset « Les Belles Lettres ».

16

LA GUERRE IDÉOLOGIQUE ET LA DÉSINFORMATION

La guerre idéologique repose sur l'art de libérer pour asservir, ou, plus exactement, de prétendre libérer pour mieux asservir, de prêcher l'affranchissement pour imposer la servitude. Cette définition convient aux idéologies politiques. Si certaines religions, en effet, instaurent l'esclavage rédempteur, leur action ne contredit pas leur doctrine, puisque l'esclavage est pour cette vie et la rédemption pour l'autre. Au contraire, la contradiction inhérente aux idéologies politiques, dès lors qu'elles promettent le bonheur en ce seul monde, peut se vérifier avec facilité. Certes, les idéologues politiques tentent aussi d'introduire une opposition entre vie présente et vie future, pour justifier les duretés de la première par les félicités de la seconde. Mais une différence irréductible séparera toujours l'avenir religieux de l'avenir politique : le premier, situé après la mort, échappe à toute observation ; le second appartient au temps historique. Même si la patience humaine laisse passer plusieurs générations avant de le juger, elle le juge un jour ou l'autre sur pièces. C'est pourquoi la comparaison si répandue entre foi religieuse et « foi » politique, en particulier la « foi » communiste, respire l'à-peu-près. Le dualisme du temps et de l'éternité, du monde naturel et du monde surnaturel, qui fonde la foi religieuse ne saurait servir de soutien à l'idéologie politique, laquelle entend abolir précisément cet antagonisme et arracher les hommes à la résignation que leur dicte l'espérance en l'au-delà. Aussi, en parvenant à plonger les hommes dans l'esclavage et la misère, les idéologues politiques se montrent-ils plus adroits que ne l'ont jamais été les plus regrettables théocrates, puisque c'est pour cette vie, eux, qu'ils nous promettent le bonheur, puisqu'ils réussissent à faire régner leur absolutisme malgré la simultanéité presque parfaite entre l'exaltation d'un idéal et son démenti par l'expérience.

Ce succès devient moins énigmatique si l'on tient compte de ce que la propagande totalitaire s'adresse avant tout aux opinions publiques étrangères. La propagande fournit, certes, une arme politique de première importance à l'intérieur lors de la prise et de la consolidation d'un pouvoir totalitaire. Nul ne l'a mieux dit que celui qui l'a dit le premier : Adolf Hitler. Mais, une fois la domination bien établie, il suffit de la force de l'appareil répressif pour maintenir dans le néant les libertés et les critiques. La propagande d'Etat ne prétend alors plus convaincre les habitants du pays, elle se borne à les accabler, telle une pathétique et burlesque incantation, insultante antithèse de la réalité. En revanche, la propagande demeure à jamais une arme efficace en politique étrangère, au service de l'expansion impérialiste, puisque, par définition, les auditoires extérieurs auxquels elle s'adresse se trouvent pour elle suspendus dans cet intervalle vierge, paradis de la réceptivité candide, où l'idéologie se présente seule, exempte de toute confrontation avec le réel. Lutte idéologique, guerre psychologique, mensonge, désinformation, intimidation bousculent, imprègnent, désorientent sans répit les opinions et les gouvernements des pays démocratiques, proies en général faciles d'un art de duper dont l'esprit totalitaire favorise plus que tout autre l'épanouissement, et où il excelle.

La guerre idéologique est une nécessité pour les totalitarismes et une impossibilité pour les démocraties. Elle est consubstantielle à l'esprit totalitaire, inaccessible à l'esprit démocratique. Pour faire la guerre idéologique, il faut d'abord avoir une idéologie. Or les démocraties n'en ont pas une, elles en ont mille, cent mille. La démocratie se manifeste par la critique mutuelle des divers groupes qui composent en son sein la pluralité politique et culturelle de la société civile. Notre système est vilipendé de l'extérieur par la propagande communiste et de l'intérieur en vertu de l'exercice normal des prérogatives démocratiques qui consacrent la diversité. Les clans, les intérêts multiples et la critique permettent à la démocratie de fonctionner. Ils l'exposent également à se faire manipuler de l'extérieur et à s'absorber dans ses débats internes plus que dans l'attention accordée à un danger externe. Ce qui est une force intérieure en termes de civilisation devient une faiblesse devant un pouvoir totalitaire, le communisme, dont la raison d'être, la condition de survie sont l'annihilation de la démocratie dans le monde.

L'idée fréquemment avancée de lancer une « contre-attaque idéologique » repose donc sur une confusion, une équivalence abstraite et fort heureusement erronée entre démocratie et totalitarisme. La propagande est par essence un instrument totalitaire. Elle exige un appareil monolithique et homogène surplombant une société contrainte au silence. La propagande suppose un pays qui parle d'une seule voix. Les maîtres modernes de la propagande ont créé des systèmes « unidimensionnels » de communication. Les démocraties ne peuvent mettre en place de tels systèmes, du seul fait qu'elles sont démocraties. Chez elles, toute thèse engendre aussitôt sa contradiction. La propagande n'y est jamais que le point de vue « officiel » de l'Etat, sans délai mis en pièces par les partis politiques, les syndicats, les Eglises, les associations, les journaux, les porte-parole des intellectuels. Comment une propagande contestée ainsi à la source, chez elle, pourrait-elle effrayer à distance les puissances totalitaires ? C'est une des ironies les plus sottes de l'histoire de la philosophie qu'Herbert Marcuse ait forgé l'épithète d' « unidimensionnel », pour l'appliquer aux sociétés démocratiques, dont la nature même fragmente presque à l'infini la vie et la pensée humaines, alors que ce néologisme qualifie adéquatement la seule culture totalitaire.

Aussi la recherche d'une contre-idéologie démocratique, destinée à refouler l'idéologie totalitaire, est-elle vaine. La contre-idéologie démocratique est un mythe. La démocratie n'a pas à se laisser enfermer dans les termes définis par la pensée totalitaire et à construire un reflet antithétique de cette pensée. L'idéologie est mensonge, l'idéologie communiste est un mensonge total, étendu à tous les aspects de la réalité. Proposer à la pensée libre de se défendre en construisant un délire systématisé de sens contraire, c'est lui proposer de se suicider pour éviter d'être tuée. S'il est vrai que rien n'est plus efficace qu'un mirage pour détruire un autre mirage, il est tout aussi vrai que la civilisation démocratique se doit de ne survivre et ne peut survivre qu'en opposant à l'idéologie la seule pensée, au mensonge la connaissance de la réalité, à la propagande non point une contrepropagande mais la vérité.

A cette résistance, il est vrai, les démocraties hélas ! n'excellent guère. Déjà défavorisées au point de départ, puisque c'est une gageure d'arrêter l'expansion d'une utopie à l'aide des faits, les démocraties se défendent en outre fort mal contre la falsification de ces faits mêmes par le communisme. Mis au service de la guerre idéologique, la propagande et la désinformation ont un double but : confectionner des images fausses de la réalité communiste et des intentions de ses dirigeants, répandre dans le monde non communiste les déformations des événements et les inventions plausibles les plus propres à le désorganiser.

Plus que ses prédécesseurs, l'impérialisme totalitaire cherche à se justifier par l'affirmation arbitraire de sa supériorité morale et pratique sur tous les autres régimes. L'idée que l'on a le droit de détruire ou d'annexer son voisin sous prétexte que l'on estime se gouverner mieux qu'il ne se gouverne lui-même n'apparaît comme principe permanent de politique étrangère qu'avec les grands totalitarismes du XXe siècle. Les utopistes anciens construisaient leurs modèles intellectuels de sociétés parfaites, donc totalitaires, plus comme des couvents à protéger de toute contamination extérieure que comme des centres de propagation active et de conversion conquérante. Prêter à son propre régime la fonction de rédempteur universel est une attitude récente. Le « messianisme révolutionnaire » des Français à la fin du XVIIIe siècle tourna court et n'engendra que des opérations théâtrales et maladroites, dont un dictateur césarien transforma sans peine l'héritage en guerres de conquêtes, sur le modèle le plus antique. L'expansionnisme religieux, musulman ou chrétien, quoique chargé d'appétits territoriaux et porteur d'ambitions politiques, s'émietta vite, au fil du temps, en une poussière de pouvoirs hétéroclites et de civilisations disparates. L'alliage de la Foi et de l'Intérêt ne se haussa jamais à la pureté dévastatrice et unificatrice de l'Idéologie totalitaire. Le libre-échange ne se fit apôtre que pour renverser des protectionnismes commerciaux. Le totalitarisme moderne introduisit l'idée que le régime, selon lui, le moins bon doit disparaître au bénéfice du meilleur, le sien. Les curieux du pouvoir politique étudiaient certes, partout, depuis que la philosophie existe, les caractères et les mérites respectifs des diverses formes de gouvernement et d'organisation sociale. Il arrivait même à un pays de tirer quelque fierté de ses institutions, lorsqu'il les comparait à d'autres, ou, plus fréquemment, de se comparer défavorablement aux institutions supposées meilleures d'une nation voisine ou lointaine. Mais personne avant les totalitaires actuels n'avait professé que la supériorité présumée de son propre système social conférât le droit et même le devoir historique d'anéantir tous les autres et de procéder à l'uniformisation politique de la planète entière. « Vous ne serez autorisés à survivre que si votre système est le meilleur de tous », ce précepte absurde conduit à cette concurrence verbale perpétuelle, à cette émulation publicitaire entre les régimes, entre leurs avantages et leurs inconvénients, réels ou imaginaires. Cette réclame transforme l'art de gouverner en hâblerie, fait rivaliser, aujourd'hui, en paroles et en actes, les systèmes politiques et instaure une guerre des propagandes par définition sans issue. Plus exactement, elle comporte une issue : au profit du régime le mieux équipé pour le mensonge, la dissimulation, l'intimidation. On ne peut lui tenir tête qu'avec les mêmes armes, et la démocratie ne les possède pas. Dès l'instant où le communisme se proclame le seul parfait dans le monde et s'arroge de ce fait le droit de contraindre tous les autres à devenir ses sosies, les systèmes qui échappent encore à ce laminoir s'époumonent sottement à énumérer leurs qualités pour plaider le dossier de leur droit à l'existence. Ce faisant, ils entrent dans le jeu du totalitarisme et dans l'engrenage dévorateur de sa propagande, puisqu'ils acceptent cette condition diabolique et cette gageure impossible : être en mesure de démontrer à tout instant leur perfection absolue, sous peine de mériter, de leur propre aveu, la mort. Quelle civilisation s'est jamais sentie légitime face à une telle exigence ?

Exigence qui excède d'autant plus les moyens de la démocratie que le communisme, pour sa part, refuse de s'y mesurer et possède les moyens pratiques, grâce à la fermeture hermétique qui caractérise les sociétés totalitaires, de se dérober au regard des autres et à leur action. La frontière communiste est un miroir sans tain, derrière lequel on voit sans être vu. De là on peut même agir chez l'autre, qui, lui, ne peut agir dans l'empire, même s'il agit *sur* l'empire, c'est-à-dire sur son Etat. Les communistes peuvent agir à la fois sur les Etats, sur les sociétés et *dans* les sociétés extérieurs à l'empire. Ils sont présents de façon normale autour et à l'intérieur de ces sociétés, dont ils haranguent et travaillent les divers groupes. Et plus elles sont démocratiques, plus librement et ouvertement il leur est loisible d'y manœuvrer. Au contraire, les démocrates ne peuvent pas se mettre en rapport direct avec la société dans un pays communiste, ses groupes, ses individus, ses anonymes. Ils n'ont le droit et la possibilité d'avoir à faire qu'aux organes officiels, à l'Etat. La société, elle, est au secret. Du côté réfléchissant du miroir, les sociétés capitalistes, ou supposées telles, en scrutant le monde communiste, ne rencontrent jamais que leur propre image. Nos façons de voir le monde communiste n'ont jamais été que les reflets de nos propres disputes. Quand survient, mettons, l'écrasement de la révolte hongroise, le rapport Khrouchtchev, une disette plus grave que d'habitude en URSS, la révélation du Goulag, du niveau des forces militaires, l'idée que s'en forge l'Occident ne possède qu'une infime valeur de connaissance. Elle sert avant tout de principe de classement sur le terrain des luttes intestines dans les démocraties et entre les démocraties. La défiance entre rivaux évoluant sur un même territoire politique surpasse la crainte qu'ils ont de l'ennemi susceptible d'envahir ce territoire même. Sur le bateau démocratique, l'obsession des intrigues pour le commandement de l'un et pour les préséances des autres relègue au rang de question mineure le risque suprême du naufrage de tous. Devant l'écrasement du syndicat « Solidarité » en Pologne, ou devant la publication de *l'Archipel du Goulag,* la « gauche » occidentale se soucia moins des souffrances des victimes du communisme que du désagrément de voir en Occident les « aspects négatifs » du socialisme exploités par la « droite ». Quand le Parti travailliste britannique, lors du congrès de Blackpool en septembre 1982, décide à la majorité des deux tiers d'introduire dans son programme de gouvernement le désarmement unilatéral du Royaume-Uni, ce défi s'adresse aux Etats-Unis, il leur signifie que la haine que les travaillistes éprouvent pour les Américains l'emporte sur leur désir de voir la Grande-Bretagne survivre. Qui n'a pas un jour envisagé de payer de sa mort la joie d'anéantir un être exécré ?

L'une des bonnes fortunes du communisme est que les forces démocratiques s'entre-déchirent à son propos, et qu'il lui suffit de les laisser faire, au besoin en les aidant un peu, pour voir augmenter régulièrement son influence et sa puissance. Pourquoi par exemple les Soviétiques auraient-ils concédé quoi que ce fût, lors de la reprise des pourparlers sur le désarmement, à Genève en 1982, alors que les travaillistes britanniques et la plupart des socialistes européens, les mouvements pour la paix, les Eglises, les écologistes allemands, se dépensaient sans repos dans le sens du résultat convoité : la suspension du déploiement des euromissiles en Europe occidentale ? D'une part les Soviétiques avaient déjà déployé depuis longtemps leurs fusées ; d'autre part, ils voyaient quantité de zélateurs occidentaux faire leur travail à leur place, en combattant de toute leur énergie le renforcement de l'Otan. La sagesse commandait donc, du point de vue soviétique, de commencer par attendre que tous ces courants providentiels allassent d'eux-mêmes au bout de leur course. Comment ne pas admirer la fragilité des sociétés démocratiques quand on voit que l'orientation de la RFA aurait pu dépendre des 5 % de votes des « Verts », mouvement que l'Union soviétique manipule ouvertement et quand on voit la Hollande, la Belgique rester plusieurs mois sans gouvernement et donc sans capacité de prendre la moindre décision en cas de menace grave ?

Le premier but de la propagande communiste est donc de projeter à l'extérieur une image embellie des pays socialistes et une image noircie des pays qui ne le sont pas ; le deuxième est d'abuser les pays non communistes au sujet des intentions réelles de la politique étrangère communiste, c'est-à-dire, nous l'avons vu plus haut, de déguiser en « lutte pour la paix » la poursuite de la domination du monde. Quant au troisième but, il est d'intervenir de façon invisible dans la politique intérieure des pays non communistes en perturbant l'opinion à l'aide de fausses nouvelles : c'est ce qui s'appelle, dans le vocabulaire technique du KGB, la « désinformation » ou les « mesures actives ». La logique de ces mesures qui, en elles-mêmes, restent dans les limites de la tromperie simple, conduit cependant aussi à des mesures, en effet, très actives : la « déstabilisation », la subversion, le terrorisme, dont je reparlerai.

Pour le premier de ces buts, je ne raconterai pas une nouvelle fois la maîtrise avec laquelle il a été constamment atteint. Cette histoire est si connue, tant de milliers de livres et d'articles ont été consacrés à rétablir la vérité que la difficulté principale est non plus de la découvrir, mais de comprendre pourquoi les communistes ont si bien réussi à la cacher, comment les mêmes procédés ont abusé des générations successives d'Occidentaux, et souvent la même génération, deux fois de suite, à propos de deux pays différents. La dissimulation de la famine et des exterminations en URSS pendant les années 30 constitue l'un des chefs-d'œuvre de la propagande et de la censure communistes. Dévoilée quelque vingt ans plus tard, non sans mal, cette imposture cyclopéenne ne prémunit en rien l'opinion internationale contre une rechute asiatique, ce maquillage tout aussi impudent de la réalité chinoise, entre 1959, début du « Grand bond en avant » et la mort de Mao en 1976. Parvenir à cacher à l'humanité, fût-elle à demi consentante, le sort réel de huit cents millions de ses membres, n'est pas un mince tour de force. Que de journalistes, d' « experts », de visiteurs illustres, de touristes politiques, de pèlerins idéologiques, de diplomates béats furent ridiculisés après coup par les aveux des compagnons mêmes de Mao sur l'horreur de cette sinistre période ! Ne citons que par souci d'équité le menu fretin, Cuba, le Nicaragua, minuscules chalets de la crédulité mondiale, après tant d'imposants édifices. Cet empressement à la récidive me remet toujours en mémoire un passage du *Big Con* de David Maurer. « Con » est ici, tous les lecteurs de ce classique le savent, l'abréviation de l'expression *confidence game,* jeu joué par un *confidence man,* c'est-à-dire escroquerie fondée sur la confiance qu'inspire l'escroc. Or, certaines victimes de ces subtils charlatans sont à ce point prédisposées à se laisser gruger qu'aucune mésaventure antérieure ne saurait les en détourner. « Un dentiste de l'Etat de New York, écrit Maurer, heureusement pour lui marié à une femme très riche, s'est laissé arnaquer plus d'une demi-douzaine de fois. Il a en quelque sorte pris rang d'institution aux yeux des escrocs. L'un de ces derniers en rencontre un autre sur la route. As-tu quelque chose d'intéressant au bout de ta ligne ? lui demande-t-il. — Rien, dit son confrère — Eh bien, suggère l'autre, pourquoi ne pas monter embobiner ce dentiste ? Il marchera toujours pour une vingtaine de briques [1]. » Je n'ai pas l'intention de replonger ici le lecteur dans les annales de la crédulité occidentale. Admirons seulement le succès renouvelé de la propagande communiste dans la duperie de masse. La conviction que des paradis socialistes et des avenirs radieux existaient déjà vraiment ailleurs a contribué aux divisions des sociétés démocratiques. Qu'à la longue ces mensonges n'aient pas résisté à l'épreuve du temps ne leur en a pas moins permis de porter leurs fruits, je dirai même de continuer à gouverner les esprits après même qu'on eut cessé de les croire, pour plusieurs raisons et de plusieurs

1. « *One dentist from New York State, fortunately having married very well, has been played against the big store more than half a dozen times. He has become somewhat of an institution among grifters. One meets another on the road and asks,* « *Do you have anything good in tow ?* » « *No* », *says his colleague.* « *Well* », *suggests the other,* « *why not go up and rope that dentist ? He'll always go for twenty grand.* »

David W. Maurer, *The Big Con,* 1940.

manières. Tout d'abord, la révélation d'atrocités ou d'échecs, lorsqu'elle est tardive, n'a pas le même effet que la vérité connue au moment même. Avoir enfin été obligé de mesurer en 1956 ce qu'avait été la terreur stalinienne et combien le système soviétique, loin d'améliorer la condition des travailleurs, l'avait aggravée, au point de faire mourir des dizaines de millions de paysans et d'ouvriers par la faim et les persécutions, ne présenta pour les démocraties qu'un intérêt tout historique et n'empêcha pas que l'opinion et la politique occidentales *avaient déjà été* imprégnées et influencées par la légende dorée du communisme, répandue entre les deux guerres mondiales. Les effets pratiques de l'imposture accréditée par la propagande soviétique durant ces années n'en ont donc pas moins infléchi durablement les politiques intérieures des pays occidentaux, en dévoyant la gauche vers un combat ou une complaisance sans issue en faveur du socialisme totalitaire. Avoir appris trop tard, en 1976, que le « grand bond en avant » de Mao, en 1959, s'était traduit par une famine géante où périrent au moins soixante millions de Chinois, que la révolution dite « culturelle » fut une explosion de barbarie sanguinaire, voulue par Mao, cela n'empêcha pas l'opinion occidentale d'avoir été pénétrée, de 1960 à 1975, par l'image d'une Chine « progressiste », modèle d'un communisme prétendument non stalinien, championne du développement, à imiter par tous les pays du tiers monde. L'idéologie « maoïste » contribua pour une part importante à nourrir le climat politique de ces années, les mentalités, les sensibilités, la critique fanatique du capitalisme — lors même que celui-ci n'avait jamais aussi puissamment élevé le niveau de vie des masses laborieuses. Que les règlements de compte au sein de la bureaucratie dirigeante, après la mort de Mao, ait soudain permis aux « maoïstes » occidentaux de contempler, à la place de l'Eldorado brillant de leur croyance, un vaste trou noir, plein de misère et de bêtise, n'effaça pas pour autant les ravages passés de l'illusion chinoise. Un mensonge d'ampleur planétaire avait, une fois de plus, égaré pendant quinze ans le débat politique, la réflexion même sur le sort de l'humanité, en introduisant comme référence dans la discussion un élément truqué, une donnée qui n'existait pas : la prétendue réussite de l'économie socialiste chinoise, la légende d'un communisme chinois hautement civilisé. De même, l'exode massif des Cubains, en 1980, a eu beau pulvériser la statue de Castro, déjà ébréchée par une ample moisson d'autres informations amoncelées au fil des ans, le dictateur n'en a pas moins transformé le cours de l'histoire en Amérique latine et en Afrique. Que le prestige grâce auquel il a pu y parvenir ait été entièrement immérité ne fait que confirmer l'utilité d'une bonne propagande et l'efficacité de celle des communistes ; et aussi nous rappelle, encore un coup, que la connaissance rétrospective de la vérité ne répare guère, dans les démocraties, les dégâts causés par une longue ignorance. On a besoin en politique non de la connaissance pure, mais de la connaissance en vue de l'action ; et il ne sert pas à grand-chose de connaître le vrai, une fois que l'action fausse a déjà eu lieu.

Ensuite, les révélations tardives ont la propriété d'apporter à ceux qui les reçoivent plus de contrariété, souvent, que de lumière. Les hommes qui, de 1970 à 1980, élaborèrent la détente ne consentirent guère ensuite à prendre sur eux d'en avouer la faillite. Ils ne modifieront donc pas leur raisonnement mais s'y enfonceront davantage. Les diplomates, politiciens et politologues qui ont investi massivement dans la détente durant dix ou quinze ans et qui sont restés en place après son échec, ou au moins ont continué à exercer une influence, ne pouvaient pas inciter leur public à une révision critique d'une bien grande sévérité.

Plus inconsciente et donc plus insidieuse encore est la tendance à conserver des habitudes de pensée après qu'on en a abandonné les prémisses. Bien des esprits détrompés sur le communisme n'en gardent pas moins une logique de la répartition des forces entre la « gauche » et la « droite » qui date du temps où le communisme et les pays totalitaires leur paraissaient encore des sources de progrès social. Les cadres mentaux forgés par trois quarts de siècle de propagande idéologique survivent ainsi au démenti des faits et au naufrage des convictions. Ils se transmettent de génération en génération, par tradition orale ou écrite, épaves flottantes, tronçons sautillants d'une philosophie discréditée qui continue pourtant de mouvoir les mécanismes intellectuels. Les révélations rétrospectives, encore une fois, n'ont que peu de valeur pratique. Le choc émotionnel, l'indignation, l'horreur causés par une atrocité ne seront jamais les mêmes selon qu'on apprend les événements à chaud et « en direct », ou après coup et « en différé ».

On peut objecter que les crimes nazis, connus après coup, du moins de la majorité des gens, n'en ont pas moins suscité un violent sentiment d'horreur. En réalité, ils ont été découverts en bloc presque aussitôt après avoir été commis, car il s'agissait d'événements de la veille et de l'avant-veille, survenus en 1942, 1943, 1944. Pour les Européens d'alors, en 1944, 1945, c'était du présent. L'effondrement militaire du Reich a permis que la découverte fût immédiate et intégrale, ce qui en a concentré l'effet dans le temps et sur les âmes. Si le Reich avait gagné la guerre, ou obtenu des Alliés une paix de compromis en conservant sa souveraineté, donc ses moyens de dissimuler, sans doute, comme l'a écrit Alain Besançon, aurait-on sur vingt ou trente ans appris par bribes successives la vérité sur les camps de la mort. Mais l'effet en aurait été affaibli, et la situation internationale des successeurs d'Hitler en aurait été aussi peu affectée en 1970 ou 1980 que le fut celle des héritiers de Staline et de Mao par l'exhumation tardive de l'invraisemblable.

Lorsqu'on parle des pouvoirs de la télévision et de la presse, on oublie que ces pouvoirs n'agissent pas dans l'abstrait, qu'ils exigent, pour exercer leur influence sur l'opinion et d'abord tout simplement pour être, un ensemble de conditions pratiques. Certains régimes les en privent, d'autres non. C'est à ces derniers, ceux qui jouent franc-jeu avec l'information, qu'elle porte ses coups les plus durs, puisque, avec les premiers, il n'y a même pas de match. L'opinion mondiale, voyant les choses de loin, a tendance à en conclure que seuls les régimes plus ou moins loyaux avec la presse ont des torts. Durant la guerre du Vietnam il y avait en permanence à Saigon et sur les théâtres d'opérations du Sud environ mille journalistes de toutes nationalités, mais principalement américains, tous concurrents entre eux et à la recherche, en bonne légitimité professionnelle, de l'exclusivité, de l'image, du secret encore brièvement hors de l'atteinte des confrères. Il en résulta que cette guerre fut, comme on l'a dit souvent, la première de l'histoire à être télévisée en direct et racontée heure par heure, avec le contrecoup violent et immédiat de sa présence physique sur l'opinion mondiale et en premier lieu sur l'opinion américaine. L'Afghanistan, depuis l'invasion soviétique de décembre 1979, se trouve au contraire presque complètement isolé du reste de la planète. Il n'est à l'évidence pas question que mille journalistes, équipes de télévision, photographes, sillonnent le pays jour et nuit pour chasser le fait que les autorités souhaitent voir ignoré. Les informations dignes de confiance ne parviennent au-dehors que grâce à des clandestins qui s'infiltrent dans le pays en prenant des risques exceptionnels, grâce aussi à des réfugiés, à des rumeurs douteuses. De la sorte, pendant des semaines, parfois des mois, les écrans de télévision, qui pendant la guerre du Vietnam déversaient leur feu quotidien sur les téléspectateurs, restent vides et muets sur l'Afghanistan, faute de matière première. Les journaux font état de quelques parcelles d'information : par exemple, pendant l'été de 1982 on y apprit par petits bouts que des attentats sérieux avaient eu lieu à Kaboul, que les troupes d'occupation étaient passées vraisemblablement de cent mille à deux cent mille hommes, que les Soviétiques utilisaient presque certainement des armes biochimiques contre les résistants, que le nombre des réfugiés afghans au seul Pakistan avait dépassé deux millions cinq cent mille, ce qui semblait montrer que les souffrances et les atrocités avaient franchi le seuil du supportable. Mais alors qu'au Vietnam le moindre accrochage de patrouilles devenait un événement mondial, en Afghanistan, les faits que je viens de citer, d'une portée intrinsèque bien plus grande, n'émergèrent que dans des entrefilets confidentiels, inaptes à éveiller toute autre attention que celle des maniaques de l'antisoviétisme. Décrétons par hypothèse les deux guerres également condamnables, ou également justifiées. Plaçons-les du point de vue moral exactement sur le même pied : reste qu'au point de vue matériel de la collecte et de la transmission de l'information, la guerre du Vietnam et la guerre d'Afghanistan se déroulent à deux millénaires de distance. Les autorités américaines et sud-vietnamiennes comparaissaient chaque jour devant le tribunal de l'opinion mondiale, un tribunal alimenté en dossiers copieux, sans cesse renouvelés, et où l'opinion américaine n'était pas le plus indulgent des magistrats. L'Union soviétique parvient à sevrer d'informations l'opinion internationale, qui, faute de sujets concrets d'indignation, finit par tomber dans une torpeur indifférente, état que cherche à provoquer le calcul de Moscou. Quant aux répercussions de l'information télévisée sur l'opinion publique « intérieure » soviétique, elles sont le résultat de divulgations organisées et rationnées par le gouvernement dans son intérêt.

En septembre 1982, le massacre au Liban d'un millier de civils palestiniens, aussitôt rapporté par toutes les télévisions du monde, présentes à Beyrouth, communiqua instantanément à la planète entière le spectacle de femmes, enfants, vieillards assassinés par des phalangistes libanais. On sait l'affliction et la colère que ce forfait suscita, en particulier contre le gouvernement israélien, accusé par une commission israélienne d'une impardonnable non-intervention, voire d'une complicité passive. Quelques mois plus tôt, en février 1982, en Syrie, dans la ville de Hama, la répression par l'armée d'une révolte religieuse s'était terminée dans un bain de sang. On évalue le nombre des victimes à au moins plusieurs milliers, certains disent quarante mille, d'après des recoupements de sources diverses. Mais il va de soi que, dans la Syrie du président Assad, allié de l'URSS, aucune télévision étrangère ne se trouvait sur les lieux, aucun journaliste étranger ne pouvait même songer à s'y rendre. Parvenue par petits bouts et par des voies indirectes au monde extérieur, la nouvelle du massacre de Hama s'égrena dans quelques articles secs, tout à fait incapables de provoquer la commotion mondiale déclenchée par les images de Beyrouth-Ouest quelques mois plus tard.

Ce rapprochement n'a pas pour objet d'excuser ces abominations l'une par l'autre, échappatoire elle-même abominable à laquelle recourt l'esprit de parti. Mon propos se veut purement technique. Il tend à constater que les fautes et les crimes commis par les démocraties et, plus largement par les pays non totalitaires se retournent contre eux, dans la guerre des propagandes, tandis que les régimes totalitaires, installés à l'abri du secret, ne se ressentent que très faiblement des leurs dans l'opinion internationale et ils les payent d'un coût politique incomparablement plus bas. Même sans faire entrer en ligne de compte le supplément moral d'indulgence couramment accordé à tout régime totalitaire qui se réclame du socialisme, l'inégalité dans la diffusion *matérielle* de l'information confère à elle seule au totalitarisme une supériorité de position dans la lutte idéologique.

Cette supériorité a rendu possible, pour mentionner un exploit peu connu mais digne du Goulag ou de l'holocauste hitlérien, que l'extermination de la population tibétaine et la destruction de la culture tibétaine par les Chinois s'accomplissent, en s'étirant sur vingt années, presque à l'insu du monde entier. De 1959, date de l'invasion du Tibet par l'armée chinoise, à 1980, année où, à la faveur d'un tournant politique de Pékin, des Tibétains réfugiés en Inde et au Népal reçurent l'autorisation de retourner dans leur pays voir leurs familles, ou ce qu'il en restait, nulle information ne vint perturber la sinolâtrie de l'Occident ; du moins nulle information assez substantielle, assez exhaustive pour bousculer son apathie. Quelques livres, quelques articles, çà et là, des témoignages de fuyards, passèrent inaperçus. Sans doute ne brûlait-on guère de les percevoir. Quel beau thème pour une méditation sur la conscience de l'histoire en train de se faire : au moment même où la guerre du Vietnam attirait les anathèmes de l'univers, à quelques milliers de kilomètres se déroulait dans le secret le plus total un génocide presque parfait. Car ce terme de génocide, trop employé à la légère, n'est pas en l'occurrence impropre. Un génocide n'est pas n'importe quel massacre, si affreux, si criminel soit-il. C'est un massacre décidé, conçu, exécuté à froid par un Etat, une autorité, sans qu'on puisse l'imputer aux excès, même inexcusables, d'une armée en guerre. Car c'est *après* la conquête du Tibet que l'armée d'occupation chinoise se mit à procéder à la liquidation physique et culturelle d'une population sans moyens de défense et qui avait cessé toute résistance autre que morale. Quand on connut le palmarès de cette entreprise d'émancipation révolutionnaire, après la libéralisation de 1980, cette révélation rétrospective fit, une fois de plus, long feu. Du moins je n'ai pas entendu parler de manifestations devant les ambassades de Chine des grands pays démocratiques. Aucun défilé ne vint animer Paris « de la Nation à la République ». Nul écologiste, nul pacifiste, nul anti-impérialiste ne se dressa pour compliquer un peu la tournée de tel ou tel dignitaire chinois en visite dans nos parages. En 1980, le président français, Giscard d'Estaing, après un voyage officiel en Chine, tint même à parcourir le Tibet en touriste, sans éprouver la moindre gêne. Une fois de plus, un pouvoir communiste avait pu réduire à presque zéro les retombées négatives d'un forfait qui eût terni pour cent ans l'image d'une puissance occidentale. Le forfait, pourtant, était de taille. De témoignages recueillis de la bouche de visiteurs retournés au Tibet, puis revenus au Népal, au Bhoutan et dans le Nord de l'Inde, il ressort que l'on peut, si incroyable paraisse le chiffre, évaluer la proportion des victimes à environ les quatre cinquièmes de ceux qui étaient restés. Nombreux sont les cas de familles de six enfants qui ne comptent qu'un seul survivant. Outre les meurtres, ont fait leur œuvre également les deux grands piliers de tout communisme : la famine et le travail forcé. Sur un millier peut-être de nouveaux réfugiés parvenus en Inde et au Népal en 1981, un tiers au moins avaient séjourné sans interruption en prison depuis 1959, plus de la moitié avaient été bagnards. Les conditions de travail étaient si dures, de jour comme de nuit, la nourriture si rare (une poignée par vingt-quatre heures de *tsampa,* la farine d'orge grillée, base de l'alimentation tibétaine) qu'à chaque retour au camp, racontent les rescapés, manquaient à l'appel quelques hommes, morts d'épuisement. Les massacreurs s'attaquèrent particulièrement aux ordres monastiques. Les deux cents moines demeurés au monastère de Séchen, dans l'Est du Tibet, furent massacrés en une seule journée — un exemple parmi de nombreux autres. Les Chinois torturèrent les religieux et les fidèles qui refusaient d'abjurer. Si, pendant les séances, leurs victimes remuaient silencieusement les lèvres, signe de prière, on les battait à mort. Un témoin a raconté à l'un de mes parents, spécialiste de tibétain et parlant couramment cette langue, avoir eu pendant des mois pour tâche de jeter les morts dans une fosse géante. Accusé un jour de n'avoir pas su empiler correctement les cadavres, ce qui, évidemment, exige un certain degré de formation maoïste, il dut descendre dans la fosse, d'où il fut hissé de justesse alors qu'il allait périr en s'enfonçant dans les corps en décomposition.

La rage d'anéantir la culture tibétaine sévit avec une violence presque démente, surtout à partir du moment où les Gardes rouges de la « révolution culturelle » vinrent apporter à l'armée d'occupation leur concours « spontané ». Imaginons que les nazis aient détruit en Italie tous les édifices anciens sauf Saint-Pierre de Rome, en France toutes les cathédrales et toutes les églises sauf Notre-Dame de Paris, conservés seulement pour prouver aux visiteurs étrangers le caractère calomnieux des rumeurs de vandalisme ; imaginons que la Bibliothèque nationale ait en outre été brûlée et nous aurons la situation du Tibet. Plus de trente mille monastères et temples y ont été détruits, des centaines de milliers de xylographes, blocs en bois sur lesquels sont gravés les textes anciens et qui servent à les imprimer ont été utilisés comme bois de chauffage ou pour construire des baraquements. Les grands monastères de Séchen, Zongsar, Kathog, Dzochen, ont été rasés, pour ne citer que les principaux, et sur leur emplacement on ne trouve que des prairies où nul ne peut deviner qu'existaient là les monuments les plus précieux de l'architecture tibétaine. De Ganden, Tourphu, Mindroeing, Palpung, il ne reste que des ruines. Disparu aussi le monastère de Riwoché, dans le Kham, qui s'élevait sur cinq étages, et abritait plusieurs milliers de manuscrits anciens. Plus de cent mille xylographes de la grande imprimerie de Derge, sur le point d'être brûlés, furent sauvés par un soulèvement populaire que Pékin, averti, ordonna de ne pas écraser. Enfin a survécu le seul universellement connu des monuments de l'architecture tibétaine, le Potala de Lhassa, dont l'escamotage eût été trop voyant.

J'ai développé quelque peu le cas tibétain parce qu'avec bien d'autres il me paraît reléguer à leur juste place les dissertations à la mode sur la « toute-puissance des médias » et la surabondance d'informations dont l'humanité moderne serait, dit-on, accablée. Les médias ne reflètent que la liberté qu'on veut bien leur donner. Concentrés dans les pays auxquels ils ont accès, ils imposent inéluctablement l'impression que ces pays sont les seuls où se produisent des événements importants, le cas échéant des crimes contre l'humanité. En revanche, aveugles, et pour cause, sur les pays dont on leur ferme les frontières, ou bien qu'on les empêche de parcourir librement à la recherche d'une information sans entrave, ils peuvent ignorer et laisser ignorer durant des décennies des pans entiers de l'histoire, la chute dans le néant de centaines de millions d'hommes, de civilisations entières. Peut-être la forme la plus subtile de la propagande communiste est-elle cette propagande indirecte, qui consiste à détourner le regard des informateurs vers les seuls pays « capitalistes », du seul fait que les autres sont opaques. L'abondance de l'information et l'éventuelle sévérité de la condamnation tiennent moins à l'importance de l'événement qu'à la facilité d'en rendre compte. La moitié de la planète étant zone interdite, ou zone masquée et maquillée, l'autre moitié, par un contrecoup automatique, se trouve devenir la seule que la presse puisse observer avec une vigilance de toutes les minutes. Dans cette autre moitié, celle des pays non communistes, on ne rencontre pas, bien sûr, que des régimes démocratiques. On y rencontre beaucoup de dictatures ou de fausses démocraties : mais elles sont loin de posséder les moyens qui permettent aux systèmes totalitaires d'anéantir entièrement et durablement l'information, de soustraire la réalité à la connaissance humaine, à la perception physique des hommes. Ainsi se construit touche par touche, jour après jour, une image déséquilibrée de la planète.

Mais ce n'est là que la partie en quelque sorte passive de la propagande des régimes totalitaires, celle qui résulte de leur talent unique pour créer la non-information. Il est tout à l'honneur des dirigeants communistes de ne pas se contenter de cet avantage en quelque sorte institutionnel que leur confère la maîtrise du silence. Perfectionnistes, ils veulent aller, ils vont plus loin ; ils prennent des initiatives, ils prennent même l'offensive : c'est la partie active de la guerre idéologique.

De fait, les Soviétiques appellent précisément « mesures actives » une partie des techniques destinées à égarer les opinions publiques des pays non communistes. Les mesures actives découlent souvent de procédés assez grossiers, ce sont notamment des fabrications de faux documents comme la prétendue lettre du président Reagan au roi Juan Carlos d'Espagne, en novembre 1981, par laquelle le président invitait, sur un ton offensant, le chef de l'Etat espagnol à se hâter de faire entrer son pays dans l'Otan et à sévir contre les partis qui s'y opposaient. Distribué en vertu d'une « fuite » miraculeuse à la presse et même aux diplomates de la CSCE [1] à Madrid, ce faux visait à provoquer une réaction espagnole de fierté contre l' « ingérence » américaine et à faire capoter l'adhésion de l'Espagne à l'Otan. J'ignore quel est l'arriéré mental qui a cuisiné cette contrefaçon, si dérisoire qu'elle ne trompa personne, mais il déshonore le KGB, où l'on doit savoir, je suppose, qu'aucun des pouvoirs constitutionnels du roi d'Espagne ne lui permettait de jouer le moindre rôle dans cette affaire. L'invraisemblance de la lettre sautait donc aux yeux. Fort heureusement, le service A de la Première direction principale du KGB, chargé de la « désinformation », travaille d'ordinaire mieux que cela. Les faux n'occupent d'ailleurs que l'un des créneaux de la vaste artillerie baptisée désinformation, laquelle consiste à faire croire aux opinions publiques, à la presse, aux gouvernements, aux centres de décision économiques, ce qu'il est de l'intérêt de l'Union soviétique qu'ils croient. L'efficacité de la propagande directe finit en effet toujours par faiblir, toute source officielle se heurtant au scepticisme. La désinformation, plus subtile, émane donc de sources qui, elles, en apparence, ne sont pas soviétiques, ni même, autant que possible, communistes. Le fin du fin de la désinformation a consisté, par exemple, au commencement de la détente, à faire plaider en Occident les thèses profitables à l'Union soviétique par des hommes représentatifs du « grand capital » et des tendances politiques « réactionnaires ». Ou encore à pénétrer lentement les Eglises chrétiennes, qu'affole leur perte d'influence spirituelle sur la société moderne, pour leur souffler un thème de remplacement, plus « public » que le thème religieux : la « lutte pour la paix » ou, dans le tiers monde, la « théologie de la libération ». Un évêque fera toujours plus recette dans ce registre que l'attaché de presse de l'ambassade d'URSS. La meilleure désinformation consiste à s'appuyer sur les désirs secrets, les hantises, les désaccords internes de l'Occident et du tiers monde, à leur jeter des appâts auxquels, le plus souvent, les intéressés mordent, se chargeant de tout le travail d'élaboration et de diffusion. Tant il est

1. Conférence sur la Sécurité et la Coopération en Europe. C'est la fameuse conférence qui ne sert jamais à rien.

vrai, comme l'écrit Michel Heller, qu'inlassablement, l'Occident s'« autodésinforme[1] ». Toutefois, comme il serait imprudent de s'en remettre uniquement à la spontanéité des masses, il est bon aussi de disséminer près des centres de décisions et de communication des « agents de pénétration », « d'influence » ou les bons vieux agents doubles, qui servent d'émetteurs de désinformation, agissant soit par conviction, soit par intérêt, soit par naïveté. La naïveté, surtout quand elle se double de vanité, rend compte de bien des comportements « orientés », sans qu'il soit besoin de recourir à la vision systématisée d'une infiltration universelle de l'Ouest par des agents soviétiques. Je ne voudrais pas désobliger ces derniers et prétendre que l'infiltration n'existe pas, ou qu'elle est négligeable. Je dis que les meilleurs agents (et ceux qui opèrent chez nous sont à la fois excellents et nombreux) n'imposent la désinformation que s'ils jouent sur le clavier réel de la société dans laquelle ils opèrent, de même que l'art de gouverner consiste à jouer sur les passions humaines telles qu'on les trouve. La désinformation prend appui sur un sentiment qui existe, par exemple l'angoisse devant le péril nucléaire, mais excelle ensuite à lui souffler les arguments propres à l'enflammer. L'une des plus admirables réussites dans le genre fut la campagne contre la bombe à neutrons. Cette arme étant la plus apte à contrebalancer la supériorité soviétique en armements blindés, on conçoit que le Kremlin ait fait donner tous ses tamtams de propagande pour éviter qu'elle ne soit installée en Europe, et, en particulier, on ne s'étonne pas que les partis communistes occidentaux et les organisations contrôlées par eux aient lancé une campagne forcenée contre cette installation. Mais il fallait trouver une image propre à frapper l'imagination, flatter l'intelligence et indigner les consciences dans les courants d'opinion autres que ceux habituellement favorables à l'Union soviétique. On inventa comme slogan que la bombe à neutrons était une arme « capitaliste » parce qu'elle tuait les hommes sans détruire les bâtiments. La description exacte eût consisté à dire qu'elle tuait les soldats en épargnant les populations civiles et les villes, puisqu'elle était assez précise pour traverser les corps solides sans qu'ils s'effondrent, pour anéantir les équipages des tanks ennemis sans pour autant ravager toute la région du champ de bataille ni en contaminer les habitants. Néanmoins le slogan de l'arme « capitaliste » fit merveille. J'ai déjà évoqué cette campagne. J'ajoute ici ce fait essentiel qu'une partie des informateurs occidentaux s'en fit l'instrument bénévole. Dans plusieurs des médias et des journaux, on reprit, les yeux fermés, l'argument, par complicité mais le plus souvent par passivité, sans se donner la peine d'en examiner le sérieux. On ne

1. Michel Heller, « La désinformation, moyen d'information », *Politique internationale*, hiver 1980-1981, nº 10.

fit pas l'effort de se demander ni d'expliquer au public pourquoi l'Otan éprouvait le besoin de se doter de l'arme à neutrons et pourquoi l'URSS avait tellement envie qu'elle en restât dépourvue. Chacun connaît le résultat : constatant les difficultés qu'éprouvaient nombre de gouvernements européens, face à l'émotion soulevée dans leurs opinions publiques par le projet d'arme nouvelle, le président Carter annonça un beau jour qu'il renonçait à la fabriquer et à la déployer en Europe. Cette campagne modèle et son brillant succès méritent de rester dans les annales de la désinformation. En décochant l'anathème purement idéologique de « capitaliste », si étranger à la question qu'il en devient somptueux d'idiotie, la propagande communiste entraîne dans son sillage de forts courants de l'opinion, intimide une partie de la presse, mystifie quelques médias et parvient à faire dénigrer par nous-mêmes puis annuler de leur plein gré *par les démocraties elles-mêmes* la mesure qui risquerait de réduire la supériorité militaire soviétique vis-à-vis de l'Ouest.

L' « inégalité des termes de l'échange » dans la bataille idéologique est ici à nouveau flagrante. Car une campagne de désinformation comme celle qui élimina la bombe à neutrons ne peut aboutir et même commencer que dans une société pluraliste, c'est-à-dire dans une société où il existe des courants d'opinion multiples que le désinformateur peut exciter les uns contre les autres. Cela lui est d'autant plus facile que les portes de ces sociétés lui sont grand ouvertes et qu'il y dispose en outre de quelques appuis. Les démocraties ne disposent, quant à elles, d'aucun de ces moyens de propagande perfectionnés, de ces facilités d'entrée et de ces relais amicaux dans les sociétés totalitaires. L'inégalité du combat découle, sur ce point au moins, non d'une différence de savoir-faire entre les hommes, mais d'une différence de nature entre les sociétés.

Quelle pâte sociale pourrait bien malaxer en URSS des agents d'influence occidentaux et en occupant quelles positions clés? Imagine-t-on à Moscou des partis politiques pro-américains, des églises faisant les yeux doux aux multinationales, des télévisions dupées par les thèses favorables à un renforcement de l'Otan, des écologistes prêchant le désarmement unilatéral, des organisations de façade répandant la bonne parole et la bonne presse, des manifestants multipliant les défilés de protestation, tous accumulant les pressions au point d'acculer un gouvernement soviétique désemparé à consentir au démantèlement de ses euromissiles? La fable n'amuserait pas un instant l'esprit. Une fiction politique doit, pour intéresser, contenir au moins une parcelle de vraisemblance.

On objectera que les radios occidentales diffusent des émissions à l'adresse des pays communistes. Sans doute. Mais c'est en vain qu'on chercherait dans cette fourniture radiophonique le facteur qui « rétablit l'équilibre » entre l'Est et l'Ouest. Les émissions occidentales vers l'Est émanent en effet d'une source dénuée d'équivoque. Elles ne fournissent pas la contrepartie de la désinformation communiste en Occident, car elles ne constituent pas une manipulation *des médias soviétiques eux-mêmes,* une faculté que nous aurions d'induire les journalistes des pays communistes à publier d'eux-mêmes des articles anticommunistes. Pour désinformer, il faut être installé dans la place. Sur ce point l' « égalité des chances » entre l'Est et l'Ouest ne règne guère. Au demeurant, les Soviétiques et d'autres gouvernements communistes diffusent ce qu'ils veulent en direction de l'étranger, et sans être brouillés. Radio-Moscou émet en ondes courtes à destination du monde entier dans plus de quatre-vingts langues. Au point de vue quantitatif, donc, il y a « parité ». Mais il y a disparité dans la nature des émissions. Les émissions soviétiques s'adressent aux auditeurs sur le ton de la pure propagande, mêlant l'agression verbale et l'incitation à la violence, poussant à la révolte armée, en particulier, dans les zones les plus éruptives du tiers monde. En ce domaine comme ailleurs, les Soviétiques accusent les autres pays de faire ce qu'ils font eux-mêmes, et prétendent que les radios occidentales encouragent leurs populations à l'insubordination, excellent prétexte pour les brouiller. On reproche en effet, il est vrai, à la Voix de l'Amérique et à Radio Free Europe d'avoir, en 1956, excité les ardeurs anticommunistes des insurgés hongrois, que l'Occident abandonna ensuite à la répression soviétique. Mais hormis ce cas déshonorant et peut-être à cause de la honte que l'on en a éprouvée, depuis lors la Voix de l'Amérique, Radio Free Europe, Radio Liberty et, surtout, le service international de la BBC, qui n'est même pas soupçonnable de s'efforcer jamais à la moindre propagande, font prédominer l'information sur la guerre psychologique. C'est justement là ce qui les rend si redoutables pour le communisme, puisque le communisme et l'information ne peuvent coexister. Vivant au royaume du mensonge officiel, les auditeurs des pays communistes absorbent les informations parallèles d'autant plus avidement qu'elles sont neutres et dépouillées d'exhortations idéologiques. Ce qu'ils veulent, parce que c'est là ce dont ils sont le plus sevrés, c'est la matière brute de l'information. Devant elle, ils offrent un « public captif » — c'est le cas de le dire — et d'une intégrale réceptivité. Les émissions anglaises et suisses destinées aux pays occupés pendant le Seconde Guerre mondiale et les émissions des radios occidentales destinées aux pays communistes depuis constituent sans doute les plus grands succès de pénétration des messages et de rendement, dans l'histoire moderne des communications de masse. Cela explique les attaques de Moscou contre ces émissions durant les périodes de tension Est-

Ouest, et les démarches pressantes de sa part pour les réduire au silence durant les périodes de détente.

La démocratie n'a que la supériorité de la vérité, même si, doutant trop souvent d'elle-même, elle n'use guère de cette supériorité quand elle traite avec le communisme. Pour sa part, les communistes s'adonnent à la désinformation parce qu'à l'état naturel la propagande communiste n'inspire pas confiance. D'où le recours aux moyens d'information occidentaux mêmes et à leur caution bourgeoise pour faire répandre les inventions et les préjugés les plus aptes à ployer les esprits dans un sens propice à la progression totalitaire.

La méthode comporte selon toute apparence peu de faiblesses, puisque appliquée sans changement de façon répétée, elle continue de réussir. Deux exemples parmi de nombreux exploits dans le genre illustrent cette constance, l'un de 1952, l'autre de 1978. Les services spéciaux soviétiques n'ont guère d'imagination et les médias occidentaux guère de mémoire : pourquoi dès lors changer de procédé ? En 1952, une personnalité gaulliste, étiquette politique propre à endormir la méfiance, apporte en grande confidence au quotidien français *le Monde* un prétendu document secret, le « Rapport Fechteler », du nom de l'amiral américain auquel les services soviétiques avaient choisi d'attribuer le faux. Ce texte, censé dépeindre les plans stratégiques américains en Méditerranée, étalait un bellicisme si outrancier que les lecteurs ne pouvaient manquer d'y voir la preuve de la volonté de guerre des États-Unis — ce qui constituait l'exact effet recherché par les faussaires. *Le Monde* publie les yeux fermés dans son numéro du 10 mai 1952 l'invraisemblable « Rapport Fechteler ». Très vite, la supercherie se découvre. Mais la presse et les agences soviétiques n'en continueront pas moins comme avant à invoquer le mythique rapport, « révélation d'un véritable plan de guerre contre l'URSS », ritournelle reprise par les journaux communistes occidentaux, arguant que cette « révélation » a surgi dans un « grand journal indépendant », indice infaillible de son authenticité. L'imposture de 1978 connaîtra une diffusion et une longévité encore supérieures. Elle prit la forme d'un « manuel pratique » signé par rien de moins que William Westmoreland, l'ancien chef d'état-major des armées. Le célèbre général y préconisait que les services secrets américains se servissent des organisations subversives d'extrême gauche opérant en Occident pour sauvegarder les intérêts des Etats-Unis dans les pays amis où les communistes semblaient sur le point d'accéder au pouvoir. En un mot, les Etats-Unis devaient infiltrer les groupes terroristes et les pousser à mettre en difficulté les gouvernements démocratiques alliés qui étaient coupables d'indulgence pour le communisme. Au moment où plusieurs démocraties européennes se trouvaient aux prises avec un terrorisme chaque jour plus efficace, et où l'on commençait à oser mentionner une éventuelle complicité soviétique dans ce terrorisme, les fabricants du faux entendaient inciter l'opinion à voir dans les services secrets américains les véritables instigateurs de la subversion. Idée ingénieuse, mais difficile à croire. Par bonheur la Providence veillait. Elle prit le visage d'un journaliste espagnol, Fernando Gonzalez, qu'un miracle rendit maître et possesseur du faux, pompeusement sacré « Top secret ». Ce Gonzalez en prévit la publication dans l'hebdomadaire espagnol *El Triunfo* du 23 septembre 1978. Mais, par un geste d'abnégation unique dans les annales de la presse, *El Triunfo* se dépouilla volontairement de son exclusivité pour céder la primeur du faux, en avant-première et prépublication, au quotidien madrilène *El Pais* classé « indépendant de gauche », qui le passa le premier en toute confiance dans son numéro du 20 septembre. C'est que, Fernando Gonzalez étant communiste et proche de l'ambassade cubaine, il valait mieux « blanchir » le faux en le plongeant dans les eaux lustrales d'un « grand quotidien indépendant de centre gauche ». Lessive parfaite, immaculée conception, puisque, de *El Pais,* le faux sauta pardessus les Pyrénées pour émerger en France dans *le Monde* trois jours après. On le vit ensuite serpenter aux Pays-Bas dans l'hebdomadaire *Vrij Nederland* du 7 octobre 1978, en Italie dans *L'Europeo* du 16, en Grèce le 20 dans *To Vima* , qui claironnait l' « indiscutable authenticité » du faux et titrait : « Un manuel américain secret sur les opérations de déstabilisation en Europe occidentale. » Dès lors, et c'est en cela que réside le grand art de la désinformation, l'agence soviétique Novosti était en mesure de reprendre la nouvelle en citant comme sources ces divers organes respectables de la presse occidentale non communiste. La pure logique entraîna dès lors Novosti et quelques-uns de ses porte-voix occidentaux à extrapoler et à rendre les services secrets américains responsables même de l'assassinat du chef de la démocratie chrétienne Aldo Moro par les Brigades rouges, des attentats de l'ETA basque et pourquoi pas ? de l'occupation par un commando de fanatiques armés, en 1979, de la Grande Mosquée de La Mecque.

L'inventaire exhaustif de la désinformation déborderait la carrure herculéenne de plusieurs encyclopédies. D'autant qu'elle est vraiment universelle et qu'aucun continent n'échappe à son rayonnement. En Asie, par exemple, en 1982, le centre pakistanais de lutte contre la malaria, travaillant depuis vingt ans grâce à des fonds d'organismes de santé internationaux et avec le concours de savants américains de l'Université du Maryland, se voit brusquement accusé d'élever une espèce particulière de moustiques, dont la piqûre mortelle doit servir à la guerre bactériologique projetée par la CIA en Afghanistan. Apprêté par la *Literatournaya Gazeta* du

2 février 1982, ce bobard dénué de toute finesse n'en est pas moins reprise avec un aveugle empressement par la pléiade habituelle de journaux « indépendants » parmi lesquels de vénérables institutions de la presse asiatique non communiste tels le *Times of India* et le *Pakistani Daily Jang.* Aussitôt colportée, la « nouvelle » déclenche une émeute anti-américaine à Lahore. Les malheureux chercheurs du centre contre la malaria doivent plier bagage avec leurs moustiques pour échapper à la lapidation. Cet épisode mouvementé survient à point nommé pour assourdir les bruits qui commencent alors à circuler sur l'utilisation, elle, bien réelle, d'armes biochimiques par les communistes en Afghanistan, au Laos et au Cambodge. Ce n'est pas là le seul cas de désinformation défensive. Toujours en 1982, les communistes parviennent à faire expurger, et même récrire en rose, un rapport des Nations unies sur la débâcle économique vietnamienne, dans lequel les responsabilités de l'inepte Nomenklatura de Hanoi apparaissaient trop clairement. Censure constructive, qui fut d'autant plus facile à obtenir qu'au fil des années les fonctionnaires originaires d'Union soviétique et des pays prosoviétiques se sont emparés d'un grand nombre de postes clés dans l'ONU[1]. C'est au point que dans un autre rapport de cette institution internationale, l'information diffusée par la presse et les agences occidentales se voit qualifiée de « grossièrement inexacte », par contraste avec les journaux du bloc soviétique, loués pour l'objectivité de leurs reportages et leur « soutien continu » aux Nations unies[2] !

A l'extérieur du noyau dur des « mesures actives », protégé par la couronne de la désinformation défensive, flottent les couches gazeuses de la *désinformation floue,* qu'on pourrait appeler aussi « d'ambiance ». C'est la zone crépusculaire, le décrochez-moi-ça de l'information, où errent les mensonges en quête de rédacteur, où l'on apprend que le comité de défense des intellectuels polonais, le KOR, a été créé à Genève au cours d'une réunion organisée par la CIA ; ou que les Israéliens n'ont fait élire Béchir Gémayel, président du Liban que pour le plaisir de l'assassiner une semaine plus tard, puisqu'il fallait bien attribuer aux Israéliens le meurtre inspiré en fait par la Syrie. C'est en puisant dans cette réserve que, pour citer à nouveau le mot de Michel Heller, l'Occident s' « autodésinforme », et, de surcroît, cela va de soi, sans en prendre conscience. Etre victime de la « désinformation floue », c'est accepter comme allant d'elles-mêmes les prémisses de la vision

1. Voir l'article très étoffé de Thierry Wolton, « ONU : l'infiltration soviétique », *le Point,* 4 octobre 1982.

2. Bernard D. Nossiter, *UN Officials Criticize News Coverage by West,* « New York Times service », dans *International Herald Tribune,* 16-17 octobre 1982.

communiste du monde. Je prends au hasard dans mes fiches un exemple entre des centaines, très illustratif, justement parce que relativement anodin.

Le samedi 1er mars 1980, le journal de 13 heures de la station de radio d'Etat France-Inter, qui couvre tout le pays, est présenté par Yves Mourousi, professionnel expérimenté. Un journaliste koweitien, à l'occasion d'un voyage de Giscard d'Estaing dans les Emirats, vient expliquer au micro : 1) qu'il n'y a aucun danger résultant pour sa région de la présence soviétique en Afghanistan ; 2) que les Américains veulent faire croire à ce danger afin d'alarmer l'Occident au sujet des sources du pétrole et en profiter pour accentuer leur « intervention » ; 3) que le voyage de Giscard est une bonne chose parce qu'il va aider les pays du Moyen-Orient arabe à résister aux pressions américaines.

D'où sort ce journaliste koweitien et que représente-t-il ? Mystère. La thèse souhaitée par la propagande soviétique se trouve ainsi exposée sur les ondes françaises comme « le point de vue des Koweitiens » et présentée comme une évidence, sans aucun autre son de cloche, aucune réplique.

Les *clichés* prosoviétiques jouissent du droit d'asile, mieux, du droit de cité dans les médias des pays que le communisme veut abattre. Lorsque ces médias sont nationalisés, le contrôle du gouvernement ne porte pas sur cet infléchissement des informations internationales. La désinformation floue y règne sous les majorités de droite aussi confortablement que sous les majorités de gauche. La presse « bourgeoise » assure, dans une large mesure, à son propre insu, plus par paresse que par malice, le service après vente et la remise en état des produits les plus éculés de la désinformation soviétique, à titre gracieux et sans qu'il en coûte un centime à Moscou.

Pourtant le bénévolat ne suffit pas, certes, à toutes les tâches de l'apostolat communiste. Les « organes », comme on appelle parfois le KGB, disposent pour nourrir le zèle missionnaire de budgets très libéralement calculés. On a disséqué depuis longtemps les canalisations compliquées qui, après de nombreux détours, déversent à l'Ouest et dans le tiers monde la manne rédemptrice sur les partis communistes, les organisations de façade, les journaux compréhensifs, les amis discrets, et les agents dévoués. Lors même que je suis en train d'écrire ces lignes, la presse du matin, 8 octobre 1982, m'apprend que les services occidentaux viennent de découvrir au Luxembourg une « firme de paille » créée par l'Allemagne de l'Est et destinée à transmettre des fonds aux éditions du Parti communiste grec. Cette firme, baptisée « Société pour le développement de la presse et de l'imprimerie », a « encouragé » en Grèce les éditions du PC dit « extérieur », celui des deux PC grecs qui est prosoviétique, encouragement d'un montant de 2 millions

300 000 dollars. A la tête de la société luxembourgeoise se trouve, depuis la création, en 1977, un certain Karl Raab, se disant banquier et membre du comité central du parti communiste est-allemand dit « socialiste unitaire ». La « Société pour le developpement de la presse » de M. Raab a, disent les porte-parole des services occidentaux, financé pendant des années, outre ses amis grecs, de nombreux autres journaux, publications et médias dans toute l'Europe pour qu'ils propagent les thèses prosoviétiques. Le Parlement grec se saisit de l'affaire. Des investigations à l'échelle internationale s'engagèrent. Je n'ai point entendu dire qu'elles aient abouti. La filiale luxembourgeoise n'est qu'un minuscule maillon dans un immense réseau multinational. Ce réseau, nombre d'auteurs sérieux l'ont maintes fois décrit en détail. Le contraste d'ailleurs entre le train de vie fastueux des galaxies communistes occidentales et leurs minces ressources avouables en démontre l'existence. Mais par politesse, journaux et politiciens, dans les démocraties, font semblant de croire que l' « argent de Moscou » est un mythe, comme ils font semblant de croire que les dirigeants communistes vivent réellement de leur seul salaire officiel, lequel est, nul ne l'ignore, égal à un salaire d'ouvrier, n'est-il pas vrai ? Cette galéjade aussi fait partie de la désinformation, avec le concours des braves désinformés, s'entend : mais n'est-ce pas toujours le cas ? La désinformation peut-elle pousser aussi loin l'invraisemblable sans un appétit de sacrifice chez les victimes ?

Tous les services secrets de tous les pays possèdent leur « service action », dira-t-on, leur brigade des *dirty tricks,* et, bien entendu, pratiquent de leur mieux la désinformation. Concernant celle-ci, rappelons encore cette très simple réalité que les sociétés démocratiques, et même les sociétés à la fois non démocratiques et non communistes sont pénétrables à des degrés divers, qui vont de la facilité totale à une relative difficulté, tandis que les sociétés totalitaires ne sont pénétrables à aucun degré. Un Raab ouest-allemand ne peut pas ouvrir une « Société pour le développement de la presse » à Kiev et se mettre à pratiquer l'arrosage des rédactions. De quelles rédactions d'ailleurs ? Car la presse communiste et la presse libérale n'ont que le nom en commun. Ajoutons que les services spéciaux d'Occident sont périodiquement attaqués et démasqués chez eux, ce qui, du point de vue démocratique, est salutaire, mais n'en est pas moins un avantage pour leurs adversaires. Le SDEC français tomba quasiment en miettes après l'affaire Ben Barka de 1965 ; le rapport sur la CIA du « Senate Intelligence Committee » en 1975 anéantit pour plusieurs années l'efficacité de cette agence ; le gouvernement italien, à la demande de la gauche, démantela au début des années 70 le SID, soupçonné de sympathie pour des projets de coups d'Etat de droite, ce qui fit que, pendant six à sept années, les terroristes des Brigades rouges purent massacrer leurs concitoyens à discrétion dans un vide policier presque complet. Loin de moi l'idée de plaider que tous ces organismes n'avaient pas commis d'abus, de sottises, de crimes. Ils méritaient d'être mis au pas, je le concède. Reste qu'une telle mésaventure publique n'arrive jamais au KGB.

La guerre idéologique se livre ainsi dans un seul sens, guerre qu'il serait plus exact d'appeler guerre du mensonge, puisque toute idéologie est mensonge. Et sans doute le mensonge fondamental est-il l'assimilation du communisme au progrès, à la défense des pauvres, à la lutte pour la paix, et l'assimilation de tous les adversaires du communisme à des « réactionnaires », des « conservateurs », à la « droite ». C'est là le plus grand succès de la désinformation.

Les démocrates n'ont pour ainsi dire aucun moyen de s'y opposer. En effet, les communistes minent le monde au nom d'un modèle social dont les destinataires de leur propagande n'ont pas l'expérience et que les humains qui en ont l'expérience ne peuvent pas critiquer et peuvent encore moins modifier. Les insuffisances des systèmes non communistes entraînent des mutations dans le pouvoir, des changements de régime, des disparitions de classes sociales. Au contraire, l'effet déstabilisateur du mécontentement ne joue qu'imperceptiblement dans le monde totalitaire, à cause de la perfection du système policier. Il en résulte que le monde non communiste est exposé en permanence aux projecteurs de la critique, à la fois celle des communistes et sa propre autocritique, et que ses défauts, réels, supposés ou exagérés, sont décrits comme des absolus, comme les seuls existant sur terre, puisque les défauts de l'univers communiste ne sont l'objet d'aucune comparaison quotidienne, ne sont connus que de façon abstraite, quand on ne vit pas dans cet univers. Et quand un peuple y vit, en acquiert une connaissance concrète, il est trop tard pour qu'il revienne en arrière.

Dans la guerre idéologique, la propagande communiste a pour but de détruire la démocratie partout où elle existe et de la rendre impossible partout où elle pourrait exister. Le communisme en a les moyens. La propagande des pays démocratiques n'a en revanche pas les moyens de détruire le communisme. Au mieux, la démocratie ne peut que tenter de sc protéger elle-même, et elle ne parvient que médiocrement ou pas du tout à le faire.

17

DÉTOURNEMENTS ET RÉCUPÉRATIONS

S'emparer d'un moyen de transport que l'on n'a pas eu à construire soi-même, d'un équipage qualifié que l'on n'a pas eu à former, de passagers qui désirent effectivement se rendre quelque part, d'un carburant que l'on n'a pas eu à payer, pour atteindre une destination tout autre que la destination première du voyage, voilà une trouvaille que le communisme a su transposer dans le domaine politique. La ruse y prévaut sur la force ou, plus justement dit, elle la précède. Après la séduction et la persuasion, viennent l'intimidation, les menaces, enfin la terreur et, au bout d'un chemin que l'on rebrousse rarement, le monopole du pouvoir. La piraterie politique, comme la piraterie aérienne, repose sur le détournement et le parasitisme. Elle envahit de l'intérieur, quoique de façon moins brutale et moins visible au début, des réalités qu'elle n'a pas créées. Elle utilise à son profit des aspirations humaines, des institutions, des collectivités qui existaient avant elle et ne lui doivent rien, elle se les annexe, elle en usurpe les mots d'ordre pour les asservir à ses fins, elle en capte l'énergie et les bonnes volontés, elle les achemine subrepticement vers l'enclos où se regroupent les organisations de façade.

Parasitisme de pure absorption dans le cas du pillage technologique, de l'espionnage industriel, du détroussement économique et financier de l'Occident. Parasitisme actif et offensif, dans le cas de l'infiltration et de la manipulation des mouvements terroristes, qui déstabilisent et débilitent les futures proies du communisme international. Parasitisme idéologique et politique dans le cas du détournement du mouvement des pays non alignés, de l'Internationale socialiste, des écologistes, des pacifistes, des Nations unies (dont les puissances capitalistes assument la quasi-totalité de la dépense) et plus particulièrement de l'Unesco. Détournement aussi des révolutions et des nationalismes du tiers monde, de l'Union interparlementaire, où les prétendus « députés » de l'Est siègent sur un pied d'égalité avec les vrais élus du suffrage universel, détournement du Conseil œcuménique des Eglises, où l'admission du clergé des Eglises orthodoxes a permis le déferlement d'un bataillon épais de popes du KGB, lequel peut ainsi emprunter la voix de Dieu pour prêcher le désarmement unilatéral de l'Occident.

Il va sans dire que les partis communistes des pays non communistes se livrent eux-mêmes, dans toute la mesure du possible, à l'infiltration et au détournement, en utilisant d'abord les bases légales que leur permet d'acquérir l'usage normal de la démocratie bourgeoise, puis, surtout, en débordant ces bases par des méthodes moins démocratiques, pour conquérir des centres de pouvoir politique, administratif, financier, souvent occultes et allant très au-delà de ce que rendrait légitime le suffrage universel. Le Parti communiste portugais s'efforce en 1974 et en 1975 de confisquer à son profit la Révolution des Œillets dans le dessein de transformer le Portugal en démocratie populaire, alors qu'il n'a jamais attiré plus de 10 à 15 % des électeurs. Le Parti communiste français entre au gouvernement après sa plus lourde défaite électorale de l'après-guerre, en 1981, et il se sert aussitôt de cette position (que, bien entendu, le président de la République était constitutionnellement libre de lui accorder, même si elle ne correspondait guère à l'esprit du scrutin) pour entamer l'invasion, tantôt insidieuse, tantôt impérieuse, des postes de commande dans les administrations et les services publics, en consacrant un soin spécial au contrôle de la radio et de la télévision d'Etat, et, quand le contrôle direct se dérobait, à l'intimidation des journalistes. Chaque passage au pouvoir du PCF laisse ainsi des traces irréversibles dans l'appareil d'Etat, comme dans le pouvoir régional et municipal. Avec leur angélisme coutumier, les socialistes, lorsqu'ils collaborent avec les communistes, se targuent de les avoir « faits prisonniers », arguant qu'il « vaut mieux les avoir dedans que dehors », pour les neutraliser, puisque les socialistes ont l'avantage du nombre : c'est oublier que, dans un troupeau bien constitué, les moutons sont en effet toujours beaucoup plus nombreux que les bergers et les chiens. Les exemples historiques enseignent que, dans tous les pays où le Parti communiste a réussi à s'arroger le monopole du pouvoir, il était minoritaire au point de départ. La seule organisation d'un syndicat ouvrier comme la CGT française, calquée sur le modèle léniniste, afin d'en éliminer la démocratie interne, fournit d'abord une belle illustration de la technique du détournement, ensuite un instrument de pression sur le pouvoir politique. Les socialistes français en ont fait l'expérience au printemps de 1982, lors des grandes grèves dans l'industrie automobile, qui ont tant contribué à précipiter la déroute économique et monétaire socialiste. Un double jeu enfantin a permis aux communistes de conjuguer une solidarité gouvernementale dans les mots avec la déstabilisation du gouvernement par les actes.

Néanmoins, tous les partis communistes occidentaux n'ont pas la chance, comme le PCF en 1981, de recevoir une gracieuse invitation à participer au gouvernement après avoir perdu des élections. Loin du pouvoir, un parti communiste, par définition trop voyant, souvent discrédité, ne peut servir à Moscou que d'artillerie lourde, arme inadaptée aux opérations fines. Enfin, Moscou rencontre souvent des difficultés au sein de l'Internationale communiste, et les cousins naïfs de la social-démocratie se révèlent parfois plus faciles à manœuvrer que les partis frères.

C'est pourquoi l'authentique détournement, le plus rentable, s'exerce au détriment d'organisations qui, au point de départ, non seulement ne sont pas communistes, mais souvent étaient même anticommunistes ou se voulaient expressément a-communistes.

Anticommuniste, en principe, de par son acte de naissance même, est l'Internationale socialiste, la social-démocratie, bête noire de Lénine et de Staline, au point que ce dernier lui préféra Hitler, donnant l'ordre, on le sait, au Parti communiste allemand de faire campagne en sous-main avec les nazis contre les socialistes, en 1932. De même, en Espagne, durant les débuts de la IIe République de 1931 à 1933, les communistes analysent le parti socialiste comme « social-fasciste », et le traitent en conséquence. L'expression « social-fasciste » était également celle qu'utilisaient les communistes français d'alors pour désigner le parti socialiste de Léon Blum. Les mots d'ordre communistes étant internationaux, les termes le sont aussi. Mais les historiens du communisme, ne l'étudiant d'ordinaire que dans un seul pays, ne s'aperçoivent pas toujours de la simultanéité des changements de politique et de vocabulaire dans tous les pays à la fois. C'est ce qui se produisit quand les PC passèrent aux expériences de Front populaire ou d'Union de la gauche que pouvaient conseiller les oscillations tactiques ou stratégiques. Ces alliances, du reste, les communistes les rompent, quand ils estiment que cela sert leur intérêt, avec une brusquerie qui laisse régulièrement les socialistes incrédules, abasourdis et pantois. Toutefois, depuis 1970, au cours de la profitable période dite de la détente, Moscou a superposé à la méthode de la douche écossaise (dont continuait à se charger le PC local) un art d'apprivoiser l'Internationale socialiste que l'on peut applaudir comme une innovation ingénieuse. En 1971, noyé dans l'homélie rituelle de plusieurs heures qu'adresse Brejnev au XXIVe Congrès de son parti, se trouve un appel aux sociaux-démocrates, avec lesquels, annonce le secrétaire général, le Parti communiste de l'Union soviétique est prêt à « développer sa coopération » dans la « lutte pour la paix, la démocratie et le socialisme ». Quoi de plus louable ? Aussitôt, les délégations de partis socialistes occidentaux s'ébranlent les uns après les autres en direction de Moscou, avec cette promptitude à obtempérer qui rend si aisée la tâche de Moscou dans ses rapports avec les démocraties. En effet, chaque fois que Moscou fait une ouverture, même sans l'accompagner de la moindre garantie, de la moindre preuve de bonne foi ou de l'ombre d'une concession réelle, et même si c'est un piège visible, les dirigeants occidentaux doivent en général s'empresser d'y répondre, sous peine d'être accusés par leurs propres opinions publiques de repousser une chance d'entente et de paix. En 1972, une délégation du parti socialiste belge ouvre la marche, signant un accord avec le PC soviétique en vue du désarmement, c'est-à-dire, en pratique, en vue de l'affaiblissement de l'Otan, dont la Belgique est membre : car, selon l'usage, ce n'est jamais à l'URSS que les négociateurs occidentaux, vaillants défenseurs de la sécurité de leurs peuples, demandent de prendre les devants dans le désarmement.

Les Belges sont suivis à Moscou de représentants des partis socialistes norvégien, danois, hollandais, espagnol, qui, de 1973 à 1977 signent avec le PCUS des accords similaires, qu'entérinent et approfondissent des commissions du Parti travailliste britannique et du SPD d'Allemagne de l'Ouest. En 1975, François Mitterrand « conduit » une délégation du PS français que reçoivent les plus hauts responsables soviétiques, Souslov, Ponomarev, Brejnev en personne, qui fait à Mitterrand un prodigieux numéro sur son amour, son obsession de la paix. Un communiqué commun du PCUS et du PS français voit le jour à la suite de cette rencontre. On y lit entre autres : « La délégation du PS français a exprimé son appréciation de la contribution constructive de l'Union soviétique (pauvre langue française !) au processus de la détente internationale. Par ailleurs, les deux délégations ont constaté que les impérialistes et les réactionnaires poursuivent encore leurs tentatives de ressusciter l'esprit de la guerre froide. » On admirera que les Soviétiques parviennent ainsi à faire épouser leur propre point de vue, adopter leur propre vocabulaire par le chef d'un grand parti politique occidental, qui accepte de condamner sans nuance son propre camp. Les « impérialistes » et « réactionnaires » qui « ressuscitent la guerre froide » ne peuvent être en effet que les Américains et, plus généralement, les Occidentaux, du moins ceux d'entre eux qui n'acceptent pas toutes les exigences soviétiques.

En 1976, Willy Brandt est élu président de l'Internationale socialiste. A partir de cette date décisive, Moscou va traiter, non plus avec les divers partis socialistes nationaux séparément, mais directement avec l'Internationale elle-même. Une conséquence fort expressive de la nouvelle ligne adoptée par Brandt fut la décision d'exclure de l'Internationale les partis socialistes d'Europe centrale et orientale en exil, jusqu'alors admis aux congrès à titre d'observateurs, avec le droit de prendre la parole. Après cette épuration courageuse, l'Internationale socialiste rénovée entreprit la création de toute une série de groupes de travail chargés d'étudier les perspectives de désarmement. Dès 1979, une délégation officielle de l'Internationale socialiste, appelée « Groupe de travail sur les questions de désarmement », comprenant Lionel Jospin pour le PS français, se rend au Kremlin, première délégation de l'IS depuis 1917 à y pénétrer. On trouve également en 1979 un groupe Sorsa, du nom du président du Parti social-démocrate finlandais, tout désigné pour cette tâche, dont il s'acquitte avec un zèle que secondent sans ménager leur peine les spécialistes soviétiques des relations avec l'Ouest, les Zagladine, Ponomarev et autres Arbatov. L'invasion de l'Afghanistan, fin décembre 1979, n'entame que de façon éphémère la foi de l'Internationale socialiste dans la volonté de paix des Soviétiques. Une deuxième commission se crée peu après, la commission Palme, qui dénonce l'impérialisme américain, condamne la bombe à neutrons, fait campagne contre le déploiement des euromissiles en Europe occidentale. Quelques mois seulement après l'agression soviétique en Afghanistan, Palme, qui, dix ans plus tôt, manifestait dans les rues de Stockholm contre la présence américaine au Vietnam, se rend en visite à Moscou pour examiner avec Arbatov les moyens de contrecarrer les menées belliqueuses des Etats-Unis et des autres membres de l'Alliance atlantique. En 1981 se constitue à Copenhague un groupe dit « Scandilux », composé des partis sociaux-démocrates de cinq pays, tous membres de l'Otan, (Norvège, Danemark, Pays-Bas, Belgique, Luxembourg) pour s'opposer à la modernisation des forces de cette organisation, et à la construction de la bombe à neutrons française[1]. Den Uyl, le chef des socialistes néerlandais, va jusqu'à exiger le désarmement unilatéral. En juillet de la même année, Willy Brandt s'était rendu à Moscou, ce qui lui avait valu les compliments de l'agence Novosti, qui le félicita plus particulièrement de son appui donné à la « proposition pacifique » de créer une zone dénucléarisée en Europe du Nord, vieux cheval de bataille soviétique. Novosti aurait pu ajouter que Brandt exerçait également alors des pressions sur le parti socialiste espagnol, que le SPD allemand aidait beaucoup politiquement et financièrement, pour que ce parti espagnol fasse campagne contre l'entrée de l'Espagne dans l'Otan, malgré la conviction intime de son secrétaire général Felipe Gonzalez. Quoi que l'on pense des thèses soutenues par ces divers groupes de travail, et même si on les approuve, un point, en tout cas, ne peut être contesté : c'est qu'au fil des années, très rapidement, les points de vue exprimés par l'Internationale socialiste sur les Etats-Unis, sur la réduction des

1. Ce que signale avec satisfaction *l'Humanité* du 9 novembre 1982.

armements, sur les responsabilités dans la tension internationale, sur l'Otan, la défense de l'Europe et les relations Est-Ouest sont devenus presque indiscernables des points de vue exprimés par l'Union soviétique.

Il en va de même pour la politique suivie par l'Internationale socialiste dans le tiers monde. Au Congrès de Genève en 1976 et au Congrès de Vancouver en 1978, l'Internationale décida de soutenir plus activement les mouvements de libération nationale et de révolte contre les dictatures dans le tiers monde. Tout démocrate ne peut qu'approuver ces résolutions. Toutefois on aurait pu penser que l'Internationale socialiste se proposerait de suivre une ligne originale et de défendre dans le tiers monde, partout où cela serait possible, les chances de solutions politiques également distinctes des dictatures militaro-fascistes et des totalitarismes stalino-castro-soviéto-communistes. Il n'en fut rien. L'Internationale socialiste n'eut rien de plus pressé que de taper sur les embryons de régimes démocratiques ou sur les courants tendant à établir de tels régimes. En revanche, elle se mit à souscrire sans réserve à la définition communiste de ce qui est « progressiste » dans le tiers monde. Par exemple, au Nicaragua, dans l'île de Grenade, au Salvador, les chefs de l'Internationale socialiste fermeront avec soin des yeux indulgents sur l'installation ou les tentatives d'installation de régimes totalitaires, pour dénigrer de leur mieux les partisans de la démocratie pluraliste. Le journal officiel de Fidel Castro, *Gramma,* approuve avec chaleur, dans son numéro en langue française du 21 novembre 1982, la résolution sur la situation en Amérique latine adoptée par le Bureau de l'Internationale socialiste, à Bâle, le 8 novembre. Cette résolution ne contenait en effet pas un mot auquel Andropov et Castro ne pussent souscrire. Je reviendrai sur les cas du Nicaragua et du Salvador : je me borne à faire observer ici qu'une fois de plus, à propos de ces deux pays, les thèses de l'Internationale socialiste, nouvelle manière, ont été identiques aux thèses de La Havane et de Moscou.

Par exemple, peu avant les élections au Salvador du 29 mars 1982, Carlos Rangel remarquait fort à propos[1] : « J'estime incompréhensible l'attitude de ceux qui, sans être communistes, se trouvent en accord parfait avec les communistes non seulement dans leurs arguments contre le fait même d'organiser des élections au Salvador, mais aussi dans l'évolution même de ces arguments. Lesquels, en effet, n'ont cessé de changer. Tout d'abord on nous a affirmé que les élections seraient un obstacle au retour à la paix

1. Dans une émission sur une chaîne de la télévision vénézuélienne au sujet de ces élections. De cet auteur et sur ce thème, voir *Du bon sauvage au bon révolutionnaire,* 1976, et surtout *l'Occident et le tiers monde,* 1982, chez Robert Laffont.

civile ; ensuite qu'elles n'auraient aucune signification ; enfin qu'elles constituent un risque parce qu'elles pouvaient être gagnées par l'extrême droite. Chacun de ces arguments contredisait les deux autres. Comment est-il possible que l'Internationale socialiste y ait fait écho docilement et les ait repris à son compte au fur et à mesure que la propagande communiste les formulait ? » A ces arguments, on peut ajouter celui de la fraude, qui ne résiste pas à l'examen, d'abord parce qu'aucun pays n'a jamais eu pour des élections autant d'observateurs étrangers au kilomètre carré que le minuscule Salvador, ensuite parce que le parti au pouvoir, le Parti chrétien social de Napoléon Duarte, tout en arrivant en tête avec 40 % des voix, n'atteignit cependant pas la majorité absolue qui lui était nécessaire pour gouverner, ce qui est rarement le cas lorsque des élections sont truquées. Chacun sait que la guérilla et les communistes, qui avaient recommandé l'abstention, subirent ce jour-là un grave échec, puisque les citoyens du Salvador allèrent voter en masse, souvent au péril de leur vie. Cela n'empêcha pas les principaux caciques de l'Internationale, dès la semaine suivante, d'affirmer contre toute évidence que ces élections n'avaient aucune valeur parce qu'elles avaient été truquées. Quant au fait que l'extrême droite du commandant d'Aubuisson a obtenu 25 % des voix, pourcentage énorme et que je déplore, on a envie de répondre : à qui la faute ? N'est-ce pas la preuve que la guérilla n'est pas aussi populaire que veut bien le dire la gauche internationale ? Quoi qu'il en soit la seule parade que l'Internationale n'avait pas le droit d'utiliser était d'invoquer la prétendue fraude. Mon objet n'est pas ici de porter un jugement moral sur ce mensonge flagrant. Il est seulement d'inviter le lecteur à constater qu'en cette occurrence comme en bien d'autres la puissante Internationale socialiste soutient un point de vue ressemblant comme un frère jumeau à celui de Moscou. Par ailleurs, on cherchera en vain dans la bouche de ses porte-parole des propos explicites dénonçant l'impérialisme soviétique en Afrique et les régimes de misère et de terreur qu'il y a implantés. Au cours d'une décennie où l'expansionnisme soviétique a eu la virulence que l'on sait, le terme « impérialisme », en sens inverse, est redevenu pour l'Internationale socialiste synonyme exclusivement d' « impérialisme américain ». On peut donc considérer qu'en l'espace d'une dizaine d'années le mouvement communiste international a réussi dans une large mesure à faire s'aligner sur ses positions l'Internationale socialiste, aussi bien en ce qui concerne les problèmes du désarmement et de l'équilibre des forces en Europe qu'en ce qui concerne les problèmes des systèmes politiques à soutenir ou à ne pas soutenir dans le tiers monde.

Ce passage des sociaux-démocrates au service de la propagande du tiers mondisme communiste surprend d'autant plus que l'impuissance des régimes communistes et de leurs cousins progressistes à tirer les pays du tiers monde hors du sous-développement constitue l'une des leçons les plus accablantes de l'ère post-coloniale. Les « démocraties populaires » du tiers monde aggravent et, en quelque sorte, systématisent la misère, le désordre, l'incompétence, la corruption et les privilèges d'une minorité. Les pays demeurés dans la sphère capitaliste obtiennent des résultats dissemblables : parfois exécrables ou mauvais, parfois moyens, parfois passables et même bons. Dans la sphère communiste et « progressiste », les résultats sont uniformément désastreux, et, au cataclysme économique chronique, s'ajoute l'inévitable complément de la répression totalitaire, souvent pimentée d'un culte de la personnalité obligatoire, rendu par tout un peuple esclave, à la mégalomanie d'un despote inamovible. Les pays « progressistes » qui, sans subir la tutelle de Moscou, appliquent des méthodes collectivistes et bureaucratiques se sont enlisés eux aussi dans une disette qui contraste souvent avec la relative prospérité de pays voisins, restés dans l'économie de marché, fût-ce à un niveau modeste. L'état du tiers monde géré par le capitalisme mérite de sévères critiques, mais pas seulement des critiques. Celui du tiers monde socialiste ne mérite guère autre chose. L'orientation de l'Internationale socialiste depuis 1976 peut donc difficilement s'expliquer par le souci de faire monter le niveau de vie des pauvres, encore moins, j'imagine, par celui de faire progresser la démocratie politique. Cette nouvelle orientation de l'Internationale socialiste se comprend d'autant moins qu'entre toutes les puissances industrialisées, l'Union soviétique se distingue par la modicité de son aide économique aux pays qui ont besoin de se développer. L'aide économique occidentale durant la *seule* année 1980 a dépassé l'aide économique accordée par les Soviétiques pendant un *quart de siècle,* de 1955 à 1979. Encore cette aide soviétique, si parcimonieuse, ne va-t-elle qu'aux pays dont Moscou entend faire une utilisation politique. Dans le domaine militaire, en revanche, les exportations soviétiques *payantes* impressionnent : entre 1972 et 1981, l'URSS a vendu au tiers monde deux fois plus d'armes classiques que les Etats-Unis[1]. Certes, les économies cataleptiques de Cuba, du Vietnam, de l'Ethiopie, coûtent cher à Moscou, mais ces dépenses concourent au salut de l'empire. Vu, donc, le triste bilan communiste dans le tiers monde, on doit rendre hommage à l'habileté politique avec laquelle l'URSS a pu néanmoins faire illusion au point d'usurper le rôle de championne de la cause des peuples pauvres. Après la déviation prosoviétique de l'Internationale socialiste, l'infléchissement du Mouvement des

1. *Le Monde,* 20 août 1982. Et *Situation stratégique mondiale,* 1981, publié par l'Institut des Etudes stratégiques de Londres.

non-alignés constitue un brillant succès diplomatique, au palmarès du détournement et de la mainmise subreptice.

Entre la première conférence des pays non alignés, en 1961, à Belgrade, où prévalut la position d'authentique non-alignement du Premier ministre indien, Jawaharlal Nehru, et la sixième conférence de ce même mouvement, à La Havane, en 1979, l'épithète de « non-alignés » a eu le temps de se transformer en mensonge. Le seul choix de La Havane comme lieu de la conférence, l'élection à la présidence du mouvement de Fidel Castro, le principal agent d'exécution de la stratégie soviétique, suffit à montrer combien l'idéal du non-alignement s'était dévoyé. Cette sixième conférence vit la dernière bataille de Tito, quelques mois avant sa mort, pour tenter d'arrêter la soviétisation d'un rassemblement dont il avait, au côté de Nehru, été le père fondateur. Bataille perdue : le naufrage des derniers indépendants consomma l'alignement des non-alignés sur l'Union soviétique. Entamé à la conférence de Lusaka en 1970, avec le refus de condamner l'invasion par l'URSS de la Tchécoslovaquie, cet alignement se poursuivit en 1973 à la conférence d'Alger, où Castro avait pu, sans être exclu, réverbérer servilement les consignes soviétiques, en condamnant non seulement les Etats-Unis, mais la Chine, selon la « ligne » moscovite du moment. D'une part les non-alignés ont compté dans leur sein, avec l'écoulement du temps, de plus en plus de pays ouvertement communistes, satellites avoués et avérés de l'Union soviétique, mais ils ont de plus en plus refusé l'entrée ou provoqué la sortie des pays répugnant à jouer les « compagnons de route » du communisme. Fondé pour accueillir les nations, en particulier les jeunes nations du tiers monde, qui souhaitaient demeurer hors de l'antagonisme Est-Ouest, le non-alignement s'est métamorphosé en supplétif de l'Est. L'hostilité aux Etats-Unis et plus largement au monde occidental devient son principal moteur politique, le tiers mondisme socialiste sa principale idéologie. Dégénérescence d'autant plus absurde qu'elle s'accompagne, chez les non-alignés comme dans l'Internationale socialiste, d'une doctrine des « relations Nord-Sud », dirigée contre la dichotomie Est-Ouest, doctrine que ses thuriféraires mêmes réduisent à néant par leurs actes et par le choix que, dans la pratique, ils font, en secondant les intérêts politiques et stratégiques de l'Est. Les efforts de l'Inde, lors de la septième conférence, à Delhi en mars 1983, pour atténuer l'excès de prosoviétisme du mouvement, ne visaient qu'à lui restituer ces apparences de la neutralité sans lesquelles un organisme « compagnon de route » perd son efficacité propre.

Sur le détournement des non-alignés s'est greffée une autre offensive, avec la complicité d'une Unesco également perforée par le noyautage, une tentative pour refouler de partout l'information libre et subtiliser les moyens d'information au bénéfice des gouvernements totalitaires ou, au moins, dictatoriaux. A l'origine de ce dévoiement on trouve, comme à l'ordinaire, un désir légitime, éprouvé par les jeunes Etats du tiers monde, d'avoir des organes d'information nationaux. Le nationalisme constitue l'une des forces authentiques dont l'impérialisme soviétique sait capter l'énergie pour étendre sa mainmise, au détriment, on s'en doute, à long terme, de l'indépendance des nations enrôlées dans sa campagne.

La première attaque ouverte a lieu lors de la conférence des pays non alignés tenue à Colombo en 1976. Elle est dirigée contre les agences de presse et les journaux étrangers. Les journaux, radios et télévisions nationales, en effet, sont subordonnés à l'Etat dans presque tous les pays dits non alignés, à quelques maigres exceptions près. Les gouvernements de ces pays n'ont guère de difficultés sur place, dans ce domaine, pour la plupart. Mais ils sont irrités que leurs activités, et les réalités quotidiennes de leurs régions, soient relatées dans le monde entier par une poignée de journaux et de magazines d'audience internationale, et, surtout, par quelques grandes agences : France-Presse, United Press, Associated Press, Reuter. Ils voudraient, somme toute, que seules des sources purement nationales reçoivent l'autorisation et, chose plus importante, soient pratiquement en mesure de façonner l'image de leurs pays qui est destinée à la divulgation.

Depuis juillet 1975, déjà, l'Inde a indiqué la voie en expulsant les journalistes étrangers qui refusaient de s'engager à soumettre reportages ou dépêches au visa préalable des autorités. Encore, à la fin de juillet 1976, un correspondant du *Guardian,* récemment arrivé, a été contraint de repartir après avoir été persécuté pendant deux mois, sans avoir réussi à expédier à son journal un seul papier ! Traitement mérité, a commenté Mme Gandhi, « car la presse anglaise demeure colonialiste ». Le prétexte tombait particulièrement mal dans le cas du *Guardian,* grand avocat de la décolonisation, jadis, et du tiers monde aujourd'hui.

Mais le principe posé à Colombo n'en ressort que plus clairement : chaque nation du tiers monde est propriétaire de son image ; en d'autres termes elle a le droit exclusif de présenter elle-même, au-dehors et au-dedans, un portrait semblable au modèle tracé par les dirigeants. Toute information, tout reportage, toute anecdote, toute statistique d'origine étrangère qui contrarie ce modèle est une forme d'impérialisme et de néo-colonialisme.

L'organisme chargé d'appliquer ce principe, et dont l'Inde inspiratrice assume tout naturellement la paternité, sera un groupement des agences du tiers monde chargé de redistribuer les informations émanant de ces pays mêmes et estampillées par eux. Les règles de fonctionnement en ont été arrêtées au cours d'une conférence préparatoire à New Delhi, et ratifiées à Colombo : les agences gouvernementales auront sur place le monopole de l'information, y compris des nouvelles de l'étranger. Les dépêches des correspondants de la presse internationale concernant le pays seront destinées à la seule consommation externe. De nouvelles lois permettront d'en arrêter les auteurs si elles sont jugées mensongères ou hostiles. Les moyens d'information seront nationalisés. Ces directives ont reçu d'avance la caution morale de l'Unesco, dont le groupe latino-américain, réuni à San José, Costa Rica, du 12 au 21 juillet 1976, avait approuvé des résolutions analogues, bien que toutes, comme on le voit au premier coup d'œil, violent manifestement la Charte des Nations unies. A mes objections contre ce tiers monde censuré, un brillant intellectuel marocain répliquait ainsi, quelques semaines avant Colombo : « Jamais les grands journaux ne reproduisent une dépêche d'une agence tanzanienne ou ghanéenne, jamais ! Ce sont toujours les multinationales de l'information, AFP, UP, etc., qui sont citées. Pourquoi ? Et pourquoi ne réagirions-nous pas ? » Hélas ! il ne suffit pas, pour étayer ce raisonnement, de lancer le mot magique de « multinationales », suprême flétrissure. D'abord multinationales, techniquement, économiquement, financièrement, les agences de presse ne le sont pas, au sens où Nestlé ou Philips le sont. Elles n'investissent pas de capitaux, ne transfèrent pas de technologie, ne recrutent pas de main-d'œuvre, sauf quelques employés, dans les pays où elles ont leurs bureaux. Il existe des métiers qui impliquent par définition un réseau international, et les agences de nouvelles sont du nombre. Une agence qui n'en posséderait pas serait comme une compagnie aérienne qui ne desservirait que son aéroport de départ. A ce compte, la plus monstrueuse des sociétés multinationales est l'Union postale universelle. Faut-il la briser ? Ensuite, et par suite, un journal s'abonne au service d'une agence — ce qui, rappelons-le, n'est pas gratuit — d'autant plus utilement qu'elle le renseigne plus complètement, c'est-à-dire qu'elle est plus internationale, plus ramifiée dans le monde. Il peut s'abonner à une, deux, quatre agences, dont souvent, déjà, les dépêches font double emploi : davantage, ce serait aussi ruineux que superflu. Il n'y a pas que les agences africaines ou latino-américaines qui aient du mal à damer le pion aux quatre grandes : des agences européennes aussi, comme Ansa (italienne) ou Efe (espagnole), sortent rarement victorieuses de la concurrence. Et, quoique le Japon appartienne au groupe des serviteurs de l' « impérialisme », l'agence nippone Kyodo n'est pas pour autant fréquemment citée par la presse européenne et américaine. Et puis, enfin, cessons de finasser. Il est inutile de faire semblant de ne pas le comprendre : le véritable but de cette lutte prétendue contre le « colonialisme » de l'information, c'est l'organisation de monopoles au bénéfice d'agences gouvernementales de type Tass ou « Chine nouvelle », lesquelles, soit dit en passant, ne furent citées ni à Colombo ni par l'Unesco au nombre des coupables, sans doute en raison de leur objectivité bien connue, et parce qu'elles vont probablement servir de modèle.

Les censures fascistes ont au moins la franchise de ne pas se déguiser en progressismes. L'hypocrisie suprême des non-alignés consiste à présenter une domestication de l'information comme une démocratisation. C'est très commode : on met les progressistes du monde entier de son côté en déclarant qu'on nationalise la presse pour la soustraire au contrôle de l'argent, après quoi on la fait passer sous celui de la police d'Etat. Et si, d'aventure, toute cette « décolonisation » de l'information avait pour moteur la susceptibilité des « élites au pouvoir » dans les pays en voie de développement, leur goût de l'inamovibilité, et non point les intérêts des peuples ? Combien de ces dirigeants du monde non aligné représentent authentiquement les peuples qu'ils gouvernent ? Quel contraste ! les Etats des pays non alignés parlent de plus en plus haut et fort — à juste titre. Mais les peuples de ces mêmes pays sont de plus en plus silencieux. Leur vie réelle est de plus en plus soustraite aux regards des étrangers, informateurs professionnels ou voyageurs occasionnels. Leur voix peut de moins en moins se faire entendre à l'intérieur ou hors des frontières de leurs pays respectifs. L'image du monde qui leur parvient, comme l'image d'eux qui parvient au monde, est de plus en plus filtrée par les organes officiels de censure. Pour la plupart des hommes de la planète, l'irremplaçable et inappréciable BBC World News, le centre londonien d'émissions radiophoniques, diffusant vingt-quatre heures sur vingt-quatre, non seulement en anglais, mais dans de très nombreuses autres langues, reste souvent la seule source d'information digne de foi sur ce qui se passe dans leur propre pays. On ne peut pas interdire l'entrée des ondes, et il faut disposer d'une technologie coûteuse, comme l'URSS, pour les brouiller.

Ce que les pays en voie de développement appellent se soustraire à l'impérialisme et au colonialisme des pays occidentaux, si cela consistait à instaurer l'information d'Etat, alors cela équivaudrait à emprunter aux civilisations de leurs anciens colonisateurs ce qu'elles ont eu de pire et à repousser ce qu'elles ont eu de meilleur. C'est un peu comme si l'Europe de la Renaissance, dans le dessein de se « libérer » de l'influence culturelle écrasante de l'Antiquité, avait décidé d'en rejeter la démocratie grecque et le droit romain pour en retenir l'esclavage et l'infanticide. Si l'on tient compte du fait, d'autre part, que les dispositions des accords d'Helsinki sur la libre circulation des idées et des personnes n'ont pas été appliquées par l'URSS, on s'aperçoit que le droit à l'information prévu par la Charte des Nations unies et la Déclaration universelle des droits de l'homme est de moins en moins respecté par les Etats. L'évolution se produit dans le sens d'une restriction croissante. Les exemples d'évolution dans un sens libéral sont peu nombreux et les gains ne compensent pas les pertes. Comme l'immense majorité des régimes en vigueur est totalitaire ou autoritaire, le résultat pour ainsi dire mécanique est que seuls les défauts et les échecs des sociétés libérales et du système capitaliste sont quotidiennement dénoncés par les moyens d'information de ces sociétés mêmes et, bien entendu, par ceux de leurs adversaires.

Le tiers monde est légitimement fondé à bâtir son propre réseau d'information autonome. Plus que tout autre, peut-être, étant donné l'immensité de ses problèmes, il a besoin de vraie information sur lui-même, non de propagande. Or, l'Union soviétique joue de la susceptibilité du tiers monde, elle s'y engouffre pour entreprendre, avec la connivence active de l'Unesco, de jeter les jalons d'un système mondial de contrôle tendancieux de l'information. La xénophobie, cette dégénérescence du nationalisme, pousse les « Nomenklatura » du tiers monde à se tourner vers le « modèle soviétique » d'information, le plus apte à les mettre à l'abri de l'information indépendante, cauchemar de tous les pouvoirs, même démocratiques, à plus forte raison dictatoriaux.

Cette convergence d'intérêts donne élan à un nouvel assaut, à Paris, en 1981, à l'Unesco, dont le rôle scandaleux de cheval de Troie anticulturel se précise. En effet, le paradoxe consiste, à Paris, en ce que les Nations unies et leur branche « culturelle », l'Unesco — ne s'opposent pas, c'est le moins qu'on puisse dire, à cette politique obscurantiste. Le piquant de cette stratégie est que les pays démocratiques eux-mêmes, aux Nations unies, financent leur propre élimination. Avec l'argent « capitaliste » on commandite la propagande prosoviétique dans le monde. En 1979, les Etats-Unis ont payé un quart des dépenses des Nations unies, qui comptent cent cinquante-quatre pays membres. En 1975, ils en avaient payé un tiers. Cette contribution peut se justifier par la richesse des Américains, mais on ne peut leur demander d'assister longtemps sans réagir au « détournement » par l'URSS et par ses satellites des institutions spécialisées des Nations unies. Parmi ces institutions, on peut citer l'Organisation internationale du travail, qui était devenue à ce point contrôlée par l'Est que des syndicats occidentaux non communistes s'en étaient provisoirement retirés.

Mais c'est peut-être à l'Unesco que la mainmise est le moins déguisée. Les fonctionnaires internationaux originaires des pays de l'Est sont contraints, en contradiction formelle avec leur statut, de continuer à y obéir à leurs gouvernements d'origine. Ceux qui refusent sont arrêtés et emprisonnés quand ils retournent dans leur pays. L'Unesco est bien placée pour le savoir, puisque c'est arrivé à ses propres fonctionnaires, et plus d'une fois. Aussi, est-on perplexe quand on voit que le rapport préparatoire de l'Unesco sur la « liberté » d'informer fut confié à un universitaire français, membre du Parti communiste français. C'est tout à fait son droit de l'être, et c'est un choix que chaque citoyen doit respecter, comme tous les choix en démocratie. Mais on peut se demander si l'Unesco a judicieusement agi, s'est entourée de toutes les garanties d'impartialité, en confiant la rédaction de ce rapport au représentant d'une idéologie qui n'a jamais été compatible nulle part ni avec la liberté ni avec le pluralisme de l'information.

Je fus de ceux, peu nombreux, à vrai dire, du moins en France, qui alors protestèrent contre cet obscurantisme paré des plumes du progressisme[1]. Indice précieux : *l'Humanité,* organe central du Parti communiste français, publia aussitôt contre moi un long article d'une virulence exceptionnelle, même pour ce journal couramment injurieux[2]. La vivacité comme la rapidité de la réaction, de la part de la presse communiste, constitue toujours le signe, dans une affaire, que l'on a mis le doigt sur un point sensible, sur un élément important de la stratégie du mouvement et qu'il a été spécialement désagréable soit au Parti, soit aux Soviétiques, soit aux deux, de voir un peu de lumière projetée sur une manœuvre de choix. C'est que la confiscation de l'information dans le tiers monde représente pour l'impérialisme soviétique une opération de longue haleine, décisive, et où la manipulation de l'Unesco et des non-alignés ne doit pas s'offrir à la vue de tous prématurément, ni trop crûment.

Si les détournements dont je viens de parler s'imposent presque officiellement à l'attention pour peu que l'on veuille bien ne pas jouer les aveugles, en revanche l'exploitation et, le cas échéant, l'instigation du terrorisme par l'Union soviétique se dérobent, de par leur nature même, à une sûre observation. L'appui accordé aux divers terrorismes ne peut servir les desseins de Moscou que s'il reste indémontrable ou, du moins, toujours contestable. Au demeurant, c'est le rudiment du métier que de procurer à des terroristes, par l'entremise de plusieurs intermédiaires, de l'argent et des armes dont la source première se dérobe ainsi à toute identification certaine : surtout à des terroristes agissant dans les démocraties, régimes pénétrables et vulnérables, où les opinions publiques progressistes confondent souvent droit à la violence et droits de l'homme. Comme en outre c'est une vieille ruse des gouvernements que d'attribuer leurs difficultés internes à des complots animés de l'extérieur, les commentateurs et les politiciens les plus prudents se sont longtemps astreints au doute méthodique sur l'étendue exacte des responsabilités soviétiques dans l'extension

1. « L'Internationale du mensonge », *l'Express,* 7 mars 1981.
2. « Revel au pays des sorcières », *l'Humanité,* 10 mars 1981.

du terrorisme, depuis 1970, en Europe, depuis 1960 au moins en Amérique latine.

Cependant, au fur et à mesure que le temps passait, la concordance et l'abondance des présomptions devinrent telles que l'écart entre les propos privés et les propos publics des hommes politiques ou des journalistes se réduisit. En privé, leur conviction s'exprimait depuis longtemps, mais en public leur réserve ne tomba qu'à partir de 1980. On entendit alors le président de la République italienne, Sandro Pertini, évoquer de la façon la plus ouverte la complicité des Soviétiques avec les Brigades rouges ou le dirigeant socialiste portugais Mario Soares évoquer la même complicité avec l'ETA militaire dans le Pays Basque. *Le Monde*[1] qui, en 1977, avait donné la parole aux partisans du groupe Baader-Meinhof avec une générosité apparemment non exempte de quelque sympathie pour le terrorisme ouest-allemand, au contraire, en 1982, reprend presque sans réserve à son compte les conclusions d'une enquête selon laquelle l'attentat qui avait failli coûter la vie au pape, le 13 mai 1981, avait été inspiré par les Soviétiques avec le concours de leurs vassaux bulgares. De même, dans un éditorial du *Point*[2], Olivier Chevrillon, qui n'appartient guère à la catégorie des esprits enclins à l'interprétation délirante, n'en écrit pas moins : « Le flot des commentaires sur les crimes de la rue des Rosiers et de l'avenue La Bourdonnais négligent un aspect du terrorisme actuel qui devrait pourtant crever les yeux, comme la lettre volée d'Edgar Poe. Le terrorisme demeure, bien entendu, ce qu'il fut de tout temps — une forme de folie — mais n'est-il pas devenu, également, l'auxiliaire inconscient d'une diplomatie ? En arrosant d'armes et de roubles toutes les variétés de pistoleros, les Soviétiques cherchent sans doute à se donner un moyen de pression ou de chantage supplémentaire sur les démocraties européennes. »

Les socialistes français, jadis volontiers champions des terroristes étrangers, qu'ils tenaient pour des justiciers, des résistants opprimés et des combattants de la liberté entonnèrent brusquement un autre refrain dès qu'ils exercèrent le pouvoir et que l'Internationale de la terreur se mit à sévir un peu trop en France même. En juillet 1981, le ministre français de l'Intérieur, le socialiste Gaston Defferre, comparait les assassins de l'ETA basque aux résistants français sous l'occupation nazie, rapprochement plein de tact à l'égard de la jeune démocratie espagnole. Toujours impavide dans la gaffe, Defferre professait, en mai 1982, que la Fraction de l'Armée rouge était pour sa part en lutte « contre les injustices de sa propre société », en d'autres termes contre la République fédérale d'Allemagne, gouvernée, à l'époque des faits, successive-

1. *Le Monde,* 23 septembre 1982.
2. *Le Point,* 30 août 1982.

ment par deux socialistes : Brandt puis Schmidt ![1]. Par de tels propos le ministre entérinait et prenait purement et simplement à son compte les arguments mêmes par lesquels les terroristes justifient habituellement leurs crimes contre un régime démocratique. Par contre, après l'attentat de la rue Marbeuf à Paris, dès lors qu'un terrorisme d'envergure atteint la France, Defferre change de philosophie : « Les armes, révèle-t-il à *Paris-Match,* sont fournies par les pays de l'Est. Ces pays, qui sont en désaccord avec notre politique, qui pratiquent l'espionnage, ont voulu attaquer nos régimes, mais avec leurs méthodes, qui sont celles du terrorisme[2]. »

Devenir responsable de la sécurité publique avait révélé à l'éminent homme d'Etat ce que tout le monde avait observé depuis longtemps : qu'une démocratie socialiste fait partie des cibles préférées de l'Internationale de la terreur. Questionné sur la collusion possible des tueurs avec les services secrets de l'Est, après le bain de sang de la rue des Rosiers, le président François Mitterrand répondit en août 1982 sur un ton suggestivement énigmatique : « On peut s'interroger... » Au total, on peut en effet s'interroger sur les raisons de la lenteur timorée avec laquelle la classe politique d'Europe occidentale s'est décidée à regarder en face la question d'un « sanctuaire » soviétique du terrorisme international. Mais c'est un fait significatif qu'au début de la décennie 80, la réponse affirmative à cette question parut un beau jour à tous aller de soi.

Il existe tant de terrorismes divers que les attribuer tous à une même origine confinerait à l'absurde et ferait fi de l'impossibilité pratique et psychologique, même pour les maîtres déstabilisateurs soviétiques, d'entretenir longtemps en des pays si variés une terreur sanglante qui serait totalement artificielle. Chaque terrorisme commence par prendre naissance sur son propre sol, ce qui ne signifie pas qu'il soit toujours pour autant acceptable moralement : le terrorisme contre une démocratie, contre une société parmi les moins injustes, peut être autochtone sans être pour autant justifiable. A côté des terroristes qui luttent pour la démocratie ou la patrie contre des dictatures ou contre des occupants, on trouve des terroristes totalitaires qui ne visent à rien de moins qu'à imposer par la force leurs idées fixes à une immense majorité qui n'en veut pas et l'a clairement dit en votant. Mais, dans toutes les hypothèses, les terrorismes, pour être exploitables, doivent avoir des racines locales. Aussi ne s'agit-il de rien d'autre que de constater que, là aussi, l'URSS et sa succursale cubaine pour l'Amérique latine, ont su se glisser dans les divers terrorismes qui s'étaient spontanément

1. Interview à la chaîne de radio France-Inter, 11 mai 1982.
2. 29 avril 1982.

formés, en épouser, en amplifier la force naturelle, les pourvoir en moyens et en spécialistes, éduquer au besoin les chefs de file dans des camps d'entraînement d'Europe orientale que l'on a, depuis bien des années, repérés. Vaste était la palette des possibilités, depuis le terrorisme proche-oriental jusqu'aux guérillas latino-américaines, en passant par les autonomistes d'Irlande, d'Espagne, les paranoïaques sanguinaires d'Allemagne et d'Italie. Réduits à ses ressources et à ses effectifs propres, aucun de ces mouvements, à l'exception du terrorisme arabe, n'aurait pu aller très loin ni vivre très longtemps. Les paravents intercalaires derrière lesquels l'Union soviétique et ses vassaux peuvent se dissimuler sont assez nombreux pour leur permettre d'entretenir dans les pays occidentaux, sans jamais se montrer eux-mêmes, un état d'insécurité permanent et propice à leurs desseins.

Les communistes et l'Union soviétique protestent régulièrement avec véhémence contre toute insinuation tendant à les incriminer. L'affaire s'embrouille en outre du fait que l'URSS aiguillonne certains terrorismes à l'ouest autant contre des partis communistes coupables d'indocilité envers Moscou, les partis espagnol et italien notamment, que contre les Etats capitalistes. Reste que l'idéologie des Brigades rouges, de la bande à Baader ou de l'ETA basque relève du plus pur marxisme-léninisme.

Parce qu'il condamne publiquement et sans équivoque les actes des assassins, ce qui est incontestable, le Parti communiste italien est fort embarrassé quand on lui rappelle que leurs arguments théoriques proviennent directement de la presse communiste des années 50 et 60. L'appel à la lutte contre l'Etat bourgeois, tenu pour dictatorial même quand il est élu, contre le capitalisme « monopoliste d'Etat », les multinationales et l'« impérialisme », ce sont les thèmes de fond de toute propagande communiste. C'est ce qu'a démontré, documents à l'appui, une ex-communiste, dissidente de gauche, Rossana Rossanda. Analysant dans son journal, *Il Manifesto,* les messages des Brigades, Mme Rossanda a l'impression, dit-elle, de feuilleter l'« album de famille » du PCI. Impression qu'elle justifie en juxtaposant des formules utilisées par les terroristes et des formules tirées de la revue théorique du Parti, *Rinàscita :* de numéros d'avant le « compromis historique », bien sûr. Alberto Ronchey, l'un des meilleurs analystes politiques italiens fut lui aussi copieusement insulté par l'organe central du PCI, *L'Unità*[1]. Pourquoi ? Dans un éditorial du *Corriere della Sera* sur les causes du terrorisme, Ronchey notait qu'on s'est abondamment étendu sur les responsabilités, indiscutables, de la Démocratie-chrétienne, mais que, si l'on fait les comptes, alors il faut les faire pour tout le monde, y compris pour le PCI. Or, le PCI a aussi

1. 10 avril 1978.

sa part de responsabilités, dit Ronchey, dans les origines du climat où le terrorisme a pu naître. D'abord, pour avoir organisé, de 1969 à 1976, la déstabilisation systématique d'une économie qui, au cours des années 60, avait connu un décollage brillant, de sorte que l'Italie a dû aborder la crise de 1973 dans un état de débilité avancé. Ensuite, pour avoir orchestré le vandalisme pseudo-révolutionnaire à l'école et à l'université, et engendré ainsi ces foules explosives de diplômés chômeurs, qui ne trouvent pas de travail, en partie parce qu'ils ne savent en faire aucun. En effet, l'enseignement italien le plus officiel n'enseigne plus rien, sinon que la société est mauvaise et qu'il faut la détruire par n'importe quel moyen. Le communisme a formé toute une génération, qui a cru que tous ceux qui n'étaient pas dans le camp socialiste étaient autant de « laquais du capitalisme impérialiste des multinationales ». Les Brigades rouges ont simplement pris le léninisme au sérieux et en ont tiré des conclusions logiques sur le plan de l'action, en particulier pour déstabiliser le Parti communiste italien, lui-même affaissé, selon elles, dans le « compromis » avec la bourgeoisie.

Le secrétaire de la Fédération communiste de Reggio-Emilie a publié, dans *Rinàscita* du 7 avril 1978, un article sur les origines historiques et idéologiques des Brigades rouges. Il est intitulé *Reggio, berceau des Brigades rouges.* L'auteur faisait remarquer que plus d'une dizaine de « brigadistes » jugés à Turin ou soupçonnés d'être mêlés à l'enlèvement d'Aldo Moro venaient précisément de Reggio-Emilie. « Certains jeunes, écrit-il, de notre province ont joué un rôle important dans la formation du noyau historique des BR... Il faut reconnaître que les brigadistes rouges viennent aussi de chez nous. Ils ont passé à travers un processus de crises et de rupture avec la ligne générale, avec l'histoire et l'organisation de notre parti. »

Si les Brigades rouges furent répudiées solennellement par le Parti communiste italien, en revanche il est faux de prétendre que le communisme en général n'a jamais eu recours au terrorisme. Dans ce domaine, comme partout ailleurs dans le marxisme-léninisme, il convient de distinguer la théorie et la pratique. La théorie comporte l'approbation de la terreur révolutionnaire tout en condamnant le terrorisme individuel. Dans la pratique, néanmoins, le recours au terrorisme individuel est flagrant. Il suffit de songer à l'attentat de la cathédrale de Sofia en 1925 contre le roi Boris et son gouvernement, aux attentats liés à la guérilla urbaine en Chine, à ceux du Tonkin et de Saigon, à l'enlèvement du général Koutiépov et du général Miller, évidemment à l'assassinat de Trotski ; à celui de Eugen Fried, le « conseiller » placé par le Komintern auprès du secrétaire général du Parti communiste français de 1932 à 1939, abattu par ce même Komintern à Bruxelles en 1943 ; aux meurtres de socialistes et d'anarchistes espagnols pendant la guerre civile, tel Andrès Nin, comme aux meurtres de plusieurs ex-députés communistes français (sous le couvert de la Résistance), coupables d'avoir rompu avec le parti au moment du pacte Hitler-Staline.

On oublie aussi que les dictatures fascisantes d'Argentine et d'Uruguay ont été, dans une large mesure, une réaction à des années de déstabilisation terroriste en Amérique latine, déstabilisation dirigée à travers le relais de Cuba. Après la tuerie de la rue Toullier, à Paris, en 1975, il a été établi que le terroriste vénézuélien dit « Carlos » avait eu des liens avec trois « diplomates » cubains que la France dut expulser. Le président de l'Alliance démocratique du Sud-Ouest africain, la Namibie, Clemens Kapuno, a été assassiné en 1978 par un agent de la Swapo, organisation qui ne cache pas ses liens financiers et militaires avec l'URSS comme avec le dictateur communiste de l'Angola voisin. Au cours des années 60, Ulrike Meinhof était membre du Parti communiste allemand et dirigeait avec son mari, Klaus Roehl, la revue *Konkret,* clandestinement financée par des fonds en provenance de Prague [1]. Il est faux de soutenir que rien, dans la tradition idéologique et pratique du communisme, n'autorise l'usage de la terreur.

Ni les difficultés économiques et sociales, qui étaient pires en Italie avant 1960, ni les « non-gouvernements » et la corruption de la Démocratie-chrétienne ne suffisent à expliquer le terrorisme. Le terrorisme n'a rien à voir avec l'indignation et le soulèvement spontané des masses. Il a une autre origine. Il repose sur le conditionnement psychologique, l'endoctrinement volontaire et l'organisation militaire de petits groupes secrets et fanatisés, qui, d'ailleurs, n'ont nullement besoin du concours de la population, laquelle, en Italie comme en Allemagne, leur était en quasi-totalité farouchement hostile.

Il est faux que le terrorisme combatte, dans de tels pays, pour la liberté. Il est faux que les communistes mènent le combat pour l'indépendance nationale des peuples du tiers monde et contre le néo-colonialisme. La preuve en est que, par exemple, ils se sont emparés du pouvoir là où l'indépendance existait depuis longtemps et où le non-alignement était un fait acquis : en Ethiopie, en Afghanistan. Il est faux que les communistes combattent pour la démocratie : la preuve en est qu'ils ont cherché à renverser les régimes démocratiques du Venezuela et du Portugal et cherchent avec méthode à renverser les démocraties là où elles subsistent. Certes, à Cuba en 1959, au Nicaragua en 1979, les guérilleros ont renversé une dictature, mais c'était pour remplacer une dictature fasciste par une dictature communiste. Au Pérou il a suffi que le

1. Voir Ovid Demaris, *l'Internationale terroriste,* Olivier Orban, 1978, p. 257.

pays revienne à la démocratie en 1979 pour qu'apparaisse aussitôt, je l'ai déjà dit, un terrorisme d'une étonnante efficacité qui avait bizarrement épargné les dictateurs militaires de la période 1968-1979, sans doute parce que ceux-ci, tout en ruinant le pays et en plongeant le peuple dans la misère, se rangeaient dans le camp sacré du tiers mondisme communisant.

A quel mobile peut obéir, pour donner encore un exemple, l'assassinat en novembre 1982 par l'ETA militaire basque, *moins d'une semaine après les élections législatives qui donnaient la majorité absolue au parti socialiste,* du général commandant la division blindée « Brunette » à Madrid ? Ce meurtre ne pouvait avoir qu'un seul objectif : pousser l'armée espagnole à une nouvelle tentative pour supprimer la démocratie en Espagne. Quel autre objectif pouvait se proposer l'ETA, au cours d'un interrègne où l'ancien gouvernement se bornait à expédier les affaires courantes et où le futur gouvernement socialiste n'avait pas encore pris le pouvoir effectif ? En supposant que les extrémistes basques voulussent obtenir une nouvelle extension de l'autonomie de leur province, ils auraient attendu l'installation de la récente majorité pour formuler leurs exigences et auraient attendu, pour reprendre éventuellement les attentats, de constater que leurs revendications étaient repoussées. L'assassinat du général Roman à la date où il fut perpétré, ne pouvait d'ailleurs que réduire encore les chances de voir ces exigences prises en considération par le chef du futur gouvernement socialiste, encore plus tenu de se montrer ferme après le crime. Il n'existe donc aucune explication plausible à cet attentat, sinon le désir de détruire la démocratie.

On notera que c'est un gouvernement social-démocrate que cette opération tend à mettre en difficulté, avant même qu'il ait eu le temps d'assumer la direction du pays. De même, en Turquie, c'est le socialiste Bulent Ecevit que commença par submerger le raz de marée terroriste, alors même que le gouvernement turc venait d'abolir les cours de sûreté de l'Etat, en 1973, pour marquer son désir de revenir à plus de démocratie. Ecevit se voit contraint de proclamer l'état de siège, puis, battu aux élections, il cède la place à un cabinet de droite, qui ne peut à son tour qu'assister impuissant à l'invasion de la terreur, jusqu'au coup d'Etat militaire de 1980, qui suspend la Constitution. C'est donc la démocratie que le terrorisme turc a tout d'abord renversé. L'URSS gagne donc sur les deux tableaux : dans un pays clé pour l'Otan, le terrorisme balaye tout d'abord la démocratie, sans que la gauche internationale s'en émeuve beaucoup, car le terrorisme bénéficie toujours de sa part d'un préjugé favorable. Ensuite, quand cette « stratégie de la tension » réussit, quand une dictature militaire s'installe, avec son cortège d'arbitraire, de tortures, d'emprisonnement, d'exécutions, cela permet de dénoncer le fascisme turc, de mobiliser contre lui une gauche internationale devenue soudain beaucoup plus légaliste et sourcilleuse, d'exploiter une situation déplorable pour mettre le monde occidental en contradiction avec lui-même et discréditer sans mal un pays essentiel à la défense de l'Europe. Il arrive que certaines démocraties parviennent à se débarrasser du terrorisme sans cesser d'être elles-mêmes : ce fut le cas, au début des années 60, du Venezuela, qui parvint à contrecarrer l'insurrection castriste, et de la RFA, qui est parvenue à éliminer la Fraction de l'Armée rouge. Mais cette éventualité reste rare. Car c'est l'injustice suprême du terrorisme que les régimes politiques où il est facile de s'y livrer sont ceux où il est superflu : les démocraties. Le terrorisme y est superflu parce que les démocraties sont précisément les régimes où sont prévues des procédures d'opposition sans violence. Mais le terrorisme y est facile parce que les démocraties sont également les seuls régimes qui ne sauraient se permettre, sans se détruire, de recourir au quadrillage policier et aux méthodes expéditives qui seules peuvent en général, hélas ! prévenir ou extirper le mal. Une démocratie ne peut pas employer un citoyen sur cinq dans la police, fermer les frontières, restreindre la circulation des personnes à l'intérieur, déporter, au besoin, en partie, la population d'une ville, avoir l'œil sur tous les hôtels, tous les logements, dans chaque immeuble, à chaque étage, fouiller minutieusement pendant des heures et sans aucune exception tous les voyageurs, leurs voitures et leurs bagages. Si les démocraties pouvaient se livrer à ces pratiques totalitaires, elles parviendraient rapidement à réprimer leur propre terrorisme et à intercepter les aides que celui-ci reçoit de l'étranger. La démocratie ne peut davantage songer à employer le contre-terrorisme d'Etat qui a sévi en Argentine contre les guérilleros et leurs complices présumés, dont beaucoup étaient innocents. Elle ne saurait non plus être compatible avec les méthodes du terrorisme de droit divin qui sévit depuis 1979 en Iran. Selon Amnesty International, le total des exécutions s'y élevait, au 31 août 1982, à 4 568. Et c'est un paradoxe amer que de voir le prétendu gouvernement iranien accuser la France de complicité avec un problématique terrorisme antikhomeiniste, alors que c'est le terrorisme khomeiniste qui bénéficia de notre complicité en 1978. L'Iran pratique le terrorisme d'Etat en prenant des diplomates en otage, en fusillant, en torturant, en lapidant, mais lance des accusations d'atteinte aux droits de l'homme contre les Etats-Unis et la Grande-Bretagne, lorsque des manifestants iraniens sont interpellés, dans ces pays, pour vérification d'identité !

La démocratie, encore une fois, est mal armée pour se défendre contre le terrorisme, qu'il soit d'origine interne ou d'origine externe. En Italie, la lutte n'est pas égale entre des tueurs masqués en militants politiques qui non seulement utilisent toutes les garanties que le système judiciaire offre légitimement aux accusés, mais menacent de mort les magistrats qui oseraient les condamner, comme les journalistes qui se permettent de les blâmer. Et ces menaces, on l'a vu souvent, ne sont pas des paroles en l'air. Fort heureusement, le terrorisme italien n'a pas réussi à abattre la démocratie, mais hélas ! d'autres pays n'ont pas pu préserver à ce point l'éthique démocratique. Le totalitarisme se coule dans le terrorisme pour pousser les démocraties vers le fascisme, et de là vers le communisme totalitaire. Que les pays qui sont démocratiques cessent de l'être, que ceux qui ne le sont pas encore ne puissent pas le devenir, tel est son but.

Je ne puis m'empêcher, une fois de plus, de songer aux avertissements que Démosthène lançait aux Athéniens pour exciter leur vigilance à l'égard de Philippe de Macédoine : « Car il sait pertinemment, leur disait-il, qu'il aura beau se rendre maître de tout le reste, que rien ne sera solide entre ses mains tant que vous serez une démocratie... Donc, en premier lieu tenez-le pour l'ennemi de notre Constitution, pour l'adversaire irréconciliable de la démocratie ; car si cette conviction n'est pas assise au fond de vos âmes, vous ne donnerez pas aux événements toute l'attention qu'ils exigent [1]. »

Le terrorisme en démocratie est dû à la démence idéologique de minorités trop peu représentatives pour acquérir un poids politique par les moyens légaux existants. Leurs crimes relèvent de la catégorie des crimes contre l'humanité, au même titre que ceux des nazis ou des Khmers rouges, et doivent être traités en conséquence. La démocratie doit se considérer comme en guerre contre le terrorisme, exactement comme elle l'a été contre le nazisme. Faute de quoi, assaillie à la fois de l'extérieur par l'impérialisme totalitaire soviétique, et de l'intérieur par la dégénérescence convulsionnaire de la terreur, la petite presqu'île démocratique n'aurait désormais qu'une espérance de vie des plus limitées.

1. *Sur les Affaires de la Chersonèse,* trad. Maurice Croiset. Les Belles Lettres, § 41 et 43.

QUATRIÈME PARTIE

LES CADRES MENTAUX DE LA DÉFAITE DÉMOCRATIQUE

18

LES LIGNES DE FAILLE

Il n'est point de vainqueur sans vaincu, et, lorsqu'on ne peut établir que le perdant doit sa défaite à une infériorité dans les moyens matériels, il faut bien l'expliquer par le mauvais usage qu'il en a fait ou par quelque insolite défiance de soi. Les stratagèmes de l'expansionnisme communiste auraient-ils réussi à tel point sans une prédisposition des Occidentaux à y succomber ? Longtemps le rapport des forces général demeura en leur faveur, il le reste encore dans maints domaines. Comment donc ne pas soupçonner, derrière la souplesse qui les fit tant de fois s'incliner, moins un défaut de puissance qu'un défaut de clairvoyance et un penchant à s'effacer devant les usurpations de l'adversaire ? L'univers mental et moral d'une civilisation entre pour moitié au moins dans la manière dont elle fait face à une difficulté, l'autre moitié comprenant les conditions objectives de sa situation. L'indolence qui rend si facile à berner les démocraties découle en partie d'une défaillance intellectuelle dans l'appréciation des données, l'évaluation des menaces, le choix des ripostes, la compréhension des méthodes et l'intuition de la nature même de l'adversaire ; et, pour l'autre partie, cette faiblesse résulte de l'aisance avec laquelle l'intimidation totalitaire subjugue l'esprit démocratique au point de le convaincre qu'il a perdu jusqu'au droit de se perpétuer.

J'ignore s'il n'est pas excessif d'avancer l'hypothèse que nous autres démocraties sommes des dupes prédestinées. Mais ce dont je suis sûr, c'est que nos adversaires nous voient bien ainsi, et depuis fort longtemps. Je ne reviens pas sur les analyses d'Adolf Hitler, d'une si méprisante et redoutable perspicacité. Avant lui, dans un texte de 1921, simple échantillon d'un genre des plus fournis, Lénine exprimait dans les termes suivants la haute estime dans laquelle il tenait les dirigeants et penseurs politiques de l'Ouest : « A la suite des observations que j'ai faites durant mon émigration, je dois constater que les soi-disant éléments cultivés de l'Europe occidentale et de l'Amérique sont incapables de comprendre l'état actuel des choses et la balance actuelle des forces ; ces éléments doivent être considérés comme sourds-muets et traités en conséquence...

« Sur la base de ces constatations et à la lumière de la lutte permanente pour la révolution mondiale, il est nécessaire de recourir à des manœuvres spéciales, aptes à accélérer notre victoire dans les pays capitalistes :

a) afin d'*apaiser les sourds-muets,* nous devons proclamer la séparation (fictive) de notre gouvernement et de ses institutions d'avec le Parti et le Politburo et en particulier d'avec le Komintern, déclarant que ces organismes sont des entités politiques indépendantes, tolérées sur le territoire de notre République soviétique socialiste. *Les sourds-muets vont le croire.*

b) exprimer le désir d'un rétablissement immédiat des relations diplomatiques avec les pays capitalistes sur la base de la non-immixtion complète dans leurs affaires intérieures. Une fois de plus, les sourds-muets vont croire. Ils vont être même très contents et vont ouvrir largement leurs portes, par lesquelles les émissaires du Komintern et nos agents s'infiltreront rapidement dans ces pays, déguisés en diplomates, représentants culturels et commerciaux [1]. »

Etant donné les succès obtenus depuis 1921 par l'impérialisme soviétique, ni Staline, ni Khrouchtchev, ni Brejnev, ni Andropov n'ont éprouvé le besoin, on le conçoit, de retoucher si peu que ce fût ce diagnostic ni, par conséquent, de modifier les méthodes qui en découlent. Pourquoi changer une formule qui marche ? Surtout quant on travaille à l'expansion d'une société qui ne marche pas. Car le paradoxe des triomphes totalitaires est là : le plus mauvais système démoralise le moins mauvais. Ce n'est pas aussi mystérieux qu'il le paraît. Le pouvoir totalitaire n'a pas d'autre but que sa propre survie, c'est-à-dire celle de sa Nomenklatura et l'élargissement de son empire. Le dirigeant démocratique doit à chaque instant prouver à ses concitoyens qu'il leur procure des avantages tangibles, ou du moins les en persuader. Le rendement doit être quotidien. L'intérêt commun à long terme des diverses démocraties se trouve souvent gommé par les rivalités qui les opposent inévitablement dans le court terme. La pente de leur système, qui est orientée vers l'intérieur, conduit donc les démocrates à minimiser les menaces extérieures, de peur d'avoir à se détourner de leurs préoccupations domestiques : la prospérité, la solidarité, la sociabilité, les connaissances, la culture. Flairant que conjurer la menace totalitaire ne s'obtient point par le compromis, du moins par les

1. Texte longtemps inédit et publié par Youri Annenkov en 1961 seulement, dans *Novy Zhournal.* Voir B. Lazitch and M. Drachkovitch, *Lenin and the Comintern,* Vol. I, pp. 549-550.

types de compromis connus de la diplomatie traditionnelle, le démocrate préfère nier cette menace. Il s'emporte même contre celui qui ose la voir et la nommer. Mettant à juste titre la paix au-dessus de tous les biens, il en vient à s'imaginer qu'elle ne dépend que de sa propre renonciation à se défendre, seul élément de la situation qu'il contrôle et seule denrée qu'en toute négociation il puisse fournir en abondance. Il est plus facile d'obtenir des concessions de soi-même que de l'adversaire.

Depuis fort longtemps les diplomates occidentaux semblent avoir oublié qu'en théorie l'art de négocier consisterait plutôt à faire l'inverse. Le 16 mars 1933, six semaines après l'arrivée d'Hitler au pouvoir, le Premier britannique, Ramsay MacDonald, propose à Genève une amputation spectaculaire des armements français et anglais. L'un des éditorialistes de gauche les plus écoutés, Albert Bayet, intellectuel antifasciste, auteur fécond, brillant professeur, auquel le Larousse confère la distinction de « penseur rationaliste », écrit alors : « L'idée maîtresse de M. MacDonald paraît être qu'il faut à tout prix éviter le réarmement du Reich et que, pour l'éviter, les nations non désarmées par le traité de Versailles doivent accepter des réductions substantielles. »

Quelques jours plus tard, après qu'Hitler eut obtenu du Reichstag les pleins pouvoirs et exposé à la face du monde le programme nazi, Albert Bayet, tout en condamnant l'oppression barbare qui s'annonce en Allemagne, tient à préciser : « Par contre, les déclarations du chancelier sur la politique extérieure sont d'une modération voulue qu'il serait injuste de ne pas souligner. »

Avant même l'obtention par Hitler des pleins pouvoirs, l'influent éditorialiste s'était d'ailleurs employé à prévenir toute utilisation par les boutefeux de l'événement redouté : « Si l'hitlérisme obtient la majorité à la Diète de Prusse, nos nationalistes vont, paraît-il, déclencher dans tout le pays une brusque campagne de panique, et de cette campagne ils attendent merveille. » Heureusement, poursuit Bayet, les Français « auront vite fait de comprendre que plus la menace hitlérienne se ferait nette, plus il importerait d'avoir en France, au gouvernement, des hommes de sang-froid, calmes, pondérés, résolus à maintenir la paix... Donc, alors même que Hitler emporterait de haute lutte ses deux cent trente sièges, le peuple de France ne verrait dans cet événement profondément regrettable qu'une raison de plus de voter pour les hommes de paix[1]. »

Loin de n'altérer que le jugement d'idéalistes trop prisonniers de

1. Un vote pour la Diète prussienne avait précédé celui pour le Reichstag. Ces citations d'Albert Bayet sont extraites de : Bertrand de Jouvenel, *Un voyageur dans le siècle,* Robert Laffont, Paris, 1979.

leur système pour rester lucides, la manie de prêter à Hitler une volonté de paix secrètement contraire à toute sa conduite visible gagne même, à l'époque, les professionnels du réalisme politique. Après avoir annoncé, dans un rapport daté du 29 décembre 1932, que « la désagrégation du mouvement hitlérien se poursuit à une cadence rapide » (Hitler accédera au pouvoir le 30 janvier 1933 avec 44 % des suffrages populaires), l'ambassadeur de France à Berlin, André François-Poncet, discerne avec plaisir, trois ans plus tard, « combien le Führer a *évolué* depuis l'époque où il écrivait *Mein Kampf* », spécifiant bien sûr, dans une dépêche du 21 décembre 1936, qu'il s'agit d'une « évolution inévitable vers la modération ». Fort de la pénétration qu'il se forge au fil de ses « rencontres fréquentes avec Hitler » (ah ! ce mythe puéril de la magie des contacts personnels), l'Excellence apporte à son gouvernement l'avantage de la sûreté de ses prévisions : « L'occupation de la Rhénanie n'aura vraisemblablement pas lieu dans les semaines qui viennent », télégraphie-t-il fin février 1936 : Hitler occupe la Rhénanie le 7 mars 1936. Le temps d'oublier cette déconvenue, et voici le diplomate délicieusement baigné par une « impression de détente », déjà ! dont il fait part au Quai d'Orsay dans une dépêche du 18 février 1937. Quel plus doux prélude, en effet, qu'une bonne détente à l'invasion et à l'annexion prochaine de l'Autriche par la Wehrmacht[1] ?

Le successeur d'André François-Poncet à Berlin, Robert Coulondre, inaugure pour sa part un attrape-nigaud qui devait sévir sans jamais s'user après la Seconde Guerre mondiale, dans les relations avec les pays communistes : la fameuse distinction entre les « faucons » et les « colombes » du Kremlin, assortie du devoir pour nous de soutenir ces dernières. Miséricordieux autant que perspicace, Coulondre compatit avec les angoisses spirituelles du Führer, qu'il a, mande-t-il à Paris, trouvé, lors de leur dernière rencontre, « extrêmement indécis », tiraillé, le pauvre, entre les « durs » (Goebbels, Himmler, Hess) et les « modérés » (Goering, Funk, Lanners). Ces derniers, confie le diplomate français, penchent pour la « rentrée du Reich dans le cercle international ». On observera que cette placidité d'humeur attribuée à certains chefs nazis n'exigeait pas une bien grande abnégation de leur part, après qu'ils eurent tout obtenu des gouvernements démocratiques, trois mois auparavant, lors des accords de Munich. Cette dépêche de Robert Coulondre est datée du 1er décembre 1938. L'occupation de la Tchécoslovaquie par Hitler survient en mars 1939, la guerre mondiale le 3 septembre 1939.

Il peut paraître trop aisément cruel de dauber à bon compte des

1. Ces citations de dépêches diplomatiques sont extraites de Jean-Baptiste Duroselle, *la Décadence, 1932-1939*, Paris, 1979.

hommes intelligents et patriotes, dont le seul tort était de manquer des notions nécessaires pour appréhender ce phénomène politique nouveau, du moins pour eux : le totalitarisme. Mais c'est justement parce qu'ils étaient intelligents que leurs erreurs révèlent moins une défaillance personnelle que l'absence fondamentale d'un cadre d'interprétation. Il est plus grave que ce cadre ait continué de nous manquer après la guerre, face au totalitarisme communiste, et malgré le prix dont l'Occident a payé l'aveuglement des « pionniers de la détente », qui firent Munich en réponse au totalitarisme nazi.

L'incompréhension du communisme marque tous les hommes d'Etat de l'après-guerre. Ils n'en saisissent pas l'originalité, les lois de fonctionnement. Ils s'obstinent à l'expliquer par la psychologie de ses dirigeants ou en le ramenant aux formes de pouvoir politique déjà connues d'eux : le tsarisme, la Révolution française, le « socialisme moins la liberté » ou avec un simple ajournement de la liberté. « Roosevelt n'a jamais compris le communisme, dit Averell Harriman, il le regardait comme une sorte d'extension du New Deal[1]. » L'illustre diplomate aurait peut-être dû s'aviser de cette lacune au moment où il se trouvait bien placé pour y obvier. A propos du même Roosevelt, on est stupéfait des efforts qu'il déploie à la conférence de Téhéran, par exemple, en 1943, pour dérider Staline, au besoin à l'aide de bonnes blagues aux dépens des petites manies de Winston Churchill. Après trois jours, durant lesquels le dictateur soviétique restait de glace, raconte Roosevelt, enfin « Staline sourit ». Grande victoire pour la cause de l'Occident. Elle devint totale lorsque « Staline éclata franchement de rire, sans retenue. Pour la première fois après trois jours j'aperçus la lumière... Je poursuivis jusqu'à ce que Staline et moi riions ensemble. Ce fut alors que je commençai à l'appeler Oncle Joe[2]. » La démocratie était sauvée. Les bons rapports personnels, qui, même entre hommes d'Etat démocratiques, pensant et sentant de la même manière, ne peuvent exercer qu'une influence marginale sur un conflit d'intérêts, prennent un tour tellement artificiel qu'il en devient sinistre, lorsque les univers mentaux et les civilisations respectives se situent à des millions d'années-lumière. Staline a dû trouver qu'un jobard se figurant marquer un point politique en le faisant rire ne méritait pas d'être contrarié. Sur les traces de son prédécesseur, nous voyons, cinq ans plus tard, Harry Truman confier à un journaliste, en 1948, après la conférence de Potsdam :

1. « *Roosevelt never understood communism. He viewed it as a sort of extension of the New Deal.* » Propos tenu au cours d'un entretien télévisé en janvier 1982, à l'occasion du centième anniversaire de la naissance de F. D. Roosevelt.

2. Paul F. Boller Jr., *Presidential Anecdotes,* 1981, Oxford University Press. Voici le texte : « ... *Stalin smiled. Finally, Stalin broke out into a deep, hearty guffaw, and for the first time in three days I saw light. I kept it up until Stalin was laughing with me, and it was then that I called him Uncle Joe.* »

« J'ai fait ample connaissance avec Joe Staline et j'aime ce vieux Joe. C'est un type convenable. Mais Staline est prisonnier du Politburo. Il ne peut pas faire ce qu'il veut[1]. » Voilà réapparue l'illusoire distinction entre « durs » et « modérés », dont les Soviétiques sauront toujours jouer pour extorquer des concessions non payées de retour. Cette fantasmagorie provient de ce que les Occidentaux projettent sur les systèmes totalitaires contemporains les règles et réalités de la démocratie, erreur équivalente à l'anachronisme en histoire, par lequel nous prêtons à des civilisations reculées nos propres manières d'agir et de penser. L'idée qu'il existe des luttes au sein du Politburo, du moins des luttes de la même espèce que les affrontements au sein d'une majorité gouvernementale et même d'un gouvernement dans une démocratie, s'accompagne du mirage complémentaire que le « modéré », dont nous, démocrates, avons le devoir de soutenir l'âpre et périlleux combat en faveur de la détente, s'efforce également de libéraliser sa propre société, autrement dit n'est autre que le fabuleux messie qui va « démocratiser le communisme ». L'ambassadeur Joseph Davies, dans son livre de souvenirs, *En mission à Moscou* (1943), s'attendrit sur l'apostolique hardiesse de Staline qui, dit-il, « tient à libéraliser la Constitution, prenant par là des risques énormes pour son pouvoir personnel et sa place dirigeante au sein du Parti ». Les dirigeants démocratiques et leurs diplomates resteront par la suite obsédés par cette chasse au « partenaire » conciliant, sur lequel il convient de s'appuyer, à la fois pour le sauver des intraitables qui l'entravent et pour obtenir de lui un accord à notre avantage. De leur côté les communistes n'ont pas été longs à discerner cette faille dans notre esprit et à savoir en exploiter le filon. Dans ses Mémoires, Kissinger décrit à plusieurs reprises l'onctueux Dobrynine, l'ambassadeur soviétique à Washington, venant supplier le secrétaire d'Etat de lui accorder la concession qui sauvera l'infortuné Brejnev de l'animosité du Soviet suprême. Pour plaire aux Américains, avance même parfois l'ambassadeur, Brejnev a dû agir en cachette de certains membres du Politburo. Le laissera-t-on s'enferrer, et, à moins d'avoir un cœur de hyène, ne lui doit-on pas au moins le petit quelque chose grâce auquel il pourra reparaître sans trop rougir devant ses collègues ? N'y va-t-il pas de l'avenir de la détente ?

Ces pesantes roublardises trouvent preneur, le moindre d'entre eux n'étant pas Kissinger lui-même. Vingt ans avant lui, Charles Bohlen, considéré comme l'un des plus fins connaisseurs américains de l'Union soviétique, subodore en Malenkov, l'un des

1. *New York Herald Tribune,* 13 juin 1948. Cité par Boris Souvarine, *l'Observateur des deux mondes,* 1er juillet 1948. (Réédité sous ce titre dans le recueil en volume en 1982, éditions de la Différence, Paris.)

successeurs de Staline en 1953, un partenaire « mieux disposé à l'égard de l'Occident que les autres dirigeants soviétiques[1] ». On doit faire attention à chaque signe permettant de reconnaître une colombe, y compris, par exemple, le fait, note Bohlen, que Malenkov « ne boit pas ». Scrupuleux, le diplomate ajoute cependant avec prudence : « Du moins, pas dans les réceptions. » S'il s'avérait, en effet, que Malenkov se pochardât en cachette, la stratégie occidentale ne devrait-elle pas se ressaisir sur d'autres bases ? Michel Heller, qui relate ces textes, les commente en relevant que « les diplomates et hommes politiques occidentaux pensent pouvoir exercer une influence sur la politique de l'URSS par le biais de dirigeants soviétiques bien disposés à l'égard de l'Occident[2] ».

Loin qu'une comédie de bonnes relations personnelles puisse altérer la logique d'un système obéissant à un déterminisme interne aussi implacable que le communisme, cette comédie se retourne contre ses naïfs inventeurs occidentaux et sert à les manipuler. Staline persuade l'ambassadeur Joseph Davies, déjà cité, que ses inclinations libérales bien connues rencontrent l'hostilité de certains membres du Politburo. Aux fins de consolider sa position branlante, il prie Davies d'intervenir auprès de Roosevelt, pour que le Président lui fasse obtenir deux sièges supplémentaires aux Nations unies : l'Ukraine et la Biélorussie. Ce qui fut fait. Staline s'était surpassé, jusqu'à soutenir au diplomate américain que, sans cette petite consolation, il n'oserait plus se montrer devant ses « électeurs » d'Ukraine et de Biélorussie !

Derrière ces anecdotes tragi-comiques, dont on pourrait sans peine allonger démesurément la pitoyable anthologie, se tient tout un système interprétatif, résultat de la convergence dans nos esprits entre la désinformation soviétique et nos propres contresens, invétérés et, jusqu'à ce jour, incorrigés.

Ces contresens tournent autour de trois thèmes principaux, sans compter les variantes. Le premier de ces thèmes est que les « libéraux », « réformistes » et « modérés » en politique étrangère dans les pays communistes risquent à tout instant de perdre le pouvoir, et que l'Occident doit les aider à le conserver en leur permettant de remporter des succès à notre détriment. Le second thème est que notre contribution économique renforcera ces « libéraux » communistes ou, au choix, empêchera les « durs » d'entreprendre par désespoir des aventures périlleuses pour la paix. Le troisième, c'est que le désir de paix soviétique étant supposé acquis, la charge de la preuve, en matière de bonne volonté,

1. Charles E. Bohlen, *Witness to History,* 1973.
2. « La désinformation », *Politique internationale,* hiver 1980-1981, n° 10.

incombe toujours à l'Occident, auquel il revient, par des renoncements appropriés, de donner des gages de ses intentions pacifiques.

Durant les jours qui suivirent la mort de Brejnev, en novembre 1982, d'innombrables « soviétologues » et hommes politiques britanniques et américains, mis à contribution du matin au soir par les ondes, les télévisions, les journaux, soulignèrent la nécessité de « saisir l'occasion » d'offrir à l'Union soviétique une preuve de notre bon vouloir. La plupart d'entre eux préconisèrent plus précisément deux mesures : levée immédiate de l'embargo américain sur les transferts en URSS d'applications technologiques, même susceptibles d'utilisations militaires (ce qui fut fait dans l'heure) ; report d'un an du déploiement des euromissiles destinés à équilibrer en Europe de l'Ouest les fusées soviétiques de portée intermédiaire SS 20, déjà déployées à l'Est.

Quelle « occasion » au juste s'agissait-il de saisir ? La mort d'un chef et son remplacement par un autre ne constituent par eux-mêmes aucun changement d'orientation. Ce sont les premiers actes du nouveau dirigeant qui peuvent apporter ce changement éventuel. Au cours des sept années précédentes, c'est la politique extérieure de l'URSS qui avait été agressive, pas celle des Occidentaux. Il convenait donc d'attendre que les Soviétiques fissent les premiers pas, non de les faire. Le passé d'Andropov ne prévenait guère en faveur de son libéralisme et de son pacifisme. Pourquoi lui offrir ces concessions unilatérales avant même qu'il eût fourni la moindre marque concrète de son bon vouloir, qu'il eût articulé fût-ce un mot de sonorité conciliante [1] ?

Pourquoi ? Parce que les Occidentaux acceptent dans leur for intérieur, quoi qu'ils disent et écrivent d'autre part, la thèse de l'Union soviétique sur eux-mêmes, et ne sont pas éloignés de se tenir pour les vrais coupables de l'écroulement de la détente. Nous nous voyons à travers les yeux de Moscou, acceptons le mythe de la volonté de paix communiste et l'accusation selon laquelle l'agressivité qui met en péril l'équilibre mondial prend sa source en nous. C'est sur nous par conséquent que pèse le devoir de prendre les devants, d'aller au besoin jusqu'au désarmement unilatéral, pour calmer un esprit de conquête soviétique dénué de toute assise propre. Au mieux, nous plaçons sur le même plan l'Est et l'Ouest. Au pire, nous jugeons que toute menace de guerre, tout expansionnisme disparaîtraient de la surface de la terre si l'Occident se dépouillait spontanément de ses moyens de défense et s'interdisait toute contestation des actes et du système communistes. Parfois, nous autres démocrates, c'est du moins le cas pour certains d'entre nous, ceux qui vont jusqu'au bout de cette ligne de raisonnement,

1. Au sujet du comportement occidental pendant les « successions » communistes, voir plus bas le chapitre 23.

nous nous considérons comme étant nous-mêmes l'un de nos ennemis, voire notre seul véritable ennemi.

Lorsqu'on lit certains spécialistes, en particulier allemands, des problèmes stratégiques et des questions nucléaires, on a l'impression que, dans leur esprit, le danger militaire soviétique est un X hypothétique, une sorte d'inconnaissable « chose en soi » kantienne, dont il faut concéder provisoirement l'existence ou du moins la possibilité métaphysique aux imaginations visionnaires, de peur d'exacerber leur délire, tout en les amenant par la douceur à se défaire de leur peur des fantômes. Peu à peu l' « expert » glisse et entraîne ses lecteurs dans des considérations où la menace soviétique se dissipe au profit de l'exposé inextricable des mésententes entre les Alliés. Dès lors qu'on efface l'objectif suprême de la sécurité, les discussions sur les moyens de l'atteindre paraissent absurdes, et les frictions qu'elles suscitent puériles. Dans *Foreign Affairs* (hiver 1981/82) Christoph Bertram, directeur de l'Institut international des Etudes stratégiques de Londres, disserte sur le désarroi des membres européens de l'Otan, au moment de décider, et après avoir décidé l'installation de nouvelles fusées sur leur sol, sans rappeler une seule fois la virulente campagne d'intimidation menée par les Soviétiques contre cette modernisation des forces de l'Otan, campagne qui, avec toutes les complicités habituelles en Occident, se déchaînait depuis des mois et avait comporté en particulier l'envoi par Moscou de lettres de menace d'une insigne brutalité à chacun des gouvernements concernés. Cet éclairage étant supprimé du récit des faits, il ne reste sous nos yeux que des gesticulations pitoyables, d'incompréhensibles inconséquences, imputables pour l'essentiel, cela va sans dire, au manque de doigté des Etats-Unis dans leurs rapports avec l'Europe [1].

De même, au sujet des transferts technologiques susceptibles d'applications stratégiques, ou, simplement, apportant à l'URSS un dépannage industriel qui libère indirectement des moyens pour accroître son potentiel militaire, on connaît l'opposition des Européens et des firmes américaines à toute restriction de la partie *officielle* de ces transferts. Mais plus étrange est la résistance aux mesures de précaution qui devraient être prises pour tenter de mettre un frein à la partie *cachée* de ces transferts, celle qui résulte de l'espionnage industriel et du pillage technologique. En novembre 1982, un rapport — un de plus — dû à une sous-commission du Sénat des Etats-Unis a révélé toute l'étendue de ce pillage et, surtout, du parti qu'en avait tiré l'armement soviétique, en particulier dans les domaines de l'électronique et des lasers. Avec un minimum de risque, d'investissement et de recherche, les Soviétiques peuvent ainsi combler en grande partie leur retard sur

1. C. Bertram : *Implications of Theater Nuclear Weapons in Europe.*

les technologies américaines et européenne ou japonaise par le plus vieux moyen du monde : le vol. Loin de se confiner dans des rapports de commissions d'enquête parlementaires, les informations sur cette forme de guerre (il n'y a pas d'autre mot) parviennent fréquemment au public par les soins de la presse, des deux côtés de l'Atlantique. Les quotidiens et hebdomadaires les plus sérieux et les plus lus y ont consacré des enquêtes précises et fournies. Le danger, mieux, la déroute se trouvent donc solidement documentés et attestés. Néanmoins, lorsqu'au début de 1982, le gouvernement fédéral demanda timidement aux universités américaines de restreindre les visites de « missions scientifiques » soviétiques dans leurs laboratoires ou au moins de ne pas laisser les émissaires du KGB, fussent-ils « savants », « étudiants » ou « ingénieurs », circuler à leur aise dans les bâtiments, cette requête provoqua une protestation et un refus de la communauté scientifique américaine. Cette communauté accueillit aussi fraîchement la proposition de différer, dans certains cas, la publication de découvertes susceptibles d'applications militaires. En vain le gouvernement fit-il valoir qu'on assistait à une authentique hémorragie de la technologie du pays et que les progrès militaires soviétiques des dernières années se fondaient presque tous sur des travaux de savants américains. Rien n'y fit. Les remèdes contre le pillage, et non pas le pillage lui-même, violaient catégoriquement l' « esprit de la détente ».

Pourquoi la détente a-t-elle échoué ? Parce que, dans l'esprit des Occidentaux, elle signifiait la suspension de l'agressivité soviétique et, dans l'esprit des Soviétiques, la suspension de toute réplique occidentale à leur agressivité. Mais comment nous, Occidentaux, avons-nous, durant tant d'années, pu volontairement nous voiler les yeux devant l'expansionnisme soviétique, et pourquoi ? Parce que toutes nos interprétations du communisme soviétique reposent sur un même postulat : les choses finiront par s'arranger toutes seules. Plus exactement, pensons-nous, le communisme russe se heurte à des difficultés internes et externes qui l'obligeront à se modérer de lui-même. Aussi devons-nous l'y aider en lui faisant tout ce qu'il faudra de concessions *préalables,* de manière à susciter le fléchissement de son agressivité.

Ce postulat se retrouve au centre de la plupart des théories sur le communisme soviétique. Il les rend stériles sur le terrain de l'action politique, même quand elles contiennent des éléments justes. Voici un catalogue, au demeurant incomplet, de ces berceuses.

1. Les Russes sont « respectueux du statu quo ». Par conséquent, nous devons les comprendre quand ils envahissent la Hongrie, la Tchécoslovaquie, qui appartiennent à leur zone. Théorie fausse, ou, du moins, dont il ne fallait pas attendre de la seule bonne

volonté soviétique la mise en pratique. Depuis 1975, les Russes ont pénétré en Afrique, en Asie du Sud-Est, dans la péninsule arabique, en Afghanistan.

2. L'échec économique du régime soviétique le contraint à renoncer à une politique extérieure trop ambitieuse et à s'orienter vers l'élévation du niveau de vie des populations. En l'aidant à entrer dans l'ère de la consommation, l'Occident favorise donc l'éclosion d'une diplomatie soviétique douce. Inutile d'insister sur le fait que c'est justement avec notre aide économique que l'impérialisme soviétique a pris des dimensions mondiales.

3. La faillite morale et idéologique du communisme finira par en détourner tous les peuples. En 1970, Zbigniew Brzezinski signait, dans *New Leader,* un article intitulé « Le communisme est mort ». C'est oublier que la perte du prestige moral n'empêche ni de faire de nouvelles dupes ni d'étendre son pouvoir.

4. Le communisme national va s'instaurer partout et limiter l'influence soviétique dans le monde. Le titisme va se généraliser. En 1975, après la chute de Saigon, le *New York Times* a prophétisé que le communisme vietnamien allait devenir rapidement antisoviétique.

5. La théorie de la convergence des deux systèmes. Les mêmes réalités économiques pousseront aux vrais leviers de commande, dans les deux sociétés, la même race de technocrates et de gestionnaires. Un processus d'unification des deux types de société s'ensuivra. Les partisans de cette théorie oubliaient le caractère absolument prioritaire du pouvoir politique et idéologique en URSS.

6. Le commerce Est-Ouest civilisera le communisme. Ce principe inspira la première aide massive de l'Occident à l'Union soviétique, après 1922. A l'issue de plusieurs années de libéralités occidentales, ce qui se passa en réalité en URSS fut la collectivisation forcée des terres, l'extermination des paysans, la famine, les purges, la Grande Terreur des années 30.

7. Le conflit entre la Chine et l'URSS se substituera au conflit entre sociétés démocratiques et totalitarisme soviétique. Or, l'expérience a montré que les deux conflits étaient compatibles et que les deux totalitarismes pouvaient réduire leurs tensions.

8. L'eurocommunisme marque la fin de l'Eglise communiste mondiale et constitue un défi à l'URSS. Sans commentaire.

9. Les musulmans soviétiques représentent une force explosive dans le système communiste. Moscou devra composer avec les pays islamiques du Proche-Orient pour ne pas provoquer d'explosion.

C'est oublier qu'il existe un moyen encore meilleur de calmer ces pays islamiques voisins : les envahir.

10. Les Russes s'exposent à des périls, par leur expansionnisme même. Ils s'enlisent en Afrique. L'Afghanistan n'a pas été pour eux une partie de plaisir. Ils ont subi eux aussi des échecs : l'Egypte, la Somalie. En fait, les Russes ont quitté la Somalie volontairement, en faveur d'un client plus puissant, l'Ethiopie. Quant à l'Egypte, elle n'avait jamais été un Etat communiste. Devenir un satellite et avoir des conseillers soviétiques sont deux choses différentes. L'Egypte a mis à la porte ses conseillers soviétiques quand ils se furent révélés impuissants à lui faire gagner la guerre contre Israël. Certes, tout impérialisme sécrète ses propres problèmes. Les meurtriers ont souvent des ennuis graves : cela n'a jamais guéri leurs victimes.

11. Les Russes ont envahi l'Afghanistan « par faiblesse ». C'est la variante comique de la thèse précédente. Pauvres Russes, ils sont bien à plaindre ! Les Afghans ont dû danser de joie, à l'idée de la détresse morale qui se cache derrière l'offensive soviétique.

12. Si nous faisons preuve de fermeté, nous « relançons la guerre froide ». Comme s'il dépendait de nous de la relancer ! La seule chose qui dépende de nous, c'est de la laisser ou non s'élargir. En 1950, au moment de l'agression communiste contre la Corée, l'ONU a non seulement condamné l'envahisseur, mais envoyé des troupes. En 1956, pour la Hongrie, l'ONU a condamné et... formé une commission d'enquête. En 1968, pour la Tchécoslovaquie, pas même de commission d'enquête. Et les Russes furent admis aux Jeux Olympiques de Mexico. A la lumière des événements de 1975-1985, qu'est-ce que cette servilité croissante a rapporté aux Occidentaux ?

Aucune de ces douze illusions n'est entièrement injustifiée. Chacune repose sur une perception des faits en partie juste. C'est l'*exploitation* de ces faits qui manque. Les faiblesses de l'Union soviétique existent bien, ses échecs, ses erreurs et ses imprudences aussi. Mais, j'y insiste à nouveau, tandis que l'URSS exploite toutes les faiblesses du camp démocratique, les dirigeants occidentaux s'abstiennent d'exploiter les échecs du camp communiste. Mieux : ils estiment de leur devoir de l'aider à les surmonter. Les Soviétiques ne se sont jamais chargés de faire à la fois leur politique étrangère et la nôtre, de défendre leurs intérêts et les nôtres. Il n'est donc pas étonnant qu'une conception de la détente qui attendait d'eux pareil dévouement ait fait faillite. Si ce n'est même trop lui accorder : car dire qu'une conception a fait faillite implique qu'elle aurait pu réussir.

L'ensemble des préjugés et des conduites que je viens de décrire répond à deux caractéristiques : ils sont très anciens ; ils sont communs à la droite et à la gauche. Bien avant les erreurs d'analyse qui accompagnent et suivent la Seconde Guerre mondiale, on voit, par exemple, au lendemain de la Première, un Fridtjof Nansen, ce Norvégien qui fut un bon connaisseur de la Russie soviétique, qui fut même fait membre honoraire du Soviet de Moscou en raison des immenses services qu'il avait rendus à la population russe affamée, aboutir à la conclusion que Lénine allait « rétablir le marché libre et revenir à l'échange capitaliste des marchandises ». Il se laissait tromper par les apparences de la NEP (« Nouvelle politique économique ») destinée, dans l'esprit d'un Lénine aux abois, à extorquer des capitaux et de la technique à l'Ouest. Même bévue de la part du célèbre Premier ministre britannique d'alors, Lloyd George, qui prophétisa, le 10 février 1922 : « Je pense que nous pouvons sauver la Russie grâce aux échanges commerciaux. Le commerce a une influence modératrice... A mon avis, le commerce mettra un terme à la férocité, à la rapine et à la brutalité du bolchevisme plus sûrement que toute autre méthode. »

Considéra-t-on l'enfer stalinien des années 30 comme devant pousser à nuancer de tels jugements ? Point du tout. La « soviétologie », dans sa sérénité, décréta, par exemple, en 1945, sous la plume de Sir Bernard Pares, l' « expert » universitaire des affaires russes le plus prisé du moment : « Depuis 1921, la Russie est un pays gouverné par des communistes, mais qui ont cessé de pratiquer le communisme[1]. » N'oublions pas que ces aberrations servaient à nourrir la réflexion des hommes politiques puisqu'elles émanaient d'experts qui leur servaient le plus souvent de conseillers. Sans parler des communistes occidentaux et des « agents d'influence » conscients de l'être, qui effectuent leur mission en connaissance de cause, les autres dirigeants, les conservateurs comme les démo-chrétiens, les centristes et les socialistes, démocrates et républicains aux Etats-Unis, ont mené vis-à-vis du communisme à quelques nuances près, dans les grandes lignes et sur le long terme, les mêmes politiques étrangères. Ou peut-être se sont-ils plutôt laissé mener par elles. Dans les deux camps on rencontre de loin en loin quelques personnalités qui vont à contre-courant, Thatcher ou Reagan chez les conservateurs, Mitterrand ou Craxi chez les socialistes. Mais ce qui est remarquable est que leurs déclarations passent pour exprimer une politique « dure ». Or ils ne font en général que revendiquer le minimum de ce qu'un responsable politique doit défendre à moins d'abandonner la partie. Par exemple le discours prononcé sur les euromissiles par François Mitterrand au Bundestag le 20 janvier 1983, lors d'un voyage officiel en Allemagne, a été jugé avec raison net et

1. Bernard Pares, *Russia and the Peace*, 1945, MacMillan.

courageux, quoiqu'il exprimât plus une exhortation adressée à autrui qu'une décision prise pour soi-même, puisque les euromissiles ne devaient de toute manière pas être déployés en France. Or que disait le président de la République française ? Simplement que l'Europe occidentale ne devait pas renoncer à son nouveau programme d'armement avant que des négociations avec les Soviétiques n'eussent effectivement *abouti* à une réduction correspondante des arsenaux de l'URSS. Autrement dit, Mitterrand conseillait à l'Occident de ne pas jeter tous ses atouts avant même que la discussion ne commençât. Qu'avançait-il là, que rappelait-il, sinon le rudiment de la diplomatie ? Que ce rudiment de simple bon sens fût oublié au point de faire apparaître le propos de Mitterrand comme une prise de position d'une exceptionnelle vigueur souligne assez la modestie de nos critères actuels. Lorsque la résolution qui devrait être la norme retentit comme un exploit isolé, c'est que l'accoutumance à l'abdication est déjà devenue la norme.

19

AUX ORIGINES DU BRÉVIAIRE DE LA LÂCHETÉ : L'AFFAIRE DU MUR DE BERLIN EN 1961

Pour justifier les raffinements d'inertie que la diplomatie occidentale est parvenue à inventer après l'invasion de l'Afghanistan et le rétablissement de la norme totalitaire en Pologne, nos gouvernants ont su forger avec prodigalité d'ingénieuses raisons. Leur catalogue, de plus en plus fourni, s'étend de l'invocation d'un imaginaire contrat de partage à Yalta aux serments de confiance en l'éternelle fécondité de la détente, en passant par le constat plus réaliste et moins glorieux de notre infériorité militaire, récemment avérée et chrétiennement acceptée. « Le monde, en cette fin du siècle, n'est plus celui de l'hégémonie américaine, ni celui des deux blocs », ainsi chante le chœur, entre chaque verset du psaume intitulé *Prière nationale après la défaite*[1]. « Eloigne de nous, Seigneur, le calice des blocs, poursuit l'antienne, écarte le poignard de la guerre froide et répands sur nous la rosée des rapports Nord-Sud, ou Est-Sud, ou Est-Nord, ou Est-Est, ou Ouest-Ouest, peu importe lesquels, mais délivre-nous des rapports Est-Ouest. » Ne suffit-il pas en effet de se les effacer de l'esprit pour retrouver la paix ?

On attribue volontiers l'impuissance perplexe de l'Occident face à l'insolente agressivité de l'Union soviétique à des données nouvelles, qui auraient modifié l'état du monde depuis 1970 environ, et dont nous serions insensés de ne pas tenir compte. Que des modifications aient eu lieu ne saurait être nié. Comment pourrait-il en aller autrement ? Plus intéressante est la question de savoir si elles nous ont été profitables ou néfastes. Maints dirigeants, ou anciens dirigeants, occidentaux protestent hautement que leur politique fut judicieuse et qu'ils ne pouvaient en mener raisonnablement aucune autre qui se conformât au dessein de renforcer la sécurité de nos pays démocratiques. En même temps,

1. Psaume 60 de la Bible hébraïque, 59 de la Vulgate.

avec une singulière logique, ils tirent argument des résultats de cette même politique pour nous avertir que les contre-offensives et les représailles d'antan ne sont aujourd'hui plus à notre portée. Comment diantre leur diplomatie, qui devait rendre les démocraties de moins en moins vulnérables dans un univers de plus en plus sûr et stable nous a-t-elle affaiblis à ce point ? Ainsi donc, la prudence nous conseille désormais, à les en croire, de nous incliner chaque fois plus bas devant une violence communiste dont le niveau monte toujours plus haut ? Etranges fruits d'une sagesse diplomatique mise en œuvre pendant tant d'années, si contente d'elle-même et si dédaigneuse de l' « aventurisme » et de la « guerre froide »... S'il en va bien ainsi, la détente fut, pour le moins, une erreur de calcul. Et pourtant, si notre faiblesse actuelle était le simple effet d'une erreur de calcul, je dirais qu'elle aurait quelque chose de presque rassurant. Elle serait l'échec d'un traitement, dû à une faute de diagnostic, justiciable d'une critique rationnelle et, le cas échéant, à moins qu'il ne soit trop tard, d'une correction possible. Il n'était certes ni absurde ni déshonorant d'espérer voir l'URSS tirer d'un système de concessions réciproques et de coopération accrue des raisons de se montrer modérée, et respectueuse pour un temps des équilibres existants. L'énigme commence à partir du moment où les démocraties, malgré les preuves vite administrées que ce calcul se retournait contre elles, et que l'esprit de conquête soviétique abusait de leur confiance pour mettre les bouchées doubles, ont préféré fermer les yeux sur les méfaits d'un marchandage si manifestement ruineux pour les Occidentaux. Cette volonté de cécité, en particulier de la part de la République fédérale d'Allemagne, s'est prolongée bien après le moment où il devint clair que les concessions occidentales n'entraînaient aucune modération soviétique, tout au contraire. C'est au point qu'on peut se demander s'il y a réellement échec de la détente, ou si, bien plutôt, l'état d'impuissance où la détente nous a placés n'est pas ce que nous recherchions vraiment. N'aspirions-nous pas en secret à une situation où nous serait à jamais épargné le choix difficile entre la résignation et la fermeté, tout simplement parce que cette dernière aurait cessé d'être dans nos moyens ? Le désir intime de l'Occident n'aurait-il pas été de s'amputer lui-même de la faculté de décider, pour ne plus avoir à le faire ? Et de la faculté de résister, pour ne plus éprouver l'humiliation de choisir l'abdication quand la résistance est possible ? Cette faiblesse, conquise de haute lutte, ne comporte-t-elle pas sa récompense : l'amère mais libératrice quiétude de l'irresponsabilité ? S'il y avait un tant soit peu de plausible dans ces spéculations, il faudrait alors parler pour l'Occident non d'échec, mais de succès de la détente, entendue comme un subterfuge honorable pour parvenir à l'impuissance. Supposition extrême, hasardeuse, futile, atroce, qui pourtant parfois hante l'esprit, devant tant d'abandons que rien de rationnel ne saurait expliquer.

C'est qu'au vrai il fut un temps où les démocraties auraient pu se montrer fermes sans risques et ne le voulurent pas. Les racines intellectuelles du bréviaire de la lâcheté plongent loin dans le passé. S'il fallait n'en citer qu'une, et il y en a bien d'autres, l'année 1961 mériterait d'arrêter l'œil du connaisseur, tant y est attendrissant le zèle des Occidentaux à ramper au-devant de leur déconfiture, dans l'éclatant épisode de la construction du mur de Berlin. Il s'agit à peine là d'un coup de force soviétique, puisque l'insigne immatérialité de la résistance alliée rendit précisément superflu pour les communistes l'usage de la force. On serait enclin à parler d'escroquerie, si le mot ne devenait impropre quand la victime se dépouille spontanément de biens que le voleur n'a dès lors plus aucun mérite à lui avoir dérobés. Comédie lugubre conviendrait assez, si précisément elle n'avait été burlesque, au point, dit amèrement à l'époque le maire de Berlin-Ouest, le futur chancelier Willy Brandt, de « faire éclater de rire l'Est tout entier, de Pankow à Vladivostok », tant les Occidentaux avaient mis d'empressement à se laisser ridiculiser.

L'érection du mur fait retentir, en une première version pour orchestre de chambre, la future symphonie de la détente, gloire de la décennie suivante. Elle se compare, dans l'archéologie de la soumission, à ces modestes églises romanes qui sont la maquette réelle dont une cathédrale ultérieure agrandira le modèle, mais qui recèlent souvent pour les amateurs les sources d'une satisfaction plus fine. Au cours de l'été du mur, on peut contempler, en un raccourci avant-coureur, la réunion de tous les facteurs qui vont se retrouver pendant vingt ans, trente ans, pour concourir à l'élaboration de la diplomatie occidentale, je veux dire à son anémie chronique et au perfectionnement correspondant de la diplomatie soviétique.

La première caractéristique, et promise à un grand avenir, de la crise de 1961 est d'avoir pour point de départ une faillite du monde communiste et pour point d'arrivée un affaiblissement du monde démocratique. Les communistes construisirent le mur pour empêcher les Allemands de l'Est d'émigrer vers l'Ouest par le seul point de passage libre entre les deux Europe qu'était Berlin. Si tant d'Allemands de l'Est partaient, c'était en raison de la déroute économique du système socialiste, attestée déjà par les émeutes ouvrières de 1953 à Berlin-Est, renforcée encore par les récentes mesures de collectivisation massive des terres. L'histoire montre que la collectivisation des terres a été toujours et partout l'un des principaux outils de l'asservissement totalitaire, en même temps que d'un appauvrissement inéluctable des agriculteurs. C'est donc par centaines de milliers que, depuis 1960, émigrent à l'Ouest, presque tous par Berlin, non seulement cadres, ouvriers, techniciens, mais aussi paysans venus des riches terres du Mecklembourg, peu soucieux de retomber dans le servage. De janvier à juin 1961, la cadence de l'exode monte à près de cinquante mille émigrants par mois ; puis, en juillet et août, par semaine : émigrants dont — échec humiliant et grave pour les communistes — près de la moitié ont moins de vingt-cinq ans. Ce sont les jeunes qui fuient le socialisme, comme c'étaient les jeunes, déjà, qui s'étaient fait tuer au premier rang de la révolte prolétarienne contre le socialisme en 1956 à Budapest. L'Allemagne communiste, en 1961, perd à la fois la face et le plus clair de sa population active. L'expérience démontre ou plutôt confirme avec une terrible clarté qu'une société socialiste est rejetée par ses membres lorsqu'ils ont le choix entre cette société et une autre.

Mais, selon une inversion des rôles fort intrigante, quoiqu'elle nous soit devenue familière tant elle se produit avec fréquence depuis la Seconde Guerre mondiale, ce ne sont pas les Etats communistes qui vont supporter les conséquences de leur faillite, ce sont les Occidentaux. Les Occidentaux en règle générale non seulement ne savent pas et ne veulent pas exploiter les faiblesses et les difficultés internes de la dictature communiste, mais ils sortent diminués de la plupart des crises mêmes qui auraient dû coûter cher à l'URSS. La sphère d'influence soviétique va donc émerger de cette crise de 1961 renforcée et élargie, celle des Occidentaux affaiblie et rétrécie. La seule différence par rapport à la future détente est qu'en 1961 l'Ouest se contente d'accepter le coup de force des Etats communistes et ne leur fournit pas encore de surcroît son aide économique et technologique.

Un deuxième trait caractéristique des dirigeants occidentaux, au moment du mur de Berlin comme dix-huit ans plus tard au moment de l'invasion de l'Afghanistan, c'est la fausseté, voire l'inexistence de leurs prévisions et de leurs analyses. Ils se révèlent incapables d'interpréter des signes clairs, d'apercevoir des préparatifs patents. L'hémorragie qui vidait l'Allemagne de l'Est de ses forces vitales par Berlin avait grossi au-delà du niveau tolérable pour le régime de Pankow et pour Moscou. Si les dirigeants occidentaux avaient fait leur métier, ils auraient passé en revue les diverses initiatives possibles des communistes et les diverses parades correspondantes. Brandt affirme pourtant, par exemple, au début d'août, que les Soviétiques ne sacrifieront jamais la fonction de « point de rencontre » des deux Allemagne que remplit Berlin. Et pourquoi pas ? Etait-ce son travail que d'écarter d'emblée cette hypothèse ? L'ambassadeur de la République fédérale à Moscou, Hans Kroll, rappelé en consultation par le chancelier Adenauer, se porte garant de la « volonté de paix » soviétique. Air connu. Le ministre des Affaires étrangères français, Couve de Murville, avec son mélange unique de componction prétentieuse et de myopie politique, avait tenu depuis longtemps à rassurer son ambassadeur à Bonn, François Seydoux, en lui prédisant que la crise de Berlin « ferait long feu » et qu'il « ne se passerait rien ».

De même, en décembre 1979, alors que les divisions soviétiques étaient déjà en train de se masser le long de la frontière afghane, et que, depuis un an et demi, Moscou exaspéré s'évertuait ouvertement et en vain à imposer un régime satellite bien ancré à Kaboul, la plupart des chefs d'Etat ou de gouvernement occidentaux écartaient l'hypothèse d'une invasion. Ils l'accueillirent avec une stupeur aussi profonde qu'ingénument avouée, à moins, comme Valéry Giscard d'Estaing, que la surprise ne les rendît pour plusieurs semaines muets.

La surprise — qui est la troisième caractéristique — n'avait pas été moins absolue, le 13 août 1961, quand les communistes construisirent en une nuit le célèbre mur. Non seulement aucun diplomate occidental de haut niveau en poste en Allemagne n'avait cru nécessaire ou reçu l'instruction de retarder ses vacances, mais les chefs d'Etat, les Premiers ministres, les ministres des Affaires étrangères s'étaient égaillés dans des retraites champêtres ou marines, avec un ensemble qui attestera aux yeux de la postérité leur amour de la nature à défaut de leurs perspicacité politique. Adenauer villégiature au bord du lac de Côme. De Gaulle médite à Colombey. Il juge la crise trop mince pour motiver son retour à Paris. Le Premier britannique MacMillan est, croit-on, en train de chasser la grouse en Ecosse, à moins que ce ne soit le chef du Foreign Office, Lord Home. Le Premier ministre français, Michel Debré, honore lui aussi quelque part de sa présence les étangs et les bois, comme Couve, et comme le directeur des Affaires politiques du Quai d'Orsay, Eric de Carbonnel. Willy Brandt, absent de sa mairie, roule vers le pays où fleurit l'oranger, à bord d'un train d'où on l'extrait lors d'un arrêt nocturne pour le ramener tout ahuri en avion à Berlin. Je sais bien que le 13 août 1961 était un dimanche, et que le pont du 15 août le prolongeait de son arche sacrée. Hitler avait certes formulé, vingt-cinq ans plus tôt, une loi qui, ainsi, se vérifiait encore : quiconque désire mettre devant le fait accompli les démocraties doit agir durant les week-ends. Mais comment justifier qu'aucun dispositif d'alerte, aucun système de transmissions rapides et de consultations mutuelles d'urgence n'ait été mis en place ? L'imprévoyance est, en l'espèce, le fruit naturel de l'incompétence. Dans le secteur « privé », un journal par exemple, on aurait appelé cette négligence faute professionnelle. Dans le service « public », la faute professionnelle se nomme prudence, circonspection, sang-froid, art de relâcher les tensions. A Washington, le secrétaire d'Etat, Dean Rusk, a disparu et ne réapparaît que pour aller assister à une partie de base-ball. Le Président Kennedy est à bord de son yacht au large de la résidence familiale de Hyannis Port. Ce n'est qu'en fin de matinée, avec plusieurs heures de retard sur l'événement, que lui parvient d'un fonctionnaire subalterne de la Maison Blanche un message par radio, le priant de regagner la terre sans délai. Ayant lu sur le rivage les dépêches, Kennedy constate qu'il n'y est pas question d'un quelconque blocus des voies de communication entre Berlin-Ouest et la République fédérale. Rassuré, il décide que l'incident ne vaut pas qu'il écourte son séjour à Hyannis Port. « En ce qui me concerne, conclura-t-il quelques jours plus tard, la crise est terminée [1]. »

Voilà bien un quatrième trait. Nous le retrouverons en 1981, à l'occasion de la proclamation de la loi martiale en Pologne. Les Alliés en 1961 attendaient depuis longtemps une nouvelle tension à Berlin, mais identique à la précédente, le blocus de 1948. Dès lors que l'action soviétique ne prend pas le tour qu'ils escomptaient, ils estiment qu'elle n'a pas lieu. De même, depuis l'été de 1980, les Occidentaux envisageaient, comme seule contre-attaque éventuelle du communisme en Pologne contre le syndicat Solidarité, « l'entrée des chars soviétiques », comme à Prague en 1968 et à Budapest en 1956. Ils n'avaient rien imaginé d'autre. En revanche, les Soviétiques, eux, avaient cherché et trouvé quelque chose d'autre. De même encore, en 1961, pour arrêter l'exode des Allemands de l'Est vers la République fédérale, les Soviétiques inventèrent une solution nouvelle qui consista non à isoler la totalité de Berlin du monde occidental, répétition de 1948 que les Alliés n'auraient pas tolérée, mais à couper la ville en deux, ce qui les prit au dépourvu. Dans les deux cas, Berlin 1961 et Varsovie 1981, certains gouvernants occidentaux ont poussé le désir d'être dupes jusqu'à feindre de croire que l'on n'avait pas affaire à des initiatives soviétiques et que seuls les Allemands ou les Polonais, respectivement, devaient être blâmés.

On pourrait allonger le catalogue des traits fondamentaux du comportement occidental. Il porte à soupçonner une sorte d'harmonie préétablie, de complémentarité providentielle entre la volonté d'agression soviétique et la volonté de capitulation occidentale. Ainsi, en 1961, déjà, parmi les conseillers politiques des dirigeants suprêmes, ceux qui importunent et irritent le plus leurs patrons sont les partisans de la fermeté. Dean Rusk sait plaire à Kennedy en inventant l'argument savoureux, appelé à devenir classique, et repris à satiété plus tard, selon lequel la résistance à l'attaquant est périlleuse car elle risque de susciter de sa part une réaction violente. Contrarier l'agresseur peut le rendre agressif !

1. Je m'appuie ici sur l'excellent ouvrage de Curtis Cate, *The Ides of August*, McEvans, 1978, qui relate minute par minute ces journées. tr. fr. : *la Souricière*, 1980, France, Ade/Balland.

Tel est le précepte qui va inspirer toute la diplomatie occidentale. Il va de soi qu'une fois le coup de force soviétique réussi et la résignation occidentale bien avérée, les démocraties claironnent aussitôt des communiqués condamnant catégoriquement l'agression. Et elles ne manquèrent pas à ce rituel en août 1961. Elles bredouillèrent bien aussi quelques vagues menaces d'embargo commercial, glapissements de l'impotence, dont les zéphyrs tiédasses caresseront à nouveau les oreilles soviétiques après l'occupation de l'Afghanistan et après l'instauration du régime de répression militaire en Pologne. Le général de Gaulle, plusieurs jours après le coup du mur, enfin rentré à Paris, tira des événements la leçon qui lui parut la plus judicieuse, à savoir qu'il importait de négocier au plus vite avec « les Russes » afin de « réduire les tensions ». Comme si les tensions étaient dues aux Occidentaux ! Il venait d'inventer le principe de la détente : dès que l'adversaire vient de vous prendre quelque chose en usant de la violence, vous devez aussitôt chercher quelles concessions vous pouvez lui faire pour le convaincre que vous n'êtes nullement affecté par le dommage qu'il vient de vous infliger et ne nourrissez aucune velléité de revanche. Quand de Gaulle fera un voyage officiel en République fédérale, au mois de septembre 1962, il évitera ostensiblement de se rendre à Berlin-Ouest... Ne « les » irritons surtout pas !

Durant l'été du mur, même le théâtre des festivités, de la propagande et des symboles resta ouvert, à la grande joie des communistes : en juillet 1961, pendant que la fièvre montait chaque jour à Berlin, le gouvernement britannique n'estima pas opportun d'ajourner une tournée en Angleterre du cosmonaute soviétique Youri Gagarine, accueilli en héros, reçu à déjeuner par la Reine et acclamé par les enfants des écoles. Courtoisie annonciatrice de celle que déployèrent en 1980 certains Occidentaux, notamment les Français, en maintenant leur participation aux Jeux Olympiques de Moscou après l'invasion de l'Afghanistan. Nous autres, démocrates occidentaux, nous entendons à ménager non seulement les intérêts mais même l'amour-propre des totalitaires. Le Kremlin, d'ailleurs, compte sur notre passivité et, en 1961, plusieurs de ses diplomates, dont l'ambassadeur soviétique à Washington en personne, ne s'étaient pas gênés pour annoncer à des journalistes américains l'absence de réactions des Alliés[1].

On peut objecter à bon droit que l'année suivante, en 1962, les Soviétiques parièrent à tort sur l'apathie occidentale en installant à Cuba des missiles offensifs. La réaction américaine, on le sait, fut énergique et nette, les Soviétiques reculèrent, démontèrent leurs

1. Articles de Warren Rogers dans le *New York Herald Tribune* du 16 juillet 1961 et de James Reston dans le *New York Times* du même jour, faisant état d'entretiens avec l'ambassadeur Menshikov.

fusées et les réembarquèrent à destination de leur pays. Mais faut-il attribuer une valeur héroïque à une décision américaine d'élémentaire sauvegarde ? Doit-on conférer un mérite surhumain à un Président qui s'oppose à l'installation d'un arsenal nucléaire à 150 kilomètres de la côte des Etats-Unis, ou bien n'est-ce pas plutôt celui qui aurait accepté cette installation qui aurait dû être considéré comme un incapable ou un traître ? Car enfin, l'esprit de résignation occidental se mesure aussi à la facilité avec laquelle nous prêtons des couleurs d'épopée à nos rares actions de légitime défense. Quant à la remarque, depuis lors souvent faite, que, dans les heures graves, le général de Gaulle, malgré son anti-américanisme habituel, savait se ranger au côté de l'Amérique, puisqu'il assura Kennedy de la solidarité française dans la crise des fusées de Cuba, cette remarque, elle aussi, donne la mesure de la modestie des critères dont se contente l'Occident pour définir la fidélité à une alliance. Comme une alliance, jusqu'à nouvel avis, consiste à prendre parti pour son allié plutôt que pour l'adversaire qui l'attaque, en quoi est-il admirable que de Gaulle n'ait pas applaudi à l'initiative de Moscou ? Il ne pouvait guère faire moins que d'accorder un appui, du reste purement verbal, à la réaction défensive américaine. L'étonnant est que l'on songe à s'en vanter. Il est, bien sûr, à craindre que, si la crise des fusées de Cuba s'était produite quinze ans ou vingt ans plus tard, les Européens, au lieu de se solidariser avec les Etats-Unis, les eussent conjurés de céder aux Soviétiques afin de ne pas « compromettre la détente ». Mais il est des sommets dans l'abnégation devant l'agresseur qu'on n'atteint pas d'emblée. Un certain entraînement est nécessaire.

Il est en revanche permis de conjecturer que la crise des fusées, au cours de laquelle, selon les bons experts, le monde frôla une guerre nucléaire générale, ne se serait peut-être pas produite si les Alliés, et à leur tête les Etats-Unis, n'avaient pas capitulé un an plus tôt à Berlin-Est, persuadant ainsi l'URSS qu'ils n'avaient même plus l'énergie de faire prévaloir leur bon droit ou d'extérioriser leur instinct de conservation.

Car le comble, dans la tragédie du mur, est qu'on ne peut invoquer à son propos aucune des raisons spécieuses par lesquelles nous avons coutume d'excuser notre nonchalance face aux coups de l'impérialisme communiste. Il existait un accord quadripartite aux termes duquel Berlin *tout entier* relevait de l'ensemble des quatre puissances occupantes, ce qui fait que la zone d'occupation des Soviétiques ne leur appartenait nullement, pas plus que la zone d'occupation française à la France. Berlin-Est n'était pas inclus dans la « sphère » soviétique, au nom d'un quelconque Yalta, fût-il fantôme. La ligne de démarcation entre Berlin-Est et Berlin-Ouest n'était pas une frontière entre deux Etats. Isoler par la force un secteur de la ville constituait donc, de la part de l'un des occupants, la violation d'un traité. Une réaction militaire de notre part ne soulevait donc aucun des problèmes que l'on avait pu se poser concernant une intervention en Hongrie cinq ans auparavant ou que l'on se posera au sujet d'autres agressions, ailleurs et plus tard. Bien plus : nous savons maintenant que, si les Occidentaux avaient envoyé une douzaine de chars disperser les soldats est-allemands qui étaient en train de construire le « mur de la honte » (sous les insultes de leurs compatriotes) et qui n'étaient même pas armés, les maçons en uniforme auraient déguerpi : ils en avaient reçu l'ordre, dans une telle éventualité, de leurs maîtres soviétiques.

Cette reddition gratuite de l'Occident démontre en outre l'inanité de la distinction entre « guerre froide » et « détente ». Le concept de « guerre froide », l'invocation d'un danger de « retour à la guerre froide », sont des armes brandies après l'Afghanistan par les partisans de la détente à la soviétique pour prolonger celle-ci. En quoi les démocraties pourraient-elles agir moins et subir plus, avec plus de passivité conciliante, qu'elles ne l'ont fait à Berlin en 1961, année qui, selon les théoriciens des relations internationales, se situent pourtant en plein cœur de la guerre froide ?

Kennedy a même inventé en l'occurrence ce qui deviendra un grand stratagème pour fleurir les retraites de l'ère de la détente : la résistance verbale après le fait irréversible, la condamnation comme « inacceptable » de ce que l'on s'est déjà empressé d'accepter. En juin 1963, il alla prononcer devant le mur sa fameuse phrase : « *Ich bin ein Berliner.* » Il est édifiant que l'histoire ait retenu avant tout, de notre capitulation délibérée, la phrase où le Président américain proclame pompeusement : « Je suis un Berlinois » après avoir laissé le communisme amputer Berlin selon les nécessités de sa domination impériale. Belle péroraison et digne de l'exorde, que cette phrase creuse, après la farce triste.

Dans la guerre, dit Salluste, l'intelligence est prépondérante[1]. Dans cette confrontation de 1961 et dans la plupart de celles qui l'ont précédée ou suivie, les Soviétiques surent tout bonnement se montrer plus intelligents que les Occidentaux. Selon une épure que l'on reverra souvent, ils prirent l'initiative, bousculèrent les démocraties, furent bien fondés à prévoir qu'elles seraient paralysées par leurs divisions, virent juste, agirent vite et gagnèrent sans avoir à combattre. Quelle meilleure preuve de supériorité intellectuelle, et quel plus grand délice, que de remporter une bataille que l'on a même pas eu à livrer ? On comprend l'indécence avec laquelle les totalitaires affichèrent leur jubilation, une fois leur coup fait, et l'impudeur avec laquelle, en 1971, communistes allemands et russes

1. « *Compertum est in bello plurumum ingenium posse.* » (*La Conjuration de Catilina*, II.)

célébrèrent publiquement le dixième anniversaire du mur, ce grand succès du socialisme. Il y avait de quoi. Avoir pu, au sein d'un rapport des forces alors défavorable, piétiner avec ostentation des traités formels, et non seulement l'avoir fait impunément, mais voir les démocraties en conclure que rien n'était plus profond que le désir de paix des Soviétiques ni plus urgent que de s'engager dans une détente avantageuse à tous égards pour le communisme, c'est avoir conquis le droit et pouvoir savourer le plaisir de se sentir supérieur aux adversaires que l'on a su duper. Aussi je ne crois guère au « sentiment d'infériorité » attribué aux Soviétiques par les zélateurs de la détente à tout prix, qui trouvent toujours nécessaire de « rassurer » Moscou par des preuves de bonne volonté. Je crois au contraire à un énorme sentiment de supériorité, affermi au fil des années, de l'Union soviétique par rapport aux Occidentaux, au fur et à mesure qu'elle vérifiait avec quelle facilité elle pouvait les berner.

Après avoir eu pendant des années l'illusion de mener contre les Soviétiques une prétendue « guerre froide » tout en pratiquant une politique de concessions qui ressemble déjà beaucoup à la future détente, les Occidentaux tomberont plus tard dans l'illusion complémentaire de se trouver dans une ère de détente, qui ne sera en réalité qu'une guerre froide des Soviétiques contre eux.

20

LA DRÔLE DE « GUERRE FROIDE »

Durant l'ère de la « détente », qui commença sous son nom officiel avec l'Ostpolitik de Willy Brandt à la veille de la décennie 1970-1980, mais dont de Gaulle fut l'incontestable précurseur dès le milieu des années 60, une ritournelle favorite des hommes politiques, des analystes et des journalistes consistait à dénoncer le danger de « retomber dans la guerre froide ». S'alarmer si peu que ce fût d'une progression de l'expansionnisme soviétique, en Afrique ou en Asie, d'une violation patente des accords conclus ou d'une déstabilisation terroriste de provenance suspecte, c'était se ravaler soi-même au nombre des « nostalgiques de la guerre froide », dont les préjugés vétustes n'avaient pas encore fondu sous les rayons du soleil de la détente.

Le mystère de cette distinction entre guerre froide et détente tient à ce que, comme tant d'idées reçues en histoire, elle substitue des mots à une réalité sans grand rapport avec eux. A force de répéter ces mots, on inculque à l'opinion publique une conviction dont le rappel des faits échoue en général à enrayer la pérennité. Du point de vue soviétique, il n'y a pas eu plus de détente qu'il n'y a eu de guerre froide. Il y a eu, au cours des deux périodes, une même politique de consolidation et d'expansion diplomatique et militaire ; une même méthode, tablant, presque toujours avec raison, sur la passivité de l'Occident, pour imposer des coups de force ; un art identique de diviser les démocraties entre elles et de leur extorquer, tout en les déstabilisant de l'intérieur, des concessions territoriales, militaires, économiques en échange de promesses de « paix » jamais tenues. Que ce système ait fait engranger aux Soviétiques leurs gains les plus copieux durant la période dite de la détente, c'est ce qui paraît indiscutable. Mais cette période représente pour eux plus l'épanouissement que le renversement de la précédente. Et quand je dis qu'il faut, pour s'en convaincre, se placer au point de vue des Soviétiques, j'entends qu'il faut le faire non pas, comme le fait en général la diplomatie occidentale, en croyant ce qu'ils disent dans les conférences internationales, mais en observant ce qu'ils ont fait, les succès qu'ils ont remportés, les échecs qu'ils ont subis, et en alignant face à ceux-ci les échecs et les succès des Occidentaux.

Précaution qui devrait être superflue, on doit d'ailleurs commencer par rappeler, puisque les faits les plus élémentaires ont presque toujours été oubliés, dans cette insolite histoire, que, si guerre froide il y a eu, l'initiative en revient aux Soviétiques. On voudra bien faire l'effort de se souvenir ou de s'enquérir du fait qu'en 1947 Staline, ayant fort avancé la soviétisation de l'Europe orientale et centrale, et abaissé le fameux « rideau de fer » entre les (désormais) « deux » Europe, donna l'ordre à ses partis communistes occidentaux, notamment l'italien et le français, après leur sortie des gouvernements de coalition dont ils faisaient partie, de passer à une opposition destructive, voire insurrectionnelle. Il fonda le Kominform en septembre 1947, se lança dans une politique étrangère conquérante et belliqueuse. Les trois années suivantes virent en effet le blocus de Berlin par les Soviétiques et l'invasion de la Corée du Sud par la Corée du Nord communiste. Devant ces deux agressions, la réplique occidentale se cantonna dans la défensive, bien que ce soit cette simple défensive que, dans un esprit de mortification saugrenu, nous ayons dès lors commencé à définir nous-mêmes comme « comportement de guerre froide ». Le pont aérien américain entre l'Allemagne de l'Ouest et Berlin contrecarra les effets du blocus, mais aucune représaille ne fit payer aux Soviétiques le prix de leur violation des accords. Leur échec, dans cette tentative d'annexer par la force Berlin à l'Allemagne de l'Est, se traduisit par le simple retour à la situation primitive. C'est d'ailleurs la règle générale dans les rapports Est-Ouest : quand l'Union soviétique gagne, elle élargit sa sphère d'influence ; quand elle perd, elle retrouve la position qu'elle occupait avant d'attaquer. Mais elle ne recule quasiment jamais. Il y a certes quelques exceptions : la perte par Staline de l'Iran, par exemple, en 1946. Mais d'ordinaire, l'URSS n'est pas punie d'avoir attaqué puis d'avoir échoué. Ce principe à lui seul explique qu'elle ne puisse que progresser. Et c'est ce qu'elle a fait depuis 1945. Le même canevas servit pour la guerre de Corée : les communistes envahissent un territoire, provoquent un conflit armé, ravagent un pays, font tuer des milliers d'êtres humains, ne parviennent pas à leurs fins, se replient sur leurs possessions antérieures, sans que celles-ci soient amputées de la plus petite parcelle. La doctrine américaine de l'époque ne se résume-t-elle pas dans la notion d'endiguement (*containment*) et non pas de refoulement (*roll back*), ce qui est tout dire, mais ce qui paraîtra encore beaucoup trop belliqueux aux avocats de la détente, vingt ans plus tard ? En théorie en effet, aux yeux du Kremlin, la guerre froide est synonyme de *containment*, tandis que la détente correspond à la notion d'apaisement, de relâchement des tensions, bref de non-résistance de la part des Occidentaux. Dans la pratique, toutefois, l'Union soviétique a toujours imposé cette convention selon laquelle elle peut soit conserver son acquis, soit avancer, mais ne peut jamais être condamnée à reculer.

Dès ses débuts, la confrontation entre l'Union soviétique et les Occidentaux ressemble donc à une partie de football dans laquelle l'une des deux équipes, celle des Occidentaux, s'interdirait par avance de franchir la ligne de milieu de terrain. Le meilleur résultat possible d'une telle partie c'est, pour les Occidentaux le match nul, qui est, pour les Soviétiques, le pire résultat possible. Les Soviétiques n'ont d'alternative qu'entre le match nul et la victoire, les Occidentaux qu'entre le match nul et la défaite. Encore cette règle du jeu ne vaut-elle vraiment que pour la « guerre froide » : à l'époque de la détente, elle paraîtra encore à certains Occidentaux trop favorable à l'Occident, et la recherche du match nul passera pour un agissement provocateur de la part des pays démocratiques.

La guerre du Vietnam ne constitue pas une exception à la règle. Les Américains ne s'y sont décidés que pour tenter d'empêcher les communistes du Nord-Vietnam de conquérir par la force le Sud-Vietnam, dont les accords de Genève de 1954 garantissaient l'indépendance. Ce fut là l'origine de la guerre, comme toujours, et non point que les Sud-Vietnamiens aient songé si peu que ce fût à envahir le Vietnam communiste et les Américains à les y aider. La topographie politique, le schéma juridique reproduisaient terme pour terme ceux des deux Corée en 1950, et le fauteur de guerre fut du même camp. La persévérance des Américains dans cette défense du statu quo en Indochine aussi, leur obstination à lutter pour un match nul qu'ils n'ont en fin de compte pas obtenu, ont suffi à les discréditer durablement aux yeux du monde en tant qu' « impérialistes ». L'impérialisme consiste donc, selon cette définition, à défendre contre des armées ennemies, du moment qu'elles sont communistes, une population qui ne veut pas du communisme, comme elle l'a bien montré par la suite, quand elle eut été occupée par les troupes du Nord. Jadis, vous étiez impérialiste quand vous envahissiez d'autres territoires que le vôtre, imposiez à des peuples indépendants une autorité qu'ils rejetaient. Aujourd'hui, vous êtes impérialiste quand vous osez vous opposer à ces actes, si vous êtes une démocratie, et si l'envahisseur est communiste.

A nul instant de la guerre froide les démocraties, nous le savons, n'ont entrepris d'exploiter les maladies internes du système soviétique, en particulier les soulèvements des peuples asservis, à Berlin-Est en 1953, à Budapest en 1956. En quoi l'Administration républicaine d'Eisenhower aux Etats-Unis, avec en particulier son secrétaire d'Etat Foster Dulles, que l'on dépeint comme « le commis voyageur de l'anticommunisme », en quoi les gouvernements très anticommunistes de la IVe République française, les gouvernements conservateurs de Churchill et d'Eden à Londres se sont-ils comportés avec plus d'intransigeance que les zélateurs de la détente au cours des années 70 ? Je ne vois qu'une seule différence entre les premiers et les seconds : les anciens se sont bornés à s'abstenir de tirer parti des difficultés surgies spontanément au sein de l'empire totalitaire ; les modernes ont, par-dessus le marché, aidé les maîtres de l'empire à surmonter ces difficultés, en les comblant d'argent, de vivres et de compréhension [1].

C'est pourtant dès les débuts de la guerre froide que l'Occident a pris l'habitude et s'est octroyé le réconfort de baptiser victoires ses matchs nuls, voire ses défaites. Considérons à nouveau l'affaire du mur de Berlin : c'est une épreuve de force et c'est une défaite. Les Occidentaux, loin de réagir, ont employé tout leur talent à inventer des raisons de s'en bien garder. Les Soviétiques sont parvenus à leurs fins sans peine, sans contrepartie à verser ni sanction à subir. Malgré cette reddition peu glorieuse, les démocraties ne sont pas loin de se féliciter de l'heureuse issue de l'événement : l'Armée rouge n'a pas repris Berlin, n'est-il pas vrai ? Elle n'a pas bloqué les voies d'accès à l'ancienne capitale ? Avec cette subtilité de raisonnement, on pourrait transformer la guerre de 1870 en victoire française. Car l'Allemagne a certes alors annexé l'Alsace et la Lorraine, après cette guerre, mais pas la Champagne, n'est-ce pas ? Dans le *New York Times Encyclopedic Almanac,* édition de 1971, on peut lire, en parcourant la notice biographique du Président Kennedy, que celui-ci, après l'érection du mur, « appela des réservistes et dépêcha des unités militaires en direction de la frontière *jusqu'à ce que la situation tendue se relâche* ». (Souligné par moi). La frontière ? Quelle frontière ? Si c'est celle entre les deux Allemagnes, c'est sans rapport avec la réplique requise par le coup de force à Berlin. Quant à la tension, quel mérite y a-t-il à la faire tomber en s'inclinant d'emblée ? Grâce à la capitulation alliée, la tension, sans doute, disparut, mais pas la situation, puisque l'avantage dérobé par les Soviétiques leur demeura définitivement acquis. Voilà comment une défaite se transmet à la postérité, dans un usuel de large diffusion, sous les couleurs d'une victoire. La phrase est reprise mot pour mot dans *The Official Associated Press Almanac* de 1973 [2]. Encore peut-on s'estimer heureux lorsque les

1. La doctrine favorite du secrétaire d'Etat John Foster Dulles était celle des « risques calculés », ce qui faisait dire au ministre français des Affaires étrangères Georges Bidault : « Il calcule énormément et ne risque jamais. »

2. « *The Soviet Union and East Germany sealed off escape from East to West Berlin. The President called up army reserves and dispatched military units to the border until the tense situation ceased.* »

victoires de l'impérialisme soviétique ne sont pas considérées comme des signes de faiblesse de l'URSS par ceux mêmes au détriment de qui elles ont été acquises. Une remarque dans ce sens constitua le bouquet final de l'été du mur. « Au cours d'une réunion au Département d'Etat, relate Curtis Cate, on avança la thèse que les mesures prises dans la panique par le régime d'Ulbricht ne devaient pas être définies comme réellement agressives... Elles révélaient combien ce régime était vulnérable... On devait les considérer comme un recul et une défaite de première grandeur pour le communisme[1]. » Cette analyse préludait à nombre d'autres, qui composeront le vaste florilège de la niaiserie diplomatique occidentale. On confond ici deux démarches. Etre contraint de bâtir un mur pour empêcher ses ressortissants de fuir, comme a dû le faire le régime communiste de l'Allemagne orientale, est, certes, pour une société, un incontestable signe de faiblesse. Réussir à le construire impunément, contre le gré du camp occidental tout entier et au mépris des pactes, n'est nullement un signe de faiblesse : c'est un signe de force.

Comme les Occidentaux ne veulent jamais, en pareille circonstance, prendre conscience d'avoir subi un revers, ils ne se posent pas la double question qu'on doit se poser après une défaillance : qui est responsable ? Quelles leçons tirer de la déconfiture ? On n'a jamais vu un chef d'Etat ou un ministre occidental démissionner après avoir échoué dans sa politique à l'égard de Moscou, comme le Premier britannique Anthony Eden après le fiasco de Suez en 1956, ou le secrétaire au Foreign Office Lord Carrington en 1982 pour n'avoir pas prévu le coup de force argentin sur les îles Malouines. Des séries de défaillances infiniment plus graves que ces broutilles, parce qu'elles mettent en péril à terme l'existence même des civilisations démocratiques, ne sont pas sanctionnées, ne sont même pas reconnues comme telles, du moment qu'elles se produisent dans les rapports avec le monde communiste. On a vu même une personnalité de premier plan accéder au poste mondial le plus influent après avoir administré la preuve de son incompréhension du phénomène communiste. Eisenhower, en effet, agissant en chef militaire, a rendu possible la conquête par l'Union soviétique de l'Europe centrale en 1944 et 1945. Non seulement il n'a pas été blâmé pour cette erreur, mais il a été porté quelques années plus tard à la présidence des Etats-Unis. Comment les Occidentaux pourraient-ils tirer des enseignements exacts et utiles d'événements qu'ils refusent de percevoir comme des succès soviétiques ? Les leçons, on les leur inflige, ils ne les tirent jamais. Aussi les Soviétiques font-ils entrer de plus en plus dans tous leurs plans

1. *Op. cit.* p. 336.

d'action la quasi-certitude de la passivité de l'Ouest. Dans chacune de leurs opérations répressives ou expansionnistes, de la Hongrie à la Tchécoslovaquie, de l'Afghanistan à la Pologne, ils mettent devant le fait accompli à la fois un peuple de l'Est et les pays occidentaux. Le peuple de l'Est est le résistant et la victime, dans ce scénario périodiquement rejoué, les pays occidentaux sont le maillon le plus faible, le témoin passif et vaguement grommelant, le complice de fait. Le Kremlin sait que le seul obstacle à la répression sera le courage du peuple supplicié, en aucun cas celui de l'Occident. Remarquons que jamais les Soviétiques ne se tournent vers les démocraties pour leur dire : « Le peuple afghan ou le peuple hongrois ou le peuple tchèque ou le peuple polonais sont avec nous, donc ne comptez pas les utiliser contre nous. » Ils font l'inverse. Ils s'adressent aux peuples asservis, les Allemands de l'Est en 1953 et en 1961, les Tchèques en 1968, les Polonais en 1982, et leur disent : « L'Occident vous abandonne et vous abandonnera toujours. Votre résistance sera vaine. Le plus sage de votre part est donc de vous résigner au pouvoir des apparatchiks que nous vous avons choisis et de vous préparer à vivre le moins mal possible en acceptant votre sort. « Comment négliger un aussi bon conseil, aussi manifestement fondé sur la *praxis ?* Deux ans après l'entrée de l'armée soviétique en Afghanistan, l'extermination méthodique de la population montagnarde se poursuivait de plus belle tandis qu'en Occident la question d'une aide éventuelle à la résistance ou de représailles économiques contre l'URSS avait depuis longtemps été retirée de l'affiche. Trois mois après le début de l' « état de guerre » en Pologne, le principal sujet de débat entre les gouvernements occidentaux était le problème de l'étendue et de la rapidité des concessions à faire, dans le domaine des fusées à portée intermédiaire, afin d'apaiser l'Union soviétique. En Occident, les représailles même purement verbales deviennent en quelques semaines déplacées, choquantes. Interrogé par un journaliste sur l'opportunité d'éventuelles sanctions économiques, après le coup de force de décembre 1981 en Pologne, l'ancien président de la République française, Valéry Giscard d'Estaing, effarouché, proteste aussitôt : « Ne parlons pas de sanctions ! Parlons de *mesures.* » Des « mesures » ! Comme vous y allez ! Mazette ! De quoi glacer de terreur le KGB [1]. Chaque fois qu'ils s'adjugent un nouvel avantage, martyrisent un nouveau peuple, les Soviétiques savent qu'ils peuvent compter d'abord sur l'inaction ,puis bientôt sur le

1. *Paris-Match,* février 1982. De son côté, l'ancien Premier ministre de Giscard, Raymond Barre, déclare en septembre 1981 devant le groupe parlementaire de l'UDF, à la suite de propos antisoviétiques fermes de François Mitterrand : « Mitterrand compromet l'amitié traditionnelle entre la France et l'URSS. » C'est là une séquelle du mirage gaulliste, dont il sera question dans le chapitre suivant.

silence de « grandes puissances » occidentales qui ne savent que reprendre la lamentation de la *Rodogune* de Corneille :

Sur les noires couleurs d'un si triste tableau,
Il faut passer l'éponge ou tirer le rideau.

En dehors de quelques gesticulations dans un style d'opéra bouffe, tels les débarquements au Liban et dans la Baie des Cochons à Cuba, en 1958 et 1961 respectivement, et y compris, d'ailleurs, ces opérations, l' « impérialisme » occidental durant la guerre froide fut purement défensif. Il constituait toujours une réplique à une offensive soviétique. Ces expéditions, tout comme les déstabilisations des régimes anti-occidental de Mossadegh en Iran et procommuniste d'Arbenz au Guatemala suffirent à marquer à tout jamais les Etats-Unis du sceau de l'ignominie. Je ne contesterai pas le bien-fondé de cet opprobre, et me limiterai à ce constat qu'il s'agit là d'un type d'opérations auquel l'URSS ou la Chine ou Cuba et tous les pays communistes se sont livrés et se livrent tous les jours avec succès depuis qu'ils existent. Et ils le font, eux, toujours en prenant l'initiative et l'offensive, non pour se défendre, et sans jamais s'attirer à un tel point et aussi durablement les vitupérations de la conscience universelle. Quand le communisme attaque, il est censé se défendre ; quand la démocratie se défend, elle est censée attaquer. Tel est le principe commun à la « détente » et à la « guerre froide ». Et ce principe est accepté, en Occident même, par de grands pans de l'opinion publique, de la presse, des partis et des responsables politiques.

L'interprétation que l'on donne couramment à l'affaire des fusées soviétiques à Cuba en 1962 en constitue une des plus parfaites applications. Remarquons en effet que l'état d'alerte que les historiens présentent comme une victoire américaine et comme une humiliation soviétique fut en fait, de la part des Etats-Unis, un acte strictement défensif. La vraie initiative, et qui, elle, était offensive — transporter et installer des fusées nucléaires à Cuba — c'est le Kremlin qui l'avait prise. Par quoi s'est traduite la prétendue « défaite » soviétique ? Par l'annulation de la décision d'installer des fusées, autrement dit, comme à l'accoutumée, *par le retour sans frais de l'URSS à la position de départ.* Comment les Américains obtinrent-ils cette « victoire » ? *En promettant de respecter le régime castriste* et en *retirant leurs fusées de Turquie.* En somme, dans cette négociation, c'est le « vainqueur » qui paye un prix et le « vaincu » qui, avec la sanctuarisation de Cuba et l'affaiblissement de l'Otan, recueille un double bénéfice. L'URSS est passée maître dans l'art de se faire payer pour *ne pas* faire quelque chose, que, bien entendu, elle fait par la suite [1].

1. Encore n'avons-nous là, dans cet épisode cubain, que les seules concessions de Kennedy *que nous connaissions.* Il y en a peut-être eu d'autres : comment

Vingt ans plus tard, en 1982, le président Reagan offrira au Nicaragua, devenu à son tour satellite soviétique, une aide économique à condition que ce pays cesse d'exciter et d'armer la guérilla au Salvador. La Maison-Blanche commet la même erreur diplomatique qu'à propos de Cuba en 1962 : on donne ou on offre un avantage concret, matériel, positif en échange de la cessation hypothétique d'une activité négative ; on sacrifie dans le présent quelque chose de tangible contre une assurance de s'abstenir désormais de nuire ; on aliène quelque chose de mesurable et de contrôlable contre la promesse d'une chose immesurable et incontrôlable.

Cette recette de négociation s'inscrit dans une classe plus vaste : la *concession préalable.* Elle consiste à céder par anticipation, avant même l'ouverture d'une négociation, ce qui devrait en faire l'objet, et ne devrait être offert par l'Occident qu'au terme et non au point de départ des pourparlers, et offert seulement à condition de s'assurer une contrepartie soigneusement pesée et au moins équivalente. Au lieu de quoi, les Occidentaux ont pris l'habitude de sacrifier trop souvent sur l'autel de la détente leurs principaux atouts avec l'intention de rendre éclatantes leur bonne volonté, leur ouverture d'esprit, et avec la conviction candide que les Soviétiques, émus par un comportement aussi magnanime, s'empresseront de chercher à les payer de retour et à combler leurs vœux. Les Soviétiques, rendus capricieux par l'accoutumance à de pareilles aubaines, trouvent donc tout naturel de proposer des négociations dont la condition préalable soit que l'Occident ait renoncé par avance à tous ses atouts, comme dans le problème des fusées de portée intermédiaire en Europe. Aussi explosent-ils de fureur lorsque, dans un geste d'insubordination inusité, nos gouvernements font mine de vouloir revenir aux préceptes d'une diplomatie bassement capitaliste, celle du donnant-donnant, par exemple en suggérant que l'URSS doit d'abord démonter ses fusées pour que nous renoncions ensuite à déployer les nôtres. La démarche normale, à leurs yeux — et d'ailleurs, derrière eux, de nombreux porte-parole occidentaux la réclament aussi — consisterait de notre part à renoncer sans délai à déployer des fusées en Europe de l'Ouest, *pour* obtenir le privilège de *parler* avec les Soviétiques et d'entamer avec eux la négociation, à laquelle nous nous présenterions donc les mains vides. Du reste, les Soviétiques auraient bien tort de ne pas maintenir leur intransigeance coutumière en insistant pour obtenir de l'Occident des garanties préalables, formule qui demeure pour leur joie la plus chaleureusement recommandée et la

expliquer sans cela que les autorités américaines, qui ne respectent guère les secrets d'Etat, aient gardé sous le boisseau depuis 1962 la correspondance entre Kennedy et Khrouchtchev ?

plus populaire à l'Ouest même. N'a-t-on pas vu, par exemple, au printemps de 1982, quatre personnalités américaines de premier plan, McGeorge Bundy, ancien conseiller à la Sécurité nationale de Kennedy et de Johnson, Robert McNamara, ancien ministre de la Défense des mêmes, George Kennan, haute figure de la diplomatie américaine depuis la Seconde Guerre mondiale et Gerard Smith, ancien négociateur des SALT[1] signer ensemble dans la revue *Foreign Affairs* un article pour conseiller à Reagan que les Etats-Unis renoncent à la doctrine de l'emploi en premier (*first strike*) de l'arme nucléaire, en cas d'attaque de l'Europe occidentale par l'Union soviétique. Or, cette renonciation, bien claironnée d'avance, au *first strike*, ce serait la divine surprise dont l'Union soviétique rêve amoureusement depuis plus de trente ans. Et cette proposition, cet article, c'est, à point nommé, l'encouragement dont avaient besoin les mouvements pacifistes européens, les partisans du désarmement occidental unilatéral, à l'instant précis, notons-le bien, où, dans la citadelle du défaitisme, la République fédérale d'Allemagne, s'ouvrait l'épineux congrès du Parti social-démocrate allemand, le SPD, devenu le maillon le plus faible de la résistance des sociétés démocratiques à l'expansion totalitaire.

Nous pourrions accumuler les exemples par centaines : ce que l'on a baptisé par une hyperbole martiale « guerre froide » obéissait en pratique de la part de l'Occident à des préceptes d'une insigne modération, principes que les architectes de la détente n'eurent par la suite qu'à rendre encore plus doux, sans avoir à en altérer la substance. Cette mansuétude a du reste agréablement surpris Moscou. L'affaire cubaine était la dernière d'une série qui s'étend sur dix ans, de 1953 à 1962. Durant cette période, les Occidentaux et, bien sûr, les Etats-Unis au premier chef, disposaient de tous les moyens nécessaires à une politique offensive, ce qui ne signifie pas une politique d'agression militaire, mais une diplomatie consistant à s'assurer des positions et des garanties conformes à la réalité du rapport des forces. Les Soviétiques, bien entendu, qui, dans ce domaine au moins, savent travailler, s'attendaient de notre part à une telle diplomatie, en simple conformité avec nos intérêts. Notre incompétence les étonna.

Les Soviétiques n'ont jamais compris en effet pourquoi l'Occident n'avait pas mis à profit leur infériorité, pendant ces années, leur vulnérabilité, les premières révoltes, en Allemagne de l'Est, en Pologne déjà, en Hongrie surtout, des peuples qui commençaient à comprendre quel cauchemar de misère et d'esclavage leur avaient apporté leurs étranges « libérateurs ». Non seulement les Occidentaux ne tentèrent pas d'obliger par des pressions l'URSS à restituer les territoires qu'elle s'était indûment appropriés, à rendre leur

1. Pourparlers sur la limitation des armements stratégiques.

indépendance nationale aux pays qu'elle avait colonisés, où elle avait installé des gouvernements à ses ordres, ne parvenant à les y maintenir que par la brutalité militaire et la terreur policière, mais encore l'Amérique et ses alliés européens ne surent même pas profiter des occasions favorables qui s'offraient d'elles-mêmes pour régler par la négociation les cas les plus épineux et les plus dangereux de l'après-guerre, en particulier le sort de l'Allemagne divisée, si gros de menaces et d'une incurable faiblesse pour l'avenir de l'Europe démocratique.

Au mois d'août 1961, quand les Alliés laissent sans réagir les communistes élever le mur de Berlin, l'ambassadeur des Etats-Unis en Allemagne de l'Ouest se trouvait être l'homme qui auparavant, comme ambassadeur à Vienne, avait participé avec les Soviétiques à la négociation du traité de paix autrichien, conclu en mai 1955. A son arrivée à Bonn, en 1959, cet ambassadeur, Walter Dowling, rencontre un diplomate soviétique qui avait été lui-même en poste à Vienne au moment du traité de paix, un certain Timoshenko.

— Vous rappelez-vous, lui dit Timoshenko, quand nous nous disions l'un à l'autre, en Autriche : voilà, nous allons mener à bien la conclusion d'un traité de paix !

— Certes ! répond Dowling. Alors pourquoi ne pas essayer maintenant de voir si nous n'arriverons pas à faire la même chose ici, pour l'Allemagne ?

— Impossible, réplique le diplomate soviétique en multipliant avec la tête de longs signes négatifs : vous avez raté votre chance en 1952 [1].

Ce n'est pas seulement en 1952 que les Occidentaux avaient manqué l'occasion de négocier un traité de paix réunifiant l'Allemagne et supprimant par là même l'une des principales faiblesses du camp démocratique et l'un des plus puissants moyens pour Moscou de le faire chanter. Truman avait laissé fuir une première chance au moment du blocus de Berlin en 1948, en refusant d'envoyer un train blindé d'Allemagne de l'Ouest à Berlin pour voir si les Soviétiques oseraient l'attaquer. Qu'ils l'attaquassent ou non, ils étaient battus, et l'Amérique pouvait profiter de leur bévue pour exiger que la situation allemande sortît de l'équivoque. Au lieu de quoi le pont aérien fut une façon de tourner le blocus, il ne le brisa pas. Les Etats-Unis ne surent pas faire suivre cette victoire de prestige d'une victoire diplomatique. La levée du blocus en 1949 s'accompagna pour les Alliés du retour habituel à la position antérieure, aussi fragile sur le plan militaire que confuse sur le plan juridique. L'art diplomatique élémentaire eût consisté, vis-à-vis des Soviétiques, pour prix de la faute qu'ils avaient commise en violant ces accords d'armistice, à exiger la négociation immédiate du traité

1. Curtis Cate, *The Ides of August*, p. 368.

de paix allemand. Que les Alliés n'aient pas poussé leur avantage après cet échec soviétique constitue déjà une preuve d'incompétence professionnelle, au regard des règles immémoriales de la diplomatie la plus classique. Qu'ils aient en outre omis de le faire alors précisément, au cours du bref laps de temps où les Etats-Unis ont disposé du monopole de la bombe atomique, supériorité absolue, sans précédent aucun dans l'histoire de l'humanité, cela ne peut guère s'expliquer par des considérations rationnelles, quelle que soit la dose d'aveuglement que l'on soit disposé à reconnaître aux dirigeants occidentaux de l'époque, et personne ne doit craindre en la matière de donner libre cours à sa générosité. Contraindre Staline au traité de paix allemand grâce au monopole atomique n'avait, bien entendu, rien d'immoral, puisqu'il s'agissait d'utiliser la supériorité militaire non pour la guerre, mais au contraire pour éliminer une cause de guerre future, ou tout au moins de friction permanente, et une cause fondamentale de faiblesse de l'Occident, un constant moyen de chantage contre l'Europe démocratique.

En 1953 aussi, lors de l'insurrection ouvrière contre le communisme, à Berlin-Est, il eût été possible, pour les Alliés, d'amener Moscou à lâcher le régime impopulaire d'Ulbricht et à régler le problème allemand. Ce à quoi, d'ailleurs, les Soviétiques s'attendaient. La question fut mise à l'ordre du jour du Bureau politique au Kremlin, et Béria lui-même plaida en faveur de la recherche d'un arrangement plutôt favorable aux Occidentaux, tant la conservation de l'Allemagne de l'Est parut, un moment donné, aux successeurs de Staline, une gageure impossible. Hélas ! on ne trouve aucune trace dans les archives de la Maison-Blanche d'une délibération parallèle posant la même question, mais en sens inverse, à savoir : comment tirer parti de la conjoncture propice qui s'était créée pour sortir de l'impasse allemande et signer un traité de paix ? En clair, Moscou était disposé à faire des concessions à Washington, mais Washington ne s'en est même pas aperçu et n'a point songé à en demander. Or, à cette époque, le Département d'Etat était dirigé par le prétendu « super-faucon » John Foster Dulles, preux chevalier de la « guerre froide ». Au lendemain de la mort de Staline, la nouvelle direction soviétique tenait pour vulnérable deux pays satellites : l'Albanie, qui n'était liée à l'URSS par aucun traité d' « amitié », et la République démocratique d'Allemagne, que Staline n'avait pas davantage forcée à conclure un traité d' « amitié » avec Moscou. Cette dernière lacune, surtout, montrait bien à quel point Staline et ses successeurs s'attendaient à une initiative occidentale dans la question allemande. L'Union soviétique, en effet, avait très tôt signé des traités d' « amitié » avec tous les autres pays de l'Est : Tchécoslovaquie, Yougoslavie, Pologne, Roumanie, Hongrie et Bulgarie. Et en 1947, Staline n'avait même pas fait entrer le Parti communiste est-allemand dans le Kominform ! C'est dire à quel point il escomptait que les Occidentaux ne le laisseraient pas incorporer définitivement l'Est de l'Allemagne à la sphère soviétique, et à quel point il avait admis d'avance qu'il aurait à faire une concession sur le chapitre allemand. Staline ignorait encore que l'Occident n'avait plus de vrais négociateurs, qu'il ne lui restait que des « experts ».

Cette paralysie spontanée de l'Occident plonge ses racines dans un malentendu logé au cœur de la Seconde Guerre mondiale. Elle remonte à l'erreur originelle que ce malentendu fit commettre aux démocraties. Le faux diagnostic des alliés occidentaux sur la cause, la nature et les fins réelles de l'engagement soviétique dans le conflit entraîna, durant l'immédiat après-guerre, un engourdissement universel de leurs facultés d'observation politique et les plongea dans un de ces états de stupeur où la paresse s'unit à la crédulité pour empêcher de comprendre et même de voir.

En effet, et il est inconcevable de l'oublier, ou de ne jamais le mentionner, l'URSS ne s'est trouvée aux côtés des Alliés pendant la Seconde Guerre mondiale, à partir de juin 1941, que bien malgré elle. Le plan de guerre de l'Etat soviétique était de rester fidèle à son alliance avec le nazisme, conclue en 1939. Son but de guerre était de s'approprier la plus large part possible dans les dépouilles des vaincus de l'Allemagne. Ce fut Hitler qui bouscula ce calcul magnanime en rompant unilatéralement le pacte soviéto-nazi, pour envahir le territoire de l'URSS en 1941. Il prenait au dépourvu un gouvernement et une armée dont l'impréparation et l'incurie coûtèrent au peuple russe des millions de victimes. La propagande communiste exploite depuis lors leur sacrifice, mais leur nombre aurait pu être très inférieur, si une direction compétente s'était trouvée à la tête du pays. Amenée ainsi par accident à combattre le même ennemi que les démocraties, avec l'aide du matériel militaire et des vivres américains sans lesquels, bien sûr, elle n'aurait jamais pu retourner la situation, la direction soviétique ne se mit pas pour autant à faire partie dans son cœur du camp des démocraties et à partager sur le plan politique leurs buts de guerre. Loin de vouloir éliminer comme elles de la planète le totalitarisme, l'URSS avait au contraire fait de son mieux pour qu'il se généralisât. Bien que l'inconséquence de son allié préféré, Adolf Hitler, l'eût refoulée contre son gré dans le camp démocratique en tant que belligérante, l'Union soviétique conserva intacts ses buts politiques, qui restèrent d'ingurgiter le plus de territoires étrangers possible et d'y imposer son propre système totalitaire. On mesure ainsi à la fois la naïveté des « collaborateurs » pro-hitlériens des pays sous occupation nazie, qui voyaient dans la collaboration avec l'Allemagne un moyen de lutter contre le bolchevisme, et celle des gouvernants des pays démocratiques en guerre, qui se figurèrent que l'URSS était en train de se métamorphoser en démocratie, du seul fait qu'elle avait été poussée malgré elle dans le camp des nations démocratiques. Les actes de foi d'une candeur pathétique, annonçant l'imminente conversion de Staline à une morale politique de type vaguement suisse, abondent dans la presse américaine et anglaise, durant et juste après la Seconde Guerre mondiale, comme dans la bouche des hommes d'Etat occidentaux.

On conçoit qu'armés d'une aussi brillante hypothèse, les défenseurs des intérêts occidentaux entraient « dans l'avenir à reculons », pour reprendre l'expression de Paul Valéry.

La période qui suivit l'effondrement nazi vit donc se manifester la dissymétrie complète qui avait existé entre les buts de guerre soviétiques et les buts de guerre démocratiques. Tandis que les démocraties avaient voulu libérer les pays occupés pour leur permettre de retrouver leur indépendance nationale et d'adopter des systèmes démocratiques de gouvernement, programme qui fut réalisé en Europe occidentale et au Japon, l'Union soviétique n'avait voulu, dans les pays d'où elle avait chassé l'Allemagne, que se substituer à Hitler afin de les annexer à son tour et de leur imposer son régime. Car on ne peut définir de bonne foi autrement que comme une annexion déguisée le statut qui fut imposé aux « démocraties » dites « populaires ».

C'est à ce moment que s'installa sur le terrain et dans les esprits le faux parallélisme des « zones d'influence » soviétique et américaine, qui fit que l'Occident partait battu d'avance dans la prétendue guerre froide et la future détente. En effet, il y aurait eu vraiment parallélisme si l'Amérique, sous prétexte qu'elle les avait libérés, avait annexé, en y imposant des proconsuls à sa solde et à ses ordres, la France, l'Italie, les Pays-Bas, la Belgique, le Danemark, l'Allemagne de l'Ouest et si elle continuait à les gouverner par valets interposés, comme fait l'URSS encore aujourd'hui des pays d'Europe orientale et centrale, ainsi que de l'Allemagne de l'Est.

On sait qu'au contraire les Américains évacuèrent toutes leurs troupes d'Europe, sauf de l'Allemagne vaincue, peu après la fin des hostilités. C'est à cause de la menace pour l'indépendance de l'Ouest européen représentée par l'Armée rouge, que le Pacte atlantique fut conclu en 1949, *à la demande des Européens.* Au lendemain de la guerre, les forces alliées occidentales sont rapidement démobilisées : elles passent de cinq millions à moins de neuf cent mille hommes, tandis que l'Armée rouge — quatre millions d'hommes — est maintenue sur le pied de guerre. L'Union soviétique, de 1946 au coup de Prague du printemps 1948, étend sa domination militaire sur près de cent millions d'hommes, de l'Allemagne orientale et de la Pologne, au nord, à l'Albanie et à la Bulgarie, au sud. Le traité de l'Atlantique Nord sera une réplique à cette menace. Mais il y a et il y aura toujours une grande différence entre la stricte subordination des pays de l'Est à Moscou et la liberté d'appréciation et de manœuvre des membres de l'Alliance atlantique vis-à-vis des Etats-Unis. Néanmoins, déjà s'étaient cristallisés les mentalités et les comportements par lesquels les démocraties et leurs opinions publiques se mirent à accepter le principe implicite d'une inégalité de droits et de légitimité entre l'Union soviétique et l'Occident. Deux symptômes de la gravité de cette résignation, de ce zèle de l'Occident démocratique à entrer dans les vues et à partager les ambitions de ceux qui voulaient le détruire, se déclarèrent alors. On peut encore les observer aujourd'hui.

Le premier traduit le penchant à reconnaître une légitimité aux conquêtes soviétiques, quoiqu'elles reposent sur la force pure et violent le droit international, à commencer par la Charte des Nations unies. Reconnaissance désintéressée, que n'inspire aucun cynisme, que n'accompagne aucune exigence occidentale, aucune promesse soviétique de contrepartie, du moins aucune promesse tenue; bizarre mutilation démocratique de soi-même, qui culminera dans les Accords d'Helsinki en 1975. Trente ans auparavant, dès 1945, dans le quotidien français *le Monde,* créé quelques mois auparavant, et jouant déjà son rôle de directeur de la conscience française, on trouve un éditorial justifiant par avance l'agrégation future des pays d'Europe centrale à la forteresse totalitaire : « L'heure slave a sonné à l'horloge de l'histoire, y lit-on... Seuls le déploreront ou s'en inquiéteront ceux qui, consciemment ou non, font le jeu de l'Allemagne... C'est la grande Russie qui a sauvé les Slaves de la servitude ou de la destruction, et il est normal qu'aujourd'hui ils lui manifestent leur reconnaissance en se groupant sous son égide [1]. »

Cette extravagante résurrection du panslavisme qui sert de couverture au totalitarisme communiste ; cette soudaine canonisation de la communauté slave, au sein de laquelle se voient inopinément enrôlés, si je comprends bien, contre toutes les données anthropologiques connues, les Hongrois, les Roumains et les Prussiens ; cette accusation sournoise, lancée à ceux qui songeraient à contester le nouveau panslavisme, qu'ils sont en train de « faire le jeu » de l'Allemagne... à trois semaines de sa chute dans le néant (on dira quelques mois plus tard « faire le jeu des Américains ») ; enfin l'affirmation béate que les peuples qui allaient être bientôt broyés par le pilon stalinien se « groupaient » *de leur plein gré* et par « reconnaissance » sous l' « égide » de leurs futurs bourreaux, voilà les fleurs que l'on cueille dans ce texte, qui

1. *Le Monde,* 17 avril 1945.

préfigure la tendance bien ancrée des Occidentaux à épouser de préférence la version la plus favorable à la cause soviétique.

Le second symptôme apparut au moment où se constitua l'Alliance atlantique. Appelés par les Européens sans défense à remplir le vide militaire laissé en Europe occidentale face au « plein » militaire inquiétant de l'Europe orientale, les Etats-Unis, quoique au point de départ très réticents, et ne s'étant résignés à signer le Traité qu'en surmontant de vives résistances internes, n'en furent pas moins considérés très vite, eux, comme des agresseurs, voire des « occupants ». On se souvient des manifestations hostiles par lesquelles fut accueilli à Paris en 1952 le commandant en chef des armées de l'Otan, le général Ridgway.

Ainsi se mirent en place de bonne heure les cadres mentaux de la guerre froide et de la détente : la défensive devient l'agression ; l'allié américain, qui est devenu allié en vertu d'un traité librement négocié, devient un « occupant[1] ». En revanche, les pays que le stalinisme est en train d'écraser se sont « groupés par reconnaissance sous son égide » ; les démocraties libérales, du fait qu'elles ont pour chef de file les Américains, sont réactionnaires et « de droite » ; l'URSS et les nations qui lui sont asservies représentent la « gauche » et le progressisme. Le désir de paix se trouve du côté de ceux dont le pouvoir repose exclusivement sur l'armée, la police, les camps de concentration, et qui ne cessent de tenter des coups de force, comme à Berlin ou en Corée. La « volonté criminelle de déclencher la troisième guerre mondiale » se trouve du côté des Américains. Au mieux, on peut accorder à ces derniers le bénéfice du doute, les placer sur le même plan que les Soviétiques, militer pour le neutralisme.

La représentation peut commencer, les acteurs sont en scène, les rôles ont été distribués. Et le plus mystérieux est que cette pièce, conçue de telle sorte que le héros principal, le vainqueur matériel et moral de chaque acte, jusqu'au rideau final, ne puisse être que le communisme totalitaire, cette pièce, c'est l'Occident, ce sont les démocraties qui en ont écrit le texte, agencé les ressorts et déroulé l'intrigue.

1. En 1951, Simone de Beauvoir, apercevant deux soldats américains dans un restaurant de Chinon, et, à peine remise de ce choc atroce, confie à Camus : « Je me suis crue revenue au temps de l'Occupation [nazie]. » *(La Force des choses.)*

21

DE L'INVENTEUR DE LA DÉTENTE

Le général de Gaulle souffrait d'un tourment qu'Alfred Grosser a baptisé le « complexe de Perrichon », nom du héros de comédie qui finit par prendre en haine l'homme qui l'a retenu au bord d'un précipice, car la seule vue de son sauveur le prive du mérite exclusif de son exploit et lui rappelle qu'il ne doit pas la vie à sa seule vaillance. Rongé d'animosité contre ceux qu'il nommait les « Anglo-Saxons », de Gaulle manifestait avec ténacité son ressentiment d'abord aux Britanniques, qui l'avaient hébergé durant son exil, après l'effondrement français de 1940, ensuite et surtout aux Américains, sans lesquels la Seconde Guerre mondiale eût été gagnée par Hitler. Il n'entre pas dans mon sujet de remonter aux origines de cette bizarre rancune, en partie justifiée par les très réels désagréments dus à la situation fausse où se trouvait de Gaulle par rapport aux Anglais, à Londres, et par les incontestables erreurs psychologiques du Président des Etats-Unis, Franklin Roosevelt. Toutefois, un homme d'Etat devant se comporter non pas comme une cantatrice outragée à la recherche d'une revanche d'amour-propre, mais comme un dirigeant qui porte la responsabilité du sort futur de millions d'hommes, les bonnes ou mauvaises raisons de ses rancunes me sont absolument indifférentes. Il n'en va pas de même pour leurs conséquences. S'il s'avère que ces conséquences furent néfastes, l'homme a failli à sa mission, en donnant à ses animosités personnelles le pas sur les devoirs inhérents à sa charge. L'homme d'Etat démocratique est privé du droit à la susceptibilité, sauf au nom de la collectivité qu'il gouverne et des intérêts profonds de ses mandataires.

L'attitude gaullienne à l'égard des Britanniques et des Américains, durant l'ère du Pacte atlantique, reposait sur un principe juste, à savoir que chaque membre d'une alliance doit conserver toute l'autonomie de décision inhérente à l'exercice de la souveraineté nationale et revendiquer la pleine participation aux décisions communes, en particulier à l'égard du plus puissant des Alliés, dont la tendance inéluctable est à l'usage de se mettre à décider au nom de tous. Mais de ce principe légitime de Gaulle tira des conclusions et une pratique peu compatibles avec la notion même d'alliance. D'abord l'affirmation d'une politique étrangère « indépendante », c'est-à-dire antiaméricaine et tenant de moins en moins compte de notre appartenance à l'alliance atlantique, se fondait sur un sophisme. Toute nation, tout individu qui signe un contrat, par là même aliène volontairement une partie de son indépendance. L'intégralité de sa liberté d'action, le contractant éventuel la possède *avant* la signature du contrat, au moment où il en discute les clauses, en suppute les avantages et les obligations. Après qu'il l'a signé, il a perdu non pas l'indépendance ou la souveraineté, puisque le contrat résulte d'un exercice de ces dernières, mais, en partie du moins, la faculté de décider n'importe quoi : par exemple, pour un musicien qui a signé un contrat d'exclusivité avec une maison de disques, la faculté d'enregistrer pour une autre. Mais ce qui est incohérent, c'est de s'arroger sous le nom d' « indépendance » le droit de faire partie d'une alliance tout en agissant comme si l'on n'en était pas membre, le droit de ne pas respecter un contrat que l'on a signé.

Dans la pratique, cette altération de la notion d'indépendance conduisit de Gaulle, surtout à partir de 1962, à une curieuse politique étrangère, dans laquelle son objectif principal devenait la lutte, à l'intérieur de l'alliance, contre ses propres alliés, et non point contre le péril commun et extérieur auquel l'alliance avait pour but de parer. S'appuyer sur l'adversaire contre lequel était édifiée l'alliance pour contrecarrer l'influence des pays qui en faisaient partie aux côtés de la France, et surtout du plus puissant d'entre eux, tel devint le précepte suivi par la diplomatie française.

Pour justifier cet acharnement à démanteler de l'intérieur le camp démocratique, de Gaulle forgea ou, plutôt, reprit la vieille théorie neutraliste de l'équivalence exacte des deux blocs. « Nous sommes heureux de vous avoir pour nous aider à résister aux pressions des Etats-Unis », dit-il à un Khrouchtchev ravi, pour ajouter aussitôt, il est vrai : « De même que nous sommes bien contents d'avoir les Etats-Unis pour nous aider à résister aux pressions de l'Union soviétique[1]. » On le voit, pour le chef de l'Etat français les deux « pressions » se compensent, il n'y a pas de différence fondamentale entre la démocratie et le totalitarisme. De Gaulle oublie ou répudie le sens profond et le but de l'alliance, qui est la sauvegarde d'une civilisation de la liberté, qui est d'être un traité entre nations désireuses de ne pas finir un jour comme la

1. Cité par André Fontaine, *Un seul lit pour deux rêves, histoire de la « détente »*, Fayard, 1981.

Bulgarie ou la Pologne. Ce mythe gaullien de l'équilibre parfait entre le Canada, par exemple, et la Hongrie, chacun de ces deux pays étant membre de son propre « bloc », fera école et traduit la dégénérescence de la pensée politique au cours du XXe siècle, car on peut supposer que personne en 1937 ou 1938 n'aurait pris pour un génie un gouvernant français qui aurait déclaré à Hitler : « Nous sommes heureux de vous avoir pour nous aider à résister aux pressions des Anglais. » Et quelles inquiétudes n'aurait pas inspirées la santé mentale d'un chef de gouvernement français qui, toujours en 1937 ou 1938, aurait élaboré la doctrine de la défense dite « tous azimuts », c'est-à-dire d'une défense dirigée dans un esprit de parfaite impartialité contre nos propres alliés, les Britanniques, aussi bien que contre l'ennemi potentiel, l'Allemagne nazie. Telle fut pourtant la doctrine stratégique de la France gaulliste au cours des années 60.

Ainsi la haine des Etats-Unis devint plus forte que la crainte de passer sous le contrôle de l'Union soviétique. « C'était de l'Ouest que, vu de Paris, venait le danger principal. » Et : « Sur tous les plans, de Gaulle déclenche l'offensive antiaméricaine », écrit André Fontaine en des phrases porteuses d'une accusation grave et dont la formulation catégorique frappe, chez un auteur admirateur du Général et connu comme un journaliste plus que réservé à l'égard de l' « atlantisme »[1]. Tous les témoins se font l'écho de cette hargne gaullienne, qui n'a plus aucun lien avec une analyse politique sereine. L'ancien président algérien Ahmed Ben Bella évoque le de Gaulle de cette période dans une interview donnée au mensuel *Franc-Tireur* en mars 1982 : « Il était obnubilé par les Américains et, dans ce cadre, nous étions objectivement alliés. Je peux même vous révéler qu'à un moment de Gaulle m'avait proposé la tenue d'une conférence à Paris avec Fidel Castro. » L'outrance frénétique des diatribes antiaméricaines du Général dépasse les objectifs d'un rééquilibrage interne de l'alliance ; elle conduit à l'affaiblissement de cette alliance même. « L'hégémonie américaine, confie alors le président français à Willy Brandt, *étouffe* l'Europe, entrave l'*entente avec l'Est*, est une gêne dans *tous* les domaines[2]. »

Fort de ce diagnostic, le général de Gaulle atteignit en outre une rare virtuosité dans le maniement d'une arme diplomatique dont j'ai déjà eu l'occasion de recommander l'efficacité aux amateurs de suicide : la concession préalable, le cadeau provisionnel, la renonciation anticipée, la capitulation prophylactique, technique appelée, sous son impulsion, à devenir une véritable marotte chez les

1. *Op. cit.*, p. 77.
2. Willy Brandt, *De la guerre froide à la détente*, 1978, Gallimard. Souligné par moi.

négociateurs occidentaux. C'est ainsi que, devant faire une visite officielle en URSS, de Gaulle, qui a, de toute manière, déjà décidé que la France quittera l'organisation militaire de l'Otan, prend la résolution d'annoncer publiquement cette bonne nouvelle aux Soviétiques *avant* de se rendre à Moscou. Ce geste prévenant, se dit-il, les mettra de bonne humeur, leur prouvera notre bonne volonté, ce qui ne manquera pas d'exalter leurs généreuses dispositions et de les inciter à nous payer de retour. Tout est juste dans cette phrase, sauf la dernière proposition, bien sûr. Il fallait ignorer complètement l'univers communiste (et de Gaulle faisait plutôt ses délices du superflu et démodé *Richelieu* de Victor-Lucien Tapié que de l'indispensable et actuel *Staline* de Boris Souvarine) pour imaginer un instant que la bonne tactique, avec la direction soviétique, consistait à se défaire de sa monnaie d'échange *avant* de s'asseoir à la table des négociations ! La méthode n'est déjà pas recommandable avec des gens civilisés, elle devient tout simplement burlesque quand on traite avec les alligators du Politburo.

Néanmoins, ravi de son idée, et décidément en veine de libéralités, de Gaulle, qui créa le tourisme présidentiel et bavard de masse, se promène en 1966 à travers l'Union soviétique, pour y célébrer « la Russie prospère, puissante et *remplie d'ardeur pacifique*[1] », trois qualificatifs dont seul le deuxième, hélas ! pour nous Occidentaux et pour les pauvres consommateurs russes, échappe à la catégorie des âneries pompeuses. On doit en revanche y ranger les maîtres mots que de Gaulle fit alors flotter dans le vent de l'histoire comme les étendards de sa future politique orientale : « Détente, entente et coopération » et surtout cette fameuse « Europe de l'Atlantique à l'Oural », formules irresponsables dont aucun contenu politique ne vint jamais remplir le vide stérile, futiles illusions dont l'histoire fit justice, mais dont l'auteur, aux yeux de la postérité plus encore qu'il ne le fit aux yeux des contemporains, passe pour un modèle de perspicacité en politique étrangère. Car le temps bâtit souvent les réputations sur des bases tout aussi fragiles que le fait l'impression du moment. Les visites que fit de Gaulle aux démocraties populaires, dans la croyance naïve qu'il pourrait établir avec elles des rapports authentiques et originaux, se révélèrent aussi vaines, pour les mêmes raisons : l'ignorance gaullienne de la réalité du statut des satellites, le mirage du parallélisme entre pays de l'Est et pays de l'Ouest, le refus de se rappeler que les gouvernements avec lesquels il se figurait traiter n'étaient pas des gouvernements indépendants, contrairement au sien, et qu'ils n'étaient pas plus maîtres de leurs décisions que représentatifs des peuples par lesquels le Général se faisait acclamer.

1. Souligné par moi.

L'invasion de la Tchécoslovaquie par les chars soviétiques, en août 1968, n'ouvrit pas les yeux du général sur la nature du communisme et du système soviétique. De Gaulle attribua cet « accident de parcours » à la « politique des blocs » et aux méfaits des « accords de Yalta », étalant ainsi une fois de plus son ignorance de ces accords, puisqu'il ne fut jamais question de la Tchécoslovaquie à Yalta. Le songe d'une Europe « de l'Atlantique à l'Oural » ne lui parut pas plus invraisemblable avant qu'après l'occupation de Prague par l'Armée rouge. « Gardons-nous des excès de langage, déclara-t-il en conseil des ministres, le 24 août 1968. Tôt ou tard, la Russie reviendra... Il faut faire l'Europe. Avec les Six on peut construire quelque chose, même bâtir une organisation politique. On ne fait pas l'Europe sans Varsovie, sans Budapest et sans Moscou[1]. »

Toutes les futures capitulations et futures illusions de la détente sont présentes dans cette phrase : acceptation du fait accompli, refus d'envisager des sanctions pour un crime contre la liberté, alliance *de facto* avec l'impérialisme soviétique auquel on pardonne tout, méconnaissance du phénomène communiste, incompétence, pour tout dire, et confiance aveugle dans le désir et la capacité du gouvernement soviétique de s'intégrer à une Europe harmonieuse et homogène — dont par ailleurs le général de Gaulle estimait que la Grande-Bretagne n'avait pas le droit de devenir membre !

En même temps qu'il faisait de son mieux pour torpiller l'Alliance atlantique, de Gaulle s'employait à empêcher toute édification d'une défense européenne unifiée. Sous la IVe République, en 1954, son parti, le Rassemblement du Peuple Français (RPF) se battit aux côtés des communistes pour obtenir que la France ne ratifiât pas le projet de Communauté européenne de défense. Ce fut un succès pour la diplomatie et pour les services secrets soviétiques. Dix ans plus tard, le gouvernement du général de Gaulle anéantit de même le plan de Force multilatérale européenne. On le voit bien, le principal bénéficiaire d'une politique étrangère française qui consistait à tout faire pour affaiblir les Etats-Unis et pour contrecarrer en même temps la construction d'une défense concertée en Europe de l'Ouest, ne pouvait être que l'Union soviétique. Ce fut le cas, et pour longtemps. Le refus de la « politique des blocs » joua systématiquement dans le sens des intérêts soviétiques. Pour Valéry Giscard d'Estaing, en 1980, l'Union soviétique ne pratiquait pas le vice de la « politique des blocs » en s'emparant manu militari de l'Afghanistan, mais les Etats-Unis tombaient dans ce travers, en réclamant à ses alliés des

1. Rapporté par Jean-Raymond Tournoux, *le Feu et la Cendre*, Plon, 1979.

sanctions contre Moscou. La France devait donc se dissocier sur ce point de l'Amérique. De Gaulle avait rendu infamants l' « atlantisme » et l' « antisoviétisme ». A qui croyait-il donc, en son âme et conscience, que cette condamnation pût profiter ?

22

YALTA OU LE ROMAN DES ORIGINES

Par métier, les acteurs politiques dénaturent la vérité pour des raisons et avec des moyens qui varient selon le genre de leur pouvoir. Les autocrates, tenant sous leurs ordres directs tous les moyens de communication et d'expression, dissimulent le présent et font récrire le passé. Les démocrates, tirant, pour leur bonheur, leur influence de la capacité de convaincre, consacrent tant d'énergie à dépeindre les faits sous un jour favorable à leurs entreprises qu'ils finissent par se déshabituer de considérer la substance même des questions. L'habileté du plaidoyer supplée pour eux presque totalement à la connaissance du dossier. On observe donc parfois dans les sociétés libres des remaniements fallacieux du passé obtenus non point, comme dans les sociétés esclaves, par la censure brutale et le mensonge d'Etat, mais par la douceur, par la persuasion légitime et la propagation sans contrainte d'une version adultérée ou même entièrement forgée d'un événement. Cette version, à force de répétitions, prend rang parmi les idées reçues, s'incorpore aux croyances partagées par le grand nombre, acquiert le statut de vérité, si bien que presque plus personne ne songe à la contrôler sur les sources.

L'image si répandue d'un « partage du monde » à la conférence de Yalta, en 1945, offre l'un des exemples les plus purs de ces hallucinations rétrospectives. Elle n'aurait pas, cela va sans dire, obtenu un tel succès si elle n'avait répondu à un besoin dans les opinions publiques européennes, besoin que d'importants et décisifs hommes politiques surent à la fois déceler et stimuler. Rappelons-nous la fable du « coup de poignard dans le dos », par laquelle on fit croire aux anciens combattants allemands, après 1918, que l'armistice constituait une trahison, et ne se justifiait par aucune nécessité militaire. Elle permit plus tard à la propagande hitlérienne de préparer l'opinion à une nouvelle guerre, destinée à effacer le traité de paix signé à Versailles. Ces histoires imaginaires peuvent se comparer à la sorte de récits que les enfants se font à eux-mêmes en s'inventant des origines familiales fantaisistes et que Freud nomme le « roman familial des névrosés ». Depuis 1945, le mythe de Yalta sert de « roman des origines » à la diplomatie européenne, un mythe dont la déconcertante fortune invite à découvrir la fonction psychique et politique [1].

Quand on examine le monnayage du Yalta imaginaire dans la propagande politique courante, et couramment admise, entre 1960 et 1980, c'est-à-dire durant les années du gaullisme diplomatique et la décennie de la détente, on trouve les quelques postulats de base suivants. A Yalta le monde aurait d'abord été « partagé », nous l'avons vu, entre les deux « supergrands », car la mémoire collective, anticipant sur un avenir alors lointain, efface déjà la Grande-Bretagne, ou du moins l'estompe, commettant un faux sens historique. Ensuite, le prétendu partage a divisé l'Europe en « zones d'influence », correspondant aux deux Europe, séparées par le « rideau de fer » de la future « guerre froide », puisque le péché d'anachronisme en histoire consiste à mêler à la période que l'on étudie des événements et des nations qui ne surgiront qu'ultérieurement. L'égocentrisme européen laisse de côté, soit dit en passant, le règlement des affaires asiatiques, fort important à Yalta, et au demeurant désastreux pour les démocraties. Après quoi, le partage soviéto-américain de l'Europe étant posé, ou supposé, il entraîne un troisième postulat : la volonté des supergrands de diviser le monde en « deux blocs ». D'où la voie du salut diplomatique toute tracée pour l'Europe, dans le prolongement de ce postulat, c'est-à-dire le devoir de « refuser la politique des blocs ». Elle peut prendre la forme extrême de la diplomatie gaullienne, d'une politique étrangère dite « indépendante », ce qui signifie aussi antiaméricaine que possible. Elle peut prendre des formes plus feutrées, cultiver moins les apparences et les éclats, davantage l'ambiguïté, avec ses substantiels bénéfices et ses risques, comme la diplomatie allemande d'ouverture à l'Est. Mais l'idée subsiste d' « échapper aux blocs », même si elle se réduit parfois à une velléité. Certes, les gouvernements européens se hâtent ordinairement de spécifier, si on les presse de tirer toutes les conséquences de leur raisonnement, que leur appartenance à la « communauté atlantique » passe avant toute chose. Cependant, après l'invasion de l'Afghanistan, par exemple, la France et l'Allemagne fédérale proclament toutes deux ne pas vouloir de la

1. Dans son essai, *Roman des origines et origines du roman,* Grasset, 1972, Marthe Robert signale que Freud, avant son étude sur le roman familial (1909) avait tout d'abord employé l'expression de *Entfremdungsroman,* soit « roman par lequel on s'éloigne du réel », on devient étranger au réel, suggérant par ce mot un « déni psychotique de la réalité ».

« politique des blocs ». Que signifie en pratique cette formule, sinon que leurs auteurs considéraient comme deux faits équivalents l'emploi de la force aboutissant à l'occupation d'un pays indépendant par une armée étrangère, l'Armée rouge, et, d'autre part, le désir des Etats-Unis de voir leurs alliés s'associer à eux pour infliger des sanctions à l'envahisseur ? La vocation originale de l'Europe, entendait-on, s'affirme par la condamnation des deux types de comportement, tous deux nuisibles à la détente. On voit combien cette prétendue équité avantage l'Union soviétique. Car si elle empêche les sanctions d'exister, elle n'obtient en rien le même résultat touchant la guerre d'Afghanistan. Deux ans plus tard, le refus européen de répliquer à la répression en Pologne par la suspension des aides technologiques à l'URSS ne saurait se définir non plus comme une façon très convaincante de « tenir la balance égale » entre les « deux blocs ». On discerne avec peine ce que la cause de la liberté a gagné dans cette affaire et ce que la cause du totalitarisme y a perdu.

Aussi ne peut-on se défendre d'envisager que la fausse symétrie des « deux blocs », ancrée dans son origine légendaire, la mythologie de Yalta, sert aux Européens à s'incliner devant la puissance soviétique tout en présentant et en se représentant leur passivité comme un choix, une politique active. Un premier usage de Yalta est assez fréquemment commun à l'Europe occidentale et aux Etats-Unis : Yalta ayant accordé l'Europe centrale et orientale à l'URSS, nous ne devons pas nous mêler de ce qui s'y passe. On ajoute aussitôt, d'ailleurs, avec une logique superbement indifférente au principe de non-contradiction, que l'Afghanistan ne faisant point partie des accords de Yalta, nous ne devons pas nous en mêler non plus. Le second usage de Yalta est propre à la seule Europe occidentale, il consiste dans le prétendu « refus simultané des deux blocs » déjà signalé, qui entraîne une véritable rente de situation pour l'URSS, puisqu'en refusant prétendument les deux blocs les Européens n'ont le pouvoir d'affaiblir en réalité que le leur, celui auquel ils appartiennent.

L'utilité du faux Yalta se montra de nouveau après le durcissement de la répression en Pologne. Présentant ses vœux aux Français, le 31 décembre 1981, le président Mitterrand jugea dans son discours « dangereux que les deux puissances dont je parle (URSS et Etats-Unis) puissent coexister sur la base du partage de l'Europe d'il y aura bientôt quarante ans... Tout ce qui permettra de sortir de Yalta sera bon, ajoute Mitterrand... Le drame polonais s'inscrit dans cette contradiction ». Quatre jours plus tard, le chancelier de la République fédérale d'Allemagne recommandait dans un entretien avec *New York Times* de fermer les yeux sur le cas polonais car, disait-il, « l'Occident a décidé à Yalta de diviser pratiquement l'Europe en sphères d'influence... » Depuis lors, poursuivait-il, l'Ouest a donc accepté que « les pays au-delà de l'Elbe échappent à sa juridiction (*are not under West's rule*) ». Contre les trublions qui s'entêteraient à soutenir le syndicat libre polonais Solidarité, Helmut Schmidt brandit la riposte suprême : il les traite de fauteurs de guerre. « Oublier Yalta, conclut-il avec une belle simplicité, signifierait la guerre. » Pas moins ! Admonestation des plus claires : si vous protestez contre ce qui arrive à Varsovie, vous ferez sauter la planète. N'envisageons même pas de sanctions, car alors, là, que ne ferait-on pas sauter ? Le système solaire tout entier, peut-être. Voilà ce qui s'appelle « observer l'équilibre entre les deux blocs ».

Ces dirigeants européens n'auraient pas pu mieux s'y prendre s'ils avaient voulu dévoiler la nature profonde du mythe, montrer que « Yalta » chez eux représente une construction de l'esprit qui a pour fonction de leur permettre d'abdiquer leurs responsabilités dans toute situation qui rendrait inévitable un affrontement diplomatique et économique avec l'URSS. Comment ces hommes d'Etat éminents peuvent-ils en effet afficher de bonne foi une telle ignorance du contenu réel des accords de Yalta, ignorance qu'un quart d'heure de lecture devrait suffire à extirper ? Plusieurs journalistes, plusieurs historiens se chargèrent, d'ailleurs, en 1981 et 1982, dans la presse européenne, de les instruire. Les réfutations du « mythe de Yalta » en ce qui concerne la Pologne se mirent à foisonner avec une fougue et une précision qui constituaient le signe certain de la levée soudaine d'une certaine censure, consciente ou non. L'énormité d'attribuer à Yalta la soviétisation de la Pologne passait la mesure du tolérable et du plausible, même dans des sociétés amnésiques. Mais on comprendra mieux cette énormité si l'on ajoute à la liste des fonctions du mythe celle de « souvenir-écran », destinée à masquer une capitulation plus récente et, pour le coup, authentique et attestée : Helsinki. C'est là, en 1975, et non à Yalta, que l'Occident a juridiquement reconnu la légitimité des annexions et colonisations soviétiques de l'après-guerre. Le « partage du monde », en fait, ce fut Helsinki, non Yalta. Mais invoquer Yalta convenait mieux aux dirigeants occidentaux pour justifier leur inaction. Car s'appuyer sur Helsinki eût impliqué pour eux l'obligation éventuelle d'exiger, en contrepartie de notre rejet des sanctions, le respect des promesses faites par les Soviétiques lors de cette conférence toute récente. Nous aurions alors réintégré le terrain de la diplomatie véritable, où l'on ne cède rien qu'en échange de quelque chose. Il est évidemment moins fatiguant d'attaquer les Américains quand les Soviétiques se conduisent mal.

Loin que Yalta ait stipulé le « partage » de quoi que ce fût, cette conférence accumula les concessions unilatérales de la part des Occidentaux. Ancêtre commun de toutes les conférences qui jalonnent les quarante années suivantes, elle en préfigure, en porte même d'emblée au point de perfection tous les traits les plus calamiteux. Elle étale l'inaptitude des Occidentaux à comprendre le communisme, donc à négocier avec les communistes et, en particulier, à empêcher les Soviétiques de s'approprier indûment des territoires, ou de soumettre des pays en y implantant par la violence des régimes vassaux. Yalta, encadré de ses deux sœurs jumelles, la conférence de Téhéran et celle de Potsdam, n'aboutit qu'à livrer l'Europe centrale et orientale à Staline, non point à un partage. De même, en Asie, les Alliés permirent à Staline de s'approprier la Mandchourie, d'annexer les îles Kouriles et la partie méridionale de Sakhaline, tout cela en échange d'une déclaration de guerre soviétique de dernière minute au Japon, laquelle, en 1945, n'apportait rien aux Etats-Unis, déjà vainqueurs assurés dans le Pacifique. Remarquons-le, les Américains, qui soutinrent seuls le poids de la guerre contre le Japon pendant quatre ans, ne conservèrent aucun territoire après la victoire, tandis que les Soviétiques, belligérants postiches de la onzième heure, ingurgitèrent de vastes superficies. Les dispositions d'esprit qui conduisirent les Occidentaux à ces paradoxales déroutes diplomatiques, en Europe comme en Asie, méritent l'attention autant que les résultats mêmes. Ce sont ces dispositions, plus encore que le réel rapport des forces, qui expliquent la suite de l'histoire, jusqu'en cette fin du XXe siècle que nous vivons.

Roosevelt, nous l'avons vu plus haut, comptait sur son charme pour démocratiser Staline. Il estimait devoir multiplier les preuves de bonne volonté ; sans rien exiger en contrepartie. Il pose dès cette époque le principe qui présidera pour longtemps aux relations diplomatiques entre l'Est et l'Ouest, à savoir que l'Ouest doit fournir la preuve de sa bonne foi en toute circonstance par des concessions, même non payées de retour. « La preuve de notre bonne foi, écrit dans ses Mémoires le secrétaire d'Etat du moment, Cordell Hull, ne résidait pas en une reconnaissance des extensions de frontières, mais plutôt dans notre détermination de, etc. » Ainsi donc, ce n'était pas Staline, l'ex-allié d'Hitler trahi par son complice, qui avait à prouver sa bonne foi, c'étaient les Américains. Et Roosevelt écrit à Churchill, que commence à inquiéter l'angélisme américain : « Bill, je ne discute pas vos arguments, ils sont justes. Je ne discute pas non plus la logique de votre raisonnement. Mais j'ai le pressentiment que Staline n'est pas l'homme qu'on croit. Harry me dit aussi qu'il a cette impression et que Staline ne veut rien d'autre que la sécurité pour son pays. C'est pourquoi je pense que, si je lui donne tout ce que je puis lui donner sans rien demander en retour, *noblesse oblige,* il ne pourra penser à annexer quoi que ce soit et acceptera de travailler avec moi à un monde de démocratie et de paix. » Les quatre dernières lignes de ce texte condensent à la perfection ce qui demeurera la philosophie diplomatique de l'Occident, implicite ou avouée, pendant les quarante années suivantes, dans les relations avec le communisme, soviétique ou autre. Quant à Joseph Davies, que nous connaissons déjà, ancien ambassadeur à Moscou de novembre 1936 au printemps de 1938, et qui avait donc assisté sur place aux purges, aux procès truqués, aux exécutions en masse de la Grande Terreur, il ne trouve, dans son livre déjà cité, *Mission à Moscou,* que la parole de Dieu qui présente les mêmes garanties de solidité que celle de Staline : « Mon opinion personnelle, et le témoignage des faits concordent pour proclamer que la *parole d'honneur* du gouvernement soviétique est aussi sûre que la Bible. » La confiance du Président américain en l'instinct démocratique de Staline le pousse à prier ce notoire philanthrope d'accepter le sommet projeté, parce que cet événement, télégraphie avec ingénuité Roosevelt au despote caucasien, « me rendrait service dans ma politique intérieure ». (« *Such a meeting would help me domestically* », 27 juillet 1944.) Dans la presse américaine, dans la nouvelle génération des fonctionnaires du Département d'Etat s'implante alors la philosophie qui, malgré les années dites de guerre froide, resurgira intacte au moment de la détente, et que Roosevelt, en 1944, condense ainsi : « L'Union soviétique a besoin de la paix et elle est prête à payer cette paix par une collaboration démocratique avec l'Ouest. »

Ce postulat de base, que flanquaient les conjectures les plus échevelées sur la transformation certaine du communisme en marché libre, sur la conversion imminente de Staline au pluralisme politique et sur la possibilité, en le rencontrant face à face, de « le convaincre d'accepter des voies chrétiennes et des principes démocratiques », ce postulat de base, aussi gratuit qu'indestructible, supposant la volonté de paix de Moscou, explique qu'à Yalta comme à Téhéran Staline ait triomphé avec autant de facilité. Il explique également l'attitude étourdie des Occidentaux, qui s'avancent à découvert sans méfiance, et leur vision optimiste des intentions soviétiques, source de fautes et de faiblesse : erreur d'appréciation des atouts respectifs dans la négociation, surévaluation de la position stalinienne, bien éloignée d'être si forte ; manque de précautions au sujet des garanties soviétiques pour l'avenir ; concessions à sens unique, par oubli de subordonner ces concessions à des promesses tenues ou à des engagements écrits ; et même, imprudence funeste dans la révélation à peine croyable des plans occidentaux ou, pour être plus précis, de leur absence de plan. C'est ainsi qu'à Yalta le président Roosevelt pousse l'obligeance jusqu'à indiquer à Staline qu'il « ne croit pas que les troupes américaines pourront rester en Europe plus de deux ans » après la capitulation allemande. Au-delà, confirme-t-il, « je ne crois pas au maintien en Europe des forces américaines appréciables ». On ne saurait être plus serviable. En annonçant par avance à Staline le retrait et la date du retrait des troupes américaines d'Europe, Roosevelt se comporte comme un individu qui communiquerait aimablement par voie d'affiches aux cambrioleurs de son quartier la date à laquelle il compte prendre ses vacances et laisser inoccupé son appartement.

Fort de cette assurance, Joseph Staline put ainsi préparer en toute tranquillité son après-guerre. Il exigea d'abord que les Alliés lui garantissent la jouissance de tous les territoires que l'Allemagne lui avait promis par le pacte germano-soviétique du 23 août 1939, le seul authentique accord de partage signé au xxe siècle [1]. On lui octroya sans barguigner les pays Baltes, des morceaux de la Finlande et de la Roumanie : bref, tout ce qu'Hitler avait déjà promis en 1939 à Staline. Quant à la Pologne, puisque c'est à propos de la Pologne que des chefs d'Etat occidentaux ont invoqué Yalta en 1981, elle ne fut jamais donnée à Staline par un traité ou accord quelconque en février 1945 : il s'en empara plus tard par la ruse et par la force. La vérité historique, en un sens plus inquiétante, est que les négociateurs occidentaux se laissèrent berner par Staline en ajoutant foi à la promesse qu'il avait faite de respecter en Pologne le droit des peuples à disposer d'eux-mêmes et d'y organiser des élections libres. Après avoir cédé à l'URSS le tiers oriental de la Pologne, toujours pour tenir les promesses d'Hitler, les Occidentaux eurent l'indicible lâcheté ou commirent la gigantesque erreur de reconnaître comme gouvernement légitime de la future Pologne libérée, gouvernement provisoire « en attendant les élections », le ministère de fabrication et d'importation soviétique dit de Lublin, dirigé par Bierut, la copie polonaise de Staline, qui devait plonger les Polonais dans le zéro totalitaire absolu de 1945 jusqu'aux insurrections de 1956. Ainsi se trouvait désavoué le gouvernement en exil de Londres, le seul qui incarnât aux yeux des Polonais la Résistance et la légitimité. Les quelques comparses que l'on en put extraire pour les faire participer à un gouvernement d' « union nationale » avec les communistes ne goûtèrent que très brièvement, on s'en doute, aux joies de cette union. Vite édifiés, ils déguerpirent tout juste à temps pour sauver leur peau. La mécanique communiste de vol du monopole du pouvoir se mit en effet aussitôt à tourner. Quand, après la mort de Roosevelt, son successeur, Harry Truman, à la conférence de Potsdam en juillet 1945, irrité de voir que les « élections libres » promises en Pologne n'avaient toujours pas eu lieu, en fit le reproche à Molotov, ce fut Molotov, ce jour-là, qui se déclara

1. Selon la juste observation de Jean Laloy, « De Yalta à Varsovie », *Commentaire*, n° 17, printemps 1982.

offensé, arguant que jamais personne ne lui avait « parlé sur ce ton ». Le sensible ministre des Affaires étrangères de Staline avait au moins un baume à passer sur son chagrin : l'Union soviétique était d'ores et déjà devenue propriétaire de la Pologne. A cette date, les jeux étaient faits, il était trop tard.

Epilogue déchirant, si l'on songe que le peuple polonais se sacrifia le premier, en 1939, pour tenter de résister à l'invasion nazie, à un moment où Staline était l'allié d'Hitler ; que les aviateurs polonais volontaires jouèrent un rôle décisif dans la bataille d'Angleterre en 1940, qui sauva la Grande-Bretagne ; que le jour de la conférence de Yalta cent cinquante mille soldats polonais se battaient encore contre la Wehrmacht sur le front italien. Mais ce qui augure encore plus mal du sort de ce qui subsistera de libre en Europe, face à l'Union soviétique, est que la réduction de la Pologne en esclavage provint, non pas d'une cynique trahison de la part des Occidentaux, mais de leur méconnaissance du communisme. Croire que Staline allait consentir à des élections libres où que ce fût ne pouvait découler que de l'incompétence.

On a souvent attribué la docilité, la crédulité des Alliés à la crainte de voir Staline en 1943 et 1944 conclure soudain une paix séparée avec Hitler. Cette crainte existait, certes, mais elle n'est qu'une nouvelle manifestation de cette même crédulité occidentale. Elle ne pouvait résulter, là encore, que d'une mauvaise analyse des données. Dépendant totalement des Américains pour le matériel de guerre qu'ils lui livraient gratuitement, grâce à l'artifice du « prêt-bail », Staline n'ignorait pas, pour avoir été une fois déjà trahi par Hitler, qu'il ne pouvait se permettre de se trouver une deuxième fois désarmé face à son confrère allemand, et alors que la Wehrmacht tenait encore de vastes pans du territoire soviétique, lors de la conférence de Téhéran, au cours de laquelle, en 1943, bien avant Yalta, tout avait déjà été cédé.

Car les Alliés n'avaient pas appelé Staline au secours. C'était l'inverse. Sans le « prêt-bail », Staline était perdu. Certes l'attaque d'Hitler vers l'est était une aubaine pour nous. Mais nous ne devions fournir notre aide à l'URSS qu'en échange d'engagements précis. Staline allait être anéanti par Hitler sans le secours allié, le moment se prêtait donc à l'octroi de ce secours en échange de garanties. Mais le défaut de connaissance de la machine communiste se manifesta pleinement alors.

Négocier consiste à échanger, ce que les Alliés ne comprirent pas, et ce que l'Occident n'a pas réappris depuis lors : contre le « prêt-bail », qui sauvait l'URSS, les démocraties n'ont jamais exigé de garanties de bonne conduite soviétique pour l'après-guerre. Pourtant le passage de Moscou dans le camp allié avait eu pour seule cause l'offensive allemande contre l'Union soviétique, et la rupture du pacte germano-soviétique avait résulté d'une décision non de Staline, mais d'Hitler. Ce seul détail faisait d'un minimum de défiance et de prudence un devoir pour les négociateurs occidentaux.

C'était un devoir d'autant plus indispensable que la connivence hitléro-communiste avait précédé de beaucoup la conclusion surprise du pacte de 1939. William Bullitt, ambassadeur des Etats-Unis à Moscou avant de le devenir en France, et ami personnel de Roosevelt, rappelle par exemple : « Aucun gouvernement au monde n'était aussi parfaitement informé de l'évolution exacte des relations entre Hitler et Staline que le gouvernement américain. Sans avoir dépensé un centime pour payer un espion ou un informateur quelconque, les représentants diplomatiques américains étaient en mesure d'informer Roosevelt, dès l'automne 1934, que le dictateur soviétique désirait un arrangement avec le dictateur nazi et qu'Hitler pouvait obtenir de Staline un pacte dès qu'il en exprimerait le désir[1]. »

Bullitt devrait donc nous étonner moins qu'il ne le fait quand il ajoute : « Les négociations secrètes entre Staline et Hitler, durant l'été 1939, étaient soigneusement rapportées, jour après jour et pas à pas à Roosevelt. Les gouvernements de Grande-Bretagne et de France furent prévenus par nos soins que Staline se servait des négociations d'un pacte *contre Hitler* comme d'un écran pour préparer tranquillement son pacte *avec Hitler*. Les deux gouvernements prévenus ne purent se résoudre à admettre pareille duplicité et furent on ne peut plus surpris lorsque l'URSS et l'Allemagne signèrent, le 23 août 1939, leur pacte de non-agression. »

Nul ne discutera le droit de Staline de s'entendre avec Hitler. Je me borne à suggérer que les Occidentaux, à Yalta, auraient dû ne pas oublier que la fin de cette entente n'avait pas été due à l'URSS, poussée bien malgré elle dans la mêlée. Les antécédents de Staline ne rendaient donc pas injurieuses, à l'occasion, quelques précautions contre d'analogues exploits futurs de sa part. On ne les prit pas.

Un diplomate de carrière, Anatole Muhlstein, pouvait écrire en

1. William C. Bullitt, « Comment nous avons gagné la guerre et perdu la paix », *Life*, 27 septembre 1948. Plusieurs citations d'hommes politiques américains données dans le présent chapitre sont extraites de cet article. Tr. fr. BEIPI, mai 1949.

Ce rapprochement diplomatique préparé de longue main s'alimentait de surcroît aux sources pures d'une convergence des systèmes, qu'illustre un souvenir insolite raconté par Bertrand de Jouvenel dans *Voyageur dans le siècle :* « Un autre souvenir rapporté de Moscou est tellement bizarre que je ne le cite pas sans embarras. Le fait est tout simple : je descendais l'escalier du grand hôtel où nous étions logés. Un jeune homme que je croise s'arrête sur un palier et me salue : c'est l'un des jeunes hitlériens que j'ai rencontrés à Berlin, en janvier 1934. Je lui demande ce qu'il fait là, et il me dit qu'il est venu étudier les camps soviétiques. »

1955, à propos de Yalta, dans un jugement qui éclaire aussi toute la suite de l'histoire des relations diplomatiques de l'Ouest avec l'Est, ces lignes amères et pénétrantes : « Pour discerner dès 1945 les possibilités du communisme en marche, il eût fallu l'œil exercé d'un vrai diplomate. Malheureusement, les démocraties alliées avaient des soldats, des économistes, des savants, des orateurs, elles n'avaient plus de diplomates. Cette décadence de la diplomatie est en fin de compte la raison profonde de tous les malheurs de l'Europe [1]. »

Le but de la guerre, pour les Occidentaux, était de rendre aux pays libérés du nazisme l'indépendance nationale et l'usage de la démocratie, même quand ces pays avaient fait partie du camp des dictatures, comme l'Italie, le Japon, l'Allemagne elle-même. Le but de la guerre, pour les Soviétiques, était d'asservir les pays qu'ils libéreraient en les agrégeant à sa sphère au moyen d'annexions déguisées. Début avril 1945, Staline expose à Milovan Djilas, alors en visite à Moscou, sa philosophie de la « libération ». « Cette guerre, lui dit-il, ne ressemble pas à celles du passé ; quiconque occupe un territoire y impose son propre système social. Tout le monde impose son système aussi loin que son armée peut avancer. Il ne saurait en être autrement [2]. » Les Occidentaux virent si peu le danger qu'en 1945 Truman donna l'ordre au général Eisenhower d'arrêter la progression des armées alliées vers Berlin afin de laisser aux Soviétiques la satisfaction de prendre la capitale allemande. On sait de quel poids cette élégante initiative a pesé et pèse encore sur la sécurité de l'Europe. Les plans de Staline, une fois consolidée la présence soviétique dans toute l'Europe centrale et en Allemagne orientale, projetaient naturellement leur ombre sur l'Europe occidentale, pour la période qui suivrait le départ, si obligeamment annoncé, des forces américaines.

C'est pourquoi il est presque comique, lugubrement comique, d'entendre encore parler, quarante ans après ces faits, de « double hégémonie » ou de « condominium russo-américain », ou, mieux, d'entendre décrire Yalta comme l'opération par laquelle les Etats-Unis ont établi leur « domination » sur l'Europe. Plus grossier encore fut le contresens diplomatique commis par de Gaulle, qui crut devoir s'appuyer sur les Russes pour... combattre les conséquences de Yalta, quand les Russes étaient les seuls réels bénéficiaires de ces conséquences ! De plus, paradoxe suprême, à Yalta, ce sont Staline et Molotov qui ont le plus férocement attaqué la France, en son absence, déclarant qu' « en vérité la France avait fort peu contribué à cette guerre et qu'elle avait ouvert les portes à

1. Anatole Muhlstein, « Le spectre de Yalta », BEIPI, nº 136, 16 septembre 1955. Paru originellement dans le journal belge *le Flambeau*.
2. Milovan Djilas, *Conversations avec Staline*, tr. fr., Gallimard.

l'ennemi ». Et de Gaulle, après s'être rendu à Moscou en décembre 1944, pour y rencontrer Staline, s'imaginait avoir conquis l'appui de ce dernier ! Candide cécité ! A Yalta ce furent les « Anglo-Saxons » honnis par le Général qui durent lutter des heures entières contre l' « ami de la France », Staline (de Gaulle avait signé à Moscou un traité d'*amitié* avec l'URSS), pour défendre les intérêts des Français et obtenir pour ceux-ci, à force d'obstination, une zone d'occupation en Allemagne et un siège à la commission de contrôle de l'armistice, que le chef de la délégation soviétique leur refusa tant qu'il le put avec la dernière énergie.

Lorsqu'en 1947 et surtout en 1948, après le coup d'Etat communiste à Prague, les Européens de l'Ouest se rendirent compte que l'Armée rouge était à leurs portes et que leur défense propre était inexistante, ils se tournèrent vers les Etats-Unis, fort réticents, pour leur demander d'assurer leur sécurité. Alors débutèrent les négociations qui aboutiraient, le 4 avril 1949, à la signature du traité de l'Atlantique Nord. Mais la mémoire historique européenne a retouché cette séquence temporelle autant qu'elle a travesti Yalta. Elle a refoulé le souvenir du fait que ce sont les Européens qui furent demandeurs et les Américains à qui l'on dut forcer la main, non l'inverse. Il fallut plus de dix-huit mois d'insistance et de négociations laborieuses aux Européens pour arracher aux Etats-Unis une garantie militaire. On voit combien peu la thèse du « partage » résiste au rappel des faits les plus aisément accessibles[1].

Pour répliquer aux imposteurs ombrageux dont le métier consiste à vouloir « sortir de Yalta », formule qui est pour eux un synonyme occulte de « choisir l'URSS contre les Etats-Unis », je recourrai de nouveau à Jean Laloy, qui assista aux entretiens de 1944 entre de Gaulle et Staline : « Ce n'est pas de Yalta qu'il faut sortir, écrit-il, c'est du mythe de Yalta. » Le pouvons-nous ? Et d'ailleurs cela servirait-il encore à quelque chose ? Si le rêve est la réalisation d'un désir, le mythe pourrait être le masque d'une résignation. Mentir au point de soutenir que la communisation de la Pologne faisait partie des « accords de Yalta », c'est une façon détournée de s'incliner par avance devant la domination soviétique en Europe. Dès lors que l'on a décidé de capituler doucement, n'est-il pas plus honorable d'avoir l'air de le faire en application d'un traité ? Céder pour respecter un contrat est plus honorable que céder en laissant violer le droit. Aussi, quand le contrat n'existe pas, on l'invente.

1. Consulter par exemple l'excellent petit livre de Pierre Mélandri, *l'Alliance atlantique,* coll. Archives, Gallimard, Paris, 1979.

23

MIRACLE A MOSCOU OU LA COMÉDIE DES SUCCESSIONS

Au printemps de 1982, après un colloque sur les mouvements pacifistes en Europe, je déjeunais à Paris avec Vladimir Boukovsky et quelques amis. A propos de la disparition attendue de Brejnev, Boukovsky, dans un monologue parodique, se mit à prédire avec drôlerie les réactions occidentales qui n'allaient pas, dit-il, manquer de se produire au sujet du « successeur », sans doute Andropov, puisque le patron du KGB paraissait dès cette date le plus probable des deux ou trois héritiers possibles. « Andropov le libéral... Pensez donc ! Il parle anglais, il aime le jazz ! Son tailleur est hongrois. Il écoute la BBC... Il est *très* occidentalisé. Ne le décourageons pas ! Prouvons-lui combien notre bonne volonté lui est acquise, va au-devant de la sienne, soutenons-le contre les faucons du Kremlin. De l'Occident dépendra la réussite de *l'ouverture* Andropov. » Boukovsky montrait une plus juste prémonition des états d'âme politiques du proche avenir que bien des éditorialistes professionnels.

A vrai dire, il ne faisait que mettre le doigt sur un phénomène récurrent. La plupart des réactions occidentales aux événements soviétiques, d'ailleurs, *sont* des phénomènes récurrents, qui se reproduisent de façon stéréotypée, sans que nous songions, semble-t-il, à tirer profit des leçons de l'histoire pour les améliorer. Les successions aussi trouvent les Occidentaux immuables dans la répétition. Elles suscitent des comportements irrationnels et affectifs, qui, comme le veut leur nature, se contredisent ou flottent dans l'ambiguïté. D'une part, en effet, le disparu devient soudain, rétrospectivement, un « homme de paix, de stabilité, de prudence ». L'on craint une revanche des « aventuristes », des « durs », des « faucons » du Kremlin. D'autre part, le successeur se voit d'office revêtu de la chasuble immaculée du « libéral ». Il va « repartir de zéro », et démocratiser la société soviétique tout en détendant les relations avec l'Ouest. En 1924, les Occidentaux déplorent la mort de Lénine, dont ils croient qu'il était sur le point d'abandonner le communisme parce que, le couteau sous la gorge, il avait lancé dès 1921 la NEP (Nouvelle politique économique). En même temps, ils se félicitent de l'arrivée au pouvoir de Staline, parce que, partisan du « socialisme dans un seul pays », c'est donc un modéré, préférable à Trotski, partisan de la « révolution permanente ». En 1953, l'Occident s'inquiète de l'incertitude créée par la disparition de Staline, sans doute un peu brutal dans ses méthodes à l'intérieur, mais « prudent » « nationaliste » en politique extérieure, et qui a su « préserver la paix ». Il fallait beaucoup de foi dans la bonté humaine pour appeler « homme de paix » le chef d'Etat qui, en dix ans et quelques mois s'était arrangé pour signer un pacte avec Hitler, perpétrer Katyn, annexer les pays Baltes et un tiers de la Pologne, attaquer la Finlande, puis, dès la fin de la guerre, s'approprier l'Europe centrale, tenter un coup de force sur Berlin, donner l'ordre d'envahir la Corée du Sud. La gratitude occidentale devant tant d'aménité n'empêcha pas pour autant d'espérer encore davantage des successeurs de Staline. En 1954, Isaac Deutscher, alors considéré (à tort) comme le meilleur soviétologue et stalinologue, prophétisait : « Si le bloc communiste doit poursuivre une politique de limitation volontaire et de coexistence pacifique avec le capitalisme, ses dirigeants jugeront peut-être utile d'empêcher une nouvelle expansion du communisme, susceptible de porter atteinte au statu quo[1]. » Du côté américain, les grands spécialistes de l'URSS que possède alors le département d'Etat, George Kennan et Charles Bohlen, partagent cet avis : ils attribuent gracieusement des sentiments amicaux à l'éphémère nouveau venu Malenkov[2]. Quand Khrouchtchev élimine ce dernier, on l'installe à son tour sans transition dans le rôle du messie qu'attendait l'Occident. Car l'Occident ne comprend pas que le « dégel » khrouchtchévien, le rapport au XXe Congrès, plus tard l'autorisation de publier *Une Journée d'Ivan Dénissovitch* dans *Novy Mir,* en 1962, constituent non pas des opérations d'authentique démocratisation, mais des opérations politiques contre les vieux staliniens. Il s'agissait de consolider le pouvoir de Khrouchtchev, en marquant l'instauration d'une nouvelle règle, selon laquelle les membres de la Nomenklatura, même écartés de leurs fonctions, ne doivent plus craindre désormais la déportation ou la « liquidation physique ». Mais en politique étrangère, la « modération » de Khrouchtchev s'est exprimée, entre autres actions d'éclat, et au-delà des discours sur la « coexistence des systèmes », par l'écrasement sanglant de la révolution hongroise en 1956, par la construction du mur de Berlin en 1961, et par la tentative d'installer

1. Isaac Deutscher, *La Russie après Staline,* Paris 1954. (Seuil).
2. Voir plus haut, chapitre 18.

des fusées nucléaires à Cuba en 1962. Khrouchtchev tombe et, après un bref coup d'encensoir au « khrouchtchévisme », l'Occident s'avise brusquement de son « aventurisme » et du danger de son instabilité d'humeur, de son caractère impulsif, avec lesquels contrastait la personnalité imperturbable, méthodique, équilibrée de Brejnev. Dix-huit ans de pouvoir terrassent finalement ce caractère harmonieux et sûr. Mais les hommages à Brejnev en tant qu' « homme de paix », après la violation insolente des accords d'Helsinki, l'ascension des armements soviétiques, la conquête d'une partie de l'Afrique et du Yémen, l'invasion de l'Afghanistan n'ont pas recueilli autant d'applaudissements que les hommages à Staline. Le public serait-il blasé ? Heureusement, les hommes politiques ont applaudi pour deux, et, surtout, se sont rués pour exprimer leurs témoignages de confiance anticipée dans les intentions pacifiques et libérales d'Andropov, suivis, soutenus ou précédés par la cohorte empressée des haruspices de la soviétologie. Tous ou presque rivalisaient d'imagination pour chercher quelles concessions nous autres Occidentaux devions consentir sans délai pour prouver notre bonne volonté à la nouvelle direction soviétique.

Démarche intellectuellement étrange ! Car enfin, si Andropov est un libéral, c'est à lui de le prouver, pas à nous, semble-t-il. Et d'autant plus que ses exploits passés n'incitent guère au préjugé favorable à son endroit. Comment accorder ce préjugé favorable sans supplément d'information à l'ancien chef du KGB, à celui qui a garrotté férocement la « dissidence », c'est-à-dire les citoyens soviétiques réclamant simplement le respect des accords d'Helsinki, généralisé le système des hôpitaux psychiatriques à usage politique, presque réussi à faire assassiner le pape, universalisé la désinformation, intensifié le terrorisme et la guérilla dans le monde entier, trouvé le moyen d'asphyxier le mouvement ouvrier polonais grâce à des agents du KGB expédiés en mission sur place, sans même avoir à faire intervenir les chars russes ? Un libéral qui s'est ignoré jusqu'à l'âge de soixante-huit ans mérite, certes, des encouragements, mais il pourrait commencer par extérioriser un peu plus concrètement sa conversion miraculeuse à la tolérance. Lors de sa nomination à la tête du KGB, en 1967, il n'y avait en URSS que trois hôpitaux psychiatriques « spéciaux » ; lors de son départ, en 1982, il y en avait plus de trente. Peut-être pourrait-il revenir à trois ? Ce serait un bon début. Qu'en pensent l'association France-URSS ? le groupe Kalevi Sorsa ? Olof Palme ? Willy Brandt et l'Internationale socialiste ? Quant à la politique étrangère, Youri Andropov a tenu à bien préciser dans son discours du 22 novembre 1982, que nous ne devions nous attendre de sa part à aucune « concession préliminaire », ajoutant : « Que personne ne s'attende à un désarmement unilatéral de notre part ! Nous ne sommes pas des naïfs. » Façon élégante d'insinuer où sont les naïfs, et qu'il abandonne aux Occidentaux la suprématie dans l'art aimable du premier pas. Après comme avant Brejnev, les buts à court terme de l'Union soviétique, en 1982, demeurent les mêmes : manœuvrer en vue de l'ajournement définitif du déploiement des euromissiles en Europe de l'Ouest et profiter de l'arrivée des socialistes au pouvoir à Madrid pour obtenir l'abrogation de l'adhésion de l'Espagne à l'Otan. Selon les règles immuables de la diplomatie soviétique, ces concessions doivent être extorquées d'avance aux Occidentaux, en échange de promesses de modération qu'ensuite l'URSS n'a plus aucune raison de tenir, puisqu'elle a déjà obtenu ce qu'elle voulait.

La faute que commettent les démocraties, quand une succession survient au Kremlin, c'est non pas, bien sûr, de vouloir tirer parti de cette succession pour améliorer la situation mondiale, mais justement *de ne pas le faire.* Nous raisonnons nous autres démocrates comme si la succession en terre communiste constituait par elle-même un événement bénéfique, à la manière d'une conjonction astrologique favorable, dont il faudrait se dépêcher de profiter. Les Soviétiques auraient en quelque sorte fait le maximum de ce qu'on pouvait leur demander en inhumant Brejnev, puis en le remplaçant par quelqu'un d'autre, Andropov en l'occurrence. Une fois fait ce gigantesque effort, ils attendent à bon droit, pensons-nous, que nous accomplissions un effort correspondant de notre côté. En poussant jusqu'au bout ce raisonnement absurde, en le prenant à la lettre, il nous suffirait par conséquent de porter à notre tour en terre l'un de nos dirigeants pour démontrer notre volonté de paix. Puisqu'il suffit aux Soviétiques de mourir pour prouver la leur ! Ainsi, nombre de « voix autorisées », comme on dit pour désigner les dupes professionnelles, se sont hâtées de conseiller l'ajournement d'emblée pour un an au moins du déploiement des euromissiles de l'Otan, et se sont indignées de ce que Reagan décidât le déploiement des fusées MX sur le territoire américain. En clair, ces conseilleurs indignés veulent dire que l'Occident devrait interrompre tous ses programmes de défense simplement parce que Brejnev est mort et a eu un successeur. S'attendait-on à ce qu'il fût immortel ou que, venant à décéder, personne ne lui succédât jamais, que l'URSS restât sans gouvernement ? Si le remplacement d'un chef par un autre constitue en soi une si prodigieuse marque de bon vouloir, alors, les démocraties, qui en changent infiniment plus souvent que les pays totalitaires, devraient exiger de l'URSS des cadeaux énormes après chaque élection, chaque renversement de majorité, chaque substitution d'un président ou d'un Premier ministre à un autre. On s'aperçoit de l'obnubilation par laquelle l'Occident intervertit les rôles, à son détriment. La mort de Brejnev étant un fait non point politique, mais biologique, son remplacement étant par lui-même non point une concession faite à la détente ni le contraire, mais une nécessité institutionnelle, la réaction de l'Occident devrait être, me semble-t-il, d'attendre les premiers actes, les premières propositions du nouveau dirigeant et de les soupeser avec prudence. Ce n'est pas à lui d'espérer des dons de joyeux avènements. Nous ne sommes pas ses sujets. Si l'inévitable succession due à la mort comporte une révision politique, c'est au successeur soviétique d'y pourvoir, pas à nous. Notre devoir normal en ce cas est tout d'expectative et devrait se borner, au plus, à faire savoir qu'à toute initiative intéressante nous répondrons dans le meilleur esprit d'ouverture et de négociation.

Le renversement des rôles s'explique une fois de plus par l'incapacité occidentale de comprendre les systèmes communistes. Ces systèmes se fondent sur la continuité, non sur la rupture. Même les ruptures partielles, le révisionnisme khrouchtchévien, le pragmatisme de Deng Xiaoping, constituaient des retours à la norme, à la vraie continuité, après des écarts pathologiques : la terreur stalinienne ne pouvait poursuivre le massacre au sein de la Nomenklatura sans détruire, à la fin, le système de pouvoir tout entier ; le délire maoïste de la « révolution culturelle », plongeant la Chine dans le chaos et la ruine économique, allait provoquer l'écroulement rapide du communisme chinois. Mais on a vite vu les limites de ces prétendues libéralisations ; elles sont allées exactement jusqu'au point où il fallait aller pour *sauver* le système communiste, elles ne sont jamais allées jusqu'au point qu'il aurait fallu atteindre pour commencer à le *transformer,* encore moins pour l'*abandonner.* La continuité de ce qui doit continuer triomphe toujours.

Qu'est-ce qui doit continuer ? Qu'est-ce qui change et qu'est-ce qui ne change pas dans les successions ? Ce qui doit continuer, ce qui ne change pas, ce sont les deux piliers du système : l'idéologie et les structures. Qu'est-ce qui change ? Les hommes. Un jour ou l'autre, il faut bien qu'ils changent. Malheureusement, l'Occident voit tout à travers les hommes. L'importance décisive de la personnalité en démocratie, dans la carrière des politiciens, nous conduit à projeter à tort ce facteur sur les systèmes totalitaires, où les hommes parviennent au sommet poussés non par l'influence de leur personnalité sur le public, mais par la machine, c'est-à-dire par les structures et l'idéologie. Voyant tout à travers les hommes, l'Occident mise sur le nouveau chef communiste avant même de le connaître, sous-estimant la persistance des structures. Que de pages n'écrivit-on point pour affirmer que le communisme changerait de fond en comble en Russie à la mort de Staline, en Chine à la mort de Mao, pour écarter d'un revers de la main et déclarer désormais périmées toutes les analyses existantes du totalitarisme ! Ces pages péremptoires sombrèrent vite dans le néant. Cependant, après toute succession nouvelle, on trouve des volontaires pour les récrire. Les changements d'homme étant peu fréquents à la tête des Etats communistes, l'Occident oublie chaque fois l'expérience précédente. L'apothéose d'Andropov a confirmé cette règle. Interprétant faussement la nature des changements dans les systèmes communistes, les démocraties, lors des successions, ne prennent pas d'initiative, sinon l'initiative de concessions. Elles se mettent dans la tête qu'il leur faut à tout prix en faire, de ces concessions, alors qu'il leur faudrait saisir ce moment favorable pour en demander ; ou du moins pour analyser froidement le rapport des forces afin de chercher ce que le changement survenu peut leur apporter, non point ce qu'il peut apporter à l'Union soviétique. Laissons le Kremlin faire sa politique étrangère : il la fait fort bien. Ne tâchons pas de la faire à sa place. Contentons-nous de faire la nôtre. Tel est du moins le discours que devrait se tenir tout dirigeant occidental.

Or il se tient le discours opposé. François Mitterrand, lors de son voyage en Inde, à la fin de novembre 1982, déclare que l'Afghanistan est un « poison dans le corps soviétique » et suggère que les Occidentaux comme les pays riverains, Inde et Pakistan, pourraient aider l'URSS à se débarrasser de ce « poison », grâce à une « solution politique », permettant sans doute de réduire l'occupation tout en maintenant à Kaboul un régime aux ordres. Or, durant les mois qui ont suivi la mort de Brejnev, aucune marque de bonne volonté, aucun de ces fameux « signaux » attendus n'a palpité à Moscou, au sujet de l'Afghanistan, pas même un équivalent de l'annonce bouffonne faite par Brejnev, au printemps de 1980, qu'il allait retirer quelques divisions du théâtre des opérations, annonce de pure propagande mais qui, à l'époque, avait abusé un instant le président français, Valéry Giscard d'Estaing, au moment de la conférence des pays de l'alliance atlantique à Venise. A vrai dire, les fameux « signaux » de bienveillante ouverture que l'Occident serait, paraît-il, criminel de ne pas saisir au vol, ont rarement aussi peu éclairé le ciel qu'au cours des semaines où se mettaient en place les successeurs de Brejnev. Cette absence rendait d'autant plus récréative l'opiniâtreté que mettaient les commentateurs occidentaux à les déchiffrer à tout prix. L'ultime discours de Brejnev avait été pour menacer l'Ouest de représailles impitoyables si l'Amérique et ses alliés poursuivaient la « course aux armements ». Lisez : persistaient à vouloir installer en Europe les missiles de croisière et fusées Pershing destinés à contrebalancer les SS 20 soviétiques. Le premier discours d'Andropov allait dans le même sens, sur le même ton, nous l'avons vu. Sa logique resta conforme à celle de son prédécesseur : la défense européenne devient agression aux yeux des Soviétiques et tout rétablissement de l'équilibre des armements de la part de l'Occident constitue une menace. Aux propos déjà cités plus haut s'ajouta le 30 novembre 1982 une furibonde dépêche de l'agence Novosti menaçant l'Europe occidentale d'une « riposte immédiate », qui entraînerait une inéluctable guerre nucléaire « mondiale », en cas d'emploi « même accidentel » par l'Ouest d'une eurofusée. Ce communiqué survenait à la veille d'une réunion des ministres de l'Otan qui avait pour objet de fixer les délais du déploiement des euromissiles. Argument à double tranchant, puisqu'on ne voit pas du tout pourquoi l'expédition « accidentelle » d'une eurofusée ne pourrait pas provenir tout aussi bien de l'Est, mais la bulle comminatoire fulminée par l'agence Novosti visait à effrayer les gens mal informés et à fournir des arguments aux pacifistes et aux partisans du désarmement unilatéral de l'Occident, en premier lieu les évêques américains et italiens. Toutefois, cette campagne de peur, d'une si outrancière grossièreté, ne rencontra sur le moment qu'un succès médiocre et, soit dit en passant, ne plaidait guère en faveur de la « finesse » libéralement attribuée à Youri Andropov par les analystes occidentaux. De toute manière, rien ne poussait à juger que les objectifs du nouveau chef soviétique différassent de ceux de son prédécesseur, sinon le désir éperdu de certains Occidentaux qu'il en fût ainsi. Le ministre des Affaires étrangères Andréï Gromyko, lors de sa visite à Bonn en janvier 1983 — nouvel exemple de pressions soviétiques impudentes au cours d'une campagne électorale dans un pays démocratique — tint des propos qui se composaient de l'éternel mélange de menaces, de chantage, d'intimidation et d'offres de concessions... occidentales.

Mettre à profit les successions au Kremlin devrait signifier tout autre chose que ce que nous faisons, devrait signifier utiliser d'éventuels flottements dans la direction soviétique pour défendre nos intérêts. Il n'est pas inexact que tout dirigeant communiste, à son arrivée, devant affronter des difficultés intérieures qui se réveillent, peut donc avoir à se montrer plus conciliant à l'extérieur. Mais il ne le fera pas s'il peut éviter de le faire. Et il pourra parvenir à l'éviter si l'Occident se borne à attendre qu'il le fasse de lui-même. Profiter de la succession consisterait pour nous à utiliser nos bonnes cartes au moment où l'Union soviétique dispose d'un jeu plus faible, non point à suspendre la partie jusqu'à ce que son jeu se renforce de nouveau.

Durant les mois et même les trois ou quatre années qui suivirent la mort de Staline, dont la succession, contrairement à celle de Brejnev, n'avait pas été préparée, l'Occident ne mit nullement à profit le désarroi de la direction soviétique. Entre 1953 et 1956, la situation était idéale pour agir, et l'on n'a pas agi. Dès juin 1953, la population de l'Allemagne de l'Est se soulève contre l'occupant, et l'Occident n'attrape pas cette occasion d'imposer des pourparlers en vue d'un traité de paix qui aurait mis fin à la dangereuse division de l'Allemagne, l'un des principaux moyens qu'ont les Soviétiques encore aujourd'hui de soumettre au chantage l'Europe et les Etats-Unis. A cette date, aucun gouvernement occidental n'avait encore reconnu l'Allemagne communiste, dite RDA. Au printemps puis à l'automne de 1956, le peuple polonais se soulève ; nous laissons les Soviétiques arranger l'affaire à leur façon, c'est-à-dire remplacer feu Bierut par Gomulka. Au lieu de cette inertie de spectateurs indifférents, les Occidentaux auraient pu ressortir le dossier des promesses de Yalta — le vrai — par lesquelles Staline s'était engagé à organiser en Pologne des élections libres. Le rapport des forces, alors très favorable aux Etats-Unis, aurait rendu cette exigence tout à fait réaliste, et, soulignons-le, nullement « impérialiste » mais conforme à la morale, au droit des peuples à disposer d'eux-mêmes, aux intérêts de la paix, cette paix que la tragédie polonaise au cœur de l'Europe n'a cessé de mettre en danger durant les vingt-cinq années qui ont suivi. Peu après l'Octobre polonais explose l'insurrection populaire hongroise, plus violente et plus ample encore. Cette fois, la présence soviétique, le communisme mêmes sont remis en cause, sans même que l'Occident ait eu à s'y employer. Une fois balayé l'agent de Moscou, Rakosi, le maître de la Hongrie stalinienne, il se trouve que l'homme le plus populaire, le seul disponible, au milieu de la décomposition des pouvoirs, le vieux communiste Imre Nagy, à l'écart depuis longtemps, ne voit, même lui, qu'une solution, une sorte de neutralisation de la Hongrie, à la manière de la solution autrichienne adoptée l'année précédente, et donc une sortie du bloc soviétique. Une simple chiquenaude de la part de l'Occident eût alors actionné le déclic décisif. Car les Soviétiques se trouvaient pris complètement à contre-pied, leur garde baissée, dans leur tort, en position d'infériorité stratégique, et d'ailleurs, si l'Occident avait surmonté son irrésolution pour formuler une exigence, les moyens militaires n'auraient même pas eu à être utilisés. Car enfin, pourquoi Khrouchtchev avait-il si peur ? Pourquoi éprouva-t-il le besoin de se couvrir de l' « autorisation » de Mao Zedong et d'aller consulter en secret Tito ? Pourquoi hésita-t-il de si longs jours, et n'intervint-il en définitive qu'après avoir acquis la certitude que l'Ouest se contenterait de siffler la pièce sans interrompre la représentation ? Les démocraties n'ont pas davantage, dans cette conjoncture fluide, essayé de faire revenir dans le camp occidental l'Albanie, que pourtant Staline s'attendait si peu à conserver qu'il n'avait signé avec elle, je l'ai déjà dit, aucun de ces « traités d'amitié » qui scellaient à ses yeux l'esclavage irréversible des pays frères : exception notable, et que nul ne nota.

Le 6 mars 1953, dans leur premier communiqué, les successeurs de Staline déclaraient leur attachement à une politique susceptible d'assurer « la prévention de toute sorte de désarroi et de panique ». Pourquoi ces deux mots ? Un mois et demi auparavant, le tandem Eisenhower-Dulles est arrivé au pouvoir à Washington, affichant l'idéologie du *roll back* (refoulement), qui avait été claironnée durant la campagne présidentielle. Les héritiers de Staline ne connaissaient à ce moment-là pas grand-chose des « impérialistes » tels qu'ils sont, et ils avaient oublié les analyses de Lénine sur les « sourds-muets ». Leurs contacts personnels avec les hommes politiques occidentaux étaient quasiment inexistants, à la seule exception de Molotov. En revanche ils connaissaient la fragilité de la situation au sein du système soviétique, satellites compris. Il leur était donc facile de percevoir la convergence de trois facteurs qui leur étaient défavorables :

— le rapport des forces était globalement à l'avantage des Occidentaux ;

— l'idéologie dominante de la nouvelle équipe à la Maison Blanche poussait à « refouler » le communisme ;

— une situation de faiblesse était engendrée par la mort de Staline au sein de la sphère communiste, tant au sommet du Parti (affaire Béria) que parmi les peuples asservis (insurrection en Allemagne de l'Est au mois de juin).

Il était donc tout à fait normal et raisonnable que les héritiers de Staline, en dirigeants attentifs, s'attendissent à une politique plus offensive de la part de l'Ouest. Or rien n'arriva dans le sens de ces analyses. L'Occident ne bougea pas. Quelles conclusions veut-on que les dirigeants de l'Union soviétique aient tirées pour la suite de cette période particulièrement périlleuse pour eux, où l'Occident, sans risquer de verser la moindre goutte de sang, aurait pu obtenir la réunification de l'Allemagne et un juste traité de paix ?

On objectera que des concessions soviétiques durant cette période pèsent dans l'autre plateau de la balance grâce aux successeurs de Staline : armistice en Corée le 27 juillet 1953, réconciliation avec la Yougoslavie de Tito, conférence de Genève en 1954 mettant fin à la guerre de l'Indochine française, traité de paix autrichien en 1955. Examinées d'un peu près, toutefois, ces concessions soviétiques présentent la texture troublante et familière qui, sous le microscope, leur confère un air bizarre de concessions occidentales. L'armistice en Corée n'impliquait aucune concession de la part des Soviétiques, c'était le retour à la situation initiale, laquelle résultait d'un coup de force de leur part. Colonie japonaise jusqu'en 1945, la Corée devait retrouver l'indépendance après la défaite de son colonisateur. Il avait été convenu à Yalta qu'une période de transition permettrait aux armées des vainqueurs, américains dans le Sud, russes dans le Nord (bien que les Soviétiques n'eussent jamais réellement combattu sur ce front), de liquider la colonisation et d'acheminer le pays vers l'indépendance. Comme en Allemagne de l'Est, les Soviétiques restèrent en Corée du Nord, au lieu de procéder à l'évacuation de leurs troupes après la transition, ils y créèrent un régime vassal, selon leur principe que tous les pays « libérés » par eux après la Seconde Guerre mondiale étaient en fait des conquêtes destinées à leur appartenir définitivement. Ce premier coup accompli, Staline tenta en 1950 le second : il lança l'armée de la Corée communiste à l'assaut de la Corée du Sud. Après avoir failli réussir, il piétina ensuite grâce à la résistance inattendue du corps expéditionnaire des Nations unies. Ses successeurs préférèrent mettre un terme à l'aventure et revenir au statu quo, à la ligne de démarcation antérieure. L'agression et son échec ne leur avaient donc rien coûté, dans le bilan territorial. L'armistice entérinait l'existence d'une Corée communiste issue elle-même de la violation préliminaire d'une convention internationale et de l'occupation par la force d'un pays étranger. Du côté occidental, les Américains, qui avaient fourni le plus gros du corps expéditionnaire, avaient payé de trente mille morts et de cent quinze mille blessés l'avantage de se retrouver au point de départ, avec un danger permanent d'invasion du Sud par le Nord, qui n'a pas cessé trente ans plus tard. Le « geste de bonne volonté » soviétique dans la décolonisation de l'Indochine française ne vaut guère mieux pour les démocraties. Le but de ces dernières, dans cette indispensable décolonisation, devait être qu'elle ne tournât point au bénéfice du communisme international, et ce, d'abord, dans l'intérêt même du peuple vietnamien, aujourd'hui l'un des plus malheureux du monde sous la tyrannie de sa nomenklatura personnelle. Au rebours de la légende, la conférence de Genève ne mérite guère de passer pour un tour de force de la diplomatie occidentale. Les Mémoires de Khrouchtchev, parus en 1971, révèlent en premier lieu que la situation militaire des Vietnamiens était plus mauvaise que nous ne le supposions, et que les Chinois n'avaient plus les moyens de les aider. En second lieu, les négociateurs de Genève allèrent, semble-t-il, d'emblée beaucoup trop loin dans les concessions. « A la première séance de la conférence, écrit Khrouchtchev, le chef du gouvernement français, Mendès France, proposa de fixer au 17ᵉ parallèle la limite extrême de l'avance des troupes françaises vers le nord. Je l'avoue, quand nous reçûmes de Genève cette information, nous en eûmes le souffle coupé de surprise et de plaisir. Nous ne nous étions attendus à rien de tel. Le 17ᵉ parallèle était le maximum absolu que nous aurions revendiqué de notre propre initiative. Notre délégation à Genève avait pour instructions d'exiger que la ligne de démarcation reculât plus bas vers le sud, au 15ᵉ parallèle. Mais c'était dans le seul but de donner l'impression d'engager un marchandage très dur. Après avoir un petit peu ergoté pour le principe, nous acceptâmes l'offre de Mendès France : le traité fut signé. Nous avions réussi à consolider les conquêtes des communistes vietnamiens[1]. » L'histoire par la suite n'infirmera guère le bien-fondé de ce chant de victoire. Le communisme international finira bien par s'emparer de la totalité de l'Indochine. Que la France se trouvât en 1954 dans une impasse à la fois morale, politique et militaire ne saurait se nier. Que la solution trouvée avec les successeurs de Staline représente de leur part une authentique concession et reflète le désir chez eux d'une paix stable, conclue de bonne foi, ne peut plus se plaider sans le secours spirituel de la croyance en l'invisible. On remarquera aussi que la réconciliation de l'URSS avec la Yougoslavie survient dès la minute où Moscou le désire, et que le Kremlin a pu, en cette occasion, réparer les pots cassés par les excès de Staline sans avoir à les payer d'un prix élevé. La Yougoslavie a certes conservé son statut spécial au sein du monde communiste, statut devenu quasiment irréversible, mais sans faire expier vraiment à l'URSS son comportement des années de rupture. Tito a cessé de se comporter en ennemi de l'URSS dès la minute où Khrouchtchev et Boulganine lui ont tendu la main, et pas pour recevoir la facture. De même, le traité de paix autrichien, l'élément le plus positif de cette période, fut le fruit non d'une conquête de la diplomatie occidentale, mais d'un revirement soviétique, le Kremlin restant le meneur du jeu.

Il ressort de ce bref rappel de « l'après-Staline » que les Occidentaux, au cours de cette transition, n'ont su tirer d'eux-mêmes ni la force de prendre d'initiative pour poser des conditions aux Soviétiques ni celle de refuser de négocier sur les bases qu'entendait chaque fois leur imposer le Kremlin. Ils se sont bornés à réagir avec un empressement fébrile à tous les « signes » venus de Moscou. De leur côté, tout en se débarrassant des difformités les plus voyantes léguées par les excès staliniens (comme, à l'intérieur, ils ont remisé le dément « complot des blouses blanches »), les « héritiers » n'ont altéré ni les orientations ou la tactique de la politique étrangère soviétique, ni le principe de l'asservissement de l'Europe centrale, ni les visées lointaines sur l'Europe occidentale.

Pour affaiblir l'Europe occidentale, précisément, les successeurs

1. *Khrushchev Remembers*, Londres, 1971, André Deutsch. Tr. fr., Robert Laffont. « *At the first session of the conference, the French head of state, Mendès France, proposed to restrict the northern reach of the French forces to the 17th parallel. I'll confess that when we were informed of this news from Geneva, we gasped with surprise and pleasure. We hadn't expected anything like this. The 17th parallel was the absolute maximum we would have claimed ourselves. We instructed our representatives in Geneva to demand that the demarcation line be moved farther south, to the 15th parallel, but this was only for the sake of appearing to drive a hard bargain. After haggling for a short time, we accepted Mendès France's offer, and the treaty was signed. We had succeeded in consolidating the conquests of the Vietnamese Communists.* »

de Staline, poursuivant la campagne stalinienne du Mouvement de la Paix, remportèrent en 1954 un trophée de première grandeur : l'échec de la Communauté européenne de Défense (CED), projet qui s'effondra faute d'être ratifié par la France. L'Assemblée nationale française refusa, le 30 août 1954, la ratification du traité prévoyant une armée européenne, par une majorité où se mêlaient les bulletins des communistes et ceux des gaullistes. Ceux-ci étaient par principe hostiles à toute organisation supranationale et en outre avaient subi pendant une année le persévérant et classique assaut communiste de pénétration, d'intoxication et de propagande. Le pilonnage contre la CED en 1954 est la première version des campagnes soviétiques de 1982 et 1983 contre le renforcement du potentiel militaire de l'Otan et en faveur du « gel » des armements, thème de propagande lancé par les Soviétiques pour la bonne raison que se « gélerait » pour eux un avantage. Le slogan du « gel nucléaire », détaché de ses origines soviétiques qui furent bientôt oubliées, séduisit les gens de bonne foi. Quelle croisade plus noble que celle qui s'oppose à la guerre atomique ? Un vote pour ou contre le « gel nucléaire » a eu lieu en novembre 1982, aux Etats-Unis, accroché aux « *mid-term elections* », dans neuf Etats : le vote fut favorable au gel dans huit Etats. Seul le vote de l'Arizona fut négatif. *L'Humanité,* organe central du Parti communiste français, présenta le lendemain comme l'événement le plus important de ces élections ce vote de huit Etats « contre la guerre », c'est-à-dire pour l'affaiblissement unilatéral de l'Occident. Pas plus que ne l'avaient fait les successeurs de Staline, les successeurs de Brejnev n'ont abandonné ni même modéré leurs visées d'expansion et de domination. Il est exact que l'on note à chaque succession un élagage de protubérances par trop nuisibles au bon renom soviétique, à condition que cet élagage porte sur les apparences et ne comporte aucun sacrifice de fond. La libération de quelques prisonniers politiques en Pologne, la suspension de la loi martiale survinrent après que la répression eut porté tous ses fruits, que l'Eglise eut cédé devant le Parti, que le syndicat Solidarité eut été réduit à l'impuissance.

Les « ouvertures » que l'Occident se devrait de faire à l'Union Soviétique pour célébrer la succession, pour l'aider à « se tirer de ses mauvais pas » et « remettre la détente sur ses rails », ces ouvertures, en général, existent déjà. Il n'aurait tenu qu'au « successeur » de les relever pour renouer le « dialogue ». Par exemple, en juillet 1981, le secrétaire d'Etat, Alexander Haig, au nom des Etats-Unis, et le chef du Foreign Office, Lord Carrington, au nom de l'Europe des Dix avaient proposé la neutralisation de l'Afghanistan et du Cambodge, le retrait de toutes les troupes étrangères et leur remplacement provisoire par des troupes des Nations unies, en attendant des élections libres et la garantie d'un statut des non-alignés pour les deux pays. Or l'URSS avait rejeté dans l'instant ces propositions comme « irréalistes », sans même les discuter. Le « réalisme » aurait à ses yeux consisté de notre part à inviter aux négociations Babrak Karmal, l'agent du KGB que Moscou avait placé à la tête de l'Etat communiste afghan, c'est-à-dire à lui accorder d'emblée la reconnaissance internationale. De cette manière, nous n'aurions plus rien eu à négocier. Avec l'humour grisâtre qu'il manie si bien — à son insu — Gromyko déclara ne pouvoir ouvrir de pourparlers sur l'Afghanistan aussi longtemps que n'auraient pas cessé les « interventions étrangères », l'Union soviétique ne se trouvant naturellement pas comptée au nombre des intervenants, malgré les quelque quatre-vingt-cinq mille hommes qu'elle maintenait alors sur place, chiffre appelé à grandir. Fort bien. Si cette intransigeance s'expliquait en 1981 par l'influence de Brejnev et si son successeur Andropov n'attendait que la mort du vieux pour manifester sa souplesse, qu'est-ce qui l'empêcha, en novembre 1982, de se déclarer prêt à reprendre le débat sur les suggestions naguère enterrées ? On répondra que les communistes ne peuvent accepter, où qu'ils soient, des élections libres. C'est vrai. Mais dans ce cas, c'est bien le système qui empêche de désembourber les situations, pas les hommes. Et ce n'est pas non plus l'absence de propositions occidentales. Car que peuvent bien proposer de plus les Occidentaux ? L'occupation éternelle de l'Afghanistan par l'Union soviétique ? C'est évidemment une « ouverture » qui serait fort appréciée. Mais est-elle même nécessaire ? Les Soviétiques ne savent-ils pas que nous avons déjà en pratique accepté le fait accompli ? Le seul grain de sable qui paralyse la machine à conquérir soviétique, c'est la résistance des montagnards afghans. Nous, Occidentaux, ne sommes pour rien dans ce mécompte. Nous n'aidons guère les résistants. Va-t-on nous demander de nous substituer aux Soviétiques pour les tuer ? Peut-être une mission d'étude « indépendante », composée de MM. Willy Brandt, Olof Palme, Kalevi Sorsa, Edgar Faure, Tony Benn et Ted Kennedy aurait-elle pu, en effet, être chargée d'examiner cette éventualité, pour prouver notre désir de ranimer la détente, de mettre en confiance Andropov ?

Il apparaît que faute d'un geste de cette portée, rien n'a suffi au déclenchement des avances de Youri Andropov. Mieux : le 5 décembre 1982, les autorités officielles afghanes, autrement dit les Soviétiques, annonçaient que dix « terroristes » avaient été fusillés. Comme la nouveauté, en l'occurrence, ne tenait pas à ce que les résistants afghans fussent tués, mais à l'annonce officielle d'exécutions en bonne et due forme, on se trouvait en présence d'un message très clair destiné à l'Occident, et qui s'écartait quelque peu des fameux « signaux » de modération tant attendus.

La nouvelle direction soviétique a bien affiché son amour de la détente, à la mode communiste, en exigeant le désarmement de l'Ouest et en protestant notamment contre l'installation aux Etats-Unis, dans le Wyoming, de fusées MX. Cette protestation a trouvé de nombreux échos favorables en Europe occidentale et aux Etats-Unis même. Cette installation, a dit Moscou en novembre 1982, viole les accords SALT. Lesquels? SALT 1, dépassé depuis longtemps, ne la concerne pas et, du reste, a été tellement violé par l'URSS que sa vertu n'est plus qu'un lointain souvenir. SALT 2 se trouvait en discussion au Sénat des Etats-Unis lorsque l'Armée rouge a envahi l'Afghanistan, ce qui a instantanément détruit ses chances d'obtenir la ratification. A quel titre donc invoquer un traité qui n'existe pas ! Mais dans ce cas aussi, Andropov ne pourrait-il revenir en arrière cueillir la proposition qu'avait bel et bien faite l'Occident ? Il lui suffirait d'évacuer l'Afghanistan pour que le processus de ratification d'un SALT 2 qui, cela va de soi, devrait être mis à jour, puisse reprendre devant le Sénat [1]. Ainsi, ce ne sont jamais les dispositions occidentales conciliantes qui font défaut, c'est à Moscou la volonté politique de céder quoi que ce soit en échange de ce qu'on lui offre.

La croyance occidentale en un adoucissement miraculeux des intentions soviétiques après chaque succession forme l'un des nombreux pièges que nous nous tendons à nous-mêmes avec l'aide, bien sûr, de la désinformation communiste. L'étendue et l'ingéniosité de cette désinformation se trouvèrent indiquées, d'ailleurs, une fois de plus, par un petit fait, survenu juste après que le nouveau saint François d'Assise moscovite eut pris place sur le trône de Staline. Un professeur canadien, Hugh Hambleton, comparaissait fin novembre 1982 à Londres devant un tribunal pour y répondre du crime d'espionnage au profit de l'Union soviétique, à laquelle il avait transmis des documents secrets, en des temps où il exerçait des fonctions à l'Otan. Rien là que de très banal et de très quotidien, de presque rassurant. Instructif, toutefois, dans les déclarations du professeur à l'audience fut le récit d'une rencontre en tête à tête à Moscou, quelques années plus tôt, entre lui-même et son patron Youri Andropov, alors à la tête du KGB. L'éminent libéral tchékiste anglophone féru de jazz proposa au penseur universitaire canadien, durant cette soirée, d'abandonner l'activité estimable, mais subalterne d'espion pour se lancer dans la politique, faire campagne, à l'aide, bien sûr, de quelques subsides fraternels, et ainsi se faire élire député au parlement d'Ottawa, pour y influencer les milieux politiques et l'opinion publique de son

1. Andropov a d'ailleurs eu tort de s'inquiéter ou raison de menacer : le 7 décembre 1982, la Chambre des Représentants refusait au Président Reagan les crédits nécessaires au programme MX. Au même moment, on apprenait que le budget militaire français subissait d'amples amputations.

pays dans un sens favorable à l'URSS. Il ne s'agissait pas, surtout pas, de se faire élire député communiste, espèce au demeurant peu répandue au Canada, car c'est d'un député « libéral », attaché à la cause de la « paix », que le Kremlin avait besoin dans le rôle d'agent d'influence. Comme il est douteux qu'Andropov et ses acolytes n'aient mis au point cette méthode qu'en l'honneur de l'obscur professeur Hambleton, je laisse à conjecturer combien de grandes voix indépendantes retentissent de par le monde, lorsque les Soviétiques ont besoin de leur concours, pour soutenir ceux-ci dans leur ascension ininterrompue vers la paix. Et ils en ont besoin, notamment, pour faire souffler aux Occidentaux le conseil de saisir l'occasion des successions, source de grandes merveilles quand nos gouvernants vont, rois mages, s'incliner avec déférence devant le berceau du nouveau-né.

Je tiens à le répéter : je ne soutiens pas que l'Occident n'ait rien à tirer de la fluidité que crée tout changement de personnel politique, à Moscou et à Pékin comme ailleurs, mais plutôt moins qu'ailleurs. Je ne soutiens pas non plus que la seule manière pour nous d'utiliser cette fluidité consisterait à bombarder les Soviétiques d'ultimatums. Je dis que le bon usage des successions ne peut consister en aucune façon à nous comporter en solliciteurs, avec l'espoir de mériter la bienveillance des Soviétiques, ni à nous poster pieusement à l'affût de « signaux » de leur part qui n'existent en général que dans notre imagination. De nouveau cette conduite ingénue, où le vœu remplace l'analyse, cette diplomatie du cierge, où l'offrande remplace la négociation, s'expliquent par la méconnaissance du fonctionnement des appareils et des sociétés communistes.

Au début d'octobre 1982, la presse américaine annonçait qu'Averell Harriman, l'ancien diplomate souvent mentionné dans ces pages, accordait un don d'un million de dollars (pour commencer) à l'Université de Columbia afin d'y encourager le renouveau des études soviétologiques. Ces études, indiquait-on dans un communiqué, corroboré par le diagnostic de plusieurs autres experts en la matière, se trouvaient « à leur plus bas niveau depuis la Seconde Guerre mondiale [1] ». La Fondation Ford, qui dépensait jadis 40 millions de dollars par an en bourses destinées à former des slavisants et soviétologues, ne consacrait plus en 1982 que 2 millions de dollars dépréciés par an à subventionner cette discipline, faute de candidats [2].

De 1950 à 1969, quand le pouvoir communiste se circonscrivait dans l'espace est-européen et extrême-oriental, deux grandes

1. *New York Times*, repris dans *International Herald Tribune* du 8 octobre 1982.
2. *Washington Post*, repris dans *International Herald Tribune* du 24 septembre 1982.

démocraties occidentales, les Etats-Unis et la Grande-Bretagne, abondaient en instituts officiels d'étude sur le communisme, en URSS et ailleurs. Je m'empresse de le préciser : pour notre honneur rien de tel n'a j'amais existé à l'époque en France, de sorte que la France est le seul pays où, grâce au ciel, l'on n'observe aucune régression dans ce domaine. Depuis que, descendant le cours paisible de la détente, le communisme s'est répandu sur tous les continents, l'étude rationnelle du phénomène communiste n'a de son côté cessé de s'amenuiser aux Etats-Unis (nous venons de le voir) et en Grande-Bretagne, où une foule de publications spécialisées dans l'étude du communisme, en général ayant le soutien du Foreign Office, ont disparu.

Par voie de conséquence, les hommes d'Etat démocratiques de cette fin de siècle sont encore plus ignares sur le sujet que ceux de la génération d'après-guerre.

Ce n'est par exemple un secret pour personne que l'intervention soviétique du 26 décembre 1979 contre l'Afghanistan a surpris les principaux dirigeants occidentaux. Le président Carter confessa ceci : « Cette action a provoqué d'un seul coup plus de changement dans mon opinion sur les objectifs de la politique soviétique que tout le reste de ce qui s'est produit depuis que je suis en fonction. » Le chancelier Schmidt dut modifier en catastrophe à la dernière seconde son message de Nouvel An, où il se portait garant des intentions pacifiques de l'Union soviétique ! On frémit à l'idée de l'embarras qui eût été celui du clairvoyant chancelier si l'invasion avait eu lieu le 2 janvier. Quant au président français, il alla jusqu'à prêter sa propre surprise aux Soviétiques eux-mêmes, qualifiant leur action d'improvisée et hâtive. Or l'improvisation est totalement contraire à la méthode des disciples de Lénine, et que confirme l'histoire écoulée depuis une soixantaine d'année. Mais les hommes d'Etat ne l'étudient pas, reprenant le parcours à zéro, en autodidactes à partir du jour où ils entrent en fonction.

Ces hommes d'Etat font mentir le dicton d'Héraclite : « On ne se baigne jamais deux fois dans le même fleuve. » Dans ce fleuve d'oubli qu'est la perception occidentale du communisme, et où les crues stériles des successions font couler un affluent intermittent, ils se sont baignés un nombre infini de fois, tous les jours et toujours au même endroit.

24

DOUBLE CRITÈRE ET RENVOI DOS À DOS

A partir du moment où le président Truman eut proclamé en 1947 : « Ce doit être la politique des Etats-Unis que de soutenir les peuples libres qui résistent à des tentatives d'asservissement dues soit à des minorités armées, soit à des pressions extérieures », les démocraties se trouvaient enfermées par leur propre volonté dans une difficulté presque insurmontable[1]. En effet, elles posaient d'elles-mêmes, comme condition implicite, pour avoir le droit de s'opposer à l'absorption d'un pays par l'empire communiste, que ce pays fût irréprochable selon les critères démocratiques. Ainsi l'Occident se condamnait à l'échec ou à l'opprobre, il se rendait prisonnier des termes d'une alternative sans issue : ou bien il laissait la majeure partie de la planète glisser sous la domination communiste, ou bien il devait protéger trop souvent des pays dont le régime n'était pas démocratique. Piège providentiel pour la propagande communiste, largement reprise sur ce point par la gauche libérale dans les démocraties. Et l'honnêteté oblige en effet tout démocrate conséquent à dénoncer l'hypocrisie d'une défense des droits de l'homme et du citoyen réduite à s'appuyer avec fréquence sur des gouvernements autoritaires, au mieux survivances ou résurgences de formes archaïques du pouvoir, au pire despotismes à ranger parmi les fascismes modernes, policiers et violents, ou encore pseudo-démocraties aux élections d'une régularité douteuse, rarement ou jamais en tout cas régimes d'une parfaite fidélité aux idéaux de l'Etat de droit, sur lesquels l'Occident prétend asseoir la légitimité de sa diplomatie et de sa défense.

Dans l'œuf, par conséquent, la partie était déjà inégale, puisqu'il

1. « *It must be the policy of the United States to support free people who are resisting attempted subjugation by armed minorities or by outside pressure.* » Cité par Norman Podhoretz, *The Present Danger,* Simon and Schuster, 1980, p. 13. Tr. fr., *Ce qui menace le monde,* préface de Raymond Aron, Seuil.

va de soi que l'on ne songe à exiger des empires communistes ni de respecter les règles démocratiques ni de limiter leurs alliances à des pays qui les respectent. L'idée ne viendrait à personne de refuser à l'Union soviétique le droit de compter parmi ses satellites la dictature sanglante du colonel Menghistu en Ethiopie, tant que ce colonel ne se serait pas amendé, n'aurait pas été porté au pouvoir par un vote d'une limpidité helvétique, et n'aurait pas établi sur son territoire toutes les libertés. Chacun connaît la ritournelle : « Affaires intérieures... Pas d'ingérence... Les pays sous-développés ont le droit d'ajourner les élections s'ils appliquent des réformes progressistes... Il est normal qu'ils se tournent vers l'URSS et se détournent des anciennes puissances coloniales... La démocratie parlementaire est un luxe qui n'est pas pour les pauvres, ou du moins n'est pas pour eux une priorité, etc. » De même, il paraîtrait saugrenu et outrecuidant de vouloir que la Corée du Nord se démocratise et, à défaut, que l'Union soviétique renonce à y conserver un bastion stratégique. Mais les nations d'Occident ne cessent d'être vilipendées par la propagande communiste et « progressiste », comme par des libéraux importants et respectables de leurs propres opinions publiques, en raison de leur coopération économique et militaire avec la peu démocratique Corée du Sud. Quand il s'agit d'un régime totalitaire, l'impératif stratégique à lui tout seul suffit à légitimer la présence ou l'alliance ou l'aide soviétiques. Quiconque pose une condition supplémentaire est prié, en Occident même, de se mêler de ce qui le regarde. Au contraire, une démocratie ne reçoit l'autorisation de défendre les digues essentielles à sa sécurité qu'à la condition que l'impératif démocratique soit tout d'abord observé. S'il ne l'est pas, le devoir de l'Occident devient, si l'on comprend bien, de céder le territoire en question aux communistes qui, eux, n'ont pas cette obligation démocratique. De la même manière, défendre l'indépendance du Sud-Vietnam au cours des années 60 constituait un comportement noté d'infamie, puisque le régime de Saigon n'était à aucun égard d'une exemplaire pureté, tandis que le régime d'Hanoi n'avait pas besoin de fournir de gages démocratiques pour avoir le droit de se défendre ou même d'attaquer. L'opinion progressiste et même modérée du monde entier lui attribuait de confiance une légitimité « populaire », que son histoire après 1975 ne confirma point, mais dont sa nature totalitaire et conquérante ne semblait amoindrir en rien l'authenticité. Plus tard, en 1981 et 1982, l'Occident, pour ne pas trahir ses propres principes, devait, si l'on en croyait l'Internationale socialiste, la presse, les médias, en Europe, en Amérique latine et aux Etats-Unis, laisser un pouvoir totalitaire s'installer au Salvador, à moins d'être en mesure d'y faire fleurir une démocratie politique, économique, sociale d'une perfection absolue. L'éventualité, en revanche, que l'Occident conteste la légitimité du régime pré-totalitaire et pro-soviétique du Nicaragua, ou même lui marchande une aide militaire ou économique, au nom des droits de l'homme, du pluralisme et de la démocratie, n'aurait pu être envisagée, de l'avis général, que par des réactionnaires forcenés. Bien mieux : l'URSS peut même se permettre de se ranger du côté de régimes fascistes de type traditionnel, dépourvus de toute façade progressiste, lorsque les intérêts de sa stratégie mondiale lui conseillent cette manœuvre. Elle ne s'attire pas pour autant les véhémentes condamnations par l'opinion internationale qui s'abattent sur une nation démocratique si elle se trouve réduite au même expédient. Ainsi l'Union soviétique et Cuba prirent bruyamment le parti de la junte militaire argentine contre la Grande-Bretagne, dans le conflit des îles Malouines en 1982, en vertu de cette seule considération que l'intérêt de Moscou était de toute évidence d'exploiter ce conflit contre l'Occident démocratique : peu importait tout à coup la mauvaise réputation internationale de l'« odieuse dictature fasciste et sanguinaire » de Buenos Aires. Il est vrai que par-devers eux les dirigeants soviétiques doivent bien rire de l'émoi que provoquent dans le monde libre les crimes de la junte argentine, fort maladroits comparés à ceux de n'importe quelle dictature communiste. Les fascistes de Buenos Aires n'ont-ils pas, au demeurant, livré du blé aux socialistes de Moscou lors de la timide tentative d'embargo sur les céréales esquissée par les Etats-Unis en 1980, comme sanction après l'invasion de l'Afghanistan ? L'Union soviétique a donc aux yeux de tous licence de sauvegarder ses intérêts économiques, de pousser ses avantages stratégiques, au moyen de liaisons réalistes avec un gouvernement notoire pour son mépris des droits de l'homme. En revanche, ce ne sont que clameurs et vitupérations quand un pays occidental se trouve acculé à des liaisons qui, dès lors, deviennent coupables, avec l'Afrique du Sud, l'Iran du Shah ou la Turquie. J'approuve la morale en vertu de laquelle l'opinion mondiale et les opinions nationales jugent les compromissions des pays démocratiques avec plus de sévérité que celles des pays socialistes. Je me borne à constater que cette dualité de critère confère à l'empire soviétique un avantage automatique sur l'Occident. Il peut à la fois se défendre et s'étendre sans avoir à remplir aucun des devoirs qui incombent à la politique étrangère des puissances démocratiques et sans avoir à les faire observer par ses satellites ou pions occasionnels. Double avantage, à vrai dire, puisque, sans être lui-même astreint à l'obligation de respect des droits de l'homme, l'empire soviétique peut en dénoncer partout ailleurs les violations, réelles ou supposées, les exploiter et les faire exploiter par ses agents. Bien mieux : il peut les provoquer, en attisant le terrorisme pour susciter la répression, dans les pays occidentaux ou associés à l'Occident.

Ainsi donc, l'Union soviétique jouit du privilège de pouvoir non seulement défendre mais élargir son empire sans qu'on la juge ni sur le niveau de vie des populations qu'elle domine ni sur la justice sociale ni sur les libertés politiques ni sur les droits de l'homme. Lorsque les peuples asservis s'insurgent contre le communisme, l'Occident s'interdit en général de les aider, reconnaissant ainsi la légitimité, dans n'importe quelles circonstances, de la domination communiste, tandis que les communistes ne reconnaissent aucune légitimité à l'extérieur de leur empire, et la légitimité démocratique moins que toute autre. A l'inverse, les démocraties subissent le handicap de principe, dans la lutte avec l'Union soviétique, d'une responsabilité, sur tous les terrains que je viens de mentionner, non seulement pour elles-mêmes, mais pour leurs alliés. Par exemple, lorsque la Grèce en 1967 ou la Turquie douze ans plus tard, passent aux mains de dirigeants militaires, la question est aussitôt posée par les démocraties elle-mêmes de savoir si l'Occident doit garder au sein de son système de défense ces pays qui ont démérité de la démocratie. Mais lorsque la Pologne, qui a de toute manière déjà, initialement, un régime totalitaire, applique en outre un « état de guerre » qui rétablit grâce à l'armée la dictature ébranlée du Parti communiste, aussitôt apparaît en Occident l'argument qu'on ne saurait attendre une libéralisation réelle dans un pays comme la Pologne *qui constitue pour l'Union soviétique une zone stratégique vitale.* Or la Turquie est tout aussi vitale pour l'Occident. La faire sortir de l'Otan, ou même suspendre les fournitures d'armes destinées à l'armée turque (ce qui fut pourtant fait après le conflit entre Grèce et Turquie à propos de Chypre en 1974), ce serait ouvrir une brèche fatale dans le flanc sud de l'Alliance atlantique. Personne ne songe sans rire à soutenir que l'URSS devrait enjoindre à la Pologne de « rétablir la démocratie » sous peine d'être expulsée du Pacte de Varsovie. C'est pourtant ce qu'en face maints représentants éminents du monde politique, syndical, journalistique en Occident n'hésitent pas à prescrire aux membres de l'Otan, comme traitement et médication démocratiques à l'égard de la Turquie. Là encore, le déséquilibre entre les droits et les devoirs du camp démocratique et du camp totalitaire est tel qu'on voit bien lequel des deux camps part battu d'avance.

Les détracteurs des Etats-Unis et du « monde libre », expression, en général, d'ailleurs, employée presque par dérision, comme s'il n'y avait pas réellement un monde libre et un monde non libre, ces détracteurs ont toujours fait valoir, avec raison, que l'on ne saurait à la fois se battre au nom de la démocratie et néanmoins, pour ce faire, entretenir des liaisons avec des régimes non démocratiques. A cette objection, on peut répondre d'abord que l'Occident, depuis la Seconde Guerre mondiale, en fait, ne s'est jamais battu, ou du moins n'a jamais pris l'offensive. Il s'est défendu, et s'est, dans l'ensemble, replié. La poignée de démocraties qui forment le « monde libre » n'ont cherché vis-à-vis du communisme qu'à survivre. Sont-elles convaincues d'en avoir le droit ? On peut en douter : comme je viens de le noter en passant, il est instructif que l'on ait pris l'habitude en Occident très tôt de placer entre guillemets l'expression « monde libre ». Mais d'employer sans guillemets l'expression démocraties populaires.

Il est clair ensuite que l'idéal serait, pour les démocraties, de n'avoir à défendre, pour survivre elles-mêmes, que d'autres démocraties. Mais cet idéal moral, dans la plupart des cas, se heurte à des traditions locales de pouvoir ou à des situations de fait qu'il ne dépend pas de l'Occident de modifier aisément. S'il tente de s'y employer, on l'accuse aussitôt de néocolonialisme. La « politique des droits de l'homme » du président Carter, qui suspendit l'aide américaine aux dictatures argentine, chilienne et bolivienne, n'entraîna aucune amélioration politique dans ces pays, avec lesquels l'Union soviétique, bondissant dans la brèche, s'empressa d'accroître ses échanges. En Iran, Carter accéléra la chute d'une tyrannie sans aucun doute haïssable mais qui fit place à une autre bien pire. Il faut être fort ignorant de l'histoire pour attribuer au seul impérialisme des Etats-Unis la longue tradition latino-américaine de coups d'Etat, de dictatures militaires, de guerres civiles, de corruption, de révolutions, de terreur et de répression sanglantes, qui remonte à la période même d'accession à l'indépendance de ces pays, voilà presque deux siècles. Il est frappant qu'en Afrique du Nord comme en Afrique Noire, dans les anciennes colonies françaises comme dans les anciennes colonies anglaises, dans les régimes « progressistes » comme dans les régimes « modérés », triomphe quasiment partout sur le continent africain le pouvoir personnel et le système du parti unique. Même les dirigeants qui, comme Kaunda en Zambie ou Mugabe au Zimbabwe avaient décidé en un premier temps, après l'indépendance, de laisser le pluralisme des partis s'établir, sont vite revenus sur leur décision et on argué, sans soulever d'indignation en Europe, que la coutume du parti unique était plus conforme au génie africain. Certains des génocides internes les plus barbares, comme celui qui a été perpétré au Burundi, certains des tyrans les plus monstrueux, comme Amin Dada en Ouganda, ne doivent rien du tout à l' « impérialisme » occidental. Et la « libération » de l'Ouganda par l'armée « progressiste » tanzanienne a inauguré, pour le malheureux peuple ougandais, une ère de souffrances et de supplices aussi abominable que la précédente. En revanche, il est vrai, la longévité politique d'un autre fou sanguinaire, Bokassa, en Centrafrique, est pour une part imputable à la France. La France n'a pas sécrété elle-même le produit, mais elle l'a aidé à durer. Les Etats-Unis commirent la même faute morale au bénéfice du dictateur nicaraguayen Anastasio Somoza : la formule de pouvoir qu'il incarnait émanait du terroir, l'aide qui la perpétua trop longtemps provenait de l'extérieur.

Cependant, qu'il y ait acceptation passive ou complicité active, il y a transgression morale et contradiction politique reconnues, proclamées, condamnées, dès lors que le monde libre collabore avec des pays qui sont peu ou pas démocratiques, et dans lesquels les droits de l'homme sont violés. Pour échapper à cette contradiction et à cette condamnation, devant le tribunal même de sa propre opinion publique, l'Occident devrait donc s'interdire, pour résister à l'expansionnisme soviétique, de s'appuyer sur quelque pays que ce soit, tant que ce pays ne serait pas devenu démocratique et respectueux des droits de l'homme. La conséquence d'un tel principe, qui subordonne le droit pour les démocraties de se défendre à la conversion préalable de l'univers entier à la démocratie, ne peut être, de toute évidence, que la disparition de ce qui subsiste encore de démocratie dans le monde actuel.

Je ne conteste pas la validité du principe. Je ne le répéterai jamais assez : mon dessein, dans ce livre, n'est pas de décider qui a « tort » et qui a « raison », il est de dénuder un mécanisme. Je constate que le mécanisme des relations internationales et le jugement des opinions publiques s'établissent de telle sorte que, dans presque toutes les situations, ils infligent à l'Occident un handicap initial presque impossible à surmonter. Lorsque l'Union soviétique fait main basse sur le Yémen du Sud, pour en faire le tremplin de la déstabilisation du golfe Persique et un centre de formation professionnelle pour terroristes internationaux, personne n'exige qu'elle commence par faire des Yéménites des parangons de vertu démocratique. La tâche serait d'ailleurs rude, même confiée aux plus saints missionnaires que pourrait dépêcher le socialisme scandinave au mieux de sa forme. Bref, sans aller toujours jusqu'à s'en féliciter, on estime naturel que l'Union soviétique défende ses intérêts, accroisse sa puissance, en installant ses hommes au Yémen ou ailleurs, au moyen d'une série savamment échelonnée de coups d'Etat et d'épurations. Personne ne demande à cet impérialisme-là de faire le bonheur des peuples qu'il insère dans son dispositif, personne ne croit pouvoir le faire reculer à l'aide de simples reproches, en lui faisant les cornes, mais personne non plus, dans le camp démocratique, ne se reconnaît le droit, du moins ouvertement, de le combattre par les procédés qu'il emploie lui-même. Bien plus : défendre l'Arabie Saoudite contre le travail de sape et les préparatifs de subversion auxquels se livrent l'Union soviétique et ses agents, libyens ou autres, depuis plusieurs années, c'est, pour le monde libre, encourir une fois de plus l'accusation de complicité impure avec un régime « féodal » et réactionnaire. En somme, il faut laisser l'Union soviétique s'emparer de la péninsule arabique à moins que tous les Etats qui s'y trouvent ne se moulent sur les idéaux démocratiques de l'Occident, éventualité conforme à mes vœux mais contraire à mon attente, du moins dans l'immédiat, qui est seul en jeu.

C'est aussi l'immédiat qui se joue, ou le très proche avenir, en Afrique australe et plus particulièrement dans la République d'Afrique du Sud. La ségrégation officielle des races dans ce pays lui attire l'hostilité justifiée des partisans des droits de l'homme. Qu'il soit écarté de toutes les compétitions sportives internationales n'est pas pour surprendre, sauf si l'on constate que l'URSS, la Chine, la Corée du Nord ou la Roumanie, qui ont à leur palmarès des atteintes aux droits de l'hommes égales ou supérieures, peuvent y participer.

Une équipe anglaise de cricket, partie faire une tournée en Afrique du Sud, au mois de mars 1982, a soulevé plus de protestations en Grande-Bretagne que la nouvelle, avérée au même moment, de l'utilisation d'armes chimiques par l'URSS au Laos et en Afghanistan, ou que l'alourdissement de la férule totalitaire en Pologne. L'équipe de cricket incriminée s'était envolée pour le pays de l'apartheid contre la volonté formelle du gouvernement de Londres, auquel l'opposition travailliste n'en reprocha pas moins, en pleine Chambre des Communes, d'avoir fait preuve d'une impardonnable faiblesse en ne faisant pas coffrer les joueurs. Leur voyage illicite ne risquait-il pas de provoquer, en représailles, le refus des équipes de cricket pakistanaise et indienne de venir jouer en Grande-Bretagne par la suite ? Or aucun pays ayant envoyé des athlètes aux Jeux de 1980 à Moscou en pleine guerre d'Afghanistan n'avait été menacé de boycott par quiconque.

Nouvel exemple du double critère. Mais l'essentiel n'est pas là. Il est dans la question suivante : l'Occident, comme l'exigent les porte-parole les plus éclairés et les plus respectables de son opinion publique, doit-il refuser toute coopération politique et stratégique avec l'Afrique du Sud tant que l'on n'en aura pas extirpé l'apartheid ? Etant donné que cette élimination sera lente, étant donné que l'URSS se trouve déjà fortement implantée dans cette région du monde, étant donné que peuvent d'ailleurs se produire en Afrique du Sud, au lieu d'une lente évolution, de nouvelles révoltes noires, l'Occident risque, en abandonnant purement et simplement l'Afrique du Sud, de s'affaiblir de façon certaine en échange d'un résultat douteux. Car, on le sait, la route maritime qui double le cap de Bonne-Espérance constitue la voie principale de notre approvisionnement au pétrole venant du golfe Persique. En outre, l'Afrique du Sud contient la majeure partie des gisements de minerais rares existant au monde, en dehors de l'Union soviétique, gisements d'où sont extraits la plupart des métaux indispensables aux industries des pays avancés. En d'autres termes, si l'Afrique du Sud tombait sous l'influence soviétique, Moscou, entre les ressources de son propre territoire et les ressources sud-africaines, en y ajoutant celles de la Namibie, où la Swapo procommuniste prendrait le pouvoir, tiendrait sous son contrôle la majeure partie et, pour certains minerais, la totalité des ressources minérales qui sont indispensables à nos industries. Jointe à sa capacité de nous couper la route du pétrole, dont elle aura peut-être d'ailleurs alors confisqué aussi la source même, dans le golfe Persique, une telle arme économique permettrait à l'Union soviétique d'imposer sa volonté à l'Occident, sans même qu'il soit question de menace de guerre nucléaire ou « conventionnelle » en Europe.

La grande force de l'URSS, c'est qu'elle peut profiter de l'inéluctable désagrégation de régimes archaïques implantés par l'histoire dans les régions dont dépend la sécurité ou l'approvisionnement vital de l'Occident, pour envahir ces régions. Même si, comme c'est toujours le cas, ces régimes archaïques sont remplacés ensuite par un régime communiste encore plus oppressif, policier, sanguinaire, et, de plus, qui affame encore plus les pauvres, l'URSS est gagnante : car l'opinion locale et mondiale ne consent à enregistrer les avantages *relatifs* de l'ancien régime et les affres de la nécrose communiste qu'après l'installation de celle-ci, c'est-à-dire lorsqu'elle est irréversible. En tâchant de protéger contre la déstabilisation communiste, contre leur propre dégradation et leurs propres excès, les régimes archaïques ou « autoritaires modernistes » (tel celui du Shah), les Occidentaux ne peuvent éviter de paraître défendre la droite contre la gauche, le passé contre l'avenir, les milliardaires contre les miséreux. Le fait que la gauche, quand elle a renversé la droite, soit la gauche de la famine générale, des camps et des boat-people vietnamiens, du génocide cambodgien, des pelotons d'exécution de Khomeyni, cela ne sert jamais de repoussoir *préventif*. Lorsque les Occidentaux cherchent à pousser les régimes archaïques à se libéraliser, ou bien les réactions nationalistes sont virulentes contre cette « ingérence », ou alors ce prosélytisme bien intentionné précipite un pays dans d'imprévisibles crises, comme la révolution islamique iranienne. Et, bien que la terreur sanglante des ayatollahs soit en partie anticommuniste pour des raisons essentiellement religieuses, l'Union soviétique sait fort bien qu'au bout du compte et au bout du précipice de l'anarchie, le pays peut d'abord se rapprocher d'elle, puis basculer de son côté, mais ne rebasculera sans doute jamais plus du côté du monde libre. La supériorité de l'Union soviétique sur le monde libre tient à ce que ni l'opinion internationale, ni, bien sûr, son opinion intérieure, hors d'état de se manifester, n'attendent qu'elle moralise ses alliés avant de se les associer, ni qu'elle conserve ses satellites par d'autres moyens que la force pure, ni même qu'elle nourrisse convenablement les populations qu'elle incorpore à son système impérial.

Au contraire, l'opinion « internationale », expression qui signifie une partie de l'opinion publique des pays libres, additionnée de la propagande soviétique, n'admet pas que les régimes amis de l'Occident manquent aux règles de la démocratie. Même lorsque des pays comme Taiwan, la Corée du Sud, la Malaisie, Singapour, parviennent à réaliser un décollage économique que peuvent leur envier la plupart des autres nations du tiers monde, et qui arracherait à la gauche occidentale des cris d'admiration s'il se produisait sous la bannière socialiste, on ne leur en sait pas gré. Ils ne respectent pas les libertés — que les régimes socialistes respectent encore moins, sans obtenir les mêmes succès économiques.

Tous les sentiments d'hostilité aux Etats-Unis que les horreurs de la guerre du Vietnam ont inspirés aux hommes de bonne volonté se comprennent. Et cependant nous voyons aujourd'hui que le régime qui a gagné la guerre avec l'appui des Russes, des Chinois et de l'opinion publique mondiale était le pire possible pour les Vietnamiens, pour leurs voisins, pour l'indépendance du Vietnam et des pays qui l'entourent, pour les droits de l'homme et le niveau de vie, comme pour la paix dans la région. Si les Etats-Unis avaient gagné, le Vietnam du Sud aurait sans doute reçu la « démocratie imposée » que reçut le Japon après la Seconde Guerre mondiale — et qui n'a pas trop mal réussi aux Japonais. Mais il est probable que les Russes y entretiendraient du terrorisme et qu'on verrait dans un Sud-Vietnam prospère de nombreuses manifestations contre la « tutelle impérialiste », « pour la libération du Vietnam », manifestations reprises dans le monde entier, et en particulier aux Etats-Unis.

Le communisme international utilise les aspirations des peuples au bien-être, à la liberté, à la dignité, à l'indépendance pour éliminer les démocraties, après quoi il n'est pas tenu, lui, de satisfaire ces aspirations, se bornant à assurer au mieux ses intérêts propres, politiques et stratégiques. Inversement, le monde libre semble n'avoir le droit de prendre en considération ses propres intérêts politiques et stratégiques qu'après avoir au préalable rempli toutes les autres conditions, fait régner la justice sociale, la démocratie politique, la prospérité économique. Il en a d'ailleurs la pratique et il s'efforce de le faire chaque fois que cela est possible.

En effet, lorsqu'il arrive aux démocraties de se trouver associées à des régimes réactionnaires, ce n'est nullement par goût, ni même par nécessité par rapport à leur objectif principal. Cette contradiction leur cause un perpétuel embarras, les rend vulnérables à la propagande adverse et prélude souvent à de futures secousses politiques des plus dangereuses. Chaque fois que c'est possible, l'Occident préfère de beaucoup qu'un pays dont dépend sa sécurité soit démocratique. Malheureusement, ce n'est pas toujours possible. Les Etats-Unis aimeraient mieux pour la solidité de l'Otan avoir affaire à une démocratie stable en Turquie, plutôt qu'à une alternance d'anarchie et de dictature militaire. Mais l'anarchie qui résulte de l'échec de la démocratie en Turquie pouvait conduire soit à une radicalisation propice à un putsch communiste soit à une prise du pouvoir par l'armée. Il n'était pas à la portée de l'Occident de restaurer la démocratie en Turquie, du moins pas avant quelque temps. Fallait-il donc rompre avec le régime militaire, l'exclure de l'Otan, comblant ainsi les vœux de l'Union soviétique, qui depuis dix ans attisait dans ce but le terrorisme dans ce pays ? L'Union soviétique ne se trouve jamais, pour sa part, confrontée à de tels dilemmes puisque, totalitaire elle-même, on trouve naturel qu'elle installe et maintienne des pouvoirs totalitaires à son image et à sa dévotion chez ses « alliés ». Toute tentative de contester la légitimité de cette subordination, doublée de mimétisme politique forcé, est accueillie par de fortes objections en Occident même et par une glaciale fin de non-recevoir de la part de l'Union soviétique. Le devoir de laisser chaque pays allié libre de vivre sa vie politique intérieure, et, en même temps, tout en la lui laissant vivre, de faire en sorte qu'elle se conforme à l'idéal démocratique, ce devoir contradictoire incombe exclusivement à l'Occident. Et, selon la même logique, chaque membre ou associé d'une alliance avec les puissances occidentales doit garder la liberté de quitter cette alliance, liberté que nul, ni à l'Est ni à l'Ouest, ne songe à revendiquer pour un satellite de l'Union soviétique.

Cette inégalité entre les devoirs, qui avantage si fort le monde communiste au détriment du monde libéral, n'empêche en aucune manière qu'on place les deux mondes, si tels sont les besoins de l'argumentation, sur un pied d'égalité soudain en recourant à une technique en apparence équitable, en fait discriminatoire : la technique du renvoi dos à dos. Le monde libéral a incomparablement moins de pouvoir sur ses affiliés que le monde communiste sur les siens, mais beaucoup plus de responsabilités à leur égard. Les Etats-Unis sont tenus pour directement responsables de la misère de chaque paysan d'Amérique latine, tandis que l'Union soviétique n'est pas tenue pour directement responsable de la misère au Vietnam. Sur l'article des impérialismes, la gauche libérale, renforcée par bon nombre de « conservateurs », a longtemps estimé que le seul qui existât était l'impérialisme américain. Lorsqu'elle a dû se résigner à prendre acte de l'impérialisme soviétique, elle a aussitôt mis au point un rituel de purification, ce renvoi dos à dos que je viens de mentionner, et qui n'est d'ailleurs qu'un des versets du chapitre immense des faux parallélismes. Sans doute y a-t-il un impérialisme soviétique, des violations soviétiques des droits de l'homme, des échecs économiques soviétiques, mais à chaque agression, à chaque forfait, à chaque échec soviétique, on s'empresse de trouver sans délai à l'Ouest son contrepoids exact de culpabilité. Ainsi l'Union soviétique et le communisme sont, bien sûr, dangereux, mais pas plus dangereux que les Etats-Unis et le libéralisme. Ils sont criminels, mais pas plus que le monde libre. Ils sont impuissants à tirer les hommes du besoin, mais nous ne le sommes pas moins.

Pendant presque tout le XXe siècle, la gauche des pays démocratiques, peuplée de borgnes politiques, a flétri de préférence les crimes du seul monde capitaliste. Depuis 1970 environ, l'amnésie qui expulsait périodiquement les révélations saumâtres sur l'univers communiste s'est mise à présenter quelques défectuosités. Des scories subsistèrent après chaque nettoyage absolutoire. La masse des faits allégués rendit bientôt insurmontable d'en nier tout uniment l'authenticité. L'on a dès lors inventé une autre parade : le renvoi dos à dos.

Elle consiste à concéder l'existence des échecs et des crimes du communisme, pourvu qu'on leur oppose dans l'instant un équivalent dans le monde capitaliste. Obsession binaire, symétrie des apocalypses, manie du couplage, égalitarisme sourcilleux, qui veille à ce que les deux plateaux de la balance se répondent dans un équilibre de l'horreur. On les surveille jalousement, et l'on en rétablit au besoin, d'une preste chiquenaude, la rigoureuse horizontalité. Dès lors, le totalitarisme se trouve de nouveau absous, non plus parce qu'il ne pèche point, mais parce que le monde démocratique pèche autant.

Dans cette nouvelle aventure de la dialectique, chacun de nous a licence, désormais, sans être nécessairement malhonnête, de relater les méfaits et forfaits du communisme totalitaire, mais à la condition de faire incontinent paraître en scène leurs jumeaux libéraux. Tout manquement à cette règle, aussitôt vilipendé sous le nom d' « indignation sélective », vaut au tricheur le blâme sévère des impartiaux. Le devoir d'un esprit serein, dès qu'il distingue une faille ou une plaie derrière le rideau de fer, de bambous, de sable, de cannes à sucre ou de cocotiers, est de se précipiter à la recherche de l'assassin de service qui doit complèter la paire de ce côté-ci du mur d'argent, dans la zone d'influence capitaliste. Cette technique du « renvoi dos à dos » est, au fond, la manière moderne de banaliser le totalitarisme et d'accorder au communisme l'indulgence plénière. Quand tout le monde est également coupable, en effet, plus personne ne l'est ; sauf éventuellement, malgré tout, le capitalisme, puisqu'il n'a pas les mêmes excuses à faire valoir que son rival, ne se souciant pas, comme lui, de bâtir une société plus juste.

Ainsi, l'un des socialistes français à la doctrine la plus pure, le président de l'Assemblée nationale élue en 1981, Louis Mermaz, interrogé par un journaliste sur le Goulag, répond : « Je dénonce autant que vous les excès du Goulag, qui sont une perversion du communisme. Mais je vous demande de dénoncer également cette monstruosité du système capitaliste qu'est la faim dans le monde, et qui fait cinquante millions de morts chaque année dont trente millions d'enfants[1]. » La réplique, remarquable par sa vélocité, l'est moins par son objectivité. Le parallèle n'est qu'apparent : car tandis que le Goulag est une « perversion » du communisme, la famine, dans la formulation du dirigeant socialiste, découle de la nature profonde du capitalisme. En outre, si la faute communiste devient presque vénielle par la magie du parallélisme, le péché capitaliste reste mortel. L'absolution provenant des horreurs de l'autre camp voyage d'ailleurs le plus souvent dans un seul sens. Il est douteux en effet que, interrogé sur la faim dans le monde, le président Mermaz eût répondu par une diatribe contre le Goulag. Il aurait protesté avec violence contre la dénutrition scandaleuse d'une partie de nos semblables, et il aurait eu raison. L'existence du Goulag ne rend pas la misère dans le tiers monde moralement moins intolérable. Mais par quelle magie l'inverse est-il vrai ? De surcroît le magicien donne des chiffres faux : comme les démographes le savent, il meurt chaque année dans le monde environ cinquante millions d'êtres humains ; ils ne peuvent pas tous mourir de faim et ils ne peuvent pas compter trois cinquièmes d'enfants. La lutte contre la mortalité infantile dans les pays pauvres l'a fait reculer, d'où leur essor démographique. Les spécialistes de l'alimentation[2] évaluent les décès annuels dus à la dénutrition à 10 % du total : *y compris dans les pays communistes,* d'ailleurs, ce qui affaiblit quelque peu l'accusation anticapitaliste. Mieux cachés, les morts de faim communistes n'en meurent pas moins, et les successeurs de Mao nous ont confirmé ce que les démographes avaient induit déjà des courbes de population, à savoir la mort due à la famine d'environ soixante millions de Chinois au cours de la décennie 1960-1970. Dernière objection à ce renvoi dos à dos : si la responsabilité du Goulag incombe indubitablement à la *volonté* politique des gouvernements communistes, la filiation directe entre capitalisme et famine est beaucoup plus conjecturale. Je n'ignore pas que c'est un des chevaux de bataille du tiers mondisme, mais la thèse n'a fait l'objet d'aucune démonstration scientifique, ou n'a

1. « Club de la presse » d'Europe 1, 5 juillet 1981.
2. Voir par exemple Joseph Klatzmann, « Combien de morts de faim par an », *le Monde,* 24 mars 1982.

fait l'objet que de pseudo-démonstrations, dont Paul Samuelson, le Nobel d'économie, qui n'est pas de droite, a démontré l'inconsistance[1]. Historiquement, le capitalisme a plutôt tiré l'Europe des famines périodiques qui y ont sévi jusqu'au milieu du XVIIIe siècle, comme elles sévissent aujourd'hui dans les régions sous-développées. Il a même commencé à tirer certains pays pauvres — l'Inde, le Brésil, aujourd'hui exportateurs de denrées alimentaires — hors de leurs pires difficultés. Beaucoup, énormément reste à faire partout, mais la question de savoir comment et quand toute l'humanité pourra jouir du niveau nutritionnel normal qu'à grand-peine l'Occident capitaliste n'a lui-même atteint complètement qu'au siècle dernier est une question qui n'a, de toute manière, aucun rapport avec la création par un régime politique conscient et organisé d'un système concentrationnaire et répressif qui est en même temps un système de gouvernement.

Quoi qu'il en soit, et quelque conviction que chacun se fasse sur ces sujets, le renvoi dos à dos est un procédé dont la fonction est de relativiser le mal, c'est-à-dire, en fin de compte, de l'excuser. Il implique en outre une interprétation sur mesure des faits, il pousse à l'erreur ou au mensonge, car, pour créer des équivalences factices entre des événements ou des tares qui sont rarement comparables, il faut bien les reconstruire au détriment de l'information exacte.

Lorsqu'un professeur de sciences politiques intitule son article sur le Salvador, même avec un point d'interrogation, *Un Cambodge en Occident*[2] ?, ce titre est un baume de soulagement pour de nombreux lecteurs. Le génocide cambodgien a marqué le camp socialiste d'une souillure qu'aucune espèce de laverie socialiste, fût-elle « pervertie », ne peut blanchir. En suggérant, même avec des réserves, que l'Occident s'offre un Cambodge en Amérique latine, on rétablit l'équilibre. Le communisme n'est plus seul coupable. Le compte peut repartir à zéro. La faiblesse de ce jugement de Salomon est d'avoir pour condition une ignorance à peu près complète de la situation au Salvador, ou du moins un refus de s'informer sur ce pays. Car ce n'est pas du tout faire bon marché des morts du Salvador que d'observer, d'abord, qu'ils sont heureusement beaucoup moins nombreux que ceux du Cambodge, et surtout que l'on a rarement vu deux phénomènes historiques aussi profondément hétérogènes que le génocide cambodgien et la guerre civile salvadorienne. Au Cambodge s'est déroulée l'extermination méthodique du tiers ou du quart de la population par une poignée d'idéologues, dans le dessein de purifier la société en autorisant à vivre ceux-là seuls qui n'avaient pas connu le capita-

1. Voir *Commentaire,* « L'échange inégal », printemps 1982, n° 17, pour la version française.
2. Maurice Duverger, *le Monde,* 15 janvier 1981.

lisme, l'argent, la consommation, la culture. Parmi les nombreux moyens qu'a l'homme de se suicider, il y en a un que l'on oublie souvent de citer, et qui est pourtant l'un des plus efficaces : l'utopie. Rien ne s'y apparente dans la guerre civile salvadorienne, dont la genèse est, si l'on ose parler ainsi des souffrances d'êtres humains, hélas ! beaucoup plus « classique ». Encore une fois, il ne s'agit ni de minimiser, ni d'excuser, ni d'accuser, mais de comprendre. Or, c'est précisément ce qu'empêche de faire l'obsession de vouloir se servir du Salvador comme d'un torchon pour effacer le Cambodge ; ou pour effacer l'Afghanistan, autre cas qui ne peut pas lui être comparé. L'obstination des équivalences, néanmoins, a conduit d'excellents politiques à négliger volontairement au sujet du Salvador les informations disponibles. D'où la déception que leur a causée le déroulement aussi régulier que possible, sous un contrôle international omniprésent, et que leur a causée, surtout, le résultat d'élections auxquelles le peuple a pris part massivement et qui ont démontré que les partisans de la guérilla étaient sans conteste minoritaires dans le petit peuple. Déconvenue, car nul n'aime voir ses hypothèses infirmées par les faits, ce qui peut amener, d'ailleurs, à déformer encore davantage ces faits : l'Internationale socialiste réunie à Bonn n'a-t-elle pas tout aussitôt répudié les élections salvadoriennes du 28 mars 1982 comme ayant été « manipulées » ? Or, pour une fois, on peut dire bien des choses à propos de ces élections, sauf qu'elles ont été frauduleuses. Si elles l'avaient été, d'ailleurs, le pouvoir en place n'aurait pas été battu[1].

A la bourse des « montants compensatoires » de la répression, on a également fait circuler le slogan : « Turquie-Pologne, même combat ». Gardons-nous de toute indulgence à l'égard de ce qui n'en mérite pas en Turquie depuis la prise du pouvoir par les militaires, le 12 septembre 1980. Nul ne doit fermer les yeux sur les procès faits aux syndicalistes turcs, et il vaut mieux exagérer les bruits concernant la torture ou les exécutions sommaires que de les étouffer. Mais l'on s'interdit par avance d'exercer quelque influence positive que ce soit sur les dirigeants turcs si l'on ne commence pas par comprendre qu'il n'y a pas deux cas plus dissemblables que ceux de la Pologne et de la Turquie, de 1980 à 1983. Depuis 1956, le peuple polonais s'efforce périodiquement et en vain de rejeter un régime totalitaire qui lui fut imposé du dehors par une puissance étrangère, après son intégration forcée à l'empire soviétique. Jamais on ne lui a octroyé la possibilité de voter dans des élections libres et honnêtes, car le lugubre simulacre en usage dans les pays communistes ne mérite pas ces qualificatifs. La Turquie avait depuis 1961 des institutions démocratiques, des partis

1. Voir plus haut, chapitre 17.

politiques, des élections, l'alternance. Elle a eu malheureusement aussi, depuis 1975, environ, un terrorisme politique, dont je laisse aux esprits mal tournés le soin de chercher à deviner les instigateurs, et qui a fait *mille morts par an* de 1975 à 1980. Devant la carence d'une classe politique incapable de garantir la sécurité dans la légalité, la population s'est résignée sans enthousiasme, certes, mais sans hostilité absolue au pouvoir des militaires qui, comme le reconnaît impartialement *le Monde*[1], font régner « l'ordre mais non la terreur ». Même si l'on a le droit d'être sévère pour eux, on doit reconnaître que les affaires turques se règlent en tout cas de façon autochtone. Car prétendre que la Turquie dépend des Etats-Unis aussi étroitement que la Pologne dépend de l'URSS relève de cette fausse symétrie qui peut être définie comme l'asile de l'ignorance. La brouille sérieuse entre les Etats-Unis et la Turquie à la suite de la guerre turco-grecque de 1974 est là pour en témoigner. La Turquie a fait fermer certaines bases américaines installées sur son sol. En Pologne, même au point culminant du « renouveau », il ne s'est pas trouvé une seule voix, ni dans l'Eglise, ni dans Solidarnosc, ni ailleurs pour oser demander le départ d'un simple soldat de l'Armée rouge.

Combien je préfère à cette équité postiche la franche prédilection du chef socialiste du gouvernement grec, Andréas Papandréou. Après avoir à juste titre désigné à l'exécration universelle le colonel Papadopoulos et ses martiaux compères qui, de 1967 à 1974, asphyxièrent la démocratie en Grèce, le Premier ministre grec a refusé, au début de 1982, de s'associer au communiqué européen qui condamnait l'état de siège en Pologne. En somme, Papadopoulos trouve grâce aux yeux de Papandréou quand il s'appelle Jaruzelski. Le gymnaste politique hellène en est resté à la vieille barre fixe : il lui faut s'initier au charme discret des barres parallèles.

La pratique du renvoi dos à dos repose sur une préoccupation respectable, à laquelle il faut rester fidèle, et qui est de dénoncer l'injustice d'où qu'elle vienne et sans voiler aucune responsabilité à des fins partisanes. Mais elle est devenue à l'usage une sorte de truc de sorcellerie, destiné à rejeter sur autrui le mauvais sort et à disculper le parti vers lequel on penche. En outre, à force de vouloir repasser le mistigri au voisin, on s'habitue à tisser l'univers d'équivalences artificielles. Plus on devient habile à établir ces correspondances entre des maux sans réelle parenté, moins on devient capable de les comprendre, et, à plus forte raison, de les guérir.

En apparence équitable, la méthode du parallélisme et du renvoi

1. 29 décembre 1981. Le référendum de l'automne de 1982 a confirmé ce jugement.

dos à dos favorise en réalité la propagande et le pouvoir soviétiques. Elle sert à présenter comme pure routine des conquêtes qui constituent un accroissement substantiel et tangible de la puissance de l'empire communiste, en permettant de compter, en face, comme facteurs d'équilibre, un ensemble hétéroclite de traits du monde libéral qui ou bien ne sont pas des conquêtes ou bien ne sont à aucun degré le contrepoids des conquêtes communistes. Nous avons affaire là, une fois de plus, à un mécanisme subtilement monté, dont les postulats, quoique reconnus équivalents par les deux parties, conduisent inéluctablement à un solde négatif pour l'une des deux, à long terme. Telle est la vertu d'une disparité de principes admise par le futur vaincu, dans les règles inégales de la comptabilité politique.

Le général Augusto Pinochet a été parmi les meilleurs serviteurs du communisme international depuis 1973, tout comme l'eussent été les généraux espagnols s'ils avaient mené à bien le coup d'Etat tenté à Madrid en février 1981. Si l'armée espagnole avait pu, d'ailleurs, renouveler sa tentative et la réussir juste après l'application de la loi martiale en Pologne, le 13 décembre de la même année, quelle gratitude n'aurait pas ressentie à leur égard le Kremlin ! Il aurait su, soyons-en certains, exploiter en virtuose cette aubaine providentielle. Pinochet, lui, au moins, est toujours fidèle au poste et bon pour le service. Il assure le dépannage, vingt-quatre heures sur vingt-quatre, sept jours par semaine, quand l'âme socialiste est en peine. Et le cri « Pinochet ! Pinochet ! » exorcise les démons, tous les Cambodge du monde, tous les Afghanistan, toutes les Ethiopie, toutes les Tchécoslovaquie, tous les Tibet. Depuis que les colonels grecs nous ont quittés, il est presque seul en première ligne pour supporter le poids du service psychothérapique de la culpabilité de gauche.

L'importance de cette fonction se mesure à la force de la résistance qui, depuis la chute du président Salvador Allende, a rendu impossible la connaissance des événements qui ont précipité le Chili sous une dictature militaire. Ou, plutôt, l'a rendue inutile, en réputant infâme la seule prise en considération des faits : car les faits eux-mêmes sont assez bien connus, publiés, accessibles à quiconque désire réellement s'informer[1]. Mon propos ici n'est pas d'y revenir, ni d'essayer de faire changer d'avis ceux dont les convictions erronées conditionnent l'équilibre moral. Il n'est point, à coup sûr, de blanchir Pinochet, pas plus que je ne songerais à

1. Je renvoie ici à *la Tentation totalitaire*, 1976, chap. 12, et aux livres ou articles cités dans ce chapitre. Depuis 1976, bien d'autres mises au point ont paru. L'une des plus attendues a été donnée par Henry Kissinger dans la deuxième partie de ses Mémoires, *Years of Upheaval* (1982) chap. 9. Tr. fr. : *les Années orageuses*, Fayard.

« justifier » l'explosion venant de détruire un immeuble dont les occupants auraient oublié de fermer le gaz. La virulence particulière des passions qui s'opposent à l'examen de l'affaire chilienne tient à ce que Pinochet remplit une double fonction : cacher les causes, qui furent largement intrinsèques, de la faillite économique et politique d'une expérience socialiste ; accréditer le mythe que les Etats-Unis ont installé Pinochet au Chili exactement comme l'Union soviétique a, par exemple, installé Taraki en Afghanistan au printemps de 1978. Sauver l'utopie et préserver la légende de l'équivalence des impérialismes ne peut être obtenu en l'occurrence qu'au prix d'une reconstruction mensongère du passé, art dans lequel, et Orwell l'a dit depuis longtemps, le marxisme-léninisme excelle parce qu'il en nourrit son pouvoir. Le communisme international est le bénéficiaire de cette reconstruction, puisque la majeure part de l'opinion publique des pays démocratiques et du tiers monde « non aligné » croit sincèrement que les Etats-Unis furent la cause unique du coup d'Etat militaire de septembre 1973, contre Allende, y compris l'opinion publique *non* communiste, celle qui importe (les communistes proprement dits, les professionnels, eux, savent très bien à quoi s'en tenir). Cette croyance se prolonge par cette autre que les Etats-Unis seuls soutiennent et maintiennent Pinochet au pouvoir contre tout retour à la démocratie, de la même manière, là encore, que les Soviétiques imposent Jaruzelski en Pologne ou Babrak Karmal en Afghanistan. L'Occident est, comme d'habitude, perdant, et il l'eût été en toute hypothèse. En effet, au moment du coup d'Etat militaire, Allende, qui s'était déjà rendu coupable de nombreuses illégalités, et qui avait contre lui la majorité des Chiliens, ne pouvait plus conserver le pouvoir qu'en suspendant la Constitution et en passant à un régime de type castriste, en vue duquel il avait déjà posé de nombreux jalons. S'il y parvenait, le Chili entrait dans la sphère soviétique, et l'Occident n'avait plus qu'à constater ce nouveau rétrécissement de sa sphère d'influence. S'il n'y parvenait pas, l'Occident devenait coupable de sa chute. L'épreuve de force ayant tourné en faveur de l'armée chilienne, qui a pris de vitesse les groupes armés castristes, l'Occident perd, en effet, dès lors, sur un autre terrain : il est réputé avoir assassiné une démocratie et son président, ce qui discrédite son soi-disant combat contre le totalitarisme [1]. Ainsi, en règle générale, ou bien les Soviétiques réussissent à s'emparer d'un pays, auquel cas le gain est net. Ou bien, après

1. Un référendum, prévu par la Constitution chilienne, aurait permis de trancher entre la majorité du peuple et les partisans « illégalistes » de la radicalisation, qui poussaient Allende vers le castrisme. Pendant toutes les années 1972 et 1973, le président refusa ce recours à un référendum, qu'il savait devoir perdre. Lorsqu'il s'y résigna enfin, le 10 septembre 1973, c'était trop tard, le coup d'Etat était en route, il eut lieu le 11.

l'avoir déstabilisé, ils échouent à y implanter une dictature à leur dévotion, ils sont battus par un complot de droite, et dans ce cas ce sont les démocraties qui passent pour réactionnaires. Cette réputation vient aux démocraties du succès d'un sophisme fort répandu, selon lequel les éléments qui, dans n'importe quel pays, tiennent en échec le communisme sont intégralement des créatures de l'Occident et plus particulièrement des Etats-Unis. Ou bien les démocraties perdent la bataille sur le terrain, ou bien elles la perdent dans la propagande, y compris leur propre opinion publique, ce qui ne manque pas de les affaiblir d'une autre manière et de frayer la voie à de futures victoires totalitaires.

Une dictature comme celle de Pinochet au Chili est infiniment plus utile à l'URSS que la fadeur d'une démocratie libérale. C'est l'allié le plus précieux. Car l'ennemi principal, aux yeux des communistes, la bête noire, le *delendum est* absolu, c'est une démocratie libérale et sociale qui fonctionne à peu près bien. D'où le très beau jeu qu'ont en main les Soviétiques, en s'employant partout à subvertir les démocraties : quand ils y parviennent, ils engrangent un satellite supplémentaire ; s'ils manquent leur coup, ils ont du moins créé les conditions d'une dictature de droite, qu'ensuite, pendant des années, leur propagande jettera sans relâche à la tête de l'Occident, avec d'autant plus de succès qu'elle est *réellement* condamnable, et en affirmant que cette dictature résulte d'une volonté délibérée et d'un plan cohérent de l'ensemble du monde libéral.

Aussi les dirigeants soviétiques sont-ils hors d'eux-mêmes lorsqu'un homme politique occidental dévoile, de temps à autre, le sens de leur jeu, en disant tout haut ce que ses pairs pensent tout bas. Mario Soarès en a fait l'expérience. Le chef du Parti socialiste portugais, durant l'hiver 1981-1982, alors que le terrorisme basque sévissait durement en Espagne, eut la franchise d'énoncer publiquement que « la volonté de l'Union soviétique est de détruire la démocratie dans la péninsule ibérique ». Comme Portugais, comme ancien Premier ministre, Soarès avait trouvé devant lui en 1975 cette volonté soviétique de confisquer la jeune démocratie portugaise au bénéfice du totalitarisme militaro-stalinien. Il n'ignorait pas que le terrorisme basque avait depuis bien longtemps cessé d'être spontané, qu'il se trouvait adossé, non plus au peuple basque,mais à la logistique de l'Est. Les fonctionnaires soviétiques ont tellement l'habitude d'être ménagés par les politiciens occidentaux que l'ambassadeur d'Union soviétique à Lisbonne, ivre de rage, s'abandonna jusqu'à décréter, dans un communiqué *officiel,* Mario Soarès hors de sens, ajoutant qu'un séjour dans une maison de repos lui serait salutaire. Cette insulte, assez mal choisie, de la part du représentant d'un Etat qui fait des hôpitaux psychiatriques l'abus que l'on sait, montre à quel point les Soviétiques sont chatouilleux et perdent le contrôle de leurs nerfs, quand on met le doigt sur cet apport à la détente que fut de leur part l'organisation ou l'utilisation à leur profit du terrorisme international. Le président de la République italienne Sandro Pertini et un ministre de l'Intérieur français, Gaston Defferre, se firent injurier par la *Pravda* de la même façon pour avoir laissé affleurer, après des attentats meurtriers dans leurs pays respectifs, la crête d'une documentation qui, reculée à la vue des hommes profanes, est à la disposition de tous les responsables informés. Le Portugal fut le seul des trois pays qui exigea et obtint des excuses, bien que Mario Soarès ne fût même pas alors membre du gouvernement.

Lorsque l'Union soviétique a dans son empire une sale affaire, il lui suffit pour la faire oublier de susciter ou d'intensifier à l'Ouest, grâce à ses mercenaires, le terrorisme ou la guérilla. Ce terrorisme ou cette guérilla provoquent une répression qui, suivant la nature du régime en cause, peut aller d'actions d'une légalité exemplaire jusqu'à la barbarie la plus sauvage en passant par divers degrés de brutalité. En Occident, les adeptes du dos à dos arguent aussitôt que le camp libéral est, dans son essence, et parfois jusque dans ses actes « aussi totalitaire » que le camp communiste. Il me paraît clair que l'Occident ne dispose pas de la même capacité d'embrasser l'Est. Nous ne saurions guère même imaginer une situation où nous pourrions armer d'éventuels guérilleros lituaniens ou tatars, en faveur desquels une presse et une télévision soviétiques feraient preuve d'une sympathie compréhensive.

C'est pourquoi le renvoi dos à dos, sous une apparente objectivité, n'est en fait qu'une manière subtile de légitimer l'impérialisme et le totalitarisme soviétiques. Tout le mal qui existe ou qui se commet dans le monde libéral ne se trouve point du tout, dans la pratique, rattaché à un principe et à un centre de ce monde libéral, à la façon dont le mal qui se commet dans le monde communiste procède du principe et du centre du système, par la volonté explicite de ses maîtres et de leurs agents. La structure du monde libéral est beaucoup trop lâche pour comporter une si étroite dépendance. Il en ressort qu'est préjudiciable au monde libéral un barème qui attribue une cote identique à des réalités provenant de décisions prises par un pouvoir central totalitaire et à d'autres réalités qui, dans une civilisation polycentrique, émanent d'une multitude de causes, parmi lesquelles les pouvoirs politiques sont souvent les moins déterminantes. Toutefois, je ne veux même pas entrer dans ces considérations. Quoique je sois arrivé à la conviction que la civilisation libérale est beaucoup moins malfaisante que le système totalitaire, je veux les supposer ici, pour les besoins de la démonstration, tous deux d'une égale culpabilité. Mon propos n'est pas de prouver qu'un des deux mondes est meilleur que l'autre, il est de faire voir comment et pourquoi l'un des deux mondes est en train de dévorer l'autre — bon ou mauvais, peu importe pour la question posée. Or en admettant qu'existe à tout instant dans l'un et l'autre monde un poids identique d'échecs, de fautes et de crimes, même ainsi la méthode du renvoi dos à dos avantagerait encore le monde totalitaire. La raison en est que toute dénonciation des méfaits libéraux provoque des dissensions, des crises, des contestations, voire des rébellions et des révolutions dans l'univers démocratique, tandis que ce n'est pas le cas dans le monde totalitaire. En supposant toutes choses égales d'ailleurs — ce qui n'est pas —, le monde libéral est sans cesse attaqué à la fois du dedans et du dehors. Le monde communiste n'est contesté sérieusement que du dehors, et avec quelle mollesse ! Le communisme, de par l'efficacité de tous ses instruments totalitaires de défense, réprime beaucoup plus facilement les contestations internes, repousse d'ordinaire sans peine la contestation externe, et surtout n'a pas affaire à la combinaison des deux, qui est, en revanche, sa grande recette pour ronger l'Occident. A la moindre faiblesse, pour la même faille, la démocratie paye donc un prix de base deux fois plus élevé que la dictature communiste. Les renvoyer dos à dos, c'est donc envoyer la première à la tombe.

25
LES DEUX MÉMOIRES

Bergson distingue deux sortes de mémoire : la mémoire-habitude et la mémoire-souvenir. La première conserve le passé, mais fondu dans le présent, identifié à l'usage machinal que nous en faisons tous les jours. La seconde conserve le passé en tant que tel, le passé situé dans le temps, le souvenir de l'événement unique et original survenu à tel moment de notre vie, sa tonalité affective, heureuse ou douloureuse. Avec la mémoire-habitude, nous parcourons sans erreur une ville familière, en pensant à autre chose. Avec la mémoire-souvenir, nous évoquons les premiers jours de notre contact avec cette ville, quand elle était nouvelle pour nous, quand nous en faisions l'apprentissage. Cette distinction psychologique peut, me semble-t-il, s'appliquer à la politique : dans la conscience historique des pays démocratiques, le passé du communisme relève de la mémoire-habitude, celui du capitalisme de la mémoire-souvenir.

Tout se déroule comme si seuls les échecs, les crimes et les défaillances de l'Occident méritaient de s'inscrire au compteur de l'histoire, et l'Occident même accepte cette règle. Les affres de la « grande dépression » capitaliste des années 30 continuent de hanter les historiens, les journalistes, les politiciens, les manuels scolaires occidentaux, comme une tache indélébile sur le système capitaliste, malgré les prodiges que ce système a réussi à faire, par la suite, pour réaliser la société d'abondance, surmontant le désastre supplémentaire de la Seconde Guerre mondiale. En revanche, la mort physique de dizaine de millions d'êtres humains, accomplie par l'action directe, volontaire du pouvoir communiste en URSS lors de la collectivisation forcée de l'économie à la même époque, de 1929 à 1934, n'accède qu'à une consistance vaporeuse dans la mémoire historique occidentale, au statut d'un objet de curiosité pour les érudits. Le sérieux, c'est ce que les dirigeants soviétiques s'apprêtent à entreprendre *maintenant,* et plus encore demain, pour ranimer l'agriculture. Ce « maintenant » est, au choix, 1945, 1953, 1964, 1982, et autres dates où se rejoue dans la presse occidentale le vaudeville classique, intitulé : *Un grand réformateur s'apprête à éperonner la productivité de l'agriculture soviétique.* L'opérette est d'ailleurs disponible aussi en versions chinoise, cubaine, vietnamienne, tanzanienne, algérienne, roumaine, etc. Le canevas du livret reproduit le très surfait « nouveau mécanisme économique » hongrois, qui n'est en gros que du mauvais capitalisme camouflé : mais on n'en tire *jamais* cette leçon que le socialisme ne commence à marcher que lorsqu'on l'abandonne. Ainsi le passé communiste perd sa réalité, il se fond dans le présent éternel d'une réforme dont la bureaucratie est prétendument toujours à la veille d'accoucher. Le passé communiste est toujours une *étape* vers un avenir qui se révèle, certes, à tout coup aussi lugubre que le passé, mais qui se voit promu à son tour au rang d'étape. En revanche, les mauvaises périodes capitalistes n'ont pas droit au grade d'« étapes », même quand de brillants redressements les suivent. Aussi bien, les succès économiques des pays capitalistes du tiers monde qui ont réussi à s'arracher au sous-développement, Taiwan, Corée du Sud, Singapour, ou même Indonésie, ne sont pas homologués par la mémoire occidentale. Seule l'est la forme autoritaire de leur pratique politique. Inversement, la forme autoritaire, pour ne pas dire davantage, du système politique algérien, par exemple, n'est pas enregistrée, pas plus que la pénurie que, comme tout socialisme d'Etat, le socialisme algérien a inévitablement créée. Les malheureux ressortissants algériens, quand on les autorise à sortir de leur pays, ce qui est rare, en sont réduits à se ravitailler en produits de première nécessité chez leurs voisins « réactionnaires », la Tunisie et surtout le Maroc, dont l'agriculture restée traditionnelle approvisionne fort plantureusement les marchés. Ce sont des pays de pauvreté, mais non de pénurie, car seule la bureaucratie socialiste parvient à faire pousser durablement la disette en des contrées fertiles.

La distinction entre les deux mémoires ne sert pas seulement à introduire dans la vision occidentale des différences fondamentalement inéquitables dans l'appréciation des niveaux de vie, des systèmes politiques et des droits de l'homme, elle sert aussi à estomper les méfaits du socialisme et à maintenir en état de fraîcheur ceux du capitalisme. La blessure et la culpabilité de la guerre du Vietnam restent des plaies toujours à vif dans la conscience américaine et dans la conscience que le monde libre a de l'Amérique. En revanche, l'accoutumance a effacé, efface presque au moment même du déroulement des faits, le bain de sang éthiopien ou le supplice des Cambodgiens. Combien d'Occidentaux avaient une idée du nombre de réfugiés cambodgiens parqués à la fin de 1982 à la frontière de la Thaïlande ?

L'écrasement par les Soviétiques de la révolution hongroise de 1956, révolution *non* provoquée par l'Occident, a été rapidement légitimé par l'indifférence, comme le déplorait avec rage Camus dès 1958[1], puis légitimé en 1975 par les traités d'Helsinki. En revanche, la déstabilisation d'Arbenz, lui bel et bien lié à l'URSS, au Guatemala, en 1954, à la suite d'un complot de la CIA, est passée à la postérité en tant que crime de l'impérialisme américain pour l'éternité. Jacobo Arbenz Guzmán, élu en 1951 président du Guatemala, renversé en 1954, à l'instigation de la compagnie américaine United Fruit, est l'une des grandes figures, l'un des saints martyrs du calendrier progressiste. Encore en 1982 paraissait aux Etats-Unis un pamphlet historique à ce sujet contre les Etats-Unis, *Bitter Fruit,* par Stephen Schlesinger (fils d'Arthur, le collaborateur du président Kennedy) et Stephen Kinzer, avec une préface de Harrisson Salisbury, l'une des grandes signatures (retraitées) du *New York Times.* Le titre, *Bitter Fruit,* « fruit amer » se réfère à la célèbre compagnie américaine *United Fruit,* dont les multiples intérêts au Guatemala dominaient l'économie et la politique du pays et qui a poussé, à l'époque, au coup d'Etat contre Arbenz. Le schéma se conforme ainsi à la plus parfaite logique marxiste : le capitalisme privé appelle à la rescousse son serviteur, l'Etat pseudo-démocratique et impérialiste. Cette version des faits reflète une part de réalité, le lien semi-colonial entre les Etats-Unis et le Guatemala, mais en laisse dans l'ombre une autre part, celle qui fut probablement décisive, et qui est la face internationale des causes du coup d'Etat, son imbrication dans les rapports Est-Ouest.

C'est Romulo Betancourt qui me fit prendre le plus nettement conscience de cet aspect, à Caracas, en 1978, lors d'un colloque auquel participaient également John Kenneth Galbraith, Arthur Schlesinger et Felipe Gonzalez, le futur président du gouvernement espagnol socialiste. Betancourt, l'ancien président du Venezuela, le père de la démocratie dans ce pays, l'homme d'Etat qui, à la tête de son parti, l'Action démocratique (membre de l'Internationale socialiste) avait mis dans la bonne voie la nationalisation du pétrole, résisté au terrorisme, ce jour-là fut amené à donner la réplique à un écrivain américain, Richard Goodwin, qui, attaquant

1. Préface à *l'Affaire Nagy,* Plon, Paris, 1958, reprise dans *Actuelles II.* « En octobre 56, le monde s'est soulevé d'indignation. Depuis, le monde s'est rassis... En octobre 56, l'ONU s'est mise en colère... Depuis, le représentant du gouvernement Kadar (maître de la Hongrie imposé par les Soviétiques) siège à New York, où il prend régulièrement la défense des peuples opprimés par l'Occident. » On conviendra que le processus de dégradation de l'énergie démocratique décrit par Camus s'est reproduit inchangé maintes fois, à d'autres propos. On peut reprendre indéfiniment ces lignes, en se contentant de remplacer les noms de lieux et de personnes par d'autres.

de bonne foi la politique de son propre pays en Amérique latine, citait en particulier comme exemples les sorts déplorables de Jacobo Arbenz au Guatemala et de Juan Bosch, plus tard, à Saint-Domingue. La réplique de Betancourt fut d'autant plus intéressante qu'elle constituait aussi un témoignage de première main, puisqu'à l'époque où Arbenz fut renversé, Betancourt, exilé politique, vivait la plupart du temps lui-même en Amérique centrale. « Richard Goodwin, déclara Romulo Betancourt, a eu l'impression, à partir de mon intervention de ce matin, que, à propos du renversement de certains gouvernements démocratiques, je rejetais la faute exclusivement sur les erreurs commises par les chefs de ces gouvernements portés au pouvoir par le suffrage populaire, et que j'omettais les forces externes et internes, surtout les forces externes, auxquelles je ne donnais pas suffisamment d'importance, en particulier à la multitentaculaire CIA et aux ambassades des Etats-Unis en Amérique latine. Il est hors de doute qu'en Amérique latine la très mystérieuse et ténébreuse CIA a contribué au renversement de divers gouvernement, y compris des gouvernements issus du suffrage populaire, et que ses opérations furent parfois conduites directement par les ambassades des Etats-Unis. Cela a été établi et illustré avec toutes sortes de détails dans le rapport de la commission sénatoriale Church aux Etats-Unis. Pourtant, ce qui ressort comme le plus dangereux pour la stabilité des gouvernements démocratiques en Amérique latine est que l'on puisse se contenter de dire, chaque fois qu'un gouvernement est renversé : c'est la CIA qui l'a renversé, c'est le Département d'Etat qui l'a renversé. Carlos Rangel a écrit un livre [1] avec lequel je suis d'accord pour l'essentiel et qui a suscité un ample débat international, puisqu'il ne fut pas seulement un best-seller en langue espagnole mais fut également traduit en anglais et en français. Il nous met en garde contre la tendance commode des gouvernements latino-américains, lorsqu'ils sont renversés parce qu'ils ont été incompétents, parce qu'ils ont été corrompus, parce qu'ils n'ont pas montré de sens de la responsabilité face à l'obligation que l'électorat avait déposée entre leurs mains, d'expliquer ces déboires et leur chute comme s'ils étaient dus uniquement à des manœuvres extérieures.

« Goodwin nous a cité le cas du général Arbenz, qui fut renversé en 1954 par un mouvement insurrectionnel monté de toutes pièces par la CIA. Mais le général Arbenz, qui avait été porté au pouvoir par le vote populaire, quand il arriva au gouvernement s'entoura aussitôt d'un état-major communiste [2]. Le Guatemala se trans-

1. *Del buen salvaje al buen revolucionario,* Caracas, 1976 ; tr. fr. : *Du bon sauvage au bon révolutionnaire,* Robert Laffont, Paris, 1976.

2. Pour la clarté, rappelons que « le vote populaire » ne pouvait en aucune façon autoriser la prépondérance dans le gouvernement guatémaltèque d'un parti

forma en centre de rassemblement de communistes de diverses provenances, latino-américaine, mais aussi européenne et asiatique. Arbenz acheta des armes à la Tchécoslovaquie. Quand Staline mourut, il demanda au parlement guatémaltèque d'observer deux minutes de silence, debout, pour manifester sa douleur [1]. Quand arriva au Guatemala Lombardo Toledano, chef syndical communiste mexicain, le général Arbenz entouré de *tous* ses ministres se rendit en personne à l'aéroport pour le recevoir. Cependant tout cela se conjuguait avec une extraordinaire corruption de l'équipe au pouvoir. Ces défenseurs du prolétariat s'enrichirent de façon effrénée durant l'exercice de leurs fonctions gouvernementales. J'ai des informations précises sur tout cela et nous, socialistes vénézuéliens, quand nous eûmes connaissance de la situation qui se présentait au Guatemala, nous envoyâmes au président José Figueres du Costa Rica un émissaire, porteur d'une lettre où nous lui expliquions ce qui se passait. Arbenz fut renversé et Arbenz partit pour les pays de l'Est. Ensuite il se rendit à Cuba. Je ne veux pas être cruel, puisqu'il est mort, mais il faut être franc : comme il n'était pas un imbécile bien utile, les communistes le laissèrent tomber et il disparut.

« Dans le cas de Juan Bosch auquel s'est également référé Goodwin, il se produit en général une certaine confusion. En réalité, le président Bosch fut renversé par un mouvement militaire qu'il voyait venir, et auquel il ne fit rien pour s'opposer. Durant tout son mandat, il ne réunit pas une seule fois son gouvernement ! Un beau jour, il décida brusquement que son propre parti, le parti qui l'avait porté au pouvoir, dit Parti révolutionnaire dominicain, serait dissous. Il s'écarta sensiblement et agressivement de ses compagnons démocratiques, prit l'initiative d'un rapprochement avec le Cuba de Fidel Castro, et fut renversé par les militaires. Ce fut un an plus tard, en réalité, qu'intervinrent les Etats-Unis, quand surgit le mouvement de Caamano, ce qui n'empêche pas d'ailleurs que l'intervention des Etats-Unis à Saint-Domingue fut une des erreurs les plus graves et les plus répréhensibles commises par ce gouvernement. Une erreur critiquée par tous les authentiques démocrates de l'Amérique latine. Mais cette erreur n'aurait pas eu lieu d'être commise si Juan Bosch n'avait pas commencé par

communiste plus que négligeable et ignoré de l'immense majorité des électeurs. S'adressant à un auditoire latino-américain, Betancourt ne juge pas utile de rappeler qu'Arbenz avait été élu sur un programme social-démocrate, réformiste et nationaliste.

1. Pour relativiser le geste du Parlement guatémaltèque, il convient de rappeler, ce que Betancourt paraît avoir ignoré, que l'Assemblée nationale française tout entière (sauf un député socialiste) a écouté debout l'éloge funèbre de Staline.

dénaturer totalement le contenu du mandat que lui avait confié le peuple dominicain[1]. »

J'ai trop protesté, dans le chapitre précédent, contre le « renvoi dos à dos » ou ce qu'on peut nommer l' « absolution mutuelle des forfaits » pour insinuer à mon tour que l'Afghanistan ou la Hongrie « équilibreraient » l'injustice commise par une puissance non communiste. Le point que je désire mettre en lumière ici est différent du thème du « renvoi dos à dos ». Il est que l'Occident accepte en définitive cette idée que l'URSS ne « pouvait » pas céder en Pologne, en Tchécoslovaquie, en Hongrie, ne « pouvait » pas laisser glisser ces pays hors du pacte de Varsovie, que ses « lignes de défense », ses « intérêts stratégiques vitaux » se jouaient dans ces crises, que, selon les propos du chancelier Helmut Schmidt en 1981, lui contester ce droit équivaut à « remettre en question Yalta » donc à « mettre en péril la paix ». Les démocraties consentent donc à reconnaître au communisme un droit au réalisme politique, au primat de la raison d'Etat, en particulier dans ses zones dites d'influence, en réalité d'occupation. En revanche, les Etats-Unis ne se voient pas, eux, reconnaître un tel droit naturel à d'éventuels intérêts vitaux en Amérique centrale, chez leurs plus proches voisins. Ils devraient s'incliner sans réagir devant une subversion communiste patente dans les Caraïbes, devant une manipulation évidente d'Arbenz par Moscou, cependant que l'URSS donne comme justification de sa présence en Afghanistan qu'elle « ne saurait tolérer un régime hostile dans un pays avec lequel elle a une frontière commune ». Ce principe, les Occidentaux et l'ONU l'ont admis lors des « signaux » préliminaires à une « solution politique » en Afghanistan, fin 1982. Par « solution politique » entendez : règlement devant permettre à l'URSS de continuer à exercer une domination politique, reconnue comme privilégiée, sur l'Afghanistan, tout en se débarrassant de ses tracas militaires. Les démocrates sont les premiers à concéder que la force communiste fonde le droit.

Une perception floue, une remémoration crépusculaire, une émotion qui meurt en naissant ou s'évapore en quelques jours, telles sont les lois de notre sensibilité aux actes totalitaires. Personne n'a mieux compris notre psychologie de l'oubli que les dirigeants communistes, car, si nous ne les connaissons pas, eux nous connaissent. Ils ont forgé l'euphémisme monstrueux de « normalisation » pour baptiser le redoublement de férocité totalitaire appliqué aux peuples qui ont osé se soulever un instant contre leurs maîtres. Ce terme convient avec autant d'exactitude aux

1. Cette déclaration de Romulo Betancourt a été reconstituée d'après des notes que j'ai prises au cours de la séance et d'après une autre transcription que m'a, par la suite, aimablement communiquée Mme Veuve Romulo Betancourt.

opinions publiques et aux gouvernements occidentaux. Nous aussi sommes normalisés, à mesure que notre indignation s'essouffle, et elle a le souffle court. Nous en venons vite à trouver l'anormal normal. Ce n'est pas notre patience qui a des limites, c'est notre impatience. En peu de mois elle est à bout. Le gouvernement soviétique et les dirigeants des partis communistes occidentaux savaient d'expérience qu'au bout d'un an d' « état de guerre » en Pologne, ne surnageraient de nos protestations que le souvenir d'une demi-douzaine de manifestations, quelques millions de badges « Solidarnosc » et la blessure au flanc de l'Occident du plus amer conflit économique entre l'Amérique et l'Europe qu'on ait vu depuis longtemps.

Aussi l'expression de « renvoi dos à dos » n'est-elle pas tout à fait adéquate, ou, si l'on veut, la félonie de l'absolution réciproque joue, dans la pratique, à sens unique, presque toujours en faveur du totalitarisme et de ses alliés. Certains disent : « Tant qu'il y aura Pinochet, Marcos, l'Afrique du Sud et les *desaparecidos* argentins, nous n'aurons pas le droit moral de clouer au pilori l'étouffement de la Pologne. » Personne ne dit : « Tant qu'il y aura la Pologne et l'Afghanistan, nous n'aurons pas le droit moral de condamner *l'apartheid* et Pinochet. » Les plus œcuméniques d'entre nous parlent d'un « même combat », ce qui est faux : le combat n'est pas le même, et il n'existe pas de véritable égalité entre les réactions aux dictatures communistes et les réactions aux autres dictatures. La dernière exécution de résistants basques[1] à laquelle ait fait procéder Franco a mobilisé à Paris en 1975 des manifestants si nombreux et si déchaînés que tout le quartier de l'ambassade d'Espagne, avenue George V, fut dévasté sur un rayon d'un kilomètre, de la place de l'Alma aux Champs-Elysées. Qui donc a entendu parler d'une manifestation, même silencieuse et non violente, en réprobation du meurtre de quelque trois mille Ethiopiens sommairement exécutés par le colonel Mengistu dans la seule capitale, Addis-Abeba ? Personne, et pour cause. Et cette discrétion sévit en dépit ou en raison de la présence en Ethiopie d'un appareil fourni de « conseillers » soviétiques, auxquels il serait injuste de dénier leur part d'initiative dans l'épuration révolutionnaire. Jusqu'au dernier instant de son pouvoir, un autre dictateur africain conservera autour de lui des conseillers soviétiques : Macias, qui, dans la minuscule Guinée équatoriale (ex-espagnole) n'a pu, malgré tout son talent, immoler jusqu'au tiers de ses compatriotes sans l'aveu ou la complicité silencieuse de ses amis russes. Pourtant, lorsque Macias périt à son tour par le glaive, son

1. J'emploie à dessein le mot de « résistants », puisque le régime n'était pas alors démocratique. Après que l'Espagne le fut devenue, ce mot devint impropre, ou plutôt, il s'agissait de résistance à la démocratie.

entourage soviétique regagna Moscou *zitto zitto, piano piano* sans que personne, à ma connaissance, eût jamais reproché quoi que ce fût à l'URSS touchant les petits excès de son protégé. A l'inverse, un charcutier plus artisanal, comme Bokassa, dut à son allégeance « capitaliste » le privilège de défrayer la chronique internationale et de placer dans un cruel embarras ses alliés, au point que ce fut son protecteur français même qui dut se faire son déstabilisateur. Durant la guerre de Corée, l'accusation sans fondement selon laquelle les Américains employaient des armes bactériologiques, un des grands exemples historiques de désinformation de masse, fit déferler une vague d'indignation mondiale, que la réfutation subséquente du mensonge n'a pas tout à fait calmée, comme souvent en pareil cas. En revanche, en 1982, après que plusieurs témoignages et commissions d'enquête, dont une des Nations unies — et pour celle-ci on devine avec quelle languissante et pusillanime curiosité — eurent établi, au-delà du doute raisonnable, que les Soviétiques utilisaient des armes biochimiques en Afghanistan, et les faisaient utiliser par les Vietnamiens au Cambodge et au Laos — je parle de la mystérieuse « pluie jaune » — quels remous agitèrent la conscience morale et les milieux politiques des Occidentaux et des pays du tiers monde ? La seule bataille dont je me souvienne à ce sujet ne fut pas livrée contre Moscou, pour faire cesser l'abomination — pensez donc, ç'aurait peut-être été mauvais pour le commerce — elle se déroula entre le *New York Times* et le *Wall Street Journal,* le premier quotidien estimant longtemps avec un persévérant scrupule que la vérification des faits ne s'était point encore tout à fait hissée au degré de certitude autorisant l'imputation, et le second quotidien assurant que le doute hyperbolique de son confrère ressemblait beaucoup à un refus de prendre acte des preuves. En définitive, le *Wall Street Journal,* dans cette polémique, remporta la victoire, et même une victoire prolongée, puisque les Soviétiques continuèrent à faire tomber leur pluie jaune en Asie, avec une indifférence marmoréenne à l'égard des timides glapissements occidentaux, dont l'habituelle et totale innocuité leur est amplement connue.

Non seulement les boat-people vietnamiens sont sortis de l'écran-radar de la perception occidentale environ un an après le début de leur exode massif ; non seulement l'ami de Castro, Garcia Marquez, a pu insulter ces pauvres gens, les traiter de « trafiquants de devises », d' « exportateurs de capitaux » et néanmoins recevoir le prix Nobel ; non seulement les centaines de milliers de boat-people cubains ont démontré, en fuyant eux aussi, que, décidément, le communisme est le même sous toutes les latitudes, mais aucune de ces leçons n'a servi aux augures occidentaux à voir sous son vrai jour, par exemple, la révolution sandiniste au Nicaragua. Les rares commentateurs qui se sont risqués vers les débuts à prédire que les sandinistes élimineraient du pouvoir toutes les autres formations politiques, jusqu'à ce qu'ils puissent établir le monopole du parti unique et la police omniprésente, se faisaient le plus honnêtement du monde traiter de sympathisants de l'ancien dictateur Somoza. Lorsque plus personne ne put nier que le Nicaragua s'orientait vers la reproduction en copie conforme du régime castriste, l'attention se déplaça vers l' « authenticité » de la guérilla salvadorienne. Sans doute, lisait-on, cette guérilla bénéficie-t-elle d'une aide cubaine et donc soviétique, mais la révolte a pour cause essentielle l'injustice sociale et la misère. Fort juste. Mais précisément le communisme n'a jamais supprimé ni l'injustice sociale, ni la misère : il a toujours, au contraire, et partout aggravé la pénurie et les inégalités. Les descriptions du Nicaragua depuis 1982 attestent que le processus habituel a déployé ses effets là aussi, une fois de plus, et qu'en particulier, pour le ravitaillement et les trafics, la population commence à murmurer que « c'est pire que du temps de Somoza ». Classique et lassant ! En outre, la pénurie en Pologne ou en Roumanie n'est pas mince non plus. Mais personne ne plaide sérieusement que ces pays doivent de ce fait sortir de la sphère communiste, passer dans le camp capitaliste et que l'injustice ambiante y légitimerait une guérilla soutenue par l'Otan. En revanche, les Etats-Unis devraient accepter que des pays qui sont à leur porte se soviétisent, alors même que la soviétisation ne leur apporte ni la liberté ni le bien-être, supprime le peu qu'ils en avaient et toute chance pour eux d'en acquérir davantage. Je n'entends point soutenir que tout le Bien se situe d'un côté, tout le Mal de l'autre. Je décris le phénomène des « deux mémoires », l'amnésie qui s'empare des Occidentaux lorsqu'ils applaudissent la guérilla du Salvador en oubliant complètement les leçons de celle du Nicaragua. Par exemple, la majorité des journaux et des médias, aux Etats-Unis, avaient adopté l'hypothèse, avant les élections du Salvador en mars 1982, que le mot d'ordre d'abstention des guérilleros serait très largement suivi. En d'autres termes, ils avaient surévalué la popularité du « Front Farabundo Marti ». A midi encore, le jour du scrutin, la station de télévision *A.b.c.-News* prédisait imprudemment une participation réduite, à l'heure même où l'on commençait à se rendre compte que les paysans bravaient le mot d'ordre des guérilleros. La participation atteignit 80 % (contre 50 % en 1972) sans fraude grave, et malgré les dangers. Depuis décembre, des sondages confidentiels indiquaient d'ailleurs qu'entre 70 % et 85 % des Salvadoriens exprimaient l'intention de voter. Mais nos confrères américains avaient tout simplement refusé de prendre au sérieux ces sondages, qui contredisaient leurs convictions. Maints commentateurs, observateurs et politiciens ont grand mal à penser des situations complexes, comme celles décrites plus haut par Betancourt, dans lesquelles il est à la fois vrai qu'il existe dans tel ou tel pays une crise sociale due à l'injustice et faux que le communisme soit qualifié pour résoudre cette crise, mais vrai à nouveau qu'il est apte à l'exploiter pour atteindre ses objectifs politiques et stratégiques.

En matière d'extermination de masse, le communisme doit effectuer des sauts à la perche d'une hauteur prodigieuse pour atteindre le seuil de perception occidental. Encore ce seuil élevé n'exprime-t-il qu'une moyenne. Le seuil de perception d'un Olof Palme, par exemple, ou d'un Andréas Papandréou se situe apparemment à une hauteur qu'aucun perchiste communiste ne pourra jamais atteindre. Les sandinistes du Nicaragua auraient eu grand tort de ne pas s'offrir leur petit génocide à eux, celui de quelques milliers d'Indiens Meskitos, dont on discutera encore longtemps à l'Ouest pour savoir s'ils ont vraiment été brutalisés. Dans le doute, on s'abstiendra de toute remarque désagréable. La plus superbe manifestation de perception réticente et d'effacement véloce reste toutefois l'apparition et la chute dans les oubliettes du génocide cambodgien. La lecture d'un catalogue peut ne pas manquer de charme. Je propose ce plaisir aux amateurs d'énumérations. Je me suis livré à la besogne peu ragoûtante d'extraire de mes cartons un grand nombre d'articles parus dans la presse en 1975 et 1976 au sujet des Khmers rouges. Voici la liste des titres de ces articles, par ordre chronologique :

1975

23-24 mars	*Le Monde*	« Le remaniement gouvernemental pourrait préparer le départ du Maréchal Lon Nol », par Patrice de Beer.
25 avril	*Le Monde*	« Trois journées de réjouissance sont organisées pour la victoire des Khmers rouges », par Alain Bouc.
28 avril	*Le Point*	« Un village à l'heure khmère rouge », par J. L. Arnaud.
5 mai	*Newsweek*	« We beat the Americans ».
5 mai	*Time*	»A Khmer curtain descends ».
6 mai	*International Herald Tribune*	« Ford says Reds slay Lon Nol aides, wives ».
8 mai	*Le Monde*	« Carnet de route de Phnom Penh à la frontière thaïlandaise », par Patrice de Beer.
9 mai	*Le Monde*	« L'énigme khmère » (éditorial).
9 mai	*Le Figaro*	Récit exclusif *New York Times-Figaro*, de Sydney H. Schanberg.
10 mai	*International Herald Tribune*	« Phnom Penh : victory of peasants ; eyewitness report ».
10 mai	*Le Monde*	« Qui gouverne le Cambodge ? », par Patrice de Beer.

10 mai	*Le Monde*	« Sur les routes, des dizaines de milliers de réfugiés… »
11 mai	*Sunday Times*	« Diary of a doomed city », par John Swain.
12 mai	*Le Point*	« Phnom Penh : deux millions de déportés ».
12 mai	*Le Nouvel Observateur*	« La chute de Phnom Penh », par François Schlosser.
12 mai	*International Herald Tribune*	« The last days in Phnom Penh. Sorrow, Selfishness ».
15 mai	*International Herald Tribune*	« A famous victory (a bleak view of Cambodia) », par George F. Will.
19 mai	*Newsweek*	« Cambodia's " purification " ».
19 mai	*Time*	« Long March from Phnom Penh ».
26 mai	*Le Nouvel Observateur*	« Un Français, Bernard Hazebrouk, chez les Khmers rouges », par François Schlosser.
26 mai	*Le Figaro*	« La 25e heure de Doum Uch (récit d'un homme " libéré " par les Khmers rouges) », par J. Pouget.
22 juin	*Sunday Times*	« Cambodia refugees, tell of deaths and famine », par John Swain.
20 juillet	*The Observer*	« Cambodia opens a swop-shop », par Mark Frankland.
18 juillet	*Le Monde*	« Une ombrageuse volonté d'indépendance guide l'action du pouvoir révolutionnaire », par J. Decornoy.
27 juillet	*Sunday Times*	« What about the executions ? Only traitors have been killed », par John Swain.
18 août	*Le Monde*	« Cambodge, la Chine et l'Indochine » (éditorial).
18 août	*Newsweek*	« " Organization " men. A report from refugees ».
23 août	*The Economist*	« News from no-man's land ».
25 août	*Le Nouvel Observateur*	« Le retour de Sihanouk », par Jean Lacouture.
2 sept.	*Le Monde*	« La vie quotidienne dans le pays (les Khmers n'ont le droit ni de posséder de l'argent ni de circuler d'une province à l'autre) ». (AFP.)
8 sept.	*Newsweek*	Interview de Ieng Sary lors de la conférence des non-alignés au Pérou.
9 sept.	*Le Figaro*	« La revanche du Prince (retour de Sihanouk à Phnom Penh) », par Arlette Marchal.
10 sept.	*Le Monde*	« Retour de Sihanouk à Phnom Penh ».
14 sept.	*International Herald Tribune*	« A proposal to overrun Cambodia », par W. Buckley Jr.
17 sept.	*Le Monde*	« La visite privée de M. Ieng Sary à Paris ».

Octobre	*Le Point*	« Sihanouk, chef d'Etat sans peuple ».
4 oct.	*Le Monde*	« Portrait du Prince Sihanouk » (à l'occasion d'une conférence de presse), par J. Decornoy.
11 oct.	*Le Monde*	« Sihanouk déclare : nous voulons être neutres comme l'Autriche, la Suisse ou la Suède », par J. Decornoy.
12 oct.	*Sunday Times*	« My visit to the revolution », par Prince Sihanouk.
14 oct.	*Le Monde*	« Déçus par le nouveau régime, quelque cinquante Khmers vivant à Pékin ont refusé de rentrer dans leur pays ».
15 oct.	*Le Figaro*	« Cambodge : Le calvaire d'un peuple, par Jean Bourdarias.
19 oct.	*Le Monde*	« Les nouveaux dirigeants du Cambodge (formation du gouvernement) » par J. Decornoy.
24 oct. 25 oct.	*La Croix* *La Croix*	« Une révolution enfantée dans d'effroyables douleurs » (série), par François Ponchaud.
3 nov.	*Le Point*	« Pékin : Sihanouk dans le cercle rouge », par C. Bonjean.
8 nov.	*Le Monde*	« Les très grandes difficultés de l'approvisionnement en vivres pourraient être résolues en 1976 », par Patrice de Beer.
1976		
Janvier	*France-Soir*	« La résistance s'organise dans la forêt tropicale », par Yves-Guy Bergès. (Série.)
18 janvier	*Sunday Times*	« A peep into Cambodia through the eyes of those who fled », par John Swain.
11 février	*La Croix*	« La révolution du productivisme », par Paul Meunier.
17 février	*Le Monde*	« Le Cambodge neuf mois après », par François Ponchaud. (Série.)
8 mars	*Le Point*	« Les ilotes du nouveau régime ».
5 avril	*Le Nouvel Observateur*	« Le Cambodge entrebâillé », par Jean Lacouture.
6 avril	*Le Figaro*	« Sihanouk quitte la scène politique », par François Nivolon.
6 avril	*Le Monde*	« Sihanouk " prend sa retraite " », par Jacques Decornoy.
11 avril	*The Observer*	« Thousands flee land of genuine happiness », de Brian Eads à Bangkok.
16 avril	*Le Monde*	« Le Cambodge et sa révolution » (éditorial).
16 avril	*Le Point*	« Sihanouk : " C'était intenable ! " », par C. Bonjean.
17 avril	*Le Figaro*	« Le sourire d'Angkor », par Jean d'Ormesson.
17-18-19/4	*Libération*	« La révolution secrète », par Patrick Ruel (série).
17-18 avril	*Le Figaro*	« Le Cambodge à l'heure des Khmers rouges », par F. Nivolon.

18-19 avril	*Le Monde*	Tribune de Tiev chin leng (membre du Funk) « Un peuple maître de son destin ».
18-19 avril	*Le Monde*	« Témoignage de Yen Savannary », réfugié pendant deux cents jours sous le régime khmer.
18 avril	*Sunday Times*	« Cambodia is convulsed as Khmer rouge wipe out a civilisation », par John Swain.
23 avril	*The Times*	« A nation in chains », par B. Levin.
24 avril	*Paris-Match*	« Terreur au Cambodge », reportage de Colette Porlier.
26 avril	*Time*	« Why are the Khmer killing the Khmer ? »
29 avril	*Le Monde*	« L'indignation sélective », par André Fontaine.
17 mai	*Newsweek*	« Two views from inside ».
17 mai	*Le Nouvel Observateur*	« Le Cambodge vu de Hanoï », par Jean Lacouture.
21 mai	*Le Monde*	« Le témoignage d'un ancien habitant de Païlin ».
26 mai	*La Croix*	Témoignage sur la vie du Cambodge par des réfugiés.
31 mai	*Le Figaro*	« Cambodge : la folle expérience d'un ordre nouveau », par Jean Pouget.
7 juin	*Le Point*	« Les revenants du " pays des morts " », par C. Bonjean.
18 sept.	*Le Monde*	« Dans un camp, proche de la frontière khméro-thaïlandaise des réfugiés évoquent l'absence de libertés et les difficultés qui les ont poussés à partir », par Patrice de Beer.
28 sept.	*Le Monde*	« La résistance anticommuniste ne remporte aucun succès », par Patrice de Beer.
29 oct.	*Far Eastern Economic Review*	« When the killing had to stop », par Nayan Chanda.

On remarquera d'abord qu'un historien qui, dans cinq cents ans, n'aurait à sa disposition, pour se faire une notion de ce qui s'est passé au Kampuchéa vers 1975-1980, que cette liste de titres de journaux — et c'est déjà beaucoup plus que les documents dont nous disposons pour connaître certaines périodes de l'Antiquité ou du Moyen Age — ne pourrait en aucune façon deviner que s'est déroulé à cette époque, là-bas, un génocide méthodique, où a été exterminé entre un quart et un tiers de la population : l'équivalent de douze à vingt millions de victimes en appliquant ce pourcentage à un génocide comparable qui aurait eu lieu en France, en RFA, dans le Royaume-Uni ou en Italie, de soixante à quatre-vingts millions pour les Etats-Unis. C'est à peine si dans trois ou quatre titres sur soixante-quinze apparaissent les mots « morts », « exécutions », « le pays des morts », « deux millions de déportés », qui permettent, certes, de s'orienter dans ce cimetière. Mais ces expressions sont exceptionnelles. Un régime nouveau peut entraîner l'exécution de quelques dizaines de ci-devant, c'est probablement ce qu'induirait notre historien. Comment pourrait-il conjecturer que des millions d'humains au Cambodge, à la fin du XXe siècle, ont été décervelés à coups de massue et de pioche, comme les bébés-phoques du Groenland ? J'entends bien que nombre des articles et témoignages recouverts par ces titres donnèrent tous les détails de ce festival d'éclatement de boîtes crâniennes. Il n'en reste pas moins étrange que la modération de tant de titres ne laisse qu'à peine entrevoir la nature et l'étendue de ce qui s'est réellement passé. Certains de ces titres sont conçus, de propos délibéré, dans un sens favorable aux Khmers rouges. On y parle, au pire, de « crise des approvisionnements ». Mais, bien entendu, elle est « en voie de solution », comme dans tous les pays communistes depuis 1917[1] ». Les articles mêmes qui contiennent un réquisitoire ou un constat de l'épouvantable ne l'annoncent guère. C'est le cas de la série admirable et accablante des articles de François Ponchaud dans *la Croix* et *le Monde,* recouvrant d'autres sons de cloche de ce dernier journal. Quand on lit que Sihanouk veut faire de son pays une autre Suisse, une nouvelle Autriche, on se dit que cela ne peut pas aller si mal, avec de tels critères. L'expression « déçus du nouveau régime » pourrait être employée par des Français que le pouvoir socialiste de Mitterrand a désillusionnés, dans un cadre constitutionnel et démocratique. Le propos : « C'était intenable » pourrait servir à expliquer l'effondrement d'une quelconque combinaison ministérielle en Italie. Lorsqu'on nous dit que des réfugiés évoquent « l'absence de libertés » et les « difficultés », on emploie là des litotes vraiment pudiques. Dit-on des juifs qu'ils furent les « déçus du nazisme », qu'ils se heurtèrent vers 1942 à des « difficultés », à une indéfinissable impression d' « absence de libertés » ? Dans nos titres, les mots « tuer » et « massacrer » ne sont employés chacun qu'une seule fois. Encore le mot « massacrer *(to slay)* ne s'applique-t-il, dans notre exemple, qu'à Lon Nol et à son entourage, ce qui ne nous met pas sur la piste d'une tuerie de masse. Encore s'agissait-il de la presse à l'époque des événements. Depuis, les grandes marées ont achevé de nettoyer les plages de la mémoire. L'accoutumance, l'indifférence et le temps ont parachevé cette œuvre purificatrice.

Dans les échantillons de titres de journaux donnés ci-dessus, je n'ai mentionné aucun organe communiste, parce que les journalistes communistes sont régis par d'autres lois que celle de la perception et celle de la mémoire, je veux dire qu'ils sont régis par les lois de la politique étrangère soviétique. C'est du moins tout particulièrement le cas des communistes français, et il vaut la peine de jeter un coup d'œil rapide sur l'évolution de leur organe central,

1. « Dans un délai de dix ans au maximum, nous devons parcourir la distance qui nous sépare des pays capitalistes les plus avancés. » Joseph Staline, *Pravda,* 5 février 1931. Nikita Khrouchtchev, *idem,* 1961.

l'Humanité, relativement au génocide cambodgien. Aussi longtemps que le Cambodge libéré par les Khmers rouges ne s'aligne pas sur la Chine, vers laquelle l'URSS était alors encore très loin d'avoir esquissé ses travaux d'approche ultérieurs, la révolution cambodgienne a droit aux dithyrambes du quotidien du PCF. Le 23 avril 1975, *l'Humanité* titre : « Phnom Penh : à l'ordre du jour, un Cambodge indépendant, pacifique et prospère. » Prophétie perspicace, s'il en fut jamais. Les journalistes de *l'Humanité* consacrent évidemment toute leur énergie à défendre le Cambodge devenu communiste contre la « campagne d'intoxication » de la presse occidentale bourgeoise, dont certains représentants avaient relaté dès les premiers jours les conditions horribles de l'évacuation forcée de Phnom Penh. Le Président des Etats-Unis, Gérald Ford, ayant réclamé l'intervention de l'ONU « afin d'éviter un bain de sang à Phnom Penh », le rédacteur en chef de *l'Humanité,* René Andrieu, contre-attaque avec virulence le 18 avril pour dénoncer le ridicule et l'odieux de ces hypocrites inquiétudes impérialistes. Il n'en est que plus saisissant de constater que trois ans plus tard, la même *Humanité* dénonce au Cambodge : « Un tableau effrayant : gigantesque tentative de mise au pas autoritaire, déportation massive de la population, séparation des familles, exécutions sommaires hélas ! probablement de masse[1]. Le 29 janvier 1979 l'envoyé spécial de *l'Humanité* qui accompagnait les troupes vietnamiennes, a trouvé les prisonniers des Khmers rouges « égorgés, les crânes défoncés, les bras sectionnés, des traces de coups de pelle sur tout le corps. Phnom Penh... Ville sans âme. Ville de cauchemar. Ville où flotte sans cesse l'obsédante odeur de mort ». En somme c'était exactement le « bain de sang » prédit en 1975 par Gérald Ford, à la clairvoyance duquel René Andrieu se garda bien de rendre hommage. A vrai dire les atrocités que relataient le journal communiste en 1978 et 1979 n'étaient pas de la première fraîcheur. Le scoop n'est pas la spécialité de la presse communiste. Ce qui nous intéresse ici, c'est la raison pour laquelle elle a rejoint et dépassé dans l'anathème les plus regrettables excès de langage de la « campagne d'intoxication » de la presse bourgeoise au sujet du Cambodge. Il y a deux raisons principales à cette volte-face : d'abord, comme je l'ai dit, le choix par les Cambodgiens de la protection chinoise plutôt que du rôle de satellite de l'Union soviétique ; ensuite et surtout, à partir d'octobre 1977, l'invasion du Cambodge par l'armée vietnamienne et l'occupation du pays par les troupes de Hanoi, au régime, quant à lui, du prosoviétisme le plus pur. A partir de ce moment-là, le travail de propagande de la presse communiste se subordonne à la nécessité de justifier à tout prix l'invasion vietnamienne, d'en montrer les conséquences bienfaisan-

1. *L'Humanité,* 9 janvier 1978.

tes pour la population cambodgienne et donc d'insister le plus possible sur les atrocités antérieures des Khmers rouges, afin de faire apparaître l'occupant vietnamien comme un libérateur.

Certains porte-parole de la gauche non communiste ont mis ainsi plus de temps et de mauvaise volonté que les communistes à prendre acte du génocide cambodgien. Mais, quand ils s'y résignèrent, ce fut pour d'autres raisons. Les communistes, eux, ne croient plus à la Révolution. Ils ne croient désormais qu'aux conquêtes. La gauche non communiste croit encore à la Révolution, et même, dans le cas du Cambodge, a cru au début à une révolution « culturelle » pure, à un changement intégral de société, comme elle en avait rêvé un depuis si longtemps. Pendant plus d'un an, elle a donc détourné le regard des informations indigestes en provenance du « Kampuchéa » régénéré. Puis, lorsqu'il fut devenu surhumain de parvenir à les ignorer, la gauche non communiste a pris une autre attitude : elle s'attribua le mérite d'avoir dénoncé le génocide devant le tribunal de la conscience universelle, alors qu'elle arrivait bonne dernière, et même, nous l'avons vu, derrière les staliniens. Cette tromperie est une forme raffinée d'occultation : si la gauche condamne elle-même une déviation monstrueuse de la gauche, l'affaire reste intérieure à cette même gauche, elle n'est qu'un avatar de sa progression historique, un symptôme de sa capacité de se critiquer et de s'épurer. Dès lors, le système explicatif socialiste dans son ensemble n'est pas ruiné par le génocide, ou par les camps de rééducation vietnamiens et les boat-people, par Castro, par le Nicaragua, par l'écrasement de Solidarnosc. La dénonciation de ces crimes et de ces erreurs n'est que le marchepied toujours reconstruit d'une éternelle ascension, d'une lucidité croissante. C'est pourquoi, il importe si fort de biffer, d'ensevelir dans les ténèbres de l'oubli les critiques et jusqu'aux informations « de droite », qui, elles, s'en prennent à la racine du système, à la cause fondamentale qui, une fois posée, partout où elle est placée, déroule ses inéluctables et toujours identiques effets. Je ne conteste pas la dimension exceptionnelle du massacre cambodgien. Mais n'en connaissions-nous pas un prototype dans l'extermination en masse des prétendus « koulaks » par Staline au début des années 30 ? Quelle raison avait donc l'Occident d'être à nouveau « surpris » par le caractère « inattendu » et « imprévisible » du bain de sang cambodgien ? Une seule : le soin douillet avec lequel il avait effacé de sa mémoire le précédent stalinien, refusé de l'analyser, de l'expliquer, et donc renoncé à en prévoir, plus encore à en prévenir la répétition.

26

LES DÉMOCRATIES CONTRE LA DÉMOCRATIE

Ainsi, les démocraties adoptent, dans une majorité de cas, les points de vue et les décisions que les dirigeants des puissances communistes souhaitent leur voir adopter. Ce ralliement est à la fois idéologique et pratique. Les démocraties se voient elles-mêmes, dans de larges secteurs de leurs opinions publiques et de leurs élites politiques et culturelles, comme plus réactionnaires, plus nuisibles au tiers monde, plus agressives dans le domaine militaire et, en particulier, nucléaire, que l'Union soviétique et ses satellites. Les partisans occidentaux d'une dissuasion nucléaire efficace, d'un équilibre contrôlable des forces continuent à passer pour « conservateurs », « de droite », fauteurs de guerre » ou, au mieux, partisans d'une « rechute dans la guerre froide ». Les partisans du désarmement unilatéral ou, du moins, de concessions préalables et toujours plus accentuées à l'Union soviétique, sans garantie de retour, se situent « à gauche », parmi les gens généreux, amis de la paix. Or en pratique, ils ne soutiennent rien d'autre qu'un déséquilibre grâce auquel l'URSS pourrait sans combattre imposer sa volonté politique et économique à un nombre croissant de pays, élargissant encore ainsi un cercle déjà spacieux. Or l'histoire enseigne que jamais ni nulle part on n'a poussé l'Union soviétique à des concessions par des concessions. De ce constat, certes affligeant mais dont elles ne portent pas la responsabilité, les démocraties tirent la conclusion non pas qu'elles doivent changer de méthode, mais qu'elles doivent céder encore davantage. Les concessions soviétiques apparentes, celles qui constituent les plus ostentatoires attrape-nigauds, trouvent aisément preneurs en Occident : les quelques politiques occidentaux assez compétents pour en déceler le caractère de propagande mystificatrice ne peuvent néanmoins résister à la pression de maints courants d'opinion, qui ne leur pardonneraient pas de négliger cette « chance inespérée », magnanimement offerte par Moscou. A prêter l'oreille aux bruits de fond de la parlote politique de chaque jour, on croirait que seules les armes et la diplomatie occidentales mettent en danger l'Occident même. Le *New York Times* du 2 avril 1982, par exemple, constate : « *An adverse impact among allies is feared after Reagan remark on Soviet superiority.* » « On craint que les propos de Reagan sur la supériorité soviétique n'aient un effet négatif au sein de l'alliance. » Ainsi, le vrai danger, pour les alliés européens des Etats-Unis, tiendrait non pas à l'éventuelle supériorité militaire de l'URSS mais à l'éventuelle intention américaine d'y faire face par une défense réajustée. Tout président des Etats-Unis voyageant en Europe occidentale se heurte à des manifestations si hostiles qu'un spectateur non prévenu se convaincrait sans hésiter que le visiteur se trouve être le pire ennemi que les Européens aient jamais eu. Les peuples montrent, certes, bien souvent, un jugement meilleur que leurs élites et leurs activistes. En 1982, un sondage fait ressortir que tous les peuples de l'Ouest européen, sauf le peuple espagnol, considèrent l'accroissement du potentiel militaire soviétique comme « plus important pour expliquer les tensions internationales » que l'accroissement du potentiel militaire américain. Détail bouffon, toutefois : le peuple français considère les taux d'intérêt américains et le rôle du dollar comme des « causes de tension » de loin plus graves que le surarmement soviétique : 45 % contre 21 %[1]. Observons en passant que toutes les opinions occidentales commettent l'erreur de considérer le surarmement comme la cause des tensions, alors qu'il en est bien plutôt la conséquence, comme le dit avec raison François de Rose dans sa *Stratégie des Curiaces*.

Malgré une perception améliorée, déjà, en 1981, et plus nette de la force soviétique, ou peut-être à cause du réalisme de cette perception, une majorité d'Européens, et pas seulement les pacifistes militants, choisissent, en cas d'invasion, la soumission plutôt que la résistance. A la question : « Si l'armée soviétique pénétrait sur le territoire français, pensez-vous que le président de la République devrait entamer aussitôt des négociations pour faire la paix avec l'Union soviétique ? », 63 % des Français répondent « oui », contre 7 % qui sont d'avis d'employer l'arme atomique et 21 %, d'avis de se battre, mais sans employer l'arme atomique[2]. On peut préférer la servitude à la mort. Mais on peut aussi éviter de se mettre dans la situation d'avoir à faire à ce triste choix. Or c'est justement la volonté d'éviter cette situation qui paraît nous faire défaut. L' « offensive de paix » soviétique qui se poursuit sans relâche a donc toute chance de réussir, c'est-à-dire de faire accepter

1. Sondage Louis Harris réalisé en septembre 1982 pour l'Institut atlantique des relations internationales et l'*International Herald Tribune*.
2. Sondage Sofres, paru dans le magazine *Actuel*, janvier 1981.

à l'Occident et au reste du monde une infériorité militaire définitive, en présentant cette infériorité volontaire comme une garantie absolue contre la guerre.

Que tout homme sain d'esprit répugne à envisager la perspective d'une guerre, que cette répugnance nuise à une bonne information du public sur la stratégie, comme si l'information elle-même comportait un danger, on peut le comprendre. Mais ne nous dissimulons pas que la « paix » soviétique telle que nous sommes en train de l'accepter donnera naissance à une subordination politique dont l'implantation psychologique a commencé, dont la poursuite aboutirait par paliers insensibles à une satellisation discrète, puis complète. Sans parler de la dissuasion militaire, déjà l'arme économique nous est interdite, je veux dire que nous nous l'interdisons : nos refus répétés d'appliquer des sanctions économiques sérieuses à l'URSS ne peut qu'avoir rassuré pleinement les dirigeants soviétiques. Et si l'Occident n'a plus recours ni à une dissuasion stratégique plausible ni à des sanctions économiques, qu'est-ce qui peut donc désormais arrêter l'Union soviétique dans ses empiétements continuels sur la souveraineté des autres pays, des autres continents, du monde entier ?

Quelle conclusion pratique en effet veut-on que tirent les dirigeants communistes de notre double inaction, la militaire et l'économique ? Logiquement : qu'ils peuvent continuer. Raisonnerions-nous autrement à leur place ? Jean-François Deniau, ancien ministre de Valéry Giscard d'Estaing, relate ces propos à lui tenus par un haut dignitaire soviétique : « Nous avons pris l'Angola, et vous n'avez pas protesté. Nous avons même noté que vous pouviez nous battre en Angola (le gouvernement, qui nous était favorable, a été à deux doigts d'abandonner) et que vous n'avez rien fait pour gagner, mais plutôt le contraire. Et quand, pour nous sauver, nous avons expédié trente mille Cubains en armes, l'ambassadeur Young, membre du cabinet américain, a déclaré que c'était positif, et un élément de stabilité. Bon, nous avons noté et introduit le fait dans nos analyses. Puis, nous prenons le Mozambique. Passons, vous ne savez même pas où c'est. Puis, nous prenons, case clef, l'Ethiopie. Là encore, nous notons que vous pouviez répliquer, par la Somalie ou l'Erythrée, ou les deux. Pas de réplique. Nous notons, et transmettons à nos analystes. Ensuite, nous prenons Aden, et nous y installons une puissante base soviétique. Aden ! Dans la péninsule arabique ! Au cœur de votre dispositif ! Pas de réplique. Nous notons : on peut prendre Aden[1]. »

Plus propice encore à l'impérialisme communiste que notre inertie diplomatique, ou plutôt, allié plus puissant encore de cette inertie même est l'acquiescement occidental à la condamnation que

1. J. F. Deniau, « La détente froide », *l'Express*, 3 septembre 1982.

les communistes portent sur notre civilisation : condamnation à laquelle eux-mêmes ne croient pas, sachant fort bien à quoi s'en tenir sur les valeurs humaines cultivées par leur civilisation à eux, mais qu'ils propagent, puisque, après tout, nous sommes friands d'insultes. Tout en prétendant avoir une fois pour toutes découvert la vérité sur le stalinisme, sur le totalitarisme communiste, nombre de démocrates conservent, jusque dans leurs tics de langage, les mêmes critères de classification que si cette découverte n'avait pas eu lieu, ce qui fait douter de son authenticité. L'équation entre l'anticommunisme et l'esprit réactionnaire continue d'avoir cours. Quelle dérision que la soi-disant prise de conscience des vices du stalinisme, si l'antistalinien continue d'être rejeté « à droite », voire accusé de se comporter lui-même en stalinien ! Des campus universitaires comme des salles de rédaction roule à plein bord la sempiternelle et robuste litanie sur la « faillite généralisée de l'Occident ». La chaire professorale et la chaire pastorale flétrissent d'une même voix le capitalisme et le libéralisme. Le culte et la culture unissent leurs efforts pour disséminer comme des axiomes les lubies les plus fantaisistes, mais les plus défavorables aux démocraties industrielles, sur la pauvreté du tiers monde et ses origines. Sur quelles bases, pour quels motifs la liberté serait-elle défendue, lorsque tant de façonneurs d'opinion, d'éducateurs, de penseurs ont toujours ouvertement ou secrètement professé que notre civilisation est « fondamentalement mauvaise » ? Peut-être ont-ils raison, mais, en toute hypothèse, où diable des enfants auxquels on enseigne que leur société incarne le mal puiseraient-ils la résolution de la défendre plus tard ? Nombre de manuels scolaires, dans tout l'Occident, constituent un réquisitoire contre le capitalisme aussi violemment caricatural que scientifiquement méprisable. Les élèves sans défense ne disposent pas de l'information nécessaire pour les passer au tamis de la critique. L'Eglise luthérienne en République fédérale allemande, grâce à l'impôt, regorge d'argent — autant qu'elle manque de fidèles. Pour trouver un public, elle s'oriente vers le pacifisme, tout comme le clergé catholique d'Amérique latine propose la Révolution à des masses que la Divinité seule est impuissante à retenir. L'archevêque de Paris, Mgr Lustiger, écrit : « Une nation riche qui perd son âme est une nation de morts. Une culture somptueuse qui perd son âme est une culture de morts. Et une nation dont l'âme est morte, une culture qui a perdu ses raisons de vivre, des systèmes économiques et sociaux qui contredisent pratiquement les objectifs qu'ils se proposent, ne peuvent alors enfanter eux-mêmes que le néant et la destruction [1]. » C'est de nous-mêmes qu'il s'agit, sans nulle vanité, et personne ne pourrait, d'ailleurs, n'oserait supposer une seconde

1. *Le Monde*, 12 février 1982.

que la société qui « enfante le néant et la destruction » puisse être une autre que la société capitaliste. Sans aller jusqu'à plaider que la société communiste enfante, elle, un trop-plein d'Etre et de Création, l'archevêque de Paris n'en contribue pas moins à renforcer un peu plus le postulat selon lequel, de toute nécessité, sans discussion possible, le capitalisme démocratique s'identifie à la droite, à l'égoïsme, à la destruction ; ce qui implique, par un renversement logique naturel et contraignant, que son contraire s'identifie à la gauche, à l'altruisme, au progrès.

Je ne reprendrai pas ici la question de savoir pourquoi le capitalisme industriel, le premier et le seul mode de production qui ait arraché des hommes à la pénurie et qui puisse y soustraire ceux qui la subissent encore, se trouve être le plus décrié[1]. Je ne m'attarderai pas davantage à observer que les pays où s'est développé le capitalisme industriel, depuis le XVIIIe siècle, se trouvent également être ceux où a grandi la démocratie moderne. Cela ne veut pas dire que ces pays soient restés constamment fidèles à la démocratie, ni que la démocratie se rencontre partout où se transporte le capitalisme. Cela veut dire, malgré tout, qu'une concomitance générale entre les deux phénomènes est attestée par deux siècles d'histoire. J'entends me limiter à cette observation que ces évidences gigantesques sont escamotées et que les démocraties mêmes adoptent la représentation du monde et la vision historique du communisme.

La plus fausse et la plus pernicieuse caractéristique de cette représentation et de cette vision réside probablement dans l'antithèse même entre socialisme et capitalisme, totalitarisme et démocratie. Cette antithèse sert de grille interprétatrice à la plupart des esprits, même rebelles au socialisme. L'avoir imposée ne constitue pas la plus mince victoire de la désinformation, une désinformation qui porte non plus sur des événements mais sur la pensée même, une désinformation philosophique, qui a logé dans l'entendement de la plupart d'entre nous une véritable taupe idéologique.

Accepter cette grille, nous l'avons vu, c'est accepter le principe que tout régime que ne régit pas la démocratie la plus parfaite soit assimilé au totalitarisme et perde par là le droit de se défendre contre le communisme. Le monde étant peuplé de régimes qui ne sont ni totalitaires ni démocratiques, leur avenir est nettement dessiné. Au demeurant, aucune démocratie, même reconnue comme telle, n'étant parfaite, et comme toute société abrite de nombreux éléments d'oppression, quel régime aura vraiment le droit de se défendre contre le communisme ? Aucun. Sur la même

1. Je me permets de renvoyer sur ce point à *la Tentation totalitaire*, chap. 9, 10 et 11. Paris, 1976, Robert Laffont et Livre de Poche.

ligne de raisonnement, s'il suffit, pour légitimer le communisme, de montrer que le capitalisme présente des défauts, des vices, des crises, alors remettons immédiatement le pouvoir mondial au communisme totalitaire, car le meilleur moyen de ne plus boiter est de se faire amputer des deux jambes.

La véritable antithèse oppose non pas le totalitarisme à la démocratie, le communisme au capitalisme, mais le communisme totalitaire à tout le reste. Le communisme est la nécrose de l'économie, le totalitarisme est la nécrose du politique, de la société civile et de la culture. En face de la mort de la société qu'est le totalitarisme, existent et ont existé d'innombrables formes de société qui n'étaient pas démocratiques, au sens où on l'entend aujourd'hui dans un petit nombre de pays, mais qui n'étaient pas la mort. Le Moyen Age européen, la Chine des Ming, les sociétés africaines, polynésiennes ou américaines antérieures à l'intervention des Européens, la France de Louis XV ou de Napoléon III, l'Angleterre élisabéthaine, l'Espagne de Philippe IV, l'Inde de la dynastie Gupta, l'Allemagne de Kant n'étaient pas des sociétés démocratiques, sans être pour autant des sociétés totalitaires, et c'étaient des sociétés vivantes, qui, chacune à sa manière, engendraient une forme précieuse de civilisation. L'existence d'injustices, de persécutions, d'oppressions dans un groupe est une chose ; que ce groupe même soit, par *toute* son organisation et son idéologie, une négation de la nature humaine est une autre chose. Le groupe totalitaire est ce dernier groupe. Certes, nous semble-t-il aujourd'hui, toute société, pour s'accomplir, doit tendre à la démocratie, s'acheminer vers elle et finir par l'atteindre. J'en conviens, en ce qui me concerne. Reste néanmoins que des milliers de formes sociales ont traversé l'histoire, qui n'étaient pas comparables à nos démocraties d'aujourd'hui mais qui n'étaient pas non plus la négation de l'homme, ni de toute liberté, qui même ont peu à peu créé la civilisation dont nous sommes aujourd'hui porteurs. Je ne me réfère pas même à la distinction, classique pour les politologues, entre régimes autoritaires et régimes totalitaires. Les premiers sont, si je puis dire, contrairement aux second, biodégradables, et l'on voit périodiquement les dictatures de type latino-américain se mitiger, repasser la frontière vers une approximation de démocratie, se pluraliser et s'ouvrir. En revanche, le communisme, pas plus qu'un bateau, ne peut s'ouvrir sans couler. De telles notions sont élémentaires : la distinction à laquelle je me réfère est tout autre, plus profonde, plus radicale. Elle établit une séparation entre d'une part un ensemble de systèmes politiques s'étageant de l'autocratie à la démocratie, justiciables de toutes les critiques qu'on voudra, mais compatibles avec la vie normale d'une société civile, avec une *coutume,* et, d'autre part, le système totalitaire, qui a pour vocation de détruire toute autonomie de la société, de la culture et de l'individu. De même, l'antithèse entre capitalisme et socialisme repose sur un artifice nominaliste. D'abord, le capitalisme n'a jamais été conçu comme un système idéologique, d'une seule venue, destiné à être plaqué par une action volontariste et violente sur des sociétés qui n'en voulaient pas. C'est la fusion ou la juxtaposition d'une myriade de petits comportements spontanés qui remontent au fond des âges et que seul notre esprit unifie, que nous avons fini par rassembler dans un concept général, imprécis et imparfait. Ensuite le capitalisme est un faisceau de comportements économiques. A l'inverse, le communisme n'est pas un système économique : c'est un système politique qui présuppose l'asphyxie de l'économie. Nous devons donc rejeter l'assimilation du communisme aux autres systèmes autoritaires et des autres systèmes autoritaires au communisme. Ce n'est pas la démocratie seule que menace le totalitarisme, c'est la vie même. Le communisme n'est pas un régime parmi les autres, même despotique, ni un système économique parmi les autres, même inefficace et injuste. Le despotisme et l'inefficacité, dans la vie normale, possèdent le rare privilège de pouvoir être corrigés. Toute l'histoire de l'humanité l'atteste, sauf l'histoire du communisme. Le communisme pour subsister tend à détruire non pas seulement la démocratie, mais la possibilité même de la démocratie.

Or toute société, quelle qu'elle soit, aujourd'hui sur notre planète, est susceptible de tourner à la démocratie, sauf la société communiste même, qui ne saurait se démocratiser sans se détruire. On conçoit donc que les stratèges totalitaires s'efforcent d'inverser ou d'arrêter pour jamais cette tendance, dans le monde encore malléable qui les entoure. On conçoit moins aisément qu'ils puissent recruter certains de leurs plus attentifs disciples parmi les guides et les penseurs des civilisations démocratiques.

CONCLUSION

NI GUERRE NI SERVITUDE

On l'aura compris, l'ouvrage qui s'achève avait pour objet non de comparer les mérites respectifs du capitalisme et du communisme, de la démocratie et du totalitarisme, mais uniquement de se demander lequel des deux systèmes est en train de faire reculer l'autre. Mon propos n'était pas davantage, j'y insiste à nouveau, d'examiner une éventuelle « maladie » des institutions et de la société démocratiques envisagées dans leur fonctionnement interne. Une riche collection d'études, classiques ou récentes, traitent des problèmes relatifs à la « crise », à la « chute » au « suicide » ou au « crépuscule » de la démocratie, considérée comme condition d'une civilisation de la liberté, comme mode de délégation, de contrôle et d'exercice des pouvoirs. La plupart de ces études sont consacrées à la démocratie en elle-même, en vase clos, et pourraient avoir été conçues telles qu'elles sont, même si un danger mortel n'avait pas fait son apparition à l'extérieur du périmètre géographique où se déploient physiquement les sociétés démocratiques. La même remarque vaut pour toute la littérature consacrée à la « crise du capitalisme ». Certes, les servitudes de la démocratie, qui sont l'envers de ses avantages, entrent pour beaucoup dans sa vulnérabilité devant l'ennemi extérieur. Mais on peut intégrer ce facteur au calcul du rapport des forces, sans avoir à décider pour autant s'il s'agit ou non d'un symptôme de « décadence », que ce terme soit employé sérieusement, comme par Spengler, ou ironiquement, comme par Raymond Aron[1]. Les diverses questions auxquelles je me suis volontairement limité sont posées autour d'un seul thème central : les démocraties devront-elles accepter la guerre pour échapper à la servitude ou accepter la

1. Oswald Spengler, *le Déclin de l'Occident* (1922), tr. fr., Gallimard, 1931. Raymond Aron, *Plaidoyer pour l'Europe décadente*, Robert Laffont, Paris, 1977.

servitude pour échapper à la guerre ? Ou bien, au pire, devront-elles subir une guerre qui se terminera par leur asservissement ? Ou bien, plutôt, comme je l'espère, ont-elles encore le temps et la capacité de s'épargner à la fois la guerre et la servitude ?

Tout au long des relations entre le monde communiste et le monde démocratique, la clarté de l'interrogation : « qui détruira l'autre ? » a toujours été obscurcie du côté démocratique par des considérations adventices. Pourtant les dirigeants communistes n'ont jamais caché que cette interrogation était, à leurs yeux, la seule importante, qu'ils entendaient bien y répondre par une victoire totale de leur camp, qu'aucun moyen terme, aucun accommodement ne permettrait jamais selon eux d'éluder le choix final de l'histoire. Si les Occidentaux ont du mal à supporter cette vision de la lutte sans merci entre deux formes de société, s'ils la chassent périodiquement de leur esprit, c'est en partie parce que l'aspiration socialiste s'est formée, au XIXe siècle, dans le sein même de la démocratie, a été l'un de ses rejetons, est devenue l'une des composantes de la vie politique. Nous imaginons avec peine que l'héritier présumé de ce courant, le communisme du XXe siècle, s'assigne pour mission historique d'abattre la démocratie, dont il est sorti. Nous nous obstinons à voir en lui une opinion politique parmi d'autres, qui, sans doute, a dégénéré, mais qui peut s'amender, s'apaiser, participer un jour à un concert planétaire. Nous croirions pécher contre la tolérance en pensant autrement. Hélas, ce ne sont pas les démocraties qui mènent le jeu. Leur souci de tolérance et de coexistence entre les systèmes n'est à aucun degré partagé par le communisme.

Le communisme se considère comme constamment en guerre avec le reste du monde, même s'il se résigne de temps en temps à un armistice. Il n'y a pas à s'en indigner. Il faut le voir, ce qui, on en conviendra, constitue au moins la condition initiale de toute riposte politique appropriée. La guerre communiste prend diverses formes, y compris, le cas échéant, l'action militaire. Mais toutes les autres formes d'action, pour les chefs communistes, relèvent également de la guerre, et au premier rang la négociation, ou du moins leur façon bien à eux de la conduire. Négocier a toujours pour but, dans leur esprit, non pas d'aboutir à une transaction durable, mais d'affaiblir l'adversaire pour le préparer à de nouvelles concessions, tout en cultivant chez lui l'illusion que ces nouvelles concessions seront enfin décisives, lui apporteront la stabilité, la sécurité, la tranquillité. La propagande communiste pour la « paix », c'est-à-dire, dans la traduction soviétique, incitant les autres à cesser de se défendre, se double d'une menace perpétuelle de faire la guerre, d'intimidations qui exploitent la peur, fort justifiée, du cataclysme atomique. Ce plaidoyer belliqueux pour la paix revient en définitive à proposer aux populations démocratiques le troc de la sécurité contre la servitude, et se ramène au très classique ultimatum : « Soumettez-vous, sinon vous serez détruits. » C'est ce que Enzo Bettiza nomme le « pacifisme d'assaut ». L'une des branches les plus actives et les plus fécondes de ce pacifisme original est constituée par le bombardement incessant de propositions de désarmement ou de pactes de non-agression que les dirigeants soviétiques font subir aux dirigeants occidentaux. Andropov n'a pas manqué à la règle, il a intensifié le tir. On notera que ces propositions de réduction laissent toujours une marge en faveur de l'URSS, mais l'on notera aussi que les chefs du Kremlin se trompent rarement en faisant le pari que les dirigeants occidentaux seront tenus tôt ou tard de les prendre en considération. L'opinion publique, la presse, les partis, les parlementaires de leurs propres pays les y contraignent, en vertu de ce principe fort civilisé : « On ne laisse pas indéfiniment une offre sans réponse. » Que cette offre puisse être un guet-apens est une crainte qui ne résiste jamais longtemps à la pression des conseillers qui incitent à la confiance. « Négociez, négociez, il en restera toujours quelque chose », clament des millions de voix, comme si la négociation était un but en soi, et non un simple moyen, dont l'efficacité s'apprécie aux résultats dans chaque cas particulier. Et les résultats sont le plus souvent que les dirigeants démocratiques se sentent obligés d'accepter d'abord des réductions d'armements, conventionnels et nucléaires, ensuite des réductions des budgets militaires, enfin la momerie diplomatique suprême : la « rencontre au sommet » avec les maîtres de l'Union soviétique. Quelle belle entreprise ce serait, pour un historien, que de dresser la longue liste des calamités qui sont sorties de ces sommets, et se sont déversées sur les démocraties depuis la Seconde Guerre mondiale. Mais loin d'avoir été rendus circonspects par la maigreur des bénéfices tirés de ces rencontres, les Occidentaux s'obstinent à y consumer leur énergie. Bien plus : la plupart des candidats au poste de chef d'Etat ou de gouvernement dans les grandes démocraties se croient désormais tenus d'accomplir le pèlerinage de Moscou avant d'ouvrir leur campagne électorale. Les patrons du Kremlin ont du reste à cœur de leur rendre la politesse, d'indiquer par des signes lourdement dénués d'ambiguïté le candidat ou le parti auxquels vont leurs préférences. Parfois même ils dépêchent sur place un Gromyko ou un Zagladine quelconque pour contribuer en personne à la propagande électorale, enseigner aux natifs comment trier le bon grain de l'ivraie et admonester comme ils le méritent les « ennemis de la paix, du rapprochement entre les peuples et du désarmement ». Les télévisions occidentales ouvrent libéralement leurs écrans à ces porte-parole soviétiques en mission, sans l'ombre de réciprocité, cela va de soi. Une fois la campagne lancée dans cette direction, les pacifistes occidentaux, les oppositions parlementaires, les organisations prévues à cet effet s'y engouffrent tumultueusement, et quiconque tente de nager contre le courant évite à grand-peine de se retrouver isolé, impopulaire, couvert d'opprobres et de sarcasmes. Qui aurait songé à prophétiser, voilà seulement vingt ans, que les candidats aux plus hautes fonctions démocratiques sentiraient à ce point le besoin de recevoir l'investiture préalable de Moscou ?

Dans son combat contre les démocraties, le communisme a, jusqu'à présent, beaucoup plus gagné que perdu. L'une des faiblesses des Occidentaux est de se rassurer en considérant ses pertes, alors que le point crucial, au sens expérimental du terme, est de savoir si elles sont supérieures ou non à ses gains. Le compte, à cet égard, est parlant. Je n'y reviendrai pas. Reste qu'il est exact que le communisme a subi aussi des revers, affronté des difficultés redoutables, vécu avec des faiblesses chroniques et, on peut le dire au vu du temps qui passe, incurables parce que liées organiquement au système socialiste. Les revers nets sont rares, et les Occidentaux versent trop aisément dans cette catégorie des opérations expansionnistes qui n'ont pas réussi, qui sont des manques à gagner plutôt que des pertes. On peut citer comme exemple de ces manques à gagner le coup d'Etat raté du Parti communiste indonésien en 1965, fiasco qui entraîna un abominable massacre de communistes dans tout le pays, non du fait de l'Etat ou de l'armée, d'ailleurs, mais de la main des habitants, spontanément, à la base, chaque communauté locale procédant à l' « épuration » et à la « liquidation physique » de ses communistes. On peut donner comme autre exemple l'incapacité de Moscou, en 1982, à conserver et à parachever sa mainmise sur le Liban par l'entremise de la double occupation palestinienne et syrienne, son impuissance à contrecarrer l'offensive militaire israélienne et à conserver le contrôle politique du pays, bien qu'elle soit parvenue, dans un sursaut tardif, à faire assassiner Béchir Gémayel, tout juste élu président de la République libanaise. Mais on ne saurait définir ces insuccès comme des pertes, à moins de considérer que l'Indonésie et le Liban devaient, en vertu d'un droit naturel, appartenir au camp soviétique. Notons en outre qu'ils provinrent d'initiatives locales, accidentelles et peu typiques, non de la politique étrangère occidentale, telle qu'elle est conçue dans les capitales où elle se décide. Au dossier des reculs, on peut également verser la difficulté de plus en plus grande qu'éprouve Moscou à faire marcher l'Internationale communiste à la baguette. Les partis qui, comme le Parti communiste français, aboient congrûment chaque fois que Moscou les siffle sont de plus en plus rares et, surtout, deviennent de plus en plus marginaux. La baisse tendancielle de leur taux électoral constitue l'un des phénomènes intéressants de la décennie 1975-1985. La menace adressée par Brejnev à un chef communiste occidental que troublait l'entrée des chars russes à Prague, en 1968 : « Nous avons les moyens de vous réduire à l'état de groupuscule », cette menace s'est réalisée ou est en voie de réalisation dans de nombreux pays, mais pas pour les raisons que Brejnev avait dans l'esprit. Cependant, si les PC n'obéissent plus à la manière d'un même orchestre, comme à la grande époque du Komintern, certains d'entre eux demeurent chargés de missions précises et précieuses. Il n'est que de voir l'art très sûr avec lequel le parti français a mis à profit sa présence au gouvernement, depuis 1981, pour s'emparer de leviers de commande dans les administrations, les entreprises, les moyens d'information, et surtout pour pousser patiemment la France à un isolationnisme économique qui, en portant un coup à la Communauté européenne, réalise un des plus vieux desseins de Moscou. En outre, nous l'avons constaté souvent dans ce livre, les méthodes employées par Moscou pour agir sur les opinions et les gouvernements des grands pays industrialisés et du tiers monde se sont modernisées. Elles empruntent de moins en moins ces canaux trop voyants que sont les partis communistes et de plus en plus des courroies de transmissions plus fines, moins suspectes, fréquemment invisibles.

L'effondrement du prestige politique et humain du communisme en tant que modèle de société a constitué indiscutablement, pour l'Union soviétique et les autres pays socialistes, la perte d'un atout capital, qui avait vigoureusement frayé la voie à l'idéologie communiste ou sympathisante entre les deux guerres et jusque vers 1970. Je ne fais pas allusion aux atrocités commises par le communisme : elles n'avaient jusqu'alors que modérément affecté le rayonnement socialiste. Je me réfère surtout à la faillite économique du socialisme, à la débâcle de l'espérance, de la promesse de bonheur, de justice, d'égalité. L'URSS a même réussi à être depuis 1970 le seul pays industrialisé où la mortalité infantile soit en augmentation régulière ! Non seulement les opinions publiques sont aujourd'hui à peu près informées de la réalité communiste, non seulement les manuels scolaires français [1] ou italiens cessent de répandre la peinture censurée, falsifiée et embellie de l'histoire soviétique ou chinoise, grâce à laquelle leurs auteurs avaient cyniquement trompé des générations d'enfants et d'adolescents, mais les légendes qui magnifiaient les socialismes tiers mondistes n'ont pas résisté au spectacle des boat-people vietnamiens et cubains. Dans la société française, par exemple, l'image de l'Union soviétique n'a jamais été aussi mauvaise depuis la fin de la Seconde Guerre mondiale. Témoin un sondage réalisé en décembre 1982 par la Sofres. A la question : « Le bilan du

1. Voir « l'Histoire à l'endroit », par Christian Jelen et Branko Lazitch, *l'Express*, 26 juin 1982.

système socialiste tel qu'il fonctionne en URSS et dans les démocraties populaires vous paraît-il plutôt positif ou plutôt négatif ? », 69 % répondaient « plutôt négatif » et 11 % « plutôt positif », alors que les réponses à la même question, dix ans auparavant, comportaient 43 % de « négatif » et 28 % de « positif ». A la question : « En faisant le bilan de ces dernières années, diriez-vous que l'Union soviétique est sincèrement attachée à la paix ou pas ? », 50 % répondaient non et 29 % oui, ce qui montre que les populations dans leur masse sont plus clairvoyantes que bien des politiciens. La comparaison, non plus avec 1972, mais avec juin 1980, donc six mois après l'invasion de l'Afghanistan, par conséquent déjà prise en considération, donnait 46 % pour les « non » et 24 % pour les « oui ». Dans l'intervalle, 9 % d'indécis étaient sortis de leur indifférence. Aussi bien dans son système social que dans sa politique étrangère, donc, le communisme rencontre une réprobation accentuée. C'est pourquoi, sans doute, les dirigeants communistes ne comptent plus beaucoup désormais sur le miel pour attraper leurs futures victimes (sauf, peut-être, dans certaines régions du tiers monde encore mal informées), ne cherchent plus à séduire en maniant l'imposture et les idéaux de gauche, ils se bornent à utiliser désormais sans masque la force pure. Contrairement aux classes dirigeantes occidentales, bourrelées de remords et de mauvaise conscience, la classe dirigeante soviétique est pour sa part entièrement dénuée de mauvaise conscience et utilise avec la plus parfaite sérénité la force brute aussi bien pour garder son pouvoir à l'intérieur que pour l'étendre à l'extérieur. Dans son livre, Michaël Voslensky a bien mis en évidence cet aspect externe, le danger que la Nomenklatura fait courir à la paix mondiale, son orgueil, son agressivité, sa xénophobie, ses ambitions planétaires[1]. L'efficacité de la *machine à conquérir* soviétique se voit à ceci qu'en dépit de l'inefficacité du communisme dans tous les autres domaines, elle continue à fonctionner.

Car je suis d'accord pour prendre en considération les faillites communistes. L'inventaire de ces faillites est tellement impressionnant que c'est précisément cela qui m'effraye : un système qui a pu devenir si fort malgré tant de défaillances, un système qui domine de plus en plus le monde alors que personne n'en veut, du moins aucune majorité, dans les pays où il cherche à pénétrer, et que tout le monde, sauf la Nomenklatura, voudrait s'en débarrasser dans les pays où il est installé, ce système doit contenir un principe d'action et d'accaparement supérieur à tout ce que l'homme a connu. Le communisme et l'empire soviétique sont des phénomènes sans précédent historique. Aucun des concepts classiques qui servent à

1. Michaël Voslensky, *la Nomenklatura*, tr. fr. Belfond, Paris, 1980.

rendre le passé intelligible ne convient à l'interprétation de l'impérialisme communiste. Cet impérialisme ne suit nullement la courbe en cloche des expansionnismes de jadis, ce qui n'empêche pas les démocraties de persister à miser sur son déclin spontané ou sa modération volontaire. *Plus le communisme soviétique dure, plus il devient expansionniste* et difficile à maîtriser. Les autres communismes, Cuba, le Vietnam, la Corée du Nord, en particulier, tout anémiques que soient leurs économies, ont manifesté une propension identique à conquérir. Même s'il est vrai que le communisme présente des symptômes de pourrissement et subit des revers, il ne s'ensuit pas qu'il s'engage dans la voie pacifique. A coup sûr, peu d'autres empires ont connu, sinon dans leur phase de désagrégation, autant de révoltes nationales et populaires que l'empire soviétique depuis 1953. Mais il les a supportées et matées, lui, sans se désagréger. Et ces embarras n'ont en aucune façon enrayé son élan expansionniste, tout au contraire. Il se produit même souvent que tout un règne ou un fragment de règne soit jalonné d'échecs graves, comme ce fut le cas sous Staline entre 1925 et 1935, ou sous Khrouchtchev, qui fit un moment figure de fossoyeur de l'empire, et durant les années suivant immédiatement sa chute : rupture avec la Chine, perte de l'Albanie, neutralité de la Corée du Nord et du Vietnam dans le différend soviéto-chinois, révoltes populaires en Pologne, en Hongrie, en Tchécoslovaquie ; prise d'une certaine distance par la Roumanie, fin du monolithisme dans le mouvement communiste international. Pourtant, jamais l'expansionnisme de l'empire et l'accroissement de sa puissance militaire n'ont été aussi forts que durant les années qui suivirent. Plus on avance vers la fin du siècle, plus l'impérialisme communiste devient le problème principal de notre temps. C'est même la menace pesant sur la liberté du monde qui a eu la plus longue durée au XXe siècle et qui dure encore. Les autres totalitarismes, les fascismes, les dictatures, ont sombré par la défaite ou par l'usure du temps. Dans les pays qui, malheureusement, aujourd'hui encore, ont subi ou subissent des dictatures non communistes s'effectuent de fréquents chassés-croisés entre la dictature et la démocratie ou, du moins, des formes mitigées de dictature (ou de démocratie). Seul le totalitarisme communiste est à la fois durable et immuable.

Devant la question : « Quelle est la solution, pour les peuples non communistes ? », je suis tenté, une dernière fois, de recourir derechef à Démosthène. « Il y a des gens, disait-il, qui croient confondre celui qui monte à la tribune en lui demandant : que faut-il donc faire ? A ceux-là, je donnerai la réponse selon moi la plus équitable et la plus vraie : ne pas faire ce que vous faites actuellement[1]. » La réplique est moins courte qu'il n'y paraît,

1. *Sur les affaires de la Chersonèse,* § 38.

même pour le monde d'aujourd'hui. Quelles solutions avons-nous en effet à notre disposition ? La première, le prolongement de la tendance actuelle, confirmera la progression du totalitarisme, dont les faiblesses et les échecs internes ne suffiront pas, l'expérience l'a prouvé, à faire cesser la marche en avant. Une seconde solution se fonderait sur l'espoir que le communisme va changer tout seul de méthode si nous lui reconnaissons sa place au soleil et montrons par des concessions que nous n'avons manifestement aucune intention de l'attaquer. Cette seconde formule, qui planait sur la coexistence pacifique et la détente, a suffisamment fait la preuve de sa nocivité pour que l'on n'y revienne pas ; ou du moins, car nous ne l'avons pas abandonnée, qu'on ne compte pas sur elle pour nous sauver. Elle revient en pratique à éluder la guerre en acceptant à terme la servitude, ou la subordination. Quant à une éventuelle troisième solution, l'horrifique « retour à la guerre froide » dont on nous tympanise régulièrement, elle n'existe pas, puisque, nous l'avons bien vu, la guerre froide n'a jamais existé ; ou, du moins, n'a jamais été qu'une version moins prononcée de la détente, et n'a, en tout cas, pas réalisé son programme théorique d' « endiguement ». En fait, le calcul égoïste de la détente, par lequel les démocraties ont pensé troquer l'asservissement définitif, entériné officiellement par traité, des peuples soumis à la dictature communiste, contre notre sécurité, ce calcul a échoué. Nous avons effectivement abandonné à leurs maîtres les peuples asservis. Boukovsky a rencontré sur son chemin un symbole cruel de cette complicité. Il raconte dans *Et le vent reprend ses tours :* « Le tchékiste, qui m'a ôté les menottes fait remarquer, pour mon édification : “ Ces menottes, à propos, elles sont américaines. ” Et il me montre l'estampille. Comme si je l'avais attendu pour savoir que l'Occident, depuis les débuts du pouvoir soviétique, ou peu s'en faut, nous approvisionne en menottes, au sens propre comme au sens figuré... » Cette complicité, toutefois, ne nous a pas apporté la sécurité que nous en attendions. Jamais les démocraties n'ont été plus vulnérables, plus désemparées et plus exposées aux coups de l'impérialisme communiste qu'au terme de la période dite de détente. Particulièrement tragiques ont été les années 1980-1983, qui virent le désarroi semé dans le camp occidental par les affaires afghane et polonaise et l'acceptation progressive mais irrésistible par les démocraties de la supériorité soviétique devant le langage chaque jour plus comminatoire, plus impudent de morgue et de brutalité, adopté à leur usage par le Kremlin.

Alors, la guerre ? Des esprits pondérés poussent le pessimisme jusqu'à estimer que l'Occident s'est avancé si loin dans la voie de la docilité qu'il ne peut plus désormais donner le coup d'arrêt sans risquer la guerre. Pour ma part, je suis arrivé à la conviction contraire, à la conviction que le chantage à l'apocalypse nucléaire des Soviétiques n'est pas sincère, et ne s'intensifie d'année en année qu'en raison des profits énormes qu'il leur a toujours valus et continue de leur valoir. Mais le régime ne serait pas en état de résister à une guerre. Autant il me paraît illusoire de compter que le système totalitaire se désagrégera de lui-même en temps de paix, autant il me paraît probable et il doit paraître encore plus probable aux dirigeants communistes que les populations asservies ne consentiraient pas à se sacrifier aux ambitions maniaques de la Nomenklatura. Ce n'est pas sans raison que les blessés soviétiques de la guerre d'Afghanistan furent soignés dans des hôpitaux d'Allemagne orientale et non pas en URSS. Déjà lors de l'invasion nazie de 1941, des couches substantielles de la population ont vu dans la guerre l'occasion de se retourner contre le régime, pour des motifs qui n'avaient rien à voir avec une quelconque sympathie pour le fascisme, comme Soljénitsyne l'a expliqué et démontré à l'aide des exemples les plus convaincants. Autant le système communiste est quasiment impossible à démanteler de l'intérieur en temps normal, à l'aide d'une dissidence ou même de soulèvements réunissant des foules gigantesques (l'histoire des démocraties populaires le prouve tristement), autant le système deviendrait fragile en cas de guerre, précisément à cause de ces fameuses faiblesses dont nous avons tort d'attendre des miracles en temps de paix, mais dont les facultés éruptives feraient des ravages dans le prodigieux désordre que répandrait un conflit généralisé, au sein d'une société qui est déjà inefficace et désordonnée lorsque aucune situation d'urgence ne l'accable.

Si les Soviétiques veulent conserver leur supériorité nucléaire sur l'Europe occidentale, c'est justement afin de pouvoir exercer sur elle une pression toujours plus forte *sans* être entraînés dans une guerre générale et en obtenant peu à peu que les Etats-Unis se dégagent du continent européen. Voilà pourquoi, en mars 1983, la victoire électorale des chrétiens-démocrates d'Helmut Kohl, anéantissant l'espoir communiste de neutraliser à court terme la RFA, les a si fort irrités. Mais la certitude qu'une riposte nucléaire ne pourrait plus avoir lieu n'empêcherait pas les Soviétiques d'avoir recours, dans un avenir plus ou moins lointain, à des opérations militaires classiques. Je dirai même que cette certitude les y inciterait. Les communistes ont toujours réussi leurs multiples expéditions militaires locales en partant du principe que les Occidentaux, incapables de les contrecarrer avec des moyens conventionnels, écarteraient a priori la riposte nucléaire. Aussi la dissuasion nucléaire occidentale demeure-t-elle la première de toutes les garanties de paix, comme elle l'a prouvé pendant trente-cinq ans. La Nomenklatura non plus ne tient pas à mourir.

Cette donnée une fois bien comprise, le second article d'une politique étrangère digne de ce nom consisterait à ne plus admettre aucun empiétement soviétique sans procéder à des représailles immédiates, notamment économiques, et à ne plus rien concéder sans contreparties évidentes, équivalentes et palpables. J'ai fourni, je crois, assez d'exemples tout au long de ces pages, de cas où nous avons fait exactement le contraire pour ne pas avoir à me répéter. Autrement dit, notre politique devrait consister à pratiquer et à exiger une *vraie* détente, dans les deux sens, et non pas au seul profit de l'Union soviétique. Nos moyens, en réalité, sont innombrables, dans les domaines du commerce, de la propagande, de l'action contre les services secrets ou les agents d'influence et surtout contre l'expansionnisme communiste dans le tiers monde. Nous devons refuser systématiquement tout ce que les communistes demandent, y compris les conférences de prétendues négociations sur le désarmement, aussi longtemps que l'Union soviétique poursuivra son expansion. Pourquoi n'avoir pas réclamé l'évacuation immédiate et totale de l'Afghanistan comme condition préalable à tout début de pourparlers sur la réduction du nombre des missiles de moyenne portée en Europe ? Comment se fait-il qu'aucun homme d'Etat occidental en 1982 ou 1983 n'ait songé à le faire, n'ait osé adopter cette position, qui eût pourtant été conforme à la technique diplomatique la plus classique ? Ce sont les Soviétiques qui désirent parler, depuis le début de la décennie 80, au sujet des euromissiles ; ce sont eux qui sont demandeurs, pas les Occidentaux. Qu'avons-nous fait de cette situation de force ? La réponse est simple : rien. Comment l'avons-nous utilisée ? La réponse est identique : pas du tout. Le redressement de la politique étrangère des pays non communistes devrait et peut avoir un objectif précis : faire une fois pour toutes comprendre aux Soviétiques que la poursuite ou la reprise de négociations et de concessions sur quelque sujet que ce soit comporte comme condition préalable et irrévocable l'arrêt définitif de l'impérialisme communiste, où que ce soit.

La mise en œuvre de cette nouvelle diplomatie ou, plus exactement, ce retour à une diplomatie normale supposerait chez les Occidentaux une reconversion intellectuelle à peu près totale, une compréhension enfin réelle du phénomène communiste, appuyée par une non moins nouvelle harmonisation et coordination de leurs politiques. Autant dire que, si cette nouvelle diplomatie me paraît possible en elle-même, elle me paraît peu vraisemblable en raison de la frivolité intellectuelle, de l'indécision et de la mésentente régnant chez les acteurs qui devraient la conduire.

Je n'ai pas à être pessimiste ou optimiste. Je fais un constat. Le constat est pessimiste, non l'auteur qui le fait. Le sort de la démocratie dans le monde d'aujourd'hui se jouera au cours des dernières années de ce siècle. Je veux dire notre sort, puisque, si l'histoire a pour cadre les millénaires, la vie n'a pour cadre qu'un petit nombre d'années et que, pour citer la phrase d'Achim d'Arnim, « chaque homme recommence l'histoire du monde, chaque homme la finit ».

TABLE

I. LA DÉMOCRATIE DEVANT SON ENNEMI

II. LA MATÉRIALITÉ DE L'EXPANSION COMMUNISTE

III. LES OUTILS DE L'EXPANSION COMMUNISTE

IV. LES CADRES MENTAUX DE LA DÉFAITE DÉMOCRATIQUE

Achevé d'imprimer le 28 avril 1983
sur presse CAMERON,
dans les ateliers de la S.E.P.C.
à Saint-Amand-Montrond (Cher)
pour le compte des éditions Grasset
61, rue des Saints-Pères, 75006 Paris

N° d'Édition : 6111. N° d'Impression : 786.
Première édition : dépôt légal : mars 1983.
Nouvelle édition : dépôt légal : avril 1983.
Imprimé en France

ISBN 2-246-28631-X